Spanish Grammar in Context

Custom Edition for Indiana University Bloomington

Taken from:

Spanish Grammar in Review, Third Edition
by James S. Holton, Roger L. Hadlich, and Norhma Gómez-Estrada

Lazos: Gramática y vocabulario a través de la literatura
by Diana Frantzen

Spanish Grammar: A Quick Reference, Second Edition
by David Wren, M.A.

Custom Publishing

New York Boston San Francisco
London Toronto Sydney Tokyo Singapore Madrid
Mexico City Munich Paris Cape Town Hong Kong Montreal

Cover Art: Courtesy of Photodisc/Getty Images

Taken from:

Spanish Grammar in Review, Third Edition
by James S. Holton, Roger L. Hadlich, and Norhma Gómez-Estrada

Published by Prentice Hall
Upper Saddle River, New Jersey 07458

Lazos: Gramática y vocabulario a través de la literatura
by Diana Frantzen

Published by Prentice Hall

Spanish Grammar: A Quick Reference, Second Edition
by David Wren, M.A.

This special edition published in cooperation with Pearson Custom Publishing.

Printed in the United States of America

10 9 8 7 6 5 4 3 2 1

2009320099

LM

Pearson
Custom Publishing
is a division of

www.pearsonhighered.com

ISBN 10: 0-558-36458-6
ISBN 13: 978-0-558-36458-8

Taken from *Lazos: Gramática y vocabulario a través de la literature*
by Diana Frantzen

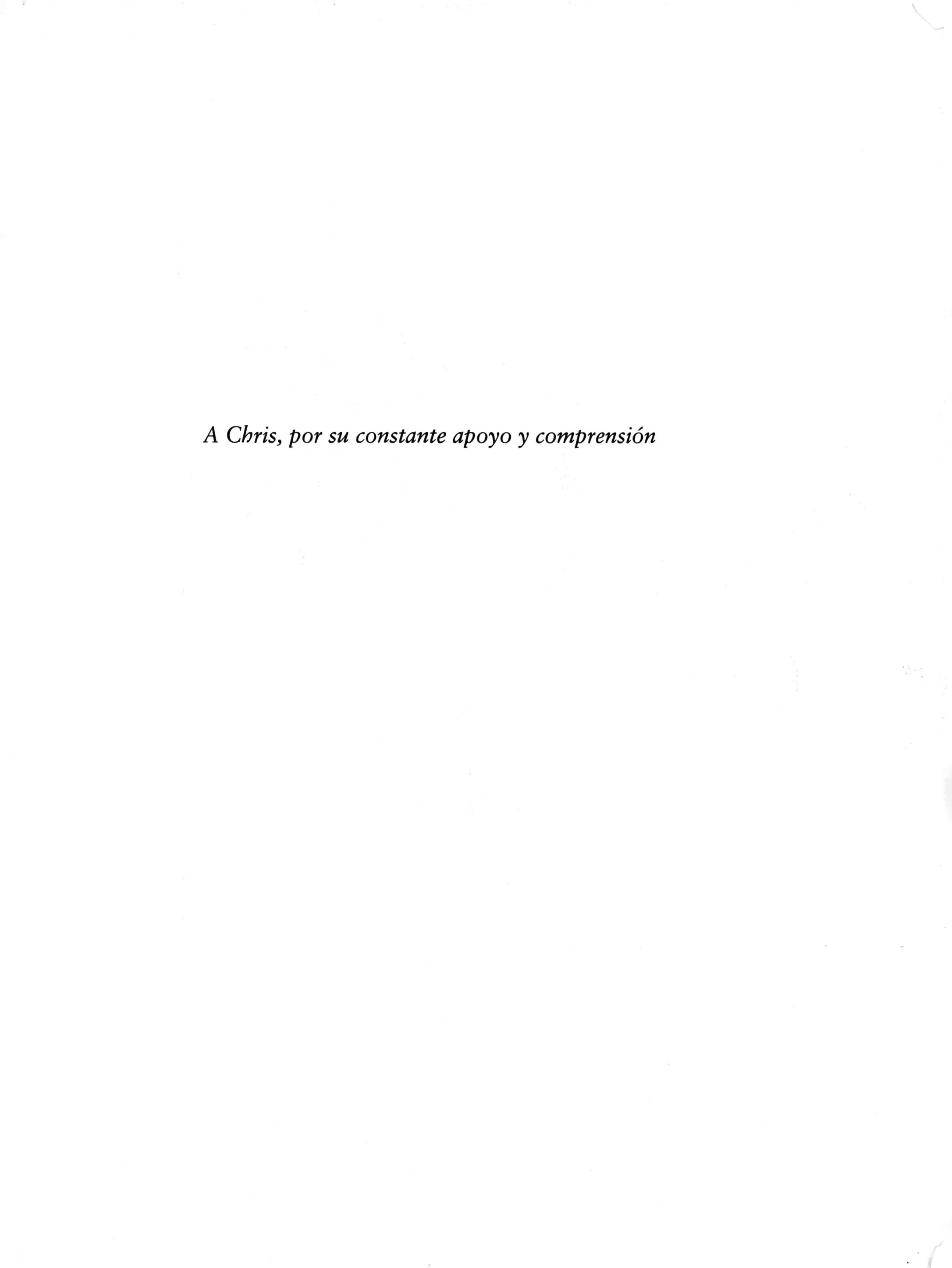

A Chris, por su constante apoyo y comprensión

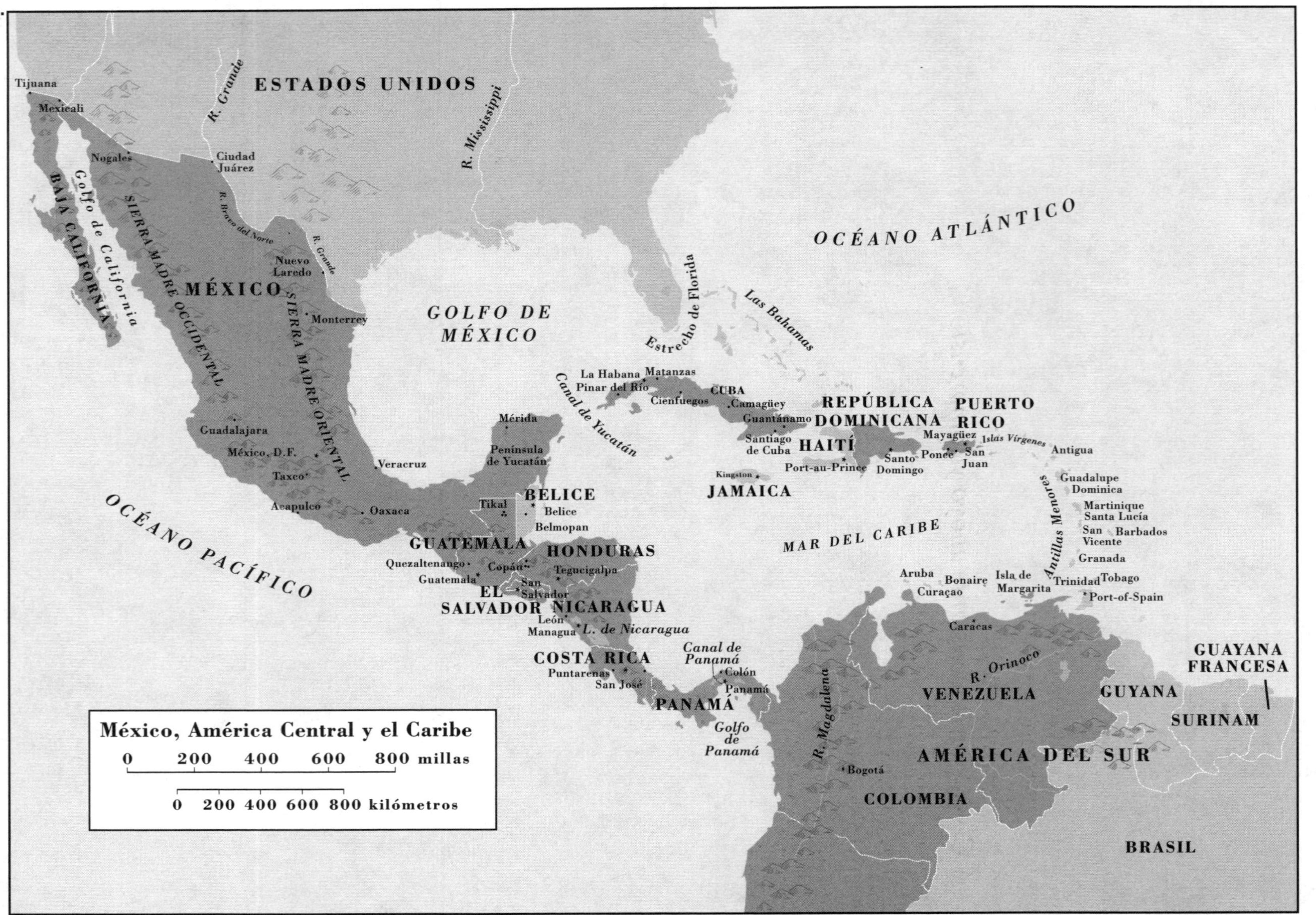
México, América Central y el Caribe
0 200 400 600 800 millas
0 200 400 600 800 kilómetros
ESTADOS UNIDOS
R. Grande
R. Mississippi
Tijuana
Mexicali
Nogales
Ciudad Juárez
R. Bravo del Norte
R. Grande
Nuevo Laredo
Monterrey
BAJA CALIFORNIA
Golfo de California
SIERRA MADRE OCCIDENTAL
SIERRA MADRE ORIENTAL
MÉXICO
Guadalajara
México, D.F.
Taxco
Acapulco
Oaxaca
Veracruz
GOLFO DE MÉXICO
OCÉANO PACÍFICO
OCÉANO ATLÁNTICO
Estrecho de Florida
Las Bahamas
Canal de Yucatán
Mérida
Península de Yucatán
BELICE
Belice
Belmopan
Tikal
GUATEMALA
Quezaltenango
Guatemala
Copán
HONDURAS
Tegucigalpa
San Salvador
EL SALVADOR
NICARAGUA
León
Managua
L. de Nicaragua
COSTA RICA
Puntarenas
San José
Canal de Panamá
Colón
Panamá
PANAMÁ
Golfo de Panamá
La Habana
Matanzas
Pinar del Río
Cienfuegos
CUBA
Camagüey
Guantánamo
Santiago de Cuba
Kingston
JAMAICA
HAITÍ
Port-au-Prince
REPÚBLICA DOMINICANA
Santo Domingo
PUERTO RICO
Mayagüez
Ponce
San Juan
Islas Vírgenes
Antigua
Guadalupe
Dominica
Martinique
Santa Lucía
San Vicente
Barbados
Granada
Antillas Menores
Trinidad
Tobago
Port-of-Spain
MAR DEL CARIBE
Aruba
Curaçao
Bonaire
Isla de Margarita
Caracas
R. Orinoco
VENEZUELA
R. Magdalena
Bogotá
COLOMBIA
AMÉRICA DEL SUR
GUYANA
SURINAM
GUAYANA FRANCESA
BRASIL

MAR CARIBE
Barranquilla
Cartagena
Maracaibo
TRINIDAD Y TOBAGO
Port-of-Spain
Caracas
R. Orinoco
VENEZUELA
OCÉANO ATLÁNTICO
Georgetown
Paramaribo
Cayenne
GUYANA
SURINAM
GUAYANA FRANCESA
Medellín
Manizales
Bogotá
Cali
COLOMBIA
CORDILLERA DE LOS ANDES
Quito
ECUADOR
Guayaquil
Iquitos
Manaus
R. Amazonas
Belém
ECUADOR
Cajamarca
R. Madeira
BRASIL
Recife
PERÚ
Macchu Picchu
Lima
Ayacucho
Cuzco
Salvador
Arequipa
L. Titicaca
La Paz
Brasilia
BOLIVIA
Arica
Sucre
Potosí
Iquique
Belo Horizonte
PARAGUAY
Rio de Janeiro
Antofagasta
Salta
São Paulo
Santos
Asunción
TRÓPICO DE CAPRICORNIO
Tucumán
OCÉANO PACÍFICO
CHILE
CORDILLERA DE LOS ANDES
Córdoba
R. Paraná
R. Uruguay
Porto Alegre
Mendoza
Rosario
Valparaíso
Santiago
URUGUAY
Buenos Aires
Montevideo
La Plata
Río de la Plata
Concepción
Bahía Blanca
ARGENTINA
Puerto Montt
Islas Malvinas
Estrecho de Magallanes
Punta Arenas
TIERRA DEL FUEGO
Cabo de Hornos
América del Sur
0 200 400 600 800 millas
0 200 400 600 800 kilómetros

MAR CANTÁBRICO
FRANCIA
PIRINEOS
ANDORRA
Santander
San Sebastián
Avilés
Gijón
PRINCIPADO DE ASTURIAS
Oviedo
La Coruña
Lugo
GALICIA
CANTABRIA
Bilbao
PAÍS VASCO
Pamplona
COM. FORAL DE NAVARRA
CORDILLERA CANTÁBRICA
León
Burgos
Pontevedra
Vigo
Palencia
LA RIOJA
ARAGÓN
CATALUÑA
R. Ebro
CASTILLA Y LEÓN
Valladolid
SISTEMA IBÉRICO
Zaragoza
Lérida
Barcelona
Braga
Zamora
Tarragona
R. Duero
Oporto
Salamanca
Segovia
ISLAS BALEARES
Menorca
Ávila
MADRID
ESPAÑA
Madrid
Coimbra
SERRA DA ESTRELA
SIERRA DE GUADARRAMA
Toledo
CASTILLA-LA MANCHA
COMUNIDAD VALENCIANA
Palma de Mallorca
Mallorca
Valencia
R. Tajo
Cáceres
R. Júcar
EXTREMADURA
Eivissa (Ibiza)
Formentera
Albacete
PORTUGAL
Mérida
R. Guadiana
Ciudad Real
Lisboa
Almadén
Setúbal
Badajoz
Alicante
SIERRA MORENA
Murcia
Linares
REGIÓN DE MURCIA
R. Guadalquivir
Jaén
Córdoba
Cartagena
MAR MEDITERRÁNEO
ANDALUCÍA
Huelva
Sevilla
Granada
Almería
SIERRA NEVADA
Jerez de la Frontera
Málaga
Cádiz
Algeciras
Estrecho de Gibraltar
Ceuta (Esp.)
Tánger
Melilla(Esp.)
Santa Cruz de la Palma
La Palma
Gomera
Hierro
Santa Cruz
Tenerife
Lanzarote
Arrecife
Puerto del Rosano
Fuerteventura
Las Palmas
Gran Canaria
OCÉANO ATLÁNTICO
ISLAS CANARIAS
MARRUECOS
España
0
150 mi
0
250 km.

Contenido

Prefacio

Lazos: Gramática y vocabulario a través de la literatura is a reader intended for a high intermediate/advanced college-level audience. It features fifteen short stories by authors from a variety of Spanish-speaking countries. It combines an intensive review of selected Spanish grammar and vocabulary to accompany each story. The stories provide the basis not only for literary study but also for an advanced examination of lexical and grammatical topics. In addition to linguistic (lexical and structural) analysis, the numerous pre- and post-reading exercises will allow students to develop advanced-level speaking and writing skills as they address themes that spring from the stories.

The word *lazos* in the title has several meanings: links, ties, bonds, connections, traps, and snares. *Lazos* refers to the common thread of themes that bind the stories in the collection—the various bonds that characterize the relationships between the characters in the stories. In addition, *lazos* refers to the grammatical links that unite the book, by recurring throughout. And because *lazos* can also mean "traps"—both literally and figuratively—it is also an allusion to the traps we tend to fall into because of our human frailties as well as to the grammatical traps learners of Spanish tend to get caught up in before they have mastered the concepts.

Lazos includes numerous opportunities for learners to make progress toward acquiring the content and process goals of the National Standards. For example, each chapter's exercises provide practice in the Interpersonal, Interpretive, and Presentational modes of the Communication standard. As for the Cultures standard, learners gain knowledge and understanding of Hispanic cultures, both by being exposed to the perspectives and practices (as presented in topics dealt with in the stories) as well as by becoming thoroughly familiar with the products that represent them, the stories themselves. In the numerous exercises in the *Enfoques léxicos* and *Lazos gramaticales* sections, students develop a deeper understanding of how the Spanish language carries meaning and how it does so differently from English. Consequently, they are able to make the kind of linguistic and cultural comparisons inherent in the goals of the Comparisons standard. Because students are frequently encouraged to draw on their own experiences and to apply them to the situations encountered by the characters in these stories, they learn to understand better the multiple Hispanic cultures represented in the fifteen stories in this collection. With regard to the Connections standard, learners acquire information and are exposed to viewpoints that are expressed through the characters and narrators of the stories. In addition, because *Lazos* provides learners the tools, guidance, and practice to become better readers, speakers, writers, and listeners of Spanish, it helps solidify the "lifelong learning" goal of the Communities standard.

Program Overview

Reading selections The text includes fifteen short stories from a variety of Spanish-speaking countries. They are arranged by difficulty but can be selected in any order. Stories appearing first are those narrated largely in the present tense and/or those with simpler vocabulary and a more direct narrative style. Stories containing more difficult structures (including a variety of tenses) and vocabulary, and those that do not have a traditional narrative structure appear later.

Grammatical and lexical features *Lazos* offers thorough explanations of the grammatical and lexical topics that typically give students difficulty. The explanations are provided in Spanish, using language accessible to students at this level. A separate grammar section, in the form of a handbook (*Manual de gramática*, located at the back of the book), features concise explanations which instructors can assign in the order that is most appropriate for their class. Many exercises in the grammar analysis section (*Lazos gramaticales*) refer students to these explanations. Several linguistic explanations appear on a smaller scale along with a particular short story. These explanations are included in an exercise in the appropriate section—*Enfoques léxicos* or *Lazos gramaticales*—or in the teacher notes (in the Instructor's Resource Manual), allowing instructors to incorporate the information into their lesson plan as they see fit.

Activities All readings are accompanied by various types of exercises. Pre-reading exercises help learners anticipate the themes and deal with potential difficulties of theme and vocabulary. Post-reading exercises review content as well as examine the grammar topics in focus.

Because vocabulary building is an important component of *Lazos*, two to five vocabulary-development exercises precede each story. Each post-reading section (*Lazos gramaticales*) offers in-depth analysis of two or more grammar topics featured in the story. Many of the grammar topics are treated multiple times throughout the book. The hope is that, by carrying out the type of analysis provided in these exercises, students will not only better understand the stories but will acquire a better understanding of the grammar topics and gain an appreciation of the important function grammar often plays in conveying meaning.

A key element of *Lazos* is the development of language on various levels. Therefore, in addition to offering linguistic analysis, many of the exercises afford students opportunities to practice speaking and writing in Spanish as they address themes in the stories. Students are encouraged to speak and write at length so that they develop advanced-level speaking and writing skills.

Chapter Organization

Lazos' chapter structure is easy to use. Each short story includes the following sections:

ANTES DE LEER These activities, along with the accompanying illustrations, orient the student to the story's theme. The questions are designed to activate background knowledge and thus improve reading comprehension.

Enfoques léxicos The vocabulary exercises familiarize students with and strengthen their knowledge of some of the vocabulary before they read the stories, which helps them better understand them. Some lexical topics routinely covered in this text include false cognates, vocabulary development involving word roots, and practice with synonyms and antonyms. Some stories include an exercise with problematic words that give native English speakers difficulty. These exercises are titled *Expresiones útiles* or *Palabras con múltiples significados*, depending on the nature of the words and activities included.

A LEER These activities build upon the previous ones and further prepare students to read the story.

Estrategia de lectura Reading strategies are presented to help students become more successful readers.

Advance organizers Each chapter provides biographical information about the author at the beginning of each story as well as historical and cultural information to assist students in understanding the context in which the story is written.

The story is presented without modification from the original except for glossing. In general, the glossed words are non-cognate words that cannot be reliably inferred from the context. Whenever possible, glosses are provided in Spanish. English is used when Spanish synonyms are as difficult or as uncommon as the original word, or when a Spanish paraphrase would be too long for space considerations.

DESPUÉS DE LEER These questions deal mainly with plot development and are divided into two sections: *En general*, which contain more global comprehension questions and *En detalle*, which contain more specific questions. Both prepare students for the more in-depth analysis that follows in the *Discusión e interpretación* section. This section's questions require more thoughtful analysis and emphasize personalized use of the language. They lend themselves to pair and small-group discussions prior to full-class discussions and encourage paragraph-length discourse, important for developing oral skills from the intermediate to the advanced level.

LAZOS GRAMATICALES These grammar analysis exercises are designed to help students use their grammatical knowledge to understand structures used in a particular story. The selected grammar points are important for the reader to be aware of in order to better understand the story. Students may refer to the thorough explanations in the *Manual de gramática* section for an in-depth explanation of some challenging structures. Other linguistic analysis exercises which spring from a particular story are self-contained in that they include sufficient explanation for completing the exercise.

A ESCRIBIR This section provides a process approach to writing and includes several suggestions of writing topics. Students are given both guidance and freedom to develop their ideas and, in so doing, their writing skills will improve.

Estrategias de composición One topic always includes step-by-step suggestions (*Estrategias de composición*) for writing the essay. Though directed to a specific topic, they are easily adaptable to different topics.

MANUAL DE GRAMÁTICA Provided in Spanish and located at the back of the text, these grammar explanations vary in format, and all contain thorough but easy-to-follow explanations. Although most of these topics are covered extensively in Spanish language courses—some beginning in the first year—they are difficult areas that take considerable time and multiple exposures to be fully acquired. *Lazos* presents complete and accurate explanations that will improve students' understanding and use of the concepts.

Apéndice: Verbos Verb charts are included for easy reference for students to use as they prepare answers to the exercises. The charts contain models for the regular verb conjugations as well as a thorough set of irregular verbs.

Glosario: Español-inglés The Spanish/English glossary provided will make it easy for students to look up unknown words as they read.

Instructor's Resource Manual

An Instructor's Resource Manual, available to instructors online at **http://www.pearsonhighered.com**, features a variety of elements to assist instructors in preparing their lessons. Answer keys provide the correct or suggested answers to the exercises and often include explanations that instructors may wish to incorporate into class discussions. In addition, the Instructor's Resource Manual provides suggestions for variations to the exercises and alternate formats for presenting the stories and exercises.

Acknowledgments

I would like to thank the following reviewers for their insightful comments and helpful suggestions: Paul A. Bases, Martin Luther College; Paul M. Chandler, University of Hawai'i at Manoa; Richard K. Curry, Texas A & M University; Dolores Flores-Silva, Roanoke College; Gregory Blair Kaplan, University of Tennessee; Ramón Magrans, Austin Peay State University; Carlos David Martínez, Texas A & M University; Leticia McGrath, Georgia Southern University; Liliana E. Riboldi, Utah Valley State College; Sharon Robinson, Lynchburg College; and Phyllis E. VanBuren, St. Cloud State University.

I am grateful to the many colleagues and graduate students I consulted at the University of Wisconsin-Madison, and wish to thank my students who helped me refine the exercises. In addition, many thanks go to Mary Campion, Brian Donnelly, and Teri Stratford and to Becky Giusti and her colleagues at GGS Book Services PMG. My sincere gratitude goes out to the many people at Prentice Hall who have supported me along the way, among them: Donna Binkowski, Bill Bliss, Stephanie Bribiesca, Julia Caballero, Jessica García, Debbie King, Erin McDougal, Vicky Menanteaux, Phil Miller, Brian Normoyle, Pete Ramsey, Janice Stangel, Nancy Stevenson, Kristine Suárez, and Joe Sturino. Particular thanks go to my editor, María F. García, whose insights, encouragement, and guidance were invaluable, as well as to Bob Hemmer, who supported *Lazos* from the very beginning.

CAPÍTULO

1

Al colegio

Carmen Laforet (1921–2004)

ANTES DE LEER

1-1 Reflexiones. Considere las siguientes preguntas antes de leer el cuento.

1. Piense en su primer día del colegio. ¿Cómo se sentía? ¿entusiasmado/a, nervioso/a, orgulloso/a, preocupado/a, triste, alegre, relajado/a, etc.? ¿Cómo cree Ud. que se sentía su madre/padre ese día?
2. ¿Qué recuerda Ud. de sus años en el colegio? Escriba una lista indicando (1) los eventos, (2) las cosas y (3) las personas que recuerde. Compare su lista con la de un/a compañero/a. Luego compartan y discutan lo que recuerden del colegio con la clase. Por lo general, ¿fueron agradables o desagradables sus años en el colegio?
3. Para familiarizarse con el cuento antes de leerlo, hojee° los tres primeros párrafos buscando la siguiente información: (1) la persona que narra este cuento; (2) la estación del año cuando empieza el colegio. Identifique la «evidencia» del cuento que apoya sus respuestas.

° *skim*

Enfoques léxicos

Cognados falsos

1-2 Examinación de cognados falsos en «Al colegio». Este cuento contiene varios cognados falsos, algunos de los cuales se incluyen en los ejercicios a continuación. (Para una explicación más detallada de los cognados falsos, lea la sección 1 del *Manual de gramática* [pp. 285–290] al final del libro.)

1. La palabra **colegio** no quiere decir *college* en el sentido de **universidad.** Un **colegio** es una escuela —muchas veces privada— y este término se usa tanto para una escuela primaria como para una escuela secundaria. Hojee los tres primeros párrafos del cuento para determinar el tipo de colegio en este cuento.

→ Si Ud. ha determinado que en el cuento **colegio** se refiere a una escuela primaria, tiene razón.

En más detalle

Colegio puede traducirse a *college* en frases como **Colegio electoral** o **Colegio de Cardenales.** Nunca se usa como el equivalente de *university*, o sea **universidad.**

2. **Fila** casi nunca se traduce a *file*. ¿Puede Ud. determinar su significado en la oración del cuento a continuación?

   Pasamos corriendo delante de una **fila** de taxis parados...

➔ Si Ud. ha determinado que **fila** significa *row* o *line*, tiene razón.

En más detalle

Hay una expresión en la que *file* y **fila** son cognados: *in single file*/**en fila india.** Observe que esta expresión también quiere decir *row* o *line*.

File en el sentido de *file folder* significa **archivo** y el verbo *to file (documents)* es **archivar.** *File* en el sentido de *tool made of metal used to smooth edges or cut ridges*, significa **lima** (el verbo *to file* en este sentido es **limar**).

3. La palabra **largo** nunca significa *large*; *large* generalmente significa **grande.** Si no sabe el significado de **largo**, trate de determinarlo según el contexto de la oración en el cuento a continuación. Explique su respuesta.

   ...cuando salgo de casa con la niña tengo la sensación de que emprendo un viaje muy **largo**.

➔ Si Ud. ha determinado *long*, tiene razón.

En más detalle

La expresión **pasar de largo** significa **pasar sin parar.** Se usa en el cuento en la siguiente frase: «...la niña y yo pasamos **de largo** delante de la fila tentadora de autos parados».

4. **Gracioso** casi nunca se traduce a *gracious*. *Gracious* se expresa usando **amable, afable** o **cortés. Gracioso** tiene distintos significados como *amusing*, *funny*, *witty*, *graceful*, *pleasing*, *elegant* y *cute*. En el siguiente fragmento del cuento determine cuál es su significado.

   ...y pienso que jugaré con ella, que nos reiremos, ya que es tan graciosa...

➔ Si Ud. ha determinado que **graciosa** quiere decir *funny* o *amusing*, tiene razón.

En más detalle

Gracioso y *Gracious* comparten un significado muy específico: se usan como un epíteto° o una indicación de cortesía para referirse a la alta nobleza o a la realeza, como un monarca. Por ejemplo: **nuestro gracioso rey**/*our gracious king*.

° adjetivo que enfatiza las cualidades del sustantivo

Grupos léxicos

1-3 Palabras relacionadas. Complete las siguientes frases con la palabra adecuada. Las palabras agrupadas tienen la misma raíz y por lo tanto tienen un significado relacionado. Utilice su conocimiento de la gramática para escoger la palabra correcta. No será necesario cambiar las formas de las palabras. Usará algunas palabras más de una vez. Verifique sus respuestas buscando la oración en el cuento. (Las oraciones de cada grupo se presentan en el orden en que aparecen en el cuento.)

alegrarla - alegre - alegremente - alegría

1. La niña y yo sabemos que las pocas veces que salimos juntas casi nunca dejo de coger un taxi. A ella le gusta; pero, a decir verdad, no es por __________ por lo que lo hago; es sencillamente, que cuando salgo de casa con la niña tengo la sensación de que emprendo un viaje muy largo.
2. Cuando medito una de estas escapadas, uno de estos paseos, me parece divertido ver la chispa (1) __________ que se le enciende a ella en los ojos, y pienso que me gusta infinitamente salir con mi hijita mayor y oírla charlar; que la llevaré de paseo al parque, que le iré enseñando, como el padre de la buena Juanita, los nombres de las flores; que jugaré con ella, que nos reiremos, ya que es tan graciosa, y que, al final, compraremos barquillos —como hago cuando voy con ella— y nos los comeremos (2) __________.
3. Pero yo quisiera que alguien me explicase por qué cuando me voy alejando por la acera, manchada de sol y niebla, y siento la campana del colegio, llamando a clase, por qué, digo, esa expectación anhelante, esa __________, porque me imagino el aula y la ventana, y un pupitre mío pequeño…

amical - amigas - amigos

4. Yo me he quitado el guante para sentir la mano de la niña en mi mano, y me es infinitamente tierno este contacto, tan agradable, tan (1) __________, que la estrecho un poquito emocionada. Su propietaria vuelve hacia mí la cabeza, y con el rabillo de los ojos me sonríe. Sabe perfectamente la importancia de este apretón, sabe que yo estoy

con ella y que somos más (2) __________ hoy que otro día cualquiera.

5. Le digo que vaya con los niños más pequeños, aquellos que se agrupan en un rincón, y nos damos la mano, como dos __________.
6. Se me ocurre pensar que cada día lo que aprenda en esta casa blanca, lo que la vaya separando de mí —trabajo, __________, ilusiones nuevas—, la irá acercando de tal modo a mi alma, que al fin no sabré dónde termina mi espíritu ni dónde empieza el suyo...

mañana - mañanero

7. Vamos cogidas de la mano en la __________.
8. Pero hoy, esta __________ fría, en que tenemos más prisa que nunca, la niña y yo pasamos de largo delante de la fila tentadora de autos parados.
9. Con los mismos ojos ella y yo miramos el jardín del colegio, lleno de hojas de otoño y de niños y niñas con abrigos de colores distintos, con mejillas que el aire __________ vuelve rojas, jugando, esperando la llamada a clase.

lejano - lejos - alejando

10. Es que yo he escogido un colegio muy (1) __________ para mi niña, ésa es la verdad; un colegio que me gusta mucho, pero que está muy (2) __________...
11. ...y sé que el colegio que le he buscado le gustará, porque me gusta a mí, y que, aunque está tan __________, le parecerá bien ir a buscarlo cada día, conmigo, por las calles de la ciudad...
12. Pero yo quisiera que alguien me explicase por qué cuando me voy __________ por la acera, manchada de sol y niebla, y siento la campana del colegio, llamando a clase,...

tentación - tentadora

13. Pasamos corriendo delante de una fila de taxis parados, huyendo de la __________.
14. Pero hoy, esta mañana fría, en que tenemos más prisa que nunca, la niña y yo pasamos de largo delante de la fila __________ de autos parados.

Expresiones útiles

1-4 Expresiones con «dar». Dar se usa en muchas expresiones comunes en español. Las tres expresiones a continuación aparecen en este cuento. Escriba una oración con cada una de estas expresiones. Observe que **darse cuenta** y **darse la mano** son verbos reflexivos mientras que **dar vergüenza** generalmente se usa con un pronombre de complemento indirecto.

Expresión con dar	Traducción inglesa
darse cuenta	*to realize (to be fully aware of)*
darse la mano	*to shake hands*
dar vergüenza	*to embarrass,* lit. *to give/cause shame/embarrassment*

A LEER

Estrategia de lectura: Inferir el significado de palabras desconocidas

Al leer en una lengua extranjera —como en la materna— con frecuencia se encuentran palabras desconocidas. Para determinar su significado se puede buscar la palabra en un diccionario, pero también se puede inferir el significado usando el contexto y conocimiento lingüístico y/o experiencial. Aun cuando creemos que hemos determinado el significado, es buena idea ser escéptico/a porque a veces nuestras conjeturas no resultan correctas. Por ejemplo, lo que parece un cognado puede ser un cognado falso. Además, a veces los contextos «permiten» más de un significado —uno que corresponde al verdadero significado de la palabra en ese contexto, otros que no corresponden. Aunque siempre es buena estrategia tratar de determinar el significado de las palabras desconocidas, a la vez debemos buscar pistas para poder confirmar o rechazar nuestra conjetura. En los siguientes ejercicios, vamos a practicar esta estrategia infiriendo el significado de algunas palabras poco comunes del cuento.

1-5 ¿Puede Ud. inferir el significado? Lea los siguientes fragmentos del cuento concentrándose en las palabras en negrita.°

° in boldface type

- Primero identifique la parte del habla (sustantivo, verbo/frase verbal, adjetivo, pronombre, etc.).
- Luego, usando el contexto y su conocimiento lingüístico y experiencial, trate de determinar el significado.
- Escriba su conjetura y apunte todo lo que utilizó para determinar el significado.

El primer ejercicio sirve de modelo para sus respuestas. (Sus propias respuestas pueden ser más breves que la del modelo.)

1. Yo me he quitado el guante para sentir la mano de la niña en mi mano, y me es infinitamente **tierno** este contacto, tan agradable, tan amical, que la estrecho un poquito emocionada.

Modelo

Es adjetivo (describe la palabra **contacto**); los otros adjetivos también describen la palabra **contacto** (**agradable, amical**). Parece ser un adjetivo que muestra intimidad y cariño. También tiene la misma raíz que la palabra **ternura** (*tenderness*). Por esto, infiero que **tierno** quiere decir *tender*.

→ Si Ud. ha determinado la palabra correcta u otro sinónimo, ¡felicitaciones!

2. Pasamos corriendo delante de una fila de taxis **parados**, huyendo de la tentación. La niña y yo sabemos que las pocas veces que salimos juntas casi nunca dejo de coger un taxi.
3. Luego resulta que la niña empieza a charlar mucho antes de que salgamos de casa, que hay que peinarla y (1) **hacerle las trenzas** (que salen pequeñas y retorcidas, como dos rabitos dorados, debajo del gorro) y cambiarle el traje, cuando ya está vestida, porque se tiró encima un (2) **frasco** de leche condensada, y cortarle las uñas, porque al meterle las (3) **manoplas** me doy cuenta de que han crecido...

Siga empleando esta estrategia mientras lea «Al colegio» y en otras ocasiones cuando lea en español.

Carmen Laforet

Carmen Laforet nació en Barcelona, España en 1921 pero su familia se mudó a las Islas Canarias antes de que cumpliera dos años. Vivió allí hasta 1939 cuando volvió a Barcelona e inició (pero nunca terminó) sus estudios en la Facultad de Filosofía y Letras en la Universidad de Barcelona. Después de tres años se mudó a Madrid. Laforet escribió muchas novelas y cuentos que se destacan por observaciones astutas y representaciones comprensivas. Su obra más conocida es la novela *Nada*, la que escribió en Madrid en 1944 cuando sólo tenía 22 años. Laforet ganó el Premio Nadal en 1945 por esta novela y en 1948, la Real Academia Española le otorgó el Premio Fastenrath. La autora murió a los 82 años, habiendo sufrido durante dos décadas de la enfermedad de Alzheimer.

El siguiente cuento —«Al colegio»— fue publicado por primera vez en una revista pero luego, en 1952, se publicó en una colección de cuentos titulada *La muerta*. Como el título sugiere, el cuento relata un recorrido de una madre cuando lleva a su hija de cuatro años al colegio por primera vez.

Al colegio

Carmen Laforet

Vamos cogidas de la mano en la mañana. Hace fresco y el aire está sucio de niebla.° Las calles están húmedas. Es muy temprano.

Yo me he quitado el guante para sentir la mano de la niña en mi mano y me es infinitamente tierno este contacto, tan agradable, tan amical, que la estrecho° un poquito emocionada. Su propietaria° vuelve hacia mí la cabeza, y con el rabillo de los ojos° me sonríe. Sé[1] perfectamente la importancia de este apretón, sabe que yo estoy con ella y que somos más amigas hoy que otro día cualquiera.

Viene un aire vivo° y empieza a romper la niebla. A todos los árboles de la calle se les caen las hojas, y durante unos segundos corremos debajo de una lenta lluvia de color tabaco.

—Es muy tarde; vamos.

—Vamos, vamos.

Pasamos corriendo delante de una fila de taxis parados, huyendo de la tentación.° La niña y yo sabemos que las pocas veces que salimos juntas casi nunca dejo de coger un taxi. A ella le gusta; pero, a decir verdad, no es por alegrarla por lo que lo hago; es, sencillamente, que cuando salgo de casa con la niña tengo la sensación de que emprendo un viaje muy largo. Cuando medito una de estas escapadas, uno de estos paseos, me parece divertido ver la chispa alegre que se le enciende a ella en los ojos, y pienso que me gusta infinitamente salir con mi hijita mayor y oírla charlar; que la llevaré de paseo al parque, que le iré enseñando, como el padre de la buena Juanita,[2] los nombres de las flores; que jugaré con ella, que nos reiremos, ya que es tan graciosa, y que, al final, compraremos barquillos —como hago cuando voy con ella— y nos los comeremos alegremente.

Luego resulta que la niña empieza a charlar mucho antes de que salgamos de casa, que hay que peinarla y hacerle las trenzas (que salen pequeñas y retorcidas, como dos rabitos dorados,° debajo del gorro) y cambiarle el traje, cuando ya está vestida, porque se tiró encima un frasco de leche condensada, y cortarle las uñas, porque al meterle las manoplas me doy cuenta de que han

"dirty" with mist, fog

squeeze/dueña (se refiere a la niña)/ *corner of her eyes*

brisk wind

fleeing from the temptation (of taking a taxi)

little golden tails

[1]Cuando «Al colegio» se publicó por primera vez, «sabe» se usó aquí, lo cual parece más lógico que «sé» según el contexto.

[2]La buena Juanita es un personaje de un cuento para niños en que el padre de Juanita anda señalándole cosas y explicándoselas a ella.

crecido... Y cuando salimos a la calle, yo, su madre, estoy casi tan cansada como en el día en que la puse en el mundo... Exhausta, con un abrigo que me cuelga como un manto; con los labios sin pintar (porque a última hora me olvidé de eso), voy andando casi arrastrada° por ella, por su increíble energía, por los infinitos «porqués» de su conversación. *dragged*

35

—Mira, un taxi. —Este es mi grito de salvación y de hundimiento[3] cuando voy con la niña... Un taxi.

Una vez sentada dentro, se me desvanece° siempre aquella perspectiva de pájaros y flores y lecciones de la buena Juanita, y doy la dirección de casa de las abuelitas, un lugar concreto donde sé que todos seremos felices: la niña y las abuelas, charlando, y yo, fumando un cigarrillo, solitaria y en paz. **desaparece, evapora**

40

Pero hoy, esta mañana fría, en que tenemos más prisa que nunca, la niña y yo pasamos de largo delante de la fila tentadora de autos parados. Por primera vez en la vida vamos al colegio... Al colegio, le digo, no se puede ir en taxi. Hay que correr un poco por las calles, hay que tomar el metro, hay que caminar luego, en un sitio determinado, a un autobús... Es que yo he escogido un colegio muy lejano para mi niña, ésa es la verdad; un colegio que me gusta mucho, pero que está muy lejos... Sin embargo, yo no estoy impaciente hoy, ni cansada, y la niña lo sabe. Es ella ahora la que inicia una caricia tímida con su manita dentro de la mía; y por primera vez me doy cuenta de que su mano de cuatro años es igual a mi mano grande: tan decidida, tan poco suave, tan poco nerviosa como la mía. Sé por este contacto de su mano que le late el corazón al saber que empieza su vida de trabajo en la tierra, y sé que el colegio que le he buscado le gustará, porque me gusta a mí, y que, aunque, está tan lejos, le parecerá bien ir a buscarlo cada día, conmigo, por las calles de la ciudad... Que Dios pueda explicar el porqué de esta sensación de orgullo que nos llena y nos iguala durante todo el camino...

45

50

55

Con los mismos ojos ella y yo miramos el jardín del colegio, lleno de hojas de otoño y de niños y niñas con abrigos de colores distintos, con mejillas que el aire mañanero vuelve rojas,° jugando, esperando la llamada a clase. *turns red*

60

Me parece mal quedarme allí; me da vergüenza acompañar a la niña hasta última hora, como si ella no supiera ya valerse por sí misma° en este mundo nuevo, al que yo la he traído... Y tampoco la beso, porque sé que ella en este momento no quiere. Le digo que vaya con los niños más pequeños, aquellos que se agrupan en un rincón, y nos damos la mano, como dos amigas. Sola, desde la puerta, la veo marchar, sin volver la cabeza ni por un momento. Se me ocurren cosas para ella, un montón de cosas que tengo que decirle, ahora que ya es mayor, que ya va al colegio, ahora que ya no la tengo en casa, a mi disposición a todas horas... Se me ocurre pensar que cada día lo que aprenda en esta casa blanca, lo que la vaya separando de mí —trabajo, amigos, ilusiones nuevas—, la irá acercando de tal modo a mi alma, que al fin no sabré dónde termina mi espíritu ni dónde empieza el suyo... *manage for herself*

65

70

[3]*This is my shout of salvation and collapse.* (Cuando oye el grito de «¡taxi!», sabe que pronto va a poder relajarse un poco durante el viaje en taxi.)

Y todo esto quizá sea falso... Todo esto que pienso y que me hace sonreír, tan tontamente, con las manos en los bolsillos de mi abrigo, con los ojos en las nubes.

Pero yo quisiera que alguien me explicase por qué cuando me voy alejando por la acera, manchada de sol y niebla, y siento° la campana del colegio, llamando a clase, por qué, digo, esa expectación anhelante, esa alegría, porque me imagino el aula y la ventana, y un pupitre mío pequeño, desde donde veo el jardín y hasta veo clara, emocionantemente, dibujada en la pizarra con tiza amarilla una A grande, que es la primera letra que yo voy a aprender...

siento: oigo

DESPUÉS DE LEER

PREGUNTAS

En general

1. Describa el trasfondo° del día cuando este episodio ocurre mencionando la hora, el tiempo y la estación.
2. No hay mucho diálogo en el cuento pero la madre y su hija transmiten sus pensamientos y emociones. ¿Cómo lo hacen? Dé ejemplos específicos.
3. ¿Qué emociones experimentan la madre y su hija cuando van al colegio? En el cuento, busque lugares donde la madre describe:
   - sus propias emociones
   - las de su hija
   - las que las dos comparten

trasfondo: *background*

En detalle

1. Identifique y describa a los personajes principales.
2. La madre dice que su hija sabe que son «más amigas hoy que otro día cualquiera». Explique.
3. ¿Por qué están tan apresuradas hoy?
4. ¿Por qué los paseos le parecen muy largos a la madre en otras ocasiones? ¿Qué hacen y adónde van?
5. Durante las escapadas con su hija, ¿por qué le gusta a la madre tomar un taxi? ¿Por qué no van en taxi hoy?
6. ¿Por qué tiene la niña que ir a un colegio tan lejos de casa?
7. ¿Quiénes son los niños que la madre y la niña ven cuando llegan al colegio? ¿Qué están haciendo los niños?

8. ¿Cómo se despiden la madre y la niña? ¿Por qué la madre no besa a su niña?
9. ¿Por qué cree Ud. que la hija no mira a su mamá cuando se acerca a los niños en el colegio?
10. ¿En qué está pensando la madre al final del cuento?

Discusión e interpretación

1. ¿Por qué es hoy un día que evoca emociones y recuerdos para la madre?
2. ¿Cómo son las relaciones entre la madre y su hija? Dé frases en el cuento que muestran esto. ¿Qué diferencias habrá en sus relaciones después de hoy, según las predicciones de la madre?
3. ¿Por qué la madre generalmente se cansa cuando sale con su hija pero hoy no está cansada?
4. ¿Por qué cree Ud. que la madre nunca usa el nombre de su hija? ¿Qué términos usa para referirse a ella?
5. ¿Por qué cree Ud. que prefiere utilizar una serie de medios de transporte en vez de tomar un taxi?
6. Cerca del final la madre piensa lo siguiente: «Se me ocurre pensar que cada día lo que aprenda en esta casa blanca, lo que la vaya separando de mí —trabajo, amigos, ilusiones nuevas—, la irá acercando de tal modo a mi alma, que al fin no sabré dónde termina mi espíritu ni dónde empieza el suyo...». Explique esta paradoja.
7. Las manos de la niña se mencionan varias veces a través del cuento. ¿Qué representan? ¿Qué muestran?
8. Identifique y discuta semejanzas entre la niña y la madre. Mencione atributos físicos, emociones y experiencias. ¿De qué maneras la madre se identifica con su hija?

LAZOS GRAMATICALES

Usos del tiempo presente

El tiempo presente se usa no sólo para narrar eventos en el presente, sino también para narrar eventos en el pasado y el futuro.

- Cuando verbos del presente se usan para el tiempo presente, pueden narrar o describir lo que pasa en el momento (ahora mismo) o para un presente general —o sea, para acciones habituales del presente.

- Cuando se usa para el pasado, a veces se llama «el presente histórico» y puede usarse para hacer que acciones del pasado parezcan más vivas e inmediatas.
- Cuando el presente se usa para el futuro, generalmente es para el futuro próximo, por ejemplo en «Mi avión sale en una hora» y en «Su mejor amiga se casa en un mes». La estructura **ir (en el presente) + a + infinitivo** es otra manera muy común para hablar del futuro, como se ve en la última frase del cuento: «...y hasta veo clara, emocionantemente, dibujada en la pizarra con tiza amarilla una A grande, que es la primera letra que yo **voy a aprender**...»

1-6 Vamos a ser detectives lingüísticos. Probablemente ha notado que «Al colegio» se narra principalmente en el tiempo presente. En el cuento se pueden ver varios de los usos del presente descritos arriba. A veces la madre narra lo que está pasando «hoy» —durante el paseo al colegio. Mientras experimenta lo que está pasando hoy, recuerda lo que ha ocurrido en otras excursiones con su hija. Estos eventos están mezclados y todos se describen con el tiempo presente. Para el lector, a veces es difícil entender exactamente cuándo ocurren/han ocurrido las acciones. Como lectores, no podemos contar con cambios del tiempo verbal para determinar cuándo ocurren y por eso, tenemos que buscar otras pistas lingüísticas.

Lea con cuidado la sección del cuento entre las líneas 14–57. Busque pistas lingüísticas para determinar dónde la madre está hablando de «hoy» —el día cuando van al colegio por primera vez— y cuándo está recordando otros paseos con su hija. Con un/a compañero/a hagan una lista de las pistas que encuentren.

Diminutivos

Varios sufijos (**-ito**, **-illo**, **-ico**, **ín**, etc.) se usan para formar diminutivos. Por ejemplo, **casita** es un diminutivo de la palabra base **casa**; **panecillo** es un diminutivo de **pan**. Los diminutivos tienen diferentes usos. Se usan principalmente para indicar tamaño pequeño, edad joven o cariño —a veces los tres simultáneamente. En este cuento se usan muchas formas diminutivas con los sufijos **-ito** e **-illo** y sus formas femeninas y plurales.

1-7 ¿Qué información comunican los diminutivos? Al leer los siguientes fragmentos del cuento, examine los diminutivos en negrita y conteste las preguntas a continuación.

- Identifique la forma base de cada diminutivo.
- Tomando en cuenta las funciones de los diminutivos, analícelos. ¿Cuál es el efecto del uso del diminutivo en vez de la palabra base? (Sugerencia: si lee los fragmentos sustituyendo los diminutivos por su forma base, puede ser más fácil reconocer el efecto.) ¿Qué información o sentimientos se pierden si no se usan?

1. Cuando medito una de estas escapadas, uno de estos paseos, me parece divertido ver la chispa alegre que se le enciende a ella en los ojos, y pienso que me gusta infinitamente salir con mi **hijita** mayor y oírla charlar...
2. Luego resulta que la niña empieza a charlar mucho antes de que salgamos de casa, que hay que peinarla y hacerle las trenzas (que salen pequeñas y retorcidas, como dos **rabitos** dorados, debajo del gorro)...
3. Un taxi. Una vez sentada dentro, se me desvanece siempre aquella perspectiva de pájaros y flores y lecciones de la buena Juanita, y doy la dirección de casa de las **abuelitas**, un lugar concreto donde sé que todos seremos felices: la niña y las abuelas, charlando, y yo, fumando un cigarrillo, solitaria y en paz.
4. Sin embargo, yo no estoy impaciente hoy, ni cansada, y la niña lo sabe. Es ella ahora la que inicia una caricia tímida con su **manita** dentro de la mía; y por primera vez me doy cuenta de que su mano de cuatro años es igual a mi mano grande: tan decidida, tan poco suave, tan poco nerviosa como la mía.

En más detalle

La lexicalización de formas diminutivas

Ciertas palabras, por su sufijo, parecen ser diminutivos pero no lo son. Por ejemplo, se ven varios casos de este tipo en «Al colegio»: **barquillos, cigarrillo, bolsillos** y **rabillo.** Con sus significados en el cuento, estas palabras no son diminutivos de **barco, cigarro, bolso** o **rabo**, respectivamente. Estas palabras se formaron originalmente de la palabra base a la cual se le añadió el sufijo diminutivo. Con el transcurso de tiempo, las nuevas formas se han desarrollado o adoptado —o a ellas se les han dado— nuevos significados. Cuando esto ocurre, se dice que la forma se ha lexicalizado. (Este proceso se llama **lexicalización.** La raíz **lex-** quiere decir **palabra.**) Para determinar si una forma se ha lexicalizado, búsquela en el diccionario para ver si tiene su propia entrada. (**Barquillo, cigarrillo, bolsillo** y **rabillo** aparecen como sus propias entradas en el diccionario.) Si una forma diminutiva no se ha lexicalizado, no va a aparecer en el diccionario con su propia entrada. Por ejemplo, **hijita** no se encuentra en el diccionario como una entrada. Es sólo una forma derivada de **hija.**

Un resumen específico: **Barquillo,** aunque puede ser un diminutivo de **barco** —un **barco pequeño**— tiene otros significados también. En este cuento quiere decir *ice-cream cone.* Aunque **cigarrillo** puede significar **cigarro pequeño,** generalmente —y aquí— quiere decir *cigarette*; **bolsillo** puede significar **bolso pequeño,** pero aquí quiere decir *pocket*; **rabillo** puede significar **rabo°** **pequeño**, pero en la expresión **con el rabillo de los ojos** quiere decir *from the corner of one's eyes.* *tail*

¡Ojo! Ud. probablemente ha observado que hay palabras que terminan en combinaciones idénticas a los sufijos, pero no tienen —y nunca han tenido— función de diminutivo. Ejemplos de este tipo de palabras en el cuento son: **mejillas, amarilla, medito, infinitos, grito** y **sencilla.**

(Se presenta más información sobre los diminutivos y la lexicalización de diminutivos en el capítulo 2, pp. 25–27.)

Algunas maneras de indicar posesión en español

Para indicar posesión en español, no sólo se usa un adjetivo posesivo. Frecuentemente, se usa un pronombre de complemento indirecto (un clítico indirecto) o un pronombre (clítico) reflexivo, particularmente con partes del cuerpo y artículos de ropa. Examine los ejemplos a continuación. Observe que la combinación de **clítico (reflexivo o de complemento indirecto) + el artículo definido** sirve para indicar posesión donde en inglés se usaría un adjetivo posesivo.

Ejemplo	Traducción inglesa	Función
Me lavé la cara.	*I washed* ***my*** *face.*	Reflexivo
Te pusiste el abrigo.	*You put on* ***your*** *coat.*	Reflexivo
Le lavé la cara (a ella).	*I washed* ***her*** *face.*	Complemento indirecto
Le pusiste el traje (a él).	*You put* ***his*** *coat on (him).*	Complemento indirecto

1-8 ¿Cómo se expresa en inglés? El siguiente fragmento del cuento contiene ejemplos parecidos a los del cuadro anterior. Léalo prestando atención a las expresiones en negrita. ¿Cómo se expresarían en inglés?

> Luego resulta que la niña empieza a charlar mucho antes de que salgamos de casa, que hay que peinarla y **hacerle las trenzas** (que salen pequeñas y retorcidas, como dos rabitos dorados, debajo del gorro) y **cambiarle el traje**, cuando ya está vestida, porque se tiró encima un frasco de leche condensada, y **cortarle las uñas**, porque al **meterle las manoplas** me doy cuenta de que han crecido...

El artículo definido en sí (usado solo) frecuentemente se usa para indicar posesión, principalmente con las partes del cuerpo, ropa y otras posesiones personales. Vea los ejemplos a continuación.

Levanten **la** mano.	*Raise **your** hands.*
Se lava **los** dientes.	*She brushes **her** teeth.*
Cierra **los** ojos.	*He closes **his** eyes.*
Llevo **la** bolsa.	*I carry **my** purse.*

Cuando está claro quién es «el poseedor», generalmente se usa el artículo definido en vez del adjetivo posesivo. El siguiente ejemplo del cuento muestra esto. Léalo prestando atención al artículo en negrita.

> Y cuando salimos a la calle, yo, su madre, estoy casi tan cansada como en el día en que la puse en el mundo... Exhausta, con un abrigo que me cuelga como un manto; con **los** labios sin pintar (porque a última hora me olvidé de eso), voy andando casi arrastrada por ella, por su increíble energía, por los infinitos «porqués» de su conversación.

- Si se usa el adjetivo posesivo (**mi, tu, su, nuestros**, etc.) en vez del artículo definido, frecuentemente es porque el artículo no indica claramente quién es el poseedor.

No hay consistencia perfecta en el uso del artículo para indicar posesión en español. Se puede decir con seguridad que en español, los adjetivos posesivos se utilizan mucho menos que en inglés.

1-9 Posesión usando el artículo definido versus el adjetivo posesivo. Examine los siguientes fragmentos del cuento y conteste las preguntas.

1. Identifique dónde se ha usado el artículo definido para indicar posesión y dónde se ha usado el adjetivo posesivo.
2. ¿Por qué cree Ud. que se usaron «**mi** mano», «**su** manita» y «**su** mano» mientras que en los demás casos de posesión se usó el artículo definido?

> **1.** Yo me he quitado **el** guante para sentir **la** mano de la niña en **mi** mano, y me es infinitamente tierno este contacto, tan agradable, tan

amical, que la estrecho un poquito emocionada. Su propietaria vuelve hacia mí **la** cabeza, y con **el** rabillo de los ojos me sonríe.

2. Es ella ahora la que inicia una caricia tímida con **su** manita dentro de la mía; y por primera vez me doy cuenta de que **su** mano de cuatro años es igual a **mi** mano grande: tan decidida, tan poco suave, tan poco nerviosa como la mía. Sé por este contacto de **su** mano que le late **el** corazón al saber que empieza su vida de trabajo en la tierra...

Relea el cuento aplicando lo que ha aprendido y practicado en los ejercicios de la sección «**Lazos gramaticales**». Esto lo/la ayudará a entender mejor el cuento y a fortalecer su comprensión de la gramática.

A ESCRIBIR

Estrategias de composición

Esta sección incluye una serie de pasos para ayudarlo/la a: (1) formular y desarrollar sus ideas, (2) buscar evidencia del cuento para apoyar sus argumentos y (3) organizar su composición para que sea cohesiva y coherente. También incluye instrucciones para buscar y corregir errores de gramática y de vocabulario. Estas sugerencias acompañan el primer tema porque son específicas para ese tema pero son útiles para todos los temas. Si Ud. opta por uno de los otros temas, lea las sugerencias incluidas para el Tema uno y adáptelas para el tema que elija.

Tema 1

Recuerdos de su niñez: Piense en su primer día en el colegio o en otra ocasión importante de su vida. Escriba una composición sobre ese día. Trate de revivirlo incluyendo sus pensamientos y emociones. Escríbala principalmente en el tiempo presente como «Al colegio».

Al completar cada uno de los siguientes pasos, marque (✓) la casilla a la izquierda.

- ❑ a. Haga una lista de los pasos importantes de la ocasión o su día especial.
- ❑ b. Añada información de trasfondo. ¿En qué estación ocurrió? ¿A qué hora del día? ¿Qué otras personas participaron con Ud. en este evento? ¿Cómo cree Ud. que se sentían las otras personas que participaron?
- ❑ c. Añada lo que Ud. estaba pensando y cómo se sentía durante esos momentos.

- ❑ d. Escriba la introducción y la conclusión.
- ❑ e. Cuando haya escrito su borrador, revíselo, asegurándose que sus ideas fluyan bien. Haga las correcciones necesarias.
- ❑ f. Dele un título interesante.
- ❑ g. Antes de entregar su composición, revísela asegurándose que:
  - ❑ haya usado vocabulario correcto y variado
  - ❑ no haya usado **ser, estar** y **haber** demasiado (es preferible usar verbos más expresivos)
  - ❑ haya concordancia entre los adjetivos y artículos y los sustantivos a que se refieren
  - ❑ haya concordancia entre los verbos y sus sujetos
  - ❑ **ser y estar** se usen correctamente
  - ❑ el subjuntivo se use cuando sea apropiado
  - ❑ el pretérito y el imperfecto se hayan usado correctamente
  - ❑ no haya errores de ortografía ni de acentuación

Otros temas de composición

2. Escriba un ensayo en que compare el paseo al colegio con los anteriores paseos con su hija. Explique cómo cambiará la relación entre las dos en el futuro. Use ejemplos específicos del cuento para apoyar sus argumentos.
3. Escriba —desde el punto de vista de su madre o padre— un ensayo sobre un día memorable en la vida de Ud. Trate de imitar el estilo de Laforet.

CAPÍTULO

2

Una carta de amor

Mario Benedetti (1920–   )

ANTES DE LEER

2-1 Reflexiones. Considere las siguientes preguntas antes de leer el cuento.

1. ¿Qué elementos normalmente tiene una carta de amor? Con un/a compañero/a, hagan una lista de elementos probables.
2. ¿Toma Ud. el autobús con frecuencia? (Si Ud. no lo toma conteste según lo que haría si lo tomara.) ¿Lo toma siempre a la misma hora cada día? ¿Ha notado dónde sube y baja la otra gente? ¿Se ha interesado en otra persona que haya visto en el autobús? ¿Ha hablado con él/ella? ¿Qué le ha dicho? ¿Se ha hecho amigos con la otra gente? ¿A veces ha imaginado detalles de la vida de las otras personas según su apariencia física, modo de ser, y sus acciones, gestos y palabras? ¿Hay una anécdota sobre algo que ha visto en el autobús que pueda decirle a la clase? (¡Ojo! En este cuento se usa la palabra **ómnibus** en vez de **autobús**.)
3. Composición breve. Para orientarse al tema del cuento, antes de leerlo, Ud. va a escribir una «carta de presentación» a una persona (verdadera o imaginaria) con quien le gustaría salir. La situación es la siguiente:

   Digamos que Ud. ha admirado a una persona desde lejos. Ahora quiere conocerlo/la y luego salir con él/ella. Escríbale una carta de dos a tres párrafos. Su carta puede tener un tono serio o cómico. Trate de usar verbos en el presente de indicativo, pero no es necesario limitar los verbos al tiempo presente. Incluya los siguientes elementos —en cualquier orden— en su carta:

   - Explique cómo Ud. conoce a la persona o dónde lo/la ha visto.
   - Incluya una descripción personal (de Ud.), tanto de su apariencia física como de su personalidad.
   - Mencione algo (o varias cosas) sobre la apariencia y la personalidad de la persona a quien la carta va dirigida.
   - Trate de convencerlo/la a salir con Ud.
4. Hojee el cuento y conteste las siguientes preguntas.
   a. ¿Quién escribe la carta —un hombre o una mujer?
   b. ¿De dónde conoce la persona que escribió la carta a la mujer?
   c. Fíjese en todos los nombres que se usan en la carta. Los que no se refieren a una persona verdadera, ¿son nombres para qué?
   d. ¿Ve usted algo curioso en el formato de la carta? ¿Qué le falta?

Enfoques léxicos

Cognados falsos

Este cuento contiene varios cognados falsos, algunos se incluyen en el ejercicio a continuación. Recuerde que hay dos tipos de cognados falsos —los cuyos significados nunca coinciden con el aparente cognado en inglés (los siempre falsos) y los que a veces coinciden (los no siempre falsos).

Cognados falsos no siempre falsos

La mayor parte de los cognados falsos son del tipo variable —inconsistentemente falsos. Un ejemplo del cuento es la palabra **humor**. Aunque muchas veces se expresa en inglés con *humor*, tiene otro significado en la frase en que se usa en el cuento. **De buen humor** se traduce a *in a good mood.* **Único** es otro ejemplo del cognado falso «variable» porque a veces puede traducirse a *unique* y a veces a *only.* (Para una explicación más detallada, lea la sección 1 del *Manual de gramática* [pp. 285–290] al final del libro.)

En más detalle

Generalmente la posición de **único** relativa al sustantivo es lo que determina la traducción en inglés: cuando sigue a su sustantivo —como en la frase «Ricardo es un hombre único»— la traducción es *unique*; cuando precede a su sustantivo —como en la frase del cuento «la única vez»— la traducción suele ser *only.* (Vea la discusión de **único** en la sección de «Lazos gramaticales» en la página 35 sobre la colocación de adjetivos descriptivos.)

Cognados falsos siempre falsos

Las palabras **aviso** y **lectura** pertenecen en la otra categoría de cognados falsos: los consistentemente falsos, o sea, los que nunca comparten un significado con su aparente equivalente inglés. **Aviso** no significa *advice*, lo cual se expresa en español con **consejo/s. Lectura** no significa *lecture*, lo cual puede expresarse en español con **conferencia,** o en situaciones menos formales, con **charla.** (Para una explicación más detallada, lea la sección 1 de gramática en las páginas 285–290.)

2-2 Una examinación de cognados falsos en «Una carta de amor». Trate de determinar el significado de los cognados falsos en los fragmentos del cuento que se incluyen en las siguientes preguntas. Los cognados falsos aparecen en negrita.

1. Las palabras **dato, tipo** y **saco** en el fragmento a continuación no tienen el significado aparente de su cognado en inglés. ¿Puede Ud.

determinar el significado de estas tres palabras usando la siguiente oración del cuento?

Señorita: Usted y yo nunca fuimos presentados, pero tengo la esperanza de que me conozca de vista. Voy a darle un **dato**: yo soy ese **tipo** despeinado, de corbata moñita y **saco** a cuadros...

→ Si Ud. ha determinado **punto de información** para **dato**, *guy/fellow* para **tipo** y **chaqueta** para **saco**, tiene razón. Observe que **dato** en el sentido en que se usa en esta oración es un cognado de *datum* (plural *data*) en inglés.

2. **Aviso** tiene varias traducciones inglesas. Puede traducirse a *announcement*, *notice*, *warning*, *piece of information*, *tip* y *advertisement*. En la frase del cuento a continuación, ¿cuál sería la traducción más probable?

   ¿No sería mejor que para esa época estuviéramos uno junto al otro, leyéndonos los **avisos** económicos o jugando a la escoba de quince?

→ Si Ud. ha determinado que *announcements* o *advertisements* sería la traducción mejor para **avisos**, tiene razón. (**Avisos económicos** son anuncios en la sección clasificada de un periódico.)

3. Ud. ya sabe que la palabra **lectura** no quiere decir *lecture* sino *reading*. Pero *reading* también tiene significados múltiples, entre ellos (1) **algo escrito que se puede leer** (por ej., **un cuento, un artículo**, etc.) y (2) **el acto de leer**. En la oración a continuación del cuento, ¿cuál de los significados tiene?

   No le ofrezco una vasta cultura pero sí una atenta **lectura** de Selecciones...

→ Si Ud. ha determinado que en este contexto **lectura** quiere decir **el acto de leer**, tiene razón.

En más detalle

Recuerde que casi todas las palabras en una lengua tiene más de un sentido, lo cual también es el caso con los cognados falsos. Los sentidos compartidos entre español e inglés ocurren con usos menos comunes o más especializados. Considere los siguientes ejemplos.

Para un uso muy especial, **dato** (de **datar**°) se traduciría a *date*, como en el siguiente ejemplo:

Siempre **dato** mis cartas debajo de mi firma.
I always date my letters underneath my signature.

°poner la fecha de una carta, documento, artefacto histórico, obra de arte, etc.

Observe que en este sentido **datar** muchas veces implica la inclusión no sólo de la fecha sino del lugar donde se escribió el documento también. **Datar de** se usa con el sentido de *to date from*, como en:

Este artefacto **data de** la Edad Media.

This artifact dates from the Middle Ages.

Saco puede traducirse como *sack* cuando quiere decir una bolsa (muchas veces grande) generalmente de forma rectangular o cilíndrica abierta por arriba. (Para *sack* en el sentido de lo que se usa para cargar sus compras de la tienda, se usa **bolsa.**)

La palabra **tipo** puede significar *type* en el sentido de **clase** o **clasificación**, como en la oración: No me gusta ese **tipo** de música.

Grupos léxicos

2-3 Palabras relacionadas. En esta actividad, Ud. va a ampliar su conocimiento léxico utilizando lo que ya sabe sobre otras palabras en español. Conteste las siguientes preguntas de acuerdo a sus raíces.

1. ¿Sabe usted otra palabra que tenga la misma raíz de **despeinado**? (Observe que esta palabra tiene el prefijo **des-**). Examine el contexto en que se usa en el cuento y conteste las siguientes preguntas.

   Voy a darle un dato: yo soy ese tipo **despeinado**... que sube todos los días frente a Villa Dolores...

   a. ¿Qué quiere decir **despeinado**?
   b. Escriba una paráfrasis en español para **despeinado** en la oración anterior utilizando el verbo **peinarse.**

2. Mire la siguiente oración del cuento en que aparece esta palabra. ¿Qué quiere decir **peinada**?

   ¿Recuerda ésa° **peinada** a lo Audrey Hepburn que sube en Bulevar° ...

   se refiere a una mujer/nombre de una calle

   Escriba la frase anterior con una paráfrasis en español que muestre el significado de **peinada.**

3. ¿Qué verbo sabe Ud. que tenga la misma raíz de **creciente**?

   a. Considerando la siguiente oración del cuento y el verbo que Ud. identificó arriba, ¿puede Ud. determinar lo que quiere decir **creciente**?

   Y por último con **creciente** interés porque creo modestamente que usted puede ser mi solución y yo la suya.

4. ¿Qué adjetivo tiene una raíz parecida a **vejez**?

   a. ¿Qué diferencia de ortografía nota usted entre las dos versiones de la raíz?

b. Escriba la siguiente oración del cuento empleando el adjetivo que Ud. ha identificado arriba. «¿No le tiene miedo a una **vejez** solitaria?»

5. ¿Qué adjetivo tiene la misma raíz de **belleza**? Use **belleza** y su adjetivo relacionado en una oración.

Expresiones útiles

2-4 Expresiones para *to like/to get along well.* Este cuento contiene diversas expresiones para indicar la idea de *to like*, las cuales se incluyen en las siguientes explicaciones y ejercicios.

Gustar

El verbo más común para expresar *to like* es **gustar**. Recuerde lo siguiente:

1. Con **gustar**, el verbo concuerda con la cosa o persona «*liked*». Por ejemplo:

   Me gusta el libro.

   Me gustan los libros.

   Me gustas. (*I like you.*)

   Te gusto. (*You like me.*)

Es útil pensar en «*is pleasing to*» en lugar de «*likes*» porque esto lo/la ayudará a entender o formar correctamente la frase con **gustar**.

2. Para indicar a la persona que «*likes*», se usa un pronombre de complemento indirecto (un clítico indirecto): **me, te, le, nos, os, les.**
3. Para poner énfasis en esta persona, se puede añadir una frase como **a mí, a ti, a nosotros/as, a vosotros/as.**
4. Cuando la persona está en tercera persona, para aclarar (o enfatizar) a esta persona, se debe añadir una expresión como **a él, a ella, a Ud., a ellos, a ellas, a Uds.** o **a (nombre).**

Lea el siguiente fragmento del cuento donde el autor de la carta describe el tipo de mujer que le gusta:

> Si le voy a ser recontrafranco, le confesaré que **a mí** también **me gustan** más las delgaditas...

1. ¿Por qué cree Ud. que el hombre añadió **a mí** —para dar énfasis o para aclarar? Explique.
2. ¿Cree Ud. que sea apropiado que un hombre escriba tal comentario a una mujer que no haya conocido? Explique.

En más detalle

Aunque **gustar** puede usarse con personas, muchas veces es mejor utilizar **caer bien** para *to like* en lugar de **gustar** porque **gustar** puede indicar atracción física. (Vea la sección «Caer bien» más adelante.) En algunos dialectos, **gustar** puede implicar deseo sexual.

Gustar sólo raras veces se usa sin el clítico indirecto. Cuando ocurre, la estructura es distinta —algo más parecida a la estructura de *to like* en inglés. Se indica a la persona que «*likes*» haciendo que **gustar** concuerde con esa persona y se indica la cosa o persona «*liked*» usando **de** + (*thing/person liked*), por ejemplo: Roberto **gusta de** películas/mujeres extranjeras. Esta estructura es mucho menos común que la que se describió anteriormente. A continuación, se puede ver esta estructura en una frase del cuento:

> Claro que también el cine tiene su influencia, ya que Hollywood **ha gustado** siempre **de** las flacas...

3. ¿Cómo se traduciría la frase anterior al inglés?
4. Re-escriba la última cláusula de la frase («ya que...») usando la estructura con **gustar** más común. No se olvide de usar el clítico indirecto.

Caer bien

Caer bien (a uno) es otra expresión para *to like.* Se usa con la fórmula de **gustar,** como en el siguiente ejemplo: Me gustan (**Me caen bien**) los cuentos de Mario Benedetti.

5. He aquí una frase del cuento que incluye esta expresión. ¿Cómo se diría en inglés la cláusula con **caigo**?

> Pero ya que estamos en tren de confidencias, le diré que las flacas me largan al medio, y **no les caigo bien**, ¿sabe?

Congeniar (con)

Congeniar (con) quiere decir *to get along well (with).*

6. Traduzca la siguiente oración del cuento.

> No sé por qué, pero tengo la impresión de que vamos a **congeniar** admirablemente.

Antónimos y sinónimos

2-5 Antónimos. Todas las palabras en este ejercicio aparecen en el cuento, algunas con un cambio de forma. Empareje las palabras de la columna A con su antónimo de la columna B. Luego escriba una frase original para cada pareja usando las dos palabras en la misma frase.

A	B
___ 1. gordo	a. juventud
___ 2. feo	b. desventaja
___ 3. ventaja	c. flaco
___ 4. vejez	d. hermoso

2-6 Sinónimos. Todas las palabras de la primera columna aparecen en el cuento. Empareje las palabras de columna A con su sinónimo de la columna B. Luego escriba una frase original con cada palabra en la primera columna.

A	B
___ 1. plata	a. delgadas
___ 2. monos	b. chicos
___ 3. belleza	c. autobús
___ 4. flacas	d. dinero
___ 5. muchachos	e. muy agradables
___ 6. ómnibus	f. hermosura
___ 7. amenísimas	g. graciosos, bonitos, lindos

Los diminutivos y la lexicalización de formas diminutivas

Los diminutivos pueden usarse con adjetivos, sustantivos y adverbios. Se añaden a la raíz de la palabra base. Se usan para:

- indicar pequeñez (tamaño pequeño) o cantidad pequeña:

  Marcos, en ese traje para su cumpleaños, es todo un **hombrecito.**

  Dame un **poquito** más, por favor.

- indicar cariño:

  Hola, **amiguillo.** ¿Cómo estás?

  Oye, **preciosita.** Ven aquí para que tu abuelita te pueda besar.

- suavizar un comentario:

  Te ves **cansadito,** Pablo. ¿Qué te pasa?

- indicar desdén, ridículo o burla (Este uso no es tan común. Generalmente se nota con el tono de voz o el contexto):

  Roberto se cree muy **guapito** con su nuevo peinado, pero creo que se ve ridículo.

→ ¿Cuáles son algunos de los sufijos diminutivos en español? (Si no sabe, puede referirse a la sección de Diminutivos en «Lazos gramaticales» del capítulo 1, p. 12.)

Como Ud. aprendió en el capítulo 1, una forma diminutiva llega a ser una palabra en sí por un proceso que se llama **lexicalización**. Un diminutivo lexicalizado generalmente mantiene su connotación diminutiva también. Por ejemplo, aunque **moñito/moñita** puede significar **moño/moña°** **pequeño/a**, en Uruguay (donde tiene lugar «Una carta de amor»), la palabra **moñita** significa *bow tie*. A veces se usa la expresión **corbata moñita** como ocurre en este cuento. Otro ejemplo del cuento de un diminutivo lexicalizado es la palabra **frutillas**. Aunque puede significar **frutas pequeñas**, en Uruguay y en algunos otros países de Sudamérica, **frutillas** ha adoptado el significado especializado de un tipo específico de fruta —**fresas**. Se ve la conexión entre el sufijo **-illas** y el tamaño pequeño de este tipo de fruta.

° *bow, ribbon*

En más detalle

Pistas

Recuerde que tener **-ito**, **-ita**, etc. al final de la palabra no necesariamente indica que la palabra es un diminutivo. Por ejemplo, **bonita** y **cita** no son diminutivos. Otros ejemplos **no diminutivos** son: **medito** (forma verbal, de **meditar**), **escrita** (participio pasado de **escribir**), **hábito**, **pretérito**.

Recuerde que una pista para determinar si una forma diminutiva ha llegado a ser una forma lexicalizada es buscarla en el diccionario. Los diminutivos, siendo formas derivadas, no suelen aparecer como entradas léxicas en un diccionario.

2-7 Identificar diminutivos, diminutivos lexicalizados y palabras no diminutivas en el cuento. Las siguientes palabras del cuento parecen diminutivos, pero no todas lo son. Debe considerarlas en el contexto del cuento. (Para facilitar su búsqueda, la línea donde ocurren se ha indicado entre paréntesis.) Después de considerarlas en contexto, si no reconoce la palabra, búsquela en el diccionario. Identifique cada palabra como forma **diminutiva** o **palabra no diminutiva**. Para los que son diminutivos, identifique (1) la palabra base y (2) el uso.

1. señorita (línea 1)
2. moñita (línea 3)
3. villa (línea 3)
4. necesito (línea 14)
5. delgaditas (línea 28)
6. arruguitas (línea 48)
7. lobanillo (línea 48)
8. frutillas (línea 68)

A LEER

Estrategia de lectura: Interpretar el significado de gestos, expresiones y acciones

«Una carta de amor» contiene varios actos de comunicación con los que los personajes se expresan sin usar palabras —utilizando gestos, expresiones o acciones. Estudie los ejemplos del cuento a continuación y luego haga el ejercicio que sigue.

Gesto/Expresión	Significado
encogerse de hombros	gesto en que la persona alza los hombros para indicar ignorancia o indiferencia
un codazo	golpe fuerte con el codo (*elbow*)
un gesto de ula Marula	gesto uruguayo que muestra irritación, molestia o fastidio
las babosas miradas de ternero mamón *drooling (fawning) gazes of a suckling calf*	una expresión que aquí indica que está locamente enamorada

En más detalle

Observe que el sufijo -**azo** (como en **codazo**) frecuentemente indica un golpe dado con el instrumento al que se le añade el sufijo. Otros ejemplos: **rodillazo (golpe con la rodilla)**, **palazo (golpe con un palo)**, **latigazo (golpe con un látigo)**.

¡Ojo! Hay que tener cuidado cuando se utiliza un gesto en una cultura extranjera porque a veces el mismo gesto puede tener distintas connotaciones. También, a veces, un gesto que tiene un significado en una cultura no lo tiene en otra.

2-8 ¿Qué se comunica usando gestos? Haga el siguiente ejercicio tomando en cuenta el significado de los gestos.

1. ¿En qué tipos de situaciones se usarían gestos en vez de palabras?
2. ¿Puede Ud. pensar en algunos gestos que comunican ideas o emociones? Discútanlos con un/a compañero/a. Pueden considerar gestos que se usan en su propia cultura, en una hispánica o en otra cultura que conozcan.
3. Describa una situación en que una persona utilizara cada uno de los gestos/expresiones anteriores que Ud. y su compañero/a identificaron en la pregunta número dos.
4. ¿Por qué cree Ud. que la gente a veces emplea gestos, expresiones o acciones en vez de palabras para comunicarse con otras personas?

Mario Benedetti

Mario Benedetti nació en 1920 en Paso de los Toros, Uruguay pero su familia se trasladó a Montevideo cuando tenía cuatro años. Ha publicado numerosas obras —cuentos, poesía, novelas y ensayos— muchas de las cuales se han traducido a varias lenguas. En 1973 hubo un golpe de estado en Uruguay y se estableció una dictadura militar. Se prohibieron sus escritos y vivió en el exilio (en la Argentina, Perú, Cuba y España) durante la dictadura militar pero en 1985, con la restauración de la democracia, volvió a Uruguay. Ha recibido varios premios por sus obras, entre ellos el prestigioso premio Jristo Bótev de Bulgaria (1986) y el premio Llama de Oro de Amnistía Internacional (1987). El cuento «Una carta de amor» se publicó por primera vez en los años 1950 bajo el seudónimo Damocles en el semanario uruguayo *Marcha*, donde trabajaba Benedetti en esa época. Luego, en 1961, compiló sus crónicas humorísticas —entre ellas «Una carta de amor»— en el volumen *Mejor es meneallo*.

Una carta de amor

Mario Benedetti

Señorita: Usted y yo nunca fuimos presentados, pero tengo la esperanza de que me conozca de vista. Voy a darle un dato: yo soy ese tipo despeinado, de corbata moñita y saco a cuadros, que sube todos los días frente a Villa

Dolores[1] en el 141[2] que usted ha tomado en Rivera y Propios. ¿Me reconoce ahora? Como quizá se haya dado cuenta, hace cuatro años que la vengo mirando. Primero con envidia, porque usted venía sentada y yo en cambio casi a upa de ese señor panzudo°[3] que sube en mi misma parada y que me va tosiendo en el pescuezo° hasta Dieciocho y Yaguarón. Después con curiosidad, porque, claro, usted no es como las otras: es bastante más gorda. Y por último con creciente interés porque creo modestamente que usted puede ser mi solución y yo la suya. Paso a explicarme. Antes que nada, voy a pedirle encarecidamente° que no se ofenda, porque así no vale. Voy a expresarme con franqueza y chau. Usted no necesita que le aclare que yo no soy lo que se dice un churro,° así como yo no necesito que Ud. me diga que no es Miss Universo. Los dos sabemos lo que somos ¿verdad? ¡Fenómeno! Así quería empezar. Bueno, no se preocupe por eso. Si bien yo llevo la ventaja de que existe un refrán que dice: «El hombre es como el oso, cuanto más feo más hermoso» y usted en cambio la desventaja de otro, aun no oficializado, que inventó mi sobrino: «La mujer gorda en la boda, generalmente incomoda»,° fíjese sin embargo que mi cara de pollo mojado hubiera sido un fracaso en cualquier época y en cambio su rolliza° manera de existir hubiera podido tener en otros tiempos un considerable prestigio. Pero hoy en día el mundo está regido por factores económicos, y la belleza también. Cualquier flaca perchenta° se viste con menos plata que usted, y es ésta, créame, la razón de que los hombres las prefieran. Claro que también el cine tiene su influencia, ya que Hollywood ha gustado siempre de las flacas, pero ahora, con la pantalla ancha, quizá llegue una oportunidad para sus colegas. Si le voy a ser recontrafranco, le confesaré que a mí también me gustan más las delgaditas; tienen no sé qué cosa viboresca y latigosa que a uno lo pone de buen humor y en primavera lo hace relinchar.° Pero, ya que estamos en tren de confidencias, le diré que las flacas me largan al medio,° y no les caigo bien, ¿sabe? ¿Recuerda ésa peinada a lo Audrey Hepburn[4] que sube en Bulevar, que los muchachos del ómnibus le dicen «Nacional» porque adelante no tiene nada?[5] Bueno, a ésa le quise hablar a la altura de Sarandí y Zabala y allí mismo me encajó un codazo en el hígado que no lo arreglo con ningún colagogo.[6] Yo sé que usted tiene un problema por el estilo: es evidente

with a big belly
coughing into my neck
persistentemente
hombre muy atractivo
hace incómodos a los demás
gorda, redonda
muy flaca
whinny, neigh
se alejan de mí

[1]Parque zoológico de Montevideo, Uruguay. Aquí se refiere a la parada de autobús delante del parque.
[2]se refiere a una línea de autobús
[3]en los brazos de ese hombre gordo
[4]elegante actriz (1929-1993) del cine, famosa particularmente durante los años cincuenta y sesenta
[5]«Nacional» es un equipo de fútbol de Uruguay; «no tiene nada adelante» es un juego de palabras —en cuanto al equipo, es una referencia a la mala calidad de los jugadores que forman la delantera (*the forward line*) del equipo; en cuanto a la mujer del cuento, es una referencia al tamaño de su pecho.
[6]me pegó tan fuertemente con el codo en el hígado (*liver*) que todavía no he podido remediarlo aun con medicina especial para el hígado

que le gustan los morochos° de ojos verdes. Digo que es evidente, porque he observado con cierto detenimiento las babosas miradas de ternero mamón[7] que usted le consagra a cierto individuo con esas características que sube frente al David.[8] Ahora bien, él no le habrá dado ningún codazo pero yo tengo registrado que la única vez que se dio cuenta de que usted le consagra su respetable interés, el tipo se encogió de hombros e hizo con las manos el clásico gesto de ula Marula.[9] De modo que su situación y la mía son casi gemelas. Dicen que el que la sigue la consigue, pero usted y yo la hemos seguido y no la hemos conseguido. Así que he llegado a la conclusión de que quizá usted me convenga y vice versa. ¿No le tiene miedo a una vejez solitaria? ¿No siente pánico cuando se imagina con treinta años más de gobiernos batllistas,[10] mirándose al espejo y reconociendo sus mismas voluminosas formas de ahora, pero mucho más fofas y esponjosas, con arruguitas y allá, y acaso algún lobanillo[11] estratégico? ¿No sería mejor que para esa época estuviéramos uno junto al otro, leyéndonos los avisos económicos o jugando a la escoba de quince?[12] Yo creo sinceramente que a usted le conviene aprovechar su juventud, de la cual está jugando ahora el último alargue.[13] No le ofrezco pasión, pero le prometo llevarla una vez por semana al cine de barrio para que usted no descuide esa zona de su psiquis. No le ofrezco una holgada° posición económica, pero mis medios no son tan reducidos como para no permitirnos interesantes domingos en la playa o en el Parque Rodó. No le ofrezco una vasta cultura pero sí una atenta lectura de Selecciones,[14] que hoy en día sustituye a aquélla con apreciable ventaja. Poseo además especiales conocimientos en filatelia (que es mi hobby) y en el caso de que a usted le interese este rubro,° le prometo que tendremos al respecto amenísimas conversaciones. ¿Y usted qué me ofrece, además de sus kilos, que estimo en lo que valen? Me gustaría tanto

de piel y pelo oscuros

cómoda

área o línea

[7]*slimy/drooling (fawning) gazes of a suckling calf —a reference to their drooling as they suckle*

[8]una réplica de la estatua llamada David, de Miguel Ángel

[9]un gesto que indica irritación o fastidio

[10]Se refiere al gobierno en poder en Uruguay en la época cuando tiene lugar el cuento. José Batlle y Ordóñez (1856–1929), líder del Partido Colorado, fue presidente de Uruguay dos veces (1903–07, 1911–15). El Partido Colorado ha llegado a ser dominado por la familia Batlle, una de las grandes dinastías políticas modernas. Un descendiente de Batlle y Ordóñez, Jorge Batlle Ibáñez —también miembro del Partido Colorado— sirvió como presidente entre 2000–2005. Este partido (un partido liberal) es uno de los dos partidos políticos que ha dominado la política del país por más de un siglo y medio.

[11]*wen* (tumor no canceroso sin dolor que se forma en el cuerpo, muchas veces en la cara)

[12]un juego de naipes en que los jugadores tratan de combinar las cartas para llegar a quince puntos

[13]tiempo suplementario de un partido de fútbol u otro deporte

[14]la revista *Selecciones de Reader's Digest en español*

saber algo de su vida interior, de sus aspiraciones. He observado que le gusta leer los suplementos femeninos, de modo que en el aspecto de su inquietud espiritual, estoy tranquilo. Pero ¿qué más? ¿Juega a la quiniela,[15] le agrada la 65 fainá,[16] le gusta Olinda Bozán?[17] No sé por qué, pero tengo la impresión de que vamos a congeniar admirablemente. Esta carta se la dejo al guarda para que se la entregue. Si su respuesta es afirmativa, traiga puestos mañana esos clips° con frutillas que le quedan tan monos. Mientras tanto, besa sus guantes su respetuoso admirador.

USUARIO° GARCÍA.

clips°: aretes o *bobby pins*

usuario°: persona que usa regularmente transporte público

DESPUÉS DE LEER

PREGUNTAS

En general

1. ¿Fue la carta del cuento como lo que Ud. esperaba después de leer el título? Explique.
2. ¿Cree Ud. que la mujer va a querer salir con el Usuario García? Explique.

En detalle

1. ¿De dónde «conoce» el hombre a la mujer? ¿Cuánto tiempo hace que el hombre viene mirándola? ¿Esto le parece curioso a Ud.? Explique.
2. Las razones por las que el hombre ha mirado a la mujer han ido cambiando desde la primera vez que la vio. Identifique las tres razones y coméntelas.
3. Imagine que la mujer está leyendo la carta y llega a la frase «Usted no es como las otras». ¿Qué espera leer después? ¿Qué realmente lee? Según el hombre, ¿en qué sentido no es como las otras mujeres?
4. ¿A qué tipo de mujer prefiere el hombre? Según el hombre, ¿qué tipo de hombre le gusta a la mujer? ¿Cómo formuló esta opinión?
5. Explique lo que el hombre quiere decir cuando habla de soluciones.
6. ¿Por qué cree el hombre que él y la mujer están en una situación parecida?

---

[15] tipo de lotería en que se apuesta (*bet*) en deportes y otras competencias
[16] tipo de comida uruguaya (*type of flatbread made of chickpea flour, water, and oil which is baked and served with pizza*)
[17] una famosa actriz argentina (1894–1977)

7. ¿Qué argumentos utiliza el hombre para tratar de convencerla a aceptar su oferta?
8. ¿Cómo imagina el hombre a la mujer en treinta años?
9. Según el hombre, ¿qué cosas no puede ofrecerle él a ella? ¿Qué es lo que sí le puede ofrecer? Según él, ¿qué puede ella ofrecerle a él?
10. El hombre habla de lo que considera problemas de su propia apariencia y la de la mujer. Identifique estos problemas y comente su manera de discutirlos.
11. Si la mujer está interesada en el hombre, ¿cómo debe comunicárselo al hombre?
12. Haga una lista de todos los comentarios ofensivos que el hombre le hace a la mujer en su carta.
13. El hombre se describe como «recontrafranco». Repase el cuento buscando ejemplos de su excesiva franqueza. (Algunos de los ejemplos ya los ha identificado para la pregunta anterior.)

Discusión e interpretación

1. ¿Le gustaría recibir una carta de amor de esta índole? Explique.
2. En la carta, el hombre le pide a la mujer «que no se ofenda» con lo que le ha escrito. ¿Cree Ud. que la mujer se vaya a ofender al leer la carta? ¿Por qué sí o no? Para apoyar su opinión, incluya ejemplos específicos del cuento.
3. ¿Qué tipo de persona es el hombre que escribe la carta de amor? Descríbalo usando adjetivos y/o cláusulas relativas («es una persona que...»). Para cada elemento de su descripción, apoye su descripción con «evidencia» del cuento.

2-9 Refranes. El hombre recita tres refranes en su carta —tanto verdaderos como inventados. Con un/a compañero/a, discutan las siguientes preguntas sobre los refranes.

1. Identifiquen los tres refranes.
2. ¿Por qué creen que el hombre ha utilizado refranes en su carta?
3. Expliquen cómo los siguientes refranes se aplican al cuento.

   Cada uno habla como quien es.

   El que más habla es el que más tiene por qué callar.

   Quien habla lo que no debe, oye lo que no debe.

   Quien no miente, no viene de buena gente.

   Confidencia quita reverencia.

   Cortesía de boca, gana mucho a poca costa.

4. Lea las listas de refranes a continuación. ¿Hay algunos que Ud. considere ofensivos? ¿Cuáles? ¿Algunos que dicen la verdad? ¿Cuáles?
5. De los refranes, ¿cuáles parecen aptos para el cuento? Elija por lo menos tres refranes de cada lista y explique su conexión al cuento.
6. Con su compañero/a, inventen 5–6 refranes que reflejen ideas u ocurrencias del cuento. Pueden inventar sus propios refranes o utilizar los patrones de los refranes siguientes.

Refranes sobre las mujeres:

Más consiguen faldas que plumas ni espaldas.

Con la mujer y el fuego, no te burles, compañero.

La mujer y la sardina, cuánto más chica, más fina.

Cuando de las mujeres hables, acuérdate de tu madre.

Mujer recatada, mujer codiciada.

No hay mujer tan buena como la ajena.

Rosa que muchos huelen, fragancia pierde.

Más vale buena fama que buena cara.

La hermosa abrasa° con sólo mirarla. — quema

Ésa es buena y escogida, que es seguida y no vencida.

Para las mujeres no hay hombre feo.

Las mujeres quieren ser rogadas.

Mujer despreciada, mujer enamorada.

La mujer barbuda, de lejos la saluda.

Donde hay mujeres bonitas no faltarán visitas.

A la luz de la candela, toda rústica parece bella.

La mujer chiquita siempre es jovencita.

A oscuras, tanto da morena como rubia.

La morena cariñosa, la blanca, desdeñosa.

Secreto confiado a mujer, por muchos se ha de saber.

De mujer que mucho llora o mucho ríe, no te fíes.

Fea con gracia, cautiva el alma.

La suerte de la fea, la bonita la desea.

Mujer graciosa vale más que hermosa.

A la que tenga más de treinta, no la pretendas.° — *court, woo, pursue romantically*

A los quince, con quien quise; a los veinte, con quien diga la gente; y a los treinta, con el primero que se presente.

Esperando a un duque que no llegó, la doncella envejeció.

La mujer sin hombre es como fuego sin leña.

La mujer honrada, la pierna quebrada, y en casa.

No hay mujer gorda que no sea boba, ni flaca que no sea bellaca.° *wicked, sly*

Refranes sobre los hombres:

Galán atrevido, de las damas preferido.

Hombre cobarde, se casa mal y tarde.

Hombre casado, pájaro enjaulado.

Quien buena mujer tiene, seguro va y seguro viene.

Más quiero viejo que me honre que galán que me asombre.

Si una vez te pones a barrer, ya no barrerá tu mujer.

No hay hombre tan malo que no tenga algo bueno; ni tan bueno que no tenga algo malo.

Cuando el marido no merece llevar calzones, ella se los pone.

A menudo, bajo hábito vil, se esconde hombre gentil.

Hombre narigudo,° ingenio agudo. con una nariz grande

Hombre narigudo, pocas veces cornudo.[18]

Otros refranes sobre los hombres y las mujeres o sobre cuestiones de amor:

En amor y en juego,° más ve quien está fuera de ellos. *gambling*

Amor, gran igualador.

El amor no quiere consejo.

Casa con tu igual y no te irá mal.

Quien quiere, cree.

Amar sin padecer no puede ser.

Amores nuevos olviden los viejos.

Los amores entran riendo y salen llorando y gimiendo.

Querer por sólo querer es verdadero querer.

El amor primero jamás se olvida.

No hay luna como la de enero, ni amor como el primero.

Amor de estudiante, amor inconstante.

Noviazgo que mucho dura, no dará dinero al cura.

Amor que no es algo loco, logrará poco.

Yo como tú, y tú como yo, el diablo nos juntó.

---

[18]*cuckold* (Se dice de un hombre cuya mujer tiene relaciones sexuales con otro hombre.)

No te cases con mujer que te gane en el saber.

No hay olla tan fea que no encuentre su cobertera.

Para no reñir° un matrimonio, la mujer ha de ser ciega y el marido sordo. — discutir, pelear

El hombre quiere a la mujer sana,° y la mujer, al hombre que gana. — de buena salud

Si dos feos se casan, mal para la casta.

El amor es ciego.

Amor todo lo perdona.

LAZOS GRAMATICALES

La colocación de los adjetivos descriptivos

2-10 ¿Qué información comunica la posición del adjetivo? Los adjetivos descriptivos pueden colocarse antes o después de un sustantivo. La decisión depende del contexto y de la intención de la persona que utiliza el adjetivo. Para repasar, conteste las siguientes preguntas. (Si no recuerda, repase la explicación de la colocación de los adjetivos descriptivos en la sección 2 del *Manual de gramática* [pp. 290–298].)

1. ¿Qué función tienen los adjetivos cuando siguen al sustantivo?
2. ¿Cuáles son algunas de las funciones que un adjetivo puede tener cuando precede a su sustantivo?

2-11 ¿Antes o después? El siguiente cuadro presenta la mayoría de los sustantivos que vienen modificados por un adjetivo en el cuento. Están divididos en dos columnas. La columna **A** presenta los casos donde el adjetivo precede al sustantivo y la columna **B** los casos donde sigue al sustantivo. Conteste las siguientes preguntas consultando el cuadro.

1. Vea la columna **B.** ¿Por qué estos adjetivos siguen al sustantivo? Para contestar bien, mire el contexto más amplio del cuento. (Las frases del cuadro aparecen en el orden en que aparecen en el cuento.)
2. Ahora vea la columna **A.** Cuando el hombre utiliza estas expresiones donde el adjetivo precede al sustantivo, ¿qué información imparte esta posición? (Varía según el ejemplo.)
3. Hay dos adjetivos de la columna **A** que tendrían una traducción inglesa distinta cuando preceden al sustantivo que cuando lo siguen. ¿Puede identificarlos? (Uno de los adjetivos se usa en dos ejemplos.)

A Adjetivos que preceden al sustantivo	B Adjetivos que siguen al sustantivo
mi **misma** parada	ese tipo **despeinado**
con **creciente** interés	de corbata **moñita**
su **rolliza** manera de existir	ese señor **panzudo**
un **considerable** prestigio	la mujer **gorda**
las **babosas** miradas de ternero mamón	mi cara de pollo **mojado**
la **única** vez	el mundo está regido por factores **económicos**
le consagra su **respetable** interés	con la pantalla **ancha**
el **clásico** gesto de ula Marula	los morochos de ojos **verdes**
reconociendo sus **mismas voluminosas** formas	las babosas miradas de ternero **mamón**
no le ofrezco una **holgada** posición económica	una vejez **solitaria**
interesantes domingos en la playa	gobiernos **batllistas**
no le ofrezco una **vasta** cultura	algún lobanillo **estratégico**
una **atenta** lectura de Selecciones	avisos **económicos**
con **apreciable** ventaja	no le ofrezco una holgada posición **económica**
Poseo además **especiales** conocimientos	su vida **interior**
amenísimas conversaciones	le gusta leer los suplementos **femeninos**
su **respetuoso** admirador	su inquietud **espiritual**

2-12 Una examinación de la información que lleva la posición del adjetivo. Vamos a considerar unos casos en particular para subrayar la interesante e importante información que un cambio de la posición del adjetivo puede comunicar. Los cuatro ejemplos del cuento a continuación describen el tamaño físico de alguien —los adjetivos se refieren a unos individuos gordos. En los dos primeros, el adjetivo sigue al sustantivo pero en los dos últimos preceden al sustantivo.

1. Después de leer los ejemplos, explique por qué los adjetivos van después y por qué van antes.
   - Primero [la miré] con envidia porque usted venía sentada y yo en cambio casi a upa de (1) ese señor **panzudo** que sube en mi misma parada y que me va tosiendo en el pescuezo hasta Dieciocho y Yaguarón.
   - Bueno, no se preocupe por eso. Si bien yo llevo la ventaja de que existe un refrán que dice: «El hombre es como el oso, cuanto más feo más hermoso» y usted en cambio la desventaja de otro, aun no oficializado, que inventó mi sobrino: «(2) La mujer **gorda** en la boda, generalmente incomoda», fíjese sin embargo que mi cara de pollo mojado hubiera sido un fracaso en cualquier época y en cambio (3) su **rolliza** manera de existir hubiera podido tener en otros tiempos un considerable prestigio.
   - ¿No siente pánico cuando se imagina con treinta años más de gobiernos batllistas, mirándose al espejo y reconociendo (4) sus mismas **voluminosas** formas de ahora, pero mucho más fofas y esponjosas, con arruguitas y allá, y acaso algún lobanillo estratégico?

➔ Si Ud. ha dado una explicación como la siguiente, ¡excelente! En los dos primeros casos, el adjetivo va después para distinguir el sustantivo de otros. En (1), el hombre quiere que la mujer sepa a qué hombre en particular se refiere. En (2), en el refrán, la idea es comunicar lo que —en la opinión del hombre que inventó el refrán— diferencia a las mujeres gordas de las delgadas. En el tercer y cuarto ejemplo, el hombre del cuento está destacando lo que considera atributos inherentes de la mujer a quien ha escrito su carta: (3) su **rolliza** manera; (4) sus mismas **voluminosas** formas. En estos dos últimos casos, no tendría sentido si hubiera puesto el adjetivo después porque no quiere distinguir «su rolliza manera de existir» de otra manera de existir ni sus «voluminosas formas» de otras formas.

Pronombres relativos/Cláusulas relativas

El cuento contiene muchas cláusulas relativas. Estos tipos de clausulas tambien se llaman **clausulas adjectivas** porque funcionan como adjetivos —describen al sustantivo a que se refieren. Hay diversos pronombres que introducen las cláusulas relativas, pero la mayoría en este cuento se introducen con **que** (*that, who, whom*). Casi todas las cláusulas en este ejercicio son cláusulas relativas **restrictivas** —las que se usan para especificar el sustantivo que modifican, diferenciándolo de otros sustantivos. Por eso funcionan como los adjetivos descriptivos que siguen al sustantivo. Considere el siguiente caso que viene de la primera parte del cuento.

> Como quizá se haya dado cuenta, hace cuatro años que la vengo mirando. Primero con envidia, porque usted venía sentada y yo en cambio casi a upa de ese señor panzudo **que sube en mi misma parada y que me va tosiendo en el pescuezo hasta Dieciocho y Yaguarón.**

Estas dos cláusulas relativas contestan la pregunta **¿qué/cuál señor?** —justo como el adjetivo pospuesto **panzudo** contesta esta pregunta. Tanto el adjetivo pospuesto como la cláusula relativá restrictivá especifican el sustantivo al que se refiere diferenciándolo de otros.

Si la cláusula relativa describe a una entidad que existe, se usa el indicativo, pero si la entidad no existe o si no se sabe si existe, se usa el subjuntivo. Por ejemplo, lea los siguientes comentarios sobre la carta de amor de este cuento:

El hombre escribió una carta de amor **que *va*** (indicativo) **a ofender a la mujer.**

¿Por qué no escribió una carta **que no *tuviera*** (subjuntivo) **tantos insultos?**

2-13 ¿Existen o no? Examine los siguientes ejemplos del cuento (fijándose en las cláusulas en negrita) y diga si describen entidades que existen o que no existen. ¿Cómo lo sabemos?

1. ...hay un refrán **que dice**: «El hombre es como el oso, cuanto más feo, más hermoso»...
2. ¿Recuerda ésa peinada a lo Audrey Hepburn (1) **que sube en Bulevar, que los muchachos del ómnibus le dicen «Nacional»** porque adelante no tiene nada? Bueno, a ésa le quise hablar a la altura de Sarandí y Zabala y allí mismo me encajó un codazo en el hígado (2) **que no lo arreglo con ningún colagogo**.
3. Digo que es evidente, porque he observado con cierto detenimiento las babosas miradas de ternero mamón (1) **que usted le consagra a cierto individuo con esas características** (2) **que sube frente al David**.
4. Si su respuesta es afirmativa, traiga puestos mañana esos clips con frutillas **que le quedan tan monos**.

2-14 Un resumen del cuento. Complete las oraciones a continuación con un comentario que resuma algunos aspectos del cuento.

1. El hombre que escribió la carta es una persona que

   ______________________________.

2. La mujer que va a recibir la carta —según el hombre— es una mujer que ______________________.
3. El hombre podría decirle a la mujer «Le he escrito una carta que ______________________».
4. Este cuento es uno que ______________________.
5. Benedetti es un autor que ______________________.
6. Ahora, invente una oración que emplee una cláusula relativa para decir algo sobre el cuento.

Subjuntivo/Indicativo en las cláusulas nominales

2-15 ¿Subjuntivo o indicativo? Este ejercicio contiene unos fragmentos del cuento que tienen espacios en blanco para algunos de los verbos en cláusulas nominales. (Si Ud. no recuerda las reglas de uso del subjuntivo o el indicativo en cláusulas nominales, repase las pp. 314–318 en la sección 5 del *Manual de gramática* al final del libro antes de hacer los siguientes ejercicios.) Sin referirse al cuento, llene los espacios en blanco con la forma correcta de indicativo o subjuntivo según las reglas de uso. Luego, verifique sus respuestas usando el cuento como clave de respuestas correctas. Los fragmentos del ejercicio están en el orden en que aparecen en el cuento.

- Señorita: Usted y yo nunca fuimos presentados, pero tengo la esperanza de que me (1) __________ (conocer) de vista.
- ...creo modestamente que usted (2) __________ (poder) ser mi solución y yo la suya. Paso a explicarme. Antes que nada, voy a pedirle encarecidamente que no se (3) __________ (ofender), porque así no vale. Voy a expresarme con franqueza y chau. Usted no necesita que le (4) __________ (aclarar) que yo no soy lo que se dice un churro, así como yo no necesito que Ud. me (5) __________ (decir) que no (6) __________ (ser) Miss Universo. Los dos sabemos lo que somos ¿verdad?
- Si le voy a ser recontrafranco, le confesaré que a mí también me (7) __________ (gustar) más las delgaditas; tienen no sé qué cosa viboresca y latigosa que a uno lo pone de buen humor y en primavera lo hace relinchar. Pero ya que estamos en tren de confidencias, le diré que las flacas me (8) __________ (largar) al medio, y no les (9) __________ (caer) bien, ¿sabe?
- Yo sé que usted (10) __________ (tener) un problema por el estilo: es evidente que le (11) __________ (gustar) los morochos de ojos verdes. Digo que (12) __________ (ser) evidente, porque he observado con cierto detenimiento las babosas miradas de ternero

mamón que usted le consagra a cierto individuo con esas características que sube frente al David.

- Dicen que el que la sigue la (13) __________ (conseguir), pero usted y yo la hemos seguido y no la hemos conseguido.
- ¿No sería mejor que para esa época (14) __________ (estar—nosotros) uno junto al otro, leyéndonos los avisos económicos o jugando a la escoba de quince? Yo creo sinceramente que a usted le (15) __________ (convenir) aprovechar su juventud, de la cual está jugando ahora el último alargue.
- He observado que le (16) __________ (gustar) leer los suplementos femeninos, de modo que en el aspecto de su inquietud espiritual, estoy tranquilo. Pero ¿qué más? ¿Juega a la quiniela, le agrada la fainá, le gusta Olinda Bozán? No sé por qué, pero tengo la impresión de que (17) __________ (ir—nosotros) a congeniar admirablemente.

2-16 ¿Por qué subjuntivo? Observe que en el ejercicio anterior en todos los casos donde se usa el indicativo, se ve una afirmación —una declaración de la verdad según la perspectiva del hombre— y no una indicación de duda, emoción o influencia que requeriría el uso del subjuntivo. Repase los casos del ejercicio anterior donde se usa el subjuntivo. En cada caso, explique por qué se usa el subjuntivo apuntando la regla adecuada de la sección «Cláusulas nominales» de la sección 5 del *Manual de gramática* (pp. 317–318).

Verbos del pretérito que pueden tener una traducción distinta en inglés

Recuerde que algunos verbos, cuando están en el pretérito, pueden adoptar un significado distinto para su traducción en inglés que cuando están en el imperfecto. **Conoció** y **supo** son dos ejemplos de este tipo: muchas veces se traducen como *met* y *found out*, respectivamente, en vez de como *knew*. **Querer** es otro verbo de este tipo.

2-17 Detective de gramática. Lea la siguiente oración del cuento enfocándose en el uso del pretérito de **querer**. Luego, conteste las siguientes preguntas. (Si quiere más información, repase la explicación del pretérito de la sección 4 [pp. 307–314] del *Manual de gramática* al final del libro).

> Bueno, a ésa [mujer] le **quise** hablar a la altura de Sarandí y Zabala y allí mismo me encajó un codazo en el hígado que no lo arreglo con ningún colagogo.

1. Exprese **le quise hablar** de otra manera en español y tradúzcalo al inglés.

2. Usando sus habilidades de «detective de gramática,» busque la evidencia en esta oración que confirma que el hombre trató de hablar con esa mujer. Con esta «evidencia,» explique por qué el imperfecto (**quería**) no hubiera tenido sentido en este contexto.

2-18 Los pretéritos «especiales» no siempre lo son. Como se explica en detalle en la sección 4 del *Manual de gramática* (en la sub-sección «Verbos en el pretérito que pueden tener distintas traducciones inglesas de las que tienen en el imperfecto», pp. 311–314), los verbos de este tipo no siempre adoptan el significado supuestamente «especial» en inglés. Podemos ver evidencia de esto en el siguiente refrán. Indica lo que una mujer pudiera decir para indicar con quién se casaría, según su propia edad. Léalo y conteste las preguntas.

«A los quince, con quien **quise**; a los veinte, con quien diga la gente; y a los treinta, con el primero que se presente».

1. Tradúzcalo al inglés.
2. ¿Cómo tradujo Ud. **quise** —con *I tried* o con *I wanted*? ¿Por qué? Explique por qué la otra traducción no funciona aquí.

Formas de tratamiento: El uso de formas verbales formales o informales para dirigirse a otra gente

2-19 ¿Le muestra respeto o no? Aunque el hombre que escribió la carta le lanza insultos a la mujer, irónicamente mantiene el tratamiento apropiadamente formal y cortés que se debe usar cuando va dirigido a una persona que no se conoce o que no se conoce muy bien.

1. Hojee el cuento para ver qué forma verbal utiliza el hombre con la destinataria de su carta.
2. Ahora, lea la última frase del cuento a continuación para identificar la fórmula de despedida con que firma su carta.

   Mientras tanto, besa sus guantes su respetuoso admirador.

3. ¿Puede Ud. explicar por qué el uso de formas verbales **formales**, pronombres **formales** y fórmulas **formales** añaden humor al cuento? Para ayudarlo/la a contestar esta pregunta, considere lo siguiente: Si Benedetti hubiera hecho que su protagonista usara formas informales en vez de formales, ¿cree Ud. que el tono del cuento sería distinto? Explique. Piénselo antes de leer el próximo párrafo.

→ La forma de tratamiento (formas de Ud.) que utiliza el hombre muestra formalidad de relaciones entre él y la mujer y también le muestra respeto. Si Benedetti hubiera puesto formas verbales informales en la boca (o pluma) del hombre, indicaría que simplemente era un hombre bruto, rudo y descortés que no sabía comportarse como un hombre educado y respetuoso o que no quería comportarse así. El uso de formas verbales formales indica que el hombre entiende el concepto de conducta social apropiada. Al leer las formas formales al principio de la carta, el lector naturalmente espera seguir viendo formalidad y un tono respetuoso en lo que escribe el autor de la carta. Pero, en contra de lo que esperamos, muchos de sus comentarios son insultantes y demasiado íntimos para la situación. Con el contraste entre formas verbales y pronominales formales y fórmulas respetuosas con comentarios ofensivos y demasiado íntimos, Benedetti logra crear un cuento más cómico.

4. ¿Cree Ud. que el humor que resulta de esta técnica literaria (la mezcla de formalidad e informalidad) —que podemos apreciar como lectores de ficción— sería apreciado por la mujer que recibirá la carta? Explique.

☞ Se recomienda que Ud. relea el cuento aplicando lo que ha aprendido y practicado en los ejercicios de la sección «**Lazos gramaticales**». Si lo hace, no sólo va a entender mejor el cuento sino que se va a fortalecer su comprensión de la gramática.

A ESCRIBIR

Estrategias de composición

Esta sección incluye una serie de pasos para ayudarlo/la a: (1) formular y desarrollar sus ideas, (2) buscar evidencia del cuento para apoyar sus argumentos y (3) organizar su composición para que sea cohesiva y coherente. También incluye instrucciones para buscar y corregir errores de gramática y de vocabulario. Estas sugerencias acompañan el primer tema porque tienen sugerencias específicas para ese tema, pero son útiles para todos los temas. Si Ud. opta por uno de los otros temas, lea las sugerencias incluidas para el Tema uno y adáptelas para el tema que elija.

Tema 1

Imagine que Ud. es amigo/a de la mujer a quien va dirigida la carta del cuento. Ella le ha mostrado la carta a Ud. y le ha manifestado su reacción inmediata (puede ser positiva o negativa). Ahora, ella quiere la opinión de Ud. sobre cómo debe responderle al hombre. Ud. quiere darle buenos consejos y por eso quiere ponderarlo un rato y le responderá más tarde por correo electrónico. En su mensaje, trate de convencerla a cambiar de opinión: si a ella no le interesa el hombre, trate de convencerla para que salga con él; si le interesa, trate de convencerla para que no salga con él.

Al completar cada uno de los siguientes pasos, marque (✓) la casilla a la izquierda.

- ❑ a. Para prepararse, haga una lista de los atributos positivos (o negativos) del hombre (según el tipo de recomendación que haya decidido ofrecerle). Utilice evidencia de la carta, pero puede inferir cosas también.
- ❑ b. Añada sus argumentos a favor (o en contra) de salir con él.
- ❑ c. Sea creativo/a. Trate de usar humor en su mensaje.
- ❑ d. Cuando haya escrito su borrador, revíselo, asegurándose que todo siga un orden lógico y que sus ideas fluyan bien. Haga las correcciones y adiciones necesarias.
- ❑ e. Antes de entregar su composición, revísela asegurándose que:
  - ❑ haya usado vocabulario correcto (y que varíe su vocabulario)
  - ❑ no haya usado **ser, estar** y **haber** demasiado (es preferible usar verbos más expresivos)
  - ❑ haya concordancia entre todos los adjetivos y artículos y los sustantivos a que se refieren
  - ❑ haya concordancia entre los verbos y sus sujetos
  - ❑ **ser** y **estar** se usen correctamente
  - ❑ el subjuntivo se use cuando sea apropiado
  - ❑ el pretérito y el imperfecto se hayan usado correctamente
  - ❑ no haya errores de ortografía ni de acentuación

Otros temas de composición

2. Imagine que Ud. es la mujer a quien se dirige la carta del cuento. Escríbale una carta al hombre respondiendo o positiva o negativamente.
3. Escriba una descripción del hombre. En el primer párrafo, describa su apariencia. En el segundo, describa su personalidad. Fortalezca su descripción insertando comentarios que el hombre ha escrito en su carta.
4. Imagine que Ud. es amigo/a del hombre y que él le ha mostrado su carta pidiéndole su opinión antes de que se la dejara para la mujer. Ud. es mucho más educado/a (cortés) que él y quiere ayudarlo. Usando la carta original como base, escriba una nueva carta cambiando los elementos que Ud. considere problemáticos. Deje el resto de la carta intacta. Para que las partes que Ud. escriba se destaquen de la carta original, subraye las partes nuevas (o utilice otro color).
5. Escriba una anécdota verdadera sobre algo que haya ocurrido en uno de sus viajes en autobús. Si Ud. no toma el autobús o nada interesante ha ocurrido durante sus viajes en autobús, invente una anécdota.

CAPÍTULO

3

El ausente

Ana María Matute (1926–)

ANTES DE LEER

3-1 Reflexiones. Considere las siguientes preguntas antes de leer el cuento.

1. ¿Cómo se lleva una pareja infeliz? ¿Qué suelen hacer? ¿Qué tipos de cosas suelen decirse?
2. ¿Ha tenido Ud. una pelea con su esposo/a, novio/a o con su amigo/a? ¿Cuáles de las siguientes emociones ha experimentado Ud. durante o después de la pelea? (odio, rencor, preocupación, exasperación, desesperanza, asco, ira, tristeza, alivio, alegría, nervios, indiferencia, ¿otras emociones?)
3. Lea el primer párrafo para determinar las respuestas a las siguientes preguntas.
   a. ¿Quiénes son los personajes principales? ¿Cómo es la relación entre ellos?
   b. ¿Este cuento es narrado por quién?
   c. ¿Qué signos de puntuación se usan para indicar los pensamientos de la persona que narra el relato?

Enfoques léxicos

Cognados falsos

3-2 Dos tipos de cognados falsos. Recuerde que hay dos tipos de cognados falsos —los que a veces comparten un significado (Tipo I) y los que nunca tienen el mismo significado de la palabra a que se parece en inglés (Tipo II). (Para una explicación más detallada, lea la sección 1 del *Manual de gramática* al final del libro [pp. 285–290].)

Los cuadros y ejercicios a continuación contienen varios cognados falsos de ambos tipos de este cuento.

TIPO I: COGNADOS FALSOS QUE A VECES COMPARTEN UN SIGNIFICADO (LOS A VECES FALSOS)		
Palabra	**Definición semejante**	**Definiciones distintas**
discutir	*to discuss*	debatir, disputar, pelearse (verbalmente)
pena	dolor o tormento físico (*pain*)	dolor emocional: tristeza (*sorrow*)
rumor	noticia no confirmada que circula de persona a persona	sonido vago y constante, murmullo continuo (*murmur, muffled sound*)

1. La palabra **discutieron** ocurre en la primera oración del cuento. Lea las primeras frases del primer párrafo del cuento. Del cuadro anterior, ¿cuál de las definiciones de **discutir** se usa aquí?

➔ Si Ud. ha elegido **debatir, disputar, pelearse (verbalmente)**, tiene razón.

2. En el fragmento del cuento a continuación, ¿cuál sería el mejor significado de **pena** —dolor físico o dolor emocional (tristeza)?

   La vida, la pobreza, las preocupaciones le borran a una esas cosas de la cabeza. «De la cabeza, puede...pero en algún lugar queda la **pena**. Sí: la **pena** renace, en momentos como éste...».

➔ Si Ud. ha elegido **dolor emocional, tristeza,** tiene razón.

3. Lea los dos casos de **rumor** en los siguientes fragmentos del cuento. ¿Cuál de las definiciones del cuadro anterior es correcta para los dos usos?
   - Allí, junto a la tapia del huerto, Marcos y ella. El sol brillaba y se oía el **rumor** de la acequia,° tras el muro.
   - Por el ventanuco entraban los gritos de los vencejos,° el **rumor** del río entre las piedras.

irrigation ditch

swifts (tipo de pájaro)

➔ Si Ud. ha elegido **murmullo continuo** o **sonido vago y constante,** tiene razón.

TIPO II: COGNADOS FALSOS QUE NUNCA COMPARTEN UN SIGNIFICADO (LOS SIEMPRE FALSOS)	
Palabra	**Definición**
forastero	extranjero, persona de otra parte (no significa *forest* ni *forester*)
desgraciado	sin suerte, infeliz, miserable (no significa *disgraced*)
largo	*long* (no significa *large*)

4. En las siguientes frases del cuento, todos los cognados falsos son del segundo tipo —los siempre falsos. Observe que en cada caso el significado aparente no es correcto. Recuerde los significados correctos mientras lee el cuento.
   - Amadeo era un **forastero**, un **desgraciado** obrero de las minas.

- Soy una **desgraciada**. Una **desgraciada**.
- Si al menos hubiéramos tenido un hijo.... Pero no lo tenían, y llevaban ya cinco años **largos** de matrimonio.

En más detalle

Aunque algunos diccionarios bilingües incluyen *rude* entre sus definiciones de la palabra **rudo**, este significado es poco común. Por esto, no se ha incluido en la primera lista porque habría dado la falsa impresión que se usa así con frecuencia. **Rudo** suele significar *uncultured, simple, coarse* y a veces **estúpido.** Lea el siguiente fragmento del cuento donde ocurre y recuerde su significado.

Marcos se casó con la hija mayor del juez: una muchacha torpe, **ruda**, fea.

Grupos léxicos

3-3 Palabras relacionadas. Complete las siguientes frases con la palabra adecuada. Las palabras agrupadas tienen la misma raíz y por lo tanto tienen un significado relacionado. Utilice su conocimiento de la gramática para escoger la palabra correcta. No será necesario cambiar las formas de las palabras. Usará algunas palabras más de una vez. Verifique sus respuestas buscando la oración en el cuento. (Las oraciones de cada grupo se presentan en el orden en que aparecen en el cuento.)

culpa - culpable

1. Era desgraciada, y pagaba su ___________ de haberse casado sin amor.
2. «Marcos, tú tienes la ___________... tú, porque Amadeo...». De pronto, tuvo miedo.
3. Los hombres la miraban con mirada dura y reprobativa. Ella lo notaba y se sentía ___________.

odiar - odiaré - odio (sustantivo)

4. «¿Le (1) ___________ acaso?» Cerró los ojos. No quería pensarlo. Su madre le dijo siempre: «(2) ___________ es pecado, Luisa».
5. Luisa estaba pálida. No comía. «Estoy llena de (1) ___________. Sólo llena de (2) ___________», pensó, mirando a María.

orgullo - orgullosa

6. Su madre (una mujer sencilla, una campesina) siempre le dijo que era pecado casarse sin amor. Pero ella fue (1) ___________. «Todo fue cosa del (2) ___________. Por darle en la cabeza a Marcos. Nada más».

barro - embarradas

7. Vio su silla, su ropa allí, sucia, a punto de lavar. Sus botas, en un rincón, aún llenas de __________.
8. Buscó con ansia pueril la ropa sucia, las botas __________.

➔ Barro quiere decir *mud.* ¿Puede Ud. determinar el significado de **embarradas?**

Sufijos diminutivos y aumentativos

Los sufijos, por definición, ocurren al final de una palabra (sustantivo, adjetivo, o a veces un adverbio). Cuando son sustantivos o adjetivos, generalmente concuerdan con el género y número de la palabra base. Los sufijos tienen diferentes usos y propósitos, algunos se presentan a continuación.

DIMINUTIVOS		
Sufijo	**Uso/Propósito**	**Ejemplos**
-ito, -cito	Indica pequeñez o cariño.	niño → niñito joven → jovencito, jovencita ahora → ahorita
-illo*	Indica pequeñez, minimiza la importancia de algo o suaviza el impacto de la palabra base.	campana → campanilla cosa → cosilla ladrón → ladroncillo
-uco*	Da un sentido despectivo a la palabra.	libro → libruco *useless little book* mujer → mujeruca *odd little woman*
AUMENTATIVOS		
-ón	Indica gran tamaño o cantidad; da un sentido peyorativo o crítico a la palabra.	gordo → gordona hombre → hombrón
-acho/-ucho	Da un sentido despectivo a la palabra.	pueblo → poblacho *wretched town* camisa → camisucha *ragged shirt*

*Estos sufijos se usan mucho en España.

En más detalle

La primera columna del cuadro anterior sólo incluye las formas singulares masculinas. Todos tienen variaciones femeninas y plurales que se forman como cualquier adjetivo. Note que la forma que termina en **-ón** pierde el acento escrito en la forma femenina y en las formas plurales (**gordón, gordona, gordones, gordonas**).

Aunque **-ito/-cito** y sus formas femeninas y plurales sugieren pequeñez o cariño, algunas palabras con este sufijo pueden tener una connotación peyorativa, como la palabra **señorito.**° *rich kid*

Las combinaciones de letras que forman estos sufijos no siempre los forman. Por ejemplo, hay palabras del cuento que terminan en estas combinaciones pero no son sufijos: **cuchillo, sencilla, silla, mejillas, corazón, rincón, muchacha.**

3-4 Determine el significado. Las oraciones a continuación son del cuento. Identifique la palabra base de las palabras en negrita. Usando la información sobre los sufijos, determine el significado.

1. Cuando bajó a dar de comer a las gallinas la cara de comadreja de su vecina María Laureana asomó por el **corralillo**.
2. A su lado la cama seguía vacía. Se levantó descalza y fue a mirar: la **casucha** estaba en silencio.
3. Por el **ventanuco** entraban los gritos de los vencejos, el rumor del río entre las piedras.

➔ Si Ud. ha determinado los siguientes significados, tiene razón: *small yard* o *pen* (de **corral**), *hovel* (de **casa**) y *small, rather ugly window* (de **ventana**).

A LEER

Estrategia de lectura: Hacer inferencias enfocándose en el lenguaje corporal

Sabemos que es posible «leer» la actitud de una persona hacia otra mirando su «lenguaje corporal»: los gestos, la posición del cuerpo, la distancia entre los interlocutores, las expresiones de la cara, la forma en que se tocan, se miran, etc. A veces el lenguaje corporal revela más que las palabras. Al leer obras de literatura, podemos fijarnos en el lenguaje corporal de los personajes para inferir cómo es su relación y qué está pasando entre ellos aun cuando no están hablando. En el ejercicio que sigue, vamos a practicar esta estrategia para entender el cuento mejor.

3-5 ¿Qué comunican sin palabras? Haga los ejercicios siguientes tomando en cuenta el lenguaje corporal de los personajes.

1. Las dos primeras oraciones del primer párrafo establecen el estado de ánimo entre los dos personajes principales. Lea el resto del párrafo fijándose en su lenguaje corporal. ¿Cómo se sienten? Cite los ejemplos del lenguaje corporal que usó para contestar esta pregunta.
2. Al leer el resto del cuento, fíjese en el lenguaje corporal de los personajes porque le dará indicios de cómo se sienten el uno hacia el otro. Por ejemplo, fíjese en las expresiones y gestos que tienen Luisa, la protagonista, y su vecina cuando conversan. Compare el lenguaje corporal de Luisa y Amadeo, su esposo, al principio del cuento con su lenguaje corporal al final. Haga una lista de las expresiones y gestos que Ud. identifica mientras lee el cuento.

Ana María Matute

Ana María Matute nació en Barcelona, España en 1926. Ha escrito varias novelas y cuentos y ha ganado muchos premios por sus obras, entre ellos, El Premio Café Gijón, El Premio Nadal y El Premio Nacional de Literatura Infantil. Siendo una niña de 10 años cuando la Guerra Civil Española (1936–1939) empezó, la guerra tendría un gran impacto sobre ella y sus escritos. Sus obras tratan temas como la soledad, la crueldad, el dolor, la muerte y el rencor. Su lenguaje generalmente es simple, directo y emotivo. Muchas veces escribe sobre los niños y la gente humilde que sufre mucho por su condición. Esto se nota en «El ausente», donde la vida difícil de los personajes juega un papel en el cuento: se ven muestras que se manifiestan en el carácter y las esperanzas de los personajes. Matute trata a sus personajes de manera realista —si a veces pesimista— pero casi siempre con ternura y comprensión. «El ausente» proviene de una colección que se llama *Historias de la Artámila* que se publicó en 1961.

El ausente

Ana María Matute

Por la noche discutieron. Se acostaron llenos de rencor el uno por el otro. Era frecuente eso, sobre todo en los últimos tiempos. Todos sabían en el pueblo —y sobre todo María Laureana, su vecina— que eran un matrimonio° mal avenido°. Esto, quizá, la amargaba más. «Quémese la casa y no salga el

matrimonio: pareja casada
avenido: *ill-matched*

5 humo»[1], se decía ella, despierta, vuelta de cara a la pared. Le daba a él la espalda, deliberada, ostentosamente. También el cuerpo de él parecía escurrirse como una anguila° hacia el borde opuesto de la cama. «Se caerá al suelo», se dijo, en más de un momento. Luego, oyó sus ronquidos y su rencor se acentuó. «Así es. Un salvaje, un bruto. No tiene sentimientos». En cambio ella, despierta.
10 Despierta y de cara a aquella pared encalada,°[2] voluntariamente encerrada.°

slide away like an eel

whitewashed/ closed in

Era desgraciada. Sí: no había por qué negarlo, allí en su intimidad. Era desgraciada, y pagaba su culpa de haberse casado sin amor. Su madre (una mujer sencilla, una campesina) siempre le dijo que era pecado casarse sin amor. Pero ella fue orgullosa. «Todo fue cosa del orgullo. Por darle° en la
15 cabeza a Marcos. Nada más». Siempre, desde niña, estuvo enamorada de Marcos. En la oscuridad, con los ojos abiertos, junto a la pared, Luisa sintió de nuevo el calor de las lágrimas entre los párpados. Se mordió los labios. A la memoria le venía un tiempo feliz, a pesar de la pobreza. Las huertas, la recolección de la fruta... «Marcos». Allí, junto a la tapia del huerto, Marcos
20 y ella. El sol brillaba y se oía el rumor de la acequia,° tras el muro. «Marcos». Sin embargo, ¿cómo fue?... Casi no lo sabía decir: Marcos se casó con la hija mayor del juez: una muchacha torpe, ruda, fea. Ya entrada en años, por añadidura. Marcos se casó con ella. «Nunca creí que Marcos hiciera eso. Nunca.» ¿Pero cómo era posible que aún le doliese, después de tantos años?
25 También ella había olvidado. Sí: qué remedio. La vida, la pobreza, las preocupaciones le borran a una esas cosas, de la cabeza. «De la cabeza, puede... pero en algún lugar queda la pena. Sí: la pena renace, en momentos como éste...». Luego ella se casó con Amadeo. Amadeo era un forastero, un desgraciado obrero de las minas. Uno de aquellos que hasta los jornaleros más
30 humildes miraban por encima del hombro.° Fue aquél un momento malo. El mismo día de la boda sintió el arrepentimiento. No le amaba ni le amaría nunca. Nunca. No tenía remedio. «Y ahí está: un matrimonio desavenido. Ni más ni menos. Este hombre no tiene corazón, no sabe lo que es una delicadeza. Se puede ser pobre, pero... Yo misma, hija de una familia de aparce-
35 ros.° En el campo tenemos cortesía, delicadeza... Sí: la tenemos. ¡Sólo este hombre!» Se sorprendía últimamente diciendo: «este hombre», en lugar de Amadeo. «Si al menos hubiéramos tenido un hijo...». Pero no lo tenían, y llevaban ya cinco años largos de matrimonio.

golpearle (emocionalmente)

irrigation ditch

looked down on

sharecroppers

Al amanecer le oyó levantarse. Luego, sus pasos por la cocina, el ruido
40 de los cacharros. «Se prepara el desayuno». Sintió una alegría pueril:° «Que se lo prepare él. Yo no voy». Un gran rencor la dominaba. Tuvo un ligero sobresalto°: «¿Le odiaré acaso?» Cerró los ojos. No quería pensarlo. Su madre le dijo siempre: «Odiar es pecado, Luisa». (Desde que murió su madre, sus palabras, antes oídas con rutina, le parecían sagradas, nuevas y terribles.)
45 Amadeo salió al trabajo, como todos los días. Oyó sus pisadas y el golpe de la puerta. Se acomodó en la cama, y durmió.

childish (puerile)

fright, shock

---

[1]un refrán que se usa para referirse a una deshonra que hay que esconder

[2]**cal** significa *lime*, la sustancia que se aplica a una pared cuando se la encala

Se levantó tarde. De mal humor aseó° la casa. Cuando bajó a dar de comer a las gallinas la cara de comadreja° de su vecina María Laureana asomó por el corralillo.

50 —Anda, mujer: mira que se oían las voces anoche...

Luisa la miró, colérica.

—¡Y qué te importan a ti, mujer, nuestras cosas!

María Laureana sonreía con cara de satisfacción.

—No seas así, muchacha... si te comprendemos todos, todos... ¡Ese 55 hombre no te merece, mujer!

Prosiguió en sus comentarios, llenos de falsa compasión. Luisa, con el ceño fruncido, no la escuchaba. Pero oía su voz, allí, en sus oídos, como un veneno lento. Ya lo sabía, ya estaba acostumbrada.

—Déjale, mujer... déjale. Vete con tus hermanas, y que se las apañe solo.°

60 Por primera vez pensó en aquello. Algo le bullía en la cabeza: «Volver a casa». A casa, a trabajar de nuevo la tierra. ¿Y qué? ¿No estaba acaso acostumbrada? «Librarme de él». Algo extraño la llenaba: como una agria alegría de triunfo, de venganza. «Lo he de pensar,»° se dijo.

Y he aquí que ocurrió lo inesperado. Fue él quien no volvió.

65 Al principio, ella no le dio importancia. «Ya volverá», se dijo. Habían pasado dos horas más desde el momento en que él solía entrar por la puerta de la casa. Dos horas, y nada supo de él. Tenía la cena preparada y estaba sentada a la puerta, desgranando alubias.° En el cielo, azul pálido, brillaba la luna, hermosa e hiriente. Su ira se había transformado en una congoja° íntima, callada. «Soy una 70 desgraciada. Una desgraciada». Al fin, cenó sola. Esperó algo° más. Y se acostó.

Despertó al alba, con un raro sobresalto. A su lado la cama seguía vacía. Se levantó descalza y fue a mirar: la casucha estaba en silencio. La cena de Amadeo intacta. Algo raro le dio en el pecho, algo como un frío. Se encogió de hombros° y se dijo: «Allá él. Allá él con sus berrinches».° Volvió a la cama, 75 y pensó: «Nunca faltó de noche». Bien, ¿le importaba acaso? Todos los hombres faltaban de noche en sus casas, todos bebían en la taberna, a veces más de la cuenta.° Qué raro: él no lo hacía nunca. Sí: era un hombre raro. Trató de dormir, pero no pudo. Oía las horas en el reloj de la iglesia. Pensaba en el cielo lleno de luna, en el río, en ella. «Una desgraciada. Ni más ni menos».

80 El día llegó. Amadeo no había vuelto. Ni volvió al día siguiente, ni al otro.

La cara de comadreja de María Laureana apareció en el marco de la puerta.

—Pero, muchacha... ¿qué es ello? ¿Es cierto que no va Amadeo a la mina? ¡Mira que el capataz° lo va a despedir!

85 Luisa estaba pálida. No comía. «Estoy llena de odio. Sólo llena de odio», pensó, mirando a María.

—No sé —dijo—. No sé, ni me importa.

Le volvió la espalda y siguió en sus trabajos.

—Bueno —dijo la vecina—, mejor es así, muchacha... ¡para la vida que 90 te daba!

Se marchó y Luisa quedó sola. Absolutamente sola. Se sentó desfallecida.° Las manos dejaron caer el cuchillo contra el suelo. Tenía frío, mucho

---

limpió
weasel
let him manage alone
Debo ponderarlo, considerarlo
shelling beans
angustia, dolor
un rato
shrugged/rages, tantrums
más de lo que debían
jefe
weak, faint

frío. Por el ventanuco entraban los gritos de los vencejos,° el rumor del río entre las piedras. «Marcos, tú tienes la culpa... tú, porque Amadeo...». De pronto, tuvo miedo. Un miedo extraño, que hacía temblar sus manos. «Amadeo me quería. Sí: él me quería.» ¿Cómo iba a dudarlo? Amadeo era brusco, desprovisto de° ternura, callado, taciturno. Amadeo —a medias palabras ella lo entendió— tuvo una infancia dura, una juventud amarga. Amadeo era pobre y ganaba su vida —la de él, la de ella y la de los hijos que hubieran podido tener— en un trabajo ingrato que destruía su salud. Y ella: ¿tuvo ternura para él? ¿Comprensión? ¿Cariño? De pronto, vio algo. Vio su silla, su ropa allí, sucia, a punto de lavar. Sus botas, en un rincón, aún llenas de barro. Algo le subió, como un grito. «Si me quería... acaso ¿será capaz de matarse?»

Se le apelotonó la sangre en la cabeza. «¿Matarse?» ¿No saber nunca nada más de él? ¿Nunca verle allí: al lado, pensativo, las manos grandes enzarzadas° una en otra, junto al fuego; el pelo negro sobre la frente, cansado, triste? Sí: triste. Nunca lo pensó: triste. Las lágrimas corrieron por sus mejillas. Pensó rápidamente en el hijo que no tuvieron, en la cabeza inclinada de Amadeo. «Triste. Estaba triste. Es hombre de pocas palabras y fue un niño triste, también. Triste y apaleado.° Y yo: ¿qué soy para él?»

Se levantó y salió afuera. Corriendo, jadeando, cogió el camino de la mina. Llegó sofocada y sudorosa. No: no sabían nada de él. Los hombres la miraban con mirada dura y reprobativa. Ella lo notaba y se sentía culpable.

Volvió llena de desesperanza. Se echó sobre la cama y lloró, porque había perdido su compañía. «Sólo tenía en el mundo una cosa: su compañía». ¿Y era tan importante? Buscó con ansia pueril la ropa sucia, las botas embarradas. «Su compañía. Su silencio al lado. Sí: su silencio al lado, su cabeza inclinada, llena de recuerdos, su mirada». Su cuerpo allí al lado, en la noche. Su cuerpo grande y oscuro pero lleno de sed, que ella no entendía. Ella era la que no supo: ella la ignorante, la zafia,° la egoísta. «Su compañía». Pues bien, ¿y el amor? ¿No era tan importante, acaso? «Marcos...». Volvía el recuerdo; pero era un recuerdo de estampa, pálido y frío, desvaído.° «Pues, ¿y el amor? ¿No es importante?» Al fin, se dijo: «¿Y qué sé yo qué es eso del amor? ¡Novelerías!»°

La casa estaba vacía y ella estaba sola.

Amadeo volvió. A la noche le vio llegar, con paso cansino. Bajó corriendo a la puerta. Frente a frente, se quedaron como mudos,° mirándose. Él estaba sucio, cansado. Seguramente hambriento. Ella sólo pensaba: «Quiso huir de mí, dejarme, y no ha podido. No ha podido. Ha vuelto».

—Pasa, Amadeo —dijo, todo lo suave que pudo, con su voz áspera de campesina—. Pasa, que me has tenido en un hilo[3]...

Amadeo tragó algo: alguna brizna,° o quién sabe qué cosa, que mascullleaba entre los dientes. Pasó el brazo por los hombros de Luisa y entraron en la casa.

Line numbers: 95, 100, 105, 110, 115, 120, 125, 130

Glosses:
- vencejos: *swifts* (tipo de pájaro)
- desprovisto de: le faltaba
- enzarzadas: *clenched*
- apaleado: *beaten*
- zafia: *coarse, crude*
- desvaído: *faded*
- novelerías: fantasía, cosas de novelas
- mudos: sin hablar
- brizna: *blade of grass*

---

[3] me has tenido muy preocupada

DESPUÉS DE LEER

PREGUNTAS

En general

1. Describa la relación entre Luisa y su esposo al principio del cuento.
2. ¿En qué circunstancias nacieron Luisa y su esposo?

En detalle

1. ¿Con qué evento empieza el cuento?
2. Mientras Luisa yace despierta, pensando en la cama, ¿qué hace Amadeo? ¿Cómo reacciona Luisa?
3. En la primera parte del cuento, Luisa indica que en cierto sentido merece este sufrimiento. ¿Por qué ella cree merecerlo?
4. ¿Quién es Marcos? ¿Con quién se casó y por qué?
5. Luisa dice que cuando se casó con Amadeo no lo amaba. Entonces, ¿por qué se casó con él?
6. ¿Cómo caracteriza Luisa sus cinco años de matrimonio? ¿Por qué utiliza este adjetivo?
7. Tanto Luisa como Amadeo tienen un origen pobre y humilde. ¿Cómo se distinguen él y ella, según ella?
8. ¿Cómo se gana la vida Amadeo?
9. ¿Cómo sabe María Laureana que Luisa y Amadeo tienen problemas? ¿Por qué tiene interés en ellos?
10. Cuando Luisa está considerando la posibilidad de dejar a su esposo, ¿qué evento irónico ocurre?
11. ¿Cómo es Amadeo en comparación con los otros hombres del pueblo?
12. ¿En qué momento cambia la actitud de Luisa hacia Amadeo?
13. ¿Por qué llora Luisa? ¿Por qué siente pánico?
14. ¿Cómo reacciona Luisa cuando ve volver a Amadeo? ¿Y cómo reacciona Amadeo?

Discusión e interpretación

1. Compare la visión del amor que tiene Luisa al principio con la que tiene al final del cuento. (Compare sus pensamientos en la primera parte del cuento —cuando recuerda a Marcos— con sus pensamientos al final cuando está preocupada por la ausencia de Amadeo.)

2. Compare el lenguaje corporal entre Amadeo y Luisa en el primer párrafo con el de los tres últimos párrafos.
3. ¿Qué representa para Luisa el hecho de que ella y su marido no han tenido hijos? ¿Por qué es tan importante para ella?
4. ¿Cree Ud. que Marcos merecía la adoración de Luisa? Explique.
5. ¿Qué aprende Luisa sobre su marido durante su ausencia?
6. ¿Cómo describe Luisa a su marido al principio del cuento, durante su ausencia y cuando regresa a casa?
7. ¿Por qué cree Ud. que la actitud de Luisa hacia su marido cambia? ¿Cómo ha cambiado Luisa? ¿Cree Ud. que Amadeo ha cambiado también? Utilice ejemplos del cuento.
8. Luisa menciona dos veces que se siente culpable. ¿Por qué se siente culpable la primera vez? ¿La segunda?
9. ¿Qué papel desempeña la vecina, María Laureana, en el cuento?
10. Se menciona la cama cinco veces. ¿Por qué hay tanto énfasis en la cama?
11. La referencia más obvia de «El ausente» es el esposo. ¿Podría referirse a otra cosa o persona? Explique.
12. ¿Cree Ud. que las relaciones entre Luisa y Amadeo van a cambiar? Explique.

LAZOS GRAMATICALES

Usos del pretérito y del imperfecto

3-6 Análisis de usos del pretérito y del imperfecto en «El ausente». Antes de contestar las siguientes preguntas, repase el pretérito/imperfecto (sección 4, pp. 307–314) en el *Manual de gramática*) al final del libro.

1. A primera vista, el siguiente fragmento del cuento (el segundo párrafo donde se describe a Luisa), parece incluir usos contradictorios del imperfecto y del pretérito. Lea el fragmento, poniendo atención a los ejemplos en negrita, y conteste las siguientes preguntas.

   Era desgraciada. Sí: no había por qué negarlo, allí en su intimidad. **Era** desgraciada, y pagaba su culpa de haberse casado sin amor. Su madre (una mujer sencilla, una campesina) siempre le dijo que era pecado casarse sin amor. Pero ella **fue** orgullosa. «Todo fue cosa del orgullo. Por darle en la cabeza a Marcos. Nada más».

   a. ¿Por qué Luisa se describe utilizando **era** (imperfecto) en los dos primeros casos mientras que después (en el mismo párrafo), se describe utilizando **fue** (pretérito)?

b. ¿Cuál descripción la describe en el «presente» y cuál la describe cuando joven? Explique cómo lo sabe, usando su conocimiento del pretérito y del imperfecto.

2. En el siguiente fragmento del cuento identifique el uso específico de cada verbo en el pretérito en negrita. Recuerde que el pretérito se usa para indicar:
   - el principio de una acción o un estado en el pasado
   - el fin de una acción/estado
   - una acción/estado en su totalidad

   De pronto, (1) **tuvo** miedo. Un miedo extraño, que hacía temblar sus manos. «Amadeo me quería. Sí: él me quería». ¿Cómo iba a dudarlo? Amadeo era brusco, desprovisto de ternura, callado, taciturno. Amadeo —a medias palabras ella lo (2) **entendió**— (3) **tuvo** una infancia dura, una juventud amarga. Amadeo era pobre y ganaba su vida —la de él, la de ella y la de los hijos que hubieran podido tener— en un trabajo ingrato que destruía su salud.

Usos del tiempo futuro

El tiempo futuro se usa para referirse al futuro y para hacer predicciones. También se usa para hacer una conjetura sobre el presente, como en **¿Qué hora será?** (*I wonder what time it is?*). Cuando se refiere al futuro o indica predicciones sobre el futuro, se usa la palabra *will* en la traducción inglesa. Cuando el futuro se usa para conjeturas en el presente, hay varias maneras para expresar la idea de conjetura, entre ellas: *probably* + el tiempo presente, *I wonder if/whether..., Is it possible that...?, Could it be that...?*, etc. En el siguiente ejercicio vamos a analizar algunos verbos en el futuro para determinar si se refieren al futuro o si hacen una conjetura sobre el presente.

3-7 Análisis de usos del futuro. Lea las siguientes oraciones del cuento y determine cuáles indican una predicción sobre el futuro y cuáles indican una conjetura sobre el presente.

1. Le daba a él la espalda, deliberada, ostentosamente. También el cuerpo de él parecía escurrirse como una anguila hacia el borde opuesto de la cama. «**Se caerá** al suelo», se dijo, en más de un momento.
2. Al amanecer le oyó levantarse. Luego, sus pasos por la cocina, el ruido de los cacharros. «Se prepara el desayuno». Sintió una alegría pueril: «Que se lo prepare él. Yo no voy». Un gran rencor la dominaba. Tuvo un ligero sobresalto: «¿Le **odiaré** acaso?» Cerró los ojos. No quería pensarlo.
3. Y he aquí que ocurrió lo inesperado. Fue él quien no volvió. Al principio, ella no le dio importancia. «Ya **volverá**», se dijo.

4. De pronto vio algo. Vio su silla, su ropa allí, sucia, a punto de lavar. Sus botas, en un rincón, aún llenas de barro. Algo le subió, como un grito. «Si me quería... acaso ¿**será** capaz de matarse?»

Relea el cuento aplicando lo que ha aprendido y practicado en los ejercicios de la sección «**Lazos gramaticales**». Si lo hace, entenderá mejor el cuento y fortalecerá su comprensión de la gramática.

A ESCRIBIR

Estrategias de composición

Esta sección incluye una serie de pasos para ayudarlo/la a: (1) formular y desarrollar sus ideas, (2) buscar evidencia del cuento para apoyar sus argumentos y (3) organizar su composición para que sea cohesiva y coherente. También incluye instrucciones para buscar y corregir errores de gramática y de vocabulario. Estas sugerencias acompañan el primer tema porque son específicas para ese tema, pero son útiles para todos los temas. Si Ud. opta por uno de los otros temas, lea las sugerencias incluidas para el Tema uno y adáptelas para el tema que elija.

Tema 1

La visión del amor que tiene Luisa al principio del cuento es muy diferente de la que tiene al final. Escriba una composición que compare sus actitudes/su comportamiento y que explique el cambio. Use ejemplos específicos del cuento para apoyar sus argumentos.

Al completar cada uno de los siguientes pasos, marque (✓) la casilla a la izquierda.

❑ a. Haga dos listas apuntando ejemplos específicos del cuento que muestren las diferentes actitudes y comportamiento de Luisa y Amadeo.

❑ b. En clase con un/a compañero/a, comparen sus listas y únanlas para hacer dos listas más completas. (Completen y guarden sus propias listas porque van a usarlas para escribir su composición.) Discutan las diferencias de actitud y comportamiento, planteando una tesis que explique por qué cambia la actitud o visión de Luisa hacia el amor.

❑ c. La clase va a discutir los varios ejemplos específicos del cuento. Durante la discusión, apunte los comentarios y ejemplos que le parezcan válidos en sus listas.

- ❑ d. Incorpore los mejores argumentos e ideas que surgieron durante las discusiones en clase. Incluya ejemplos específicos del cuento.
- ❑ e. Escriba la introducción y la conclusión.
- ❑ f. Cuando haya escrito su borrador, revíselo, utilizando sus listas para asegurarse que haya apoyado sus argumentos con ejemplos específicos y que sus ideas fluyan bien. Haga las correcciones necesarias.
- ❑ g. Dele un título interesante.
- ❑ h. Antes de entregar su composición, revísela asegurándose que:
    - ❑ haya usado vocabulario correcto y variado
    - ❑ no haya usado **ser, estar** y **haber** demasiado (es preferible usar verbos más expresivos)
    - ❑ haya concordancia entre los adjetivos y artículos y los sustantivos a que se refieren
    - ❑ haya concordancia entre los verbos y sus sujetos
    - ❑ **ser** y **estar** se usen correctamente
    - ❑ el subjuntivo se use cuando sea apropiado
    - ❑ el pretérito y el imperfecto se hayan usado correctamente
    - ❑ no haya errores de ortografía ni de acentuación

Otros temas de composición

2. Escriba la próxima escena: narre lo que pasa después de que la pareja entra en la casa. Incluya la conversación y el lenguaje corporal entre Amadeo y Luisa.
3. Reescriba el cuento desde el punto de vista de Amadeo.

CAPÍTULO

4

El hijo

Horacio Quiroga (1878–1937)

ANTES DE LEER

4-1 Reflexiones. Considere las siguientes preguntas antes de leer el cuento.

1. ¿Qué tiempo hace en las regiones tropicales? ¿Qué tipo de vegetación y animales prosperan en el área? ¿Cómo sería vivir allí? ¿Qué efecto tendría la vegetación en la vida de los que viven en estas regiones?
2. Hojee los dos primeros párrafos buscando referencias a la naturaleza. ¿Qué se menciona sobre la naturaleza?
3. Hojee los párrafos del tres al ocho (líneas 6–15) enfocándose en los dos personajes del cuento. ¿Qué tipo de relación tienen? Mencione detalles del cuento.

Enfoques léxicos

Cognados falsos

4-2 Examinación de cognados falsos en «El hijo». Este cuento contiene varios cognados falsos, algunos se incluyen en los ejercicios a continuación. (Para una explicación más detallada de los cognados falsos, lea la sección 1 del *Manual de gramática* [pp. 285–290] al final del libro.)

1. **Criatura** no quiere decir *creature* en el sentido de **animal grotesco** o **monstruo.** Examine las dos oraciones del cuento a continuación para determinar lo que significa en estos contextos.
   - —Sí, papá —responde la **criatura**...
   - En la mutua confianza que depositan el uno en el otro —el padre de sienes plateadas y la **criatura** de trece años—, no se engañan jamás.

➔ Si Ud. ha determinado que aquí **criatura** quiere decir **niño pequeño,** tiene razón.

Criatura, cuando no tiene este sentido, se puede referir a una **cosa creada.** Se ve por esto que esta palabra está relacionada con el verbo **crear.** Cuando **criatura** sí se traduce a *creature* es en una frase como **criaturas de Dios** o **criaturas del hábito.**

2. Aunque **monte** puede significar **montaña,** en este cuento tiene el significado de **bosque.** Examine las siguientes oraciones para familiarizarse con esta palabra antes de leer el cuento.
   - Para cazar en el **monte**... se requiere más paciencia de la que su cachorro puede rendir.
   - ¡Es tan fácil, tan fácil perder la noción de la hora dentro del **monte,** y sentarse un rato en el suelo mientras se descansa inmóvil...!

3. **Educar** y las palabras **educado** y **educación** pueden traducirse a sus cognados en inglés *to educate, educated, education*, como en la siguiente oración del cuento.

   Sabe que su hijo, **educado** desde su más tierna infancia en el hábito y la precaución del peligro, puede manejar un fusil y cazar no importa qué. Aunque es muy alto para su edad, no tiene sino trece años.

   Además, **educar** tiene otro significado. Examine las siguientes oraciones del cuento y determine su significado.

   - No es fácil, sin embargo, para un padre viudo, sin otra fe ni esperanza que la vida de su hijo, **educarlo** como lo ha hecho él, libre en su corto radio de acción, seguro de sus pequeños pies y manos desde que tenía cuatro años, consciente de la inmensidad de ciertos peligros y de la escasez de sus propias fuerzas.
   - De este modo ha **educado** el padre a su hijo.

→ Si Ud. ha determinado que **educar** quiere decir *to raise/bring up* y que **educado** quiere decir *raised/brought up*, tiene razón.

4. Vimos en el capítulo 3 que **desgraciado** no quiere decir *disgraced* sino **sin suerte, infeliz** o **miserable.** La palabra **desgracia** casi nunca se traduce a *disgrace* (lo cual generalmente se expresa con **deshonra** o **vergüenza**, según el contexto). **Desgracia** implica mala suerte, como en «¡Pobre hombre! Ha tenido una serie de **desgracias**» o «Es una **desgracia** que hayan pospuesto la fiesta cuando no vayas a estar aquí». Trate de recordar esto cuando encuentre la palabra **desgracia** en el cuento.
5. **Estampido** nunca se traduce a *stampede*, lo cual se expresa con **estampida** o **espantada. Estampido** se refiere a una detonación, el sonido que hace un arma cuando se dispara. Considere la siguiente oración del cuento donde se usa esta palabra.

   En ese instante, no muy lejos, suena un **estampido**.
6. Aunque **carácter** no quiere decir *character* en el sentido de persona principal en una obra literaria (lo cual se expresa con **personaje**), **carácter** y *character* son cognados en el sentido en que **carácter** se usa en este cuento. Aquí se refiere al temperamento de un individuo, o sea a las cualidades psíquicas, morales y/o éticas de una persona.

En más detalle

Información adicional sobre algunos de estos cognados falsos

Observe que **educar** y sus derivativos tienen un significado más amplio en español que su equivalente inglés. El término inglés suele implicar principalmente la instrucción intelectual. El término español también se usa para otros aspectos de la educación, por ejemplo, la formación moral y social, que se asocian con la idea de *upbringing*. (Estas palabras pueden tener estos significados en inglés también pero generalmente se usan para la instrucción o *schooling*.)

Carácter puede significar *character* en el sentido de **personaje** en algunos países latinoamericanos, por ejemplo, en México. Se recomienda aquí que se use **personaje** en vez de **carácter** porque **carácter** no se acepta universalmente, mientras que **personaje** se considera correcto en todas partes. (La forma plural de **carácter** es **caracteres,** y no *[1] **carácteres** como se esperaría.)

Grupos léxicos

4-3 Palabras relacionadas. Complete las siguientes frases con la palabra adecuada. Las palabras agrupadas tienen la misma raíz y por lo tanto tienen un significado relacionado. Utilice su conocimiento de la gramática para escoger la palabra correcta. No será necesario cambiar las formas de las palabras. Usará algunas palabras más de una vez. Verifique sus respuestas buscando la oración en el cuento. (Las oraciones de cada grupo se presentan en el orden en que aparecen en el cuento.)

felicidad - feliz

1. Su padre lo sigue un rato con los ojos y vuelve a su quehacer de ese día, __________ con la alegría de su pequeño.
2. Ha visto, concretados en dolorosísima ilusión, recuerdos de una __________ que no debía surgir más de la nada en que se recluyó.
3. Pero hoy, con el ardiente y vital día de verano, cuyo amor su hijo parece haber heredado, el padre se siente __________, tranquilo y seguro del porvenir.

caza - cazan - cazar

4. Sabe que su hijo, educado desde su más tierna infancia en el hábito y la precaución del peligro, puede manejar un fusil y __________ no importa qué.
5. Para (1) __________ en el monte —(2) __________ de pelo— se requiere más paciencia de la que su cachorro puede rendir.
6. __________ sólo a veces un yacútoro, un surucuá —menos aún— y regresan triunfales, Juan a su rancho con el fusil de nueve milímetros que él le ha regalado, y su hijo a meseta, con la gran escopeta Saint-Etienne, calibre 16, cuádruple cierre y pólvora blanca.

---

[1]un asterisco (*) antes de una palabra indica un error.

esforzándose - fuertemente - fuerzas

7. Ese padre ha debido luchar __________ contra lo que él considera su egoísmo.
8. El hombre torna a su quehacer, __________ en concentrar la atención en su tarea.
9. El peligro subsiste siempre para el hombre en cualquier edad; pero su amenaza amengua si desde pequeño se acostumbra a no contar sino con sus propias __________.

de vuelta - volver - volvería - vuelve - vuelto

10. —__________ a la hora de almorzar —observa aún el padre.

    —Sí, papá —repite el chico.
11. Su padre lo sigue un rato con los ojos y __________ a su quehacer de ese día, feliz con la alegría de su pequeño.
12. Su hijo debía estar ya __________.
13. Dijo que (1) __________ antes de las doce, y el padre ha sonreído al verlo partir.

    Y no ha (2) __________.
14. —Me fijé, papá... Pero cuando iba a __________ vi las garzas de Juan y las seguí...

A LEER

Estrategia de lectura: Hacer predicciones sobre lo que se leerá

En esta sección, vamos a considerar la utilidad de hacer dos tipos de predicciones al leer —el primero tiene que ver con predicciones sobre el lenguaje y el segundo con predicciones sobre la trama.

Predicciones sobre el lenguaje: Usar el contexto para predecir clases de palabras que ocurrirán en el cuento

Una estrategia de lectura útil es la de tratar de determinar el significado de palabras desconocidas usando diversos tipos de información —el contexto de la lectura misma y conocimiento lingüístico y experiencial. Tomar en cuenta el contexto nos ayuda a anticipar los tipos de palabras que vamos a encontrar. Así podemos hacer conjeturas apropiadas sobre el posible significado de palabras desconocidas. Por ejemplo, por la descripción del medio ambiente al principio de «El hijo», descubrimos inmediatamente que la acción del cuento tiene lugar en una región tropical. También pronto descubrimos que el hijo al que se refiere el título va a ir de caza.

Predicciones sobre la trama: Hacer predicciones mientras leemos y revisarlas al seguir leyendo

Los buenos lectores hacen predicciones sobre lo que puede pasar mientras leen en su lengua nativa. Es buena idea hacer lo mismo cuando leemos en una segunda lengua porque hace la lectura más fácil e interesante. Es buena idea hacer predicciones tentativas —no fijas— porque no siempre podemos predecir con certitud lo que va a pasar, especialmente cuando leemos ficción. Lea activamente, prestando atención tanto a la totalidad de la situación como a los detalles. Piense en esto al hacer los siguientes ejercicios.

4-4 Anticipando clases de palabras. En parejas, contesten las siguientes preguntas. Hagan una lista de palabras para cada pregunta. Luego, compartan sus ideas con el resto de la clase.

1. ¿Qué clases de animales, vegetación y sonidos se asocian con una región tropical?
2. Descubrimos al principio del cuento que el hijo va de caza. ¿Qué tipos de palabras se asocian con la caza?

4-5 Fijarse en los detalles para hacer predicciones sobre la trama. Lea la primera parte del cuento (hasta la línea 35) y conteste las siguientes preguntas.

1. ¿Qué indicaciones hay al principio del cuento que éste será un día ordinario y rutinario?
2. ¿Cómo se siente el padre?
3. ¿Qué tipo de relación hay entre el padre y su hijo?
4. ¿Qué tipo de atmósfera se crea por la introducción? ¿Qué nos hace pensar sobre lo que va a ocurrir en el cuento?

4-6 ¿Se confirman sus predicciones o hay que modificarlas? Ahora lea unos párrafos más.

1. ¿Hay indicaciones que confirmen las predicciones que hizo en el ejercicio 4-5?
2. ¿Hay indicaciones que sugieran que debe modificar sus predicciones? Explique lo que ha confirmado y/o lo que ha decidido modificar.

Como se mencionó anteriormente, aunque es muy útil hacer predicciones mientras leemos, también es importante mantener una actitud receptiva a otras posibilidades, porque muchas veces el autor quiere sorprendernos y hasta engañarnos con sus pistas. Siga empleando estas estrategias —haciendo predicciones pero manteniendo una saludable dosis de escepticismo— mientras lea «El hijo» y siempre que lea ficción en español.

Horacio Quiroga

Horacio Quiroga nació en Salto, Uruguay en 1878. Vivió en Córdoba, Argentina y en Montevideo, Uruguay, donde también estudió en la universidad. Pasó un tiempo en París y en Buenos Aires, Argentina. Vivió gran parte de su vida en la provincia de Misiones,[2] en el noreste de Argentina. Esta región subtropical le fascinó, con su abundante vegetación, calor y humedad. En muchos de sus cuentos, la naturaleza, con sus inherentes dificultades y desafíos, se percibe casi como una protagonista que actúa con hostilidad contra los seres humanos. («El hijo» tiene lugar en Misiones.) También se ven otros elementos, como la enfermedad (tanto física como mental) y la muerte. La vida de Quiroga fue atormentada por múltiples sucesos trágicos, muchos de los cuales se ven reflejados en sus cuentos: su padre fue muerto accidentalmente en un tiroteo; Quiroga mató accidentalmente a su mejor amigo al examinar su pistola; su padrastro se suicidó al igual que su primera mujer; su segunda mujer lo dejó; y Quiroga —que había sufrido tanto durante su vida y trató de amenguar los dolores y las ansiedades con el alcohol— finalmente, se suicidó después de enterarse que sufría de cáncer. Quiroga escribió poesía, novelas, ensayos y más de 200 cuentos. Su estilo y los temas (muchas veces anormales) que trató, han sido comparados con los de Edgar Allen Poe. Entre sus más notables colecciones de cuentos figuran las siguientes: *Cuentos de amor, de locura y de muerte* (1917), *Cantos de la selva para niños* (1918), *Anaconda* (1921), *«La gallina degollada» y otros cuentos* (1925) y *El más allá* (1935), donde se publicó «El hijo». La versión original fue publicada en *La Nación* de Buenos Aires en 1928 con el título «El padre».

El hijo

Horacio Quiroga

Es un poderoso día de verano en Misiones, con todo el sol, el calor y la calma que puede deparar° la estación. La naturaleza, plenamente abierta, se siente satisfecha de sí.

ofrecer

Como el sol, el calor y la calma ambiente, el padre abre también su corazón a la naturaleza. 5

[2]provincia en el noreste de la Argentina, en la frontera con Brasil y Paraguay

—Ten cuidado, chiquito —dice a su hijo, abreviando en esa frase todas las observaciones del caso y que su hijo comprende perfectamente.

—Sí, papá —responde la criatura, mientras coge la escopeta° y carga° de cartuchos° los bolsillos de su camisa, que cierra con cuidado.

shotgun/llena
cartridges

10 —Vuelve a la hora de almorzar —observa aún el padre.

—Sí, papá —repite el chico.

Equilibra la escopeta en la mano, sonríe a su padre, lo besa en la cabeza y parte.

Su padre lo sigue un rato con los ojos y vuelve a su quehacer de ese día, 15 feliz con la alegría de su pequeño.

Sabe que su hijo, educado desde su más tierna infancia en el hábito y la precaución del peligro, puede manejar un fusil° y cazar no importa qué. Aunque es muy alto para su edad, no tiene sino trece años. Y parecería tener menos, a juzgar por la pureza de sus ojos azules, frescos aún de sorpresa 20 infantil.

rifle

No necesita el padre levantar los ojos de su quehacer para seguir con la mente la marcha de su hijo: Ha pasado la picada° roja y se encamina rectamente al monte a través del abra° de espartillo°.

senda estrecha
clearing/hierba aromática/*for game*

Para cazar en el monte —caza de pelo° — se requiere más paciencia de 25 la que su cachorro[3] puede rendir. Después de atravesar esa isla de monte, su hijo costeará la linde° de cactus hasta el bañado,° en procura de palomas, tucanes o tal cual casal de garzas, como las que su amigo Juan ha descubierto días anteriores.

will walk along the edge/*marsh*

Sólo ahora, el padre esboza° una sonrisa al recuerdo de la pasión 30 cinegética° de las dos criaturas. Cazan sólo a veces un yacútoro, un surucuá° —menos aún— y regresan triunfales, Juan a su rancho con el fusil de nueve milímetros que él le ha regalado, y su hijo a la meseta, con la gran escopeta Saint-Etienne, calibre 16, cuádruple cierre y pólvora blanca.

stifles
de caza
tipos de pájaros

Él fue lo mismo. A los trece años hubiera dado la vida por poseer una 35 escopeta. Su hijo, de aquella edad, la posee ahora y el padre sonríe.

No es fácil, sin embargo, para un padre viudo,° sin otra fe ni esperanza que la vida de su hijo, educarlo como lo ha hecho él, libre en su corto radio° de acción, seguro de sus pequeños pies y manos desde que tenía cuatro años, consciente de la inmensidad de ciertos peligros y de la escasez de sus propias 40 fuerzas.

hombre cuya mujer ha muerto/*radius*

Ese padre ha debido luchar fuertemente contra lo que él considera su egoísmo. ¡Tan fácilmente una criatura calcula mal, sienta° un pie en el vacío y se pierde un hijo!

coloca, pone

El peligro subsiste siempre para el hombre en cualquier edad; pero su 45 amenaza amengua° si desde pequeño se acostumbra a no contar sino con sus propias fuerzas.

disminuye

[3]cría de diversos mamíferos, como el perro, el oso, el gato, el león, etc.

De este modo ha educado el padre a su hijo. Y para conseguirlo ha debido resistir no sólo a su corazón, sino a sus tormentos morales; porque ese padre, de estómago y vista débiles, sufre desde hace un tiempo de alucinaciones.

50 Ha visto, concretados en dolorosísima ilusión, recuerdos de una felicidad que no debía surgir más de la nada en que se recluyó. La imagen de su propio hijo no ha escapado a este tormento. Lo ha visto una vez rodar° envuelto en sangre cuando el chico percutía en la morsa[4] del taller° una bala de parabellum, siendo así que lo que hacía era limar la hebilla° de su cinturón de caza.

caerse
workshop
to file the buckle

55 Horribles cosas...Pero hoy, con el ardiente y vital día de verano, cuyo amor su hijo parece haber heredado, el padre se siente feliz, tranquilo y seguro del porvenir.

En ese instante, no muy lejos, suena un estampido.

—La Saint-Etienne... —piensa el padre al reconocer la detonación. Dos

60 palomas de menos en el monte...

Sin prestar más atención al nimio° acontecimiento, el hombre se abstrae de nuevo en su tarea.

insignificante, trivial

El sol, ya muy alto, continúa ascendiendo. Adonde quiera que se mire —piedras, tierra, árboles—, el aire, enrarecido como en un horno, vibra

65 con el calor. Un profundo zumbido° que llena el ser entero e impregna el ámbito hasta donde la vista alcanza, concentra a esa hora toda la vida tropical.

humming, buzzing sound

El padre echa una ojeada a su muñeca: las doce. Y levanta los ojos al monte.

Su hijo debía estar ya de vuelta. En la mutua confianza que depositan el

70 uno en el otro —el padre de sienes° plateadas y la criatura de trece años—, no se engañan jamás. Cuando su hijo responde: «Sí, papá», hará lo que dice. Dijo que volvería antes de las doce, y el padre ha sonreído al verlo partir.

temples

Y no ha vuelto.

El hombre torna a su quehacer, esforzándose en concentrar la atención

75 en su tarea. ¡Es tan fácil, tan fácil perder la noción de la hora dentro del monte, y sentarse un rato en el suelo mientras se descansa inmóvil...!

El tiempo ha pasado; son las doce y media. El padre sale de su taller, y al apoyar la mano en el banco° de mecánica sube del fondo de su memoria el estallido de una bala de parabellum, e instantáneamente, por primera vez en

80 las tres horas transcurridas, piensa que tras el estampido de la Saint-Etienne no ha oído nada más. No ha oído rodar el pedregullo° bajo un paso conocido. Su hijo no ha vuelto, y la naturaleza se halla detenida a la vera° del bosque, esperándolo...

bench
piedras menudas
linde

¡Oh! No son suficientes un carácter templado y una ciega confianza en

85 la educación de un hijo para ahuyentar° el espectro de la fatalidad que un

drive away, dispel

---

[4]**Morsa** en este sentido *vise* es especial para la región rioplatense (la cuenca del Río de la Plata entre Argentina y Uruguay). Muestra la influencia del italiano en el español de las regiones donde hubo muchos inmigrantes italianos, porque **morsa** significa *vise* en italiano. Otros significados en el mundo hispanohablante para *vise* son **torno** (o **tornillo**) **de banco.** (**Morsa** comúnmente significa *walrus.*)

padre de vista enferma ve alzarse desde la línea del monte. Distracción, olvido, demora fortuita: ninguno de estos nimios motivos que pueden retardar la llegada de su hijo, hallan cabida° en aquel corazón. — espacio

Un tiro,° un solo tiro ha sonado, y hace ya mucho. Tras él, el padre no ha oído un ruido, no ha visto un pájaro, no ha cruzado el abra una sola persona a anunciarle que al cruzar un alambrado,° una gran desgracia... — *shot*; *wire fence*

La cabeza al aire y sin machete, el padre va. Corta el abra de espartillo, entra en el monte, costea la línea de cactus sin hallar el menor rastro de su hijo.

Pero la naturaleza prosigue detenida. Y cuando el padre ha recorrido las sendas de caza conocidas y ha explorado el bañado en vano, adquiere la seguridad de que cada paso que da en adelante lo lleva, fatal e inexorablemente, al cadáver de su hijo.

Ni un reproche que hacerse, es lamentable. Sólo la realidad fría, terrible y consumada: Ha muerto su hijo al cruzar un...

¡Pero dónde, en qué parte! ¡Hay tantos alambrados allí, y es tan sucio el monte!...¡Oh muy sucio!... Por poco que no se tenga cuidado al cruzar los hilos° con la escopeta en la mano... — *wires*

El padre sofoca un grito. Ha visto levantarse en el aire...¡Oh, no es su hijo, no!... Y vuelve a otro lado, y a otro y a otro...

Nada se ganaría con ver el color de su tez° y la angustia de sus ojos. Ese hombre aún no ha llamado a su hijo. Aunque su corazón clama por él a gritos, su boca continúa muda. Sabe bien que el solo acto de pronunciar su nombre, de llamarlo en voz alta, será la confesión de su muerte. — la piel de su cara

—¡Chiquito! —se le escapa de pronto. Y si la voz de un hombre de carácter es capaz de llorar, tapémonos de misericordia los oídos ante la angustia que clama en aquella voz.

Nadie ni nada ha respondido. Por las picadas rojas de sol, envejecido en diez años, va el padre buscando a su hijo que acaba de morir.

—¡Hijito mío!... ¡Chiquito mío!... —clama en un diminutivo que se alza del fondo de sus entrañas.° — *core*, lit. *bowels*

Ya antes, en plena dicha° y paz, ese padre ha sufrido la alucinación de su hijo rodando con la frente abierta por una bala al cromo níquel. Ahora, en cada rincón sombrío de bosque ve centelleos° de alambre; y al pie de un poste, con la escopeta descargada al lado, ve a su... — felicidad; *sparkling, flashing*

—¡Chiquito!... ¡Mi hijo!...

Las fuerzas que permiten entregar un pobre padre alucinado a la más atroz pesadilla tienen también un límite. Y el nuestro siente que las suyas se le escapan, cuando ve bruscamente desembocar de un pique lateral a su hijo.[5]

A un chico de trece años bástale ver desde cincuenta metros la expresión de su padre sin machete dentro del monte, para apresurar el paso con los ojos húmedos.

—Chiquito... —murmura el hombre. Y, exhausto, se deja caer sentado en la arena albeante, rodeando con los brazos las piernas de su hijo.

---

[5]*when he suddenly sees his son come out from a narrow side trail/path*

La criatura, así ceñida,° queda de pie; y como comprende el dolor de su padre, le acaricia despacio la cabeza: (130)

encircled (con los brazos de su padre)

—Pobre papá...

En fin, el tiempo ha pasado. Ya van a ser las tres. Juntos, ahora, padre e hijo emprenden el regreso a la casa.

—¿Cómo no te fijaste en el sol para saber la hora?... —murmura aún el primero. (135)

—Me fijé, papá... Pero cuando iba a volver vi las garzas de Juan y las seguí...

—¡Lo que me has hecho pasar, chiquito!...

—Piapiá... —murmura también el chico.

(140) Después de un largo silencio:

—Y las garzas, ¿las mataste? —pregunta el padre.

—No...

Nimio detalle, después de todo. Bajo el cielo y el aire candentes, a la descubierta por el abra de espartillo, el hombre vuelve a casa con su hijo, sobre cuyos hombros, casi del alto de los suyos, lleva pasado su feliz brazo de padre. (145) Regresa empapado° de sudor, y aunque quebrantado de cuerpo y alma, sonríe de felicidad...

soaked

Sonríe de alucinada felicidad... Pues ese padre va solo. A nadie ha encontrado, y su brazo se apoya en el vacío. Porque tras él, al pie de un poste y con las piernas en alto, enredadas en el alambre de púa, su hijo bien amado (150) yace al sol, muerto desde las diez de la mañana.

DESPUÉS DE LEER

PREGUNTAS

En general

1. ¿Cuántas personas hay en la familia?
2. Describa el lugar y el clima donde tiene lugar el cuento usando ejemplos de la lectura.

En detalle

1. ¿Cómo es el niño? ¿El padre? ¿Quién es Juan?
2. ¿Qué le preocupa mucho al padre?
3. ¿Qué ha hecho el padre para ayudar a su hijo a luchar contra los peligros de la cacería y de la vida?
4. ¿Qué similitud y qué diferencia hay entre la niñez del padre y la de su hijo?
5. Describa la alucinación que tuvo el padre cuando vio a su hijo en el taller. ¿Qué ocurrió realmente?

6. ¿Cuándo tiene el padre el presentimiento que algo malo le ha pasado a su hijo? ¿Cómo trata con sus temores el padre?
7. Cuando el padre va en busca de su hijo, ¿por qué espera tanto tiempo para llamar el nombre de su hijo?
8. Cuando el padre cree que ve a su hijo vivo, ¿cómo reacciona?
9. Señale los lugares donde el narrador habla directamente al lector. ¿Por qué cree Ud. que lo hace?
10. ¿Qué expresiones muestran la agonía del padre cuando sospecha el triste destino de su hijo? ¿Qué le ha pasado al hijo?

Discusión e interpretación

1. Quiroga no les dio nombres a los personajes principales del cuento. ¿Qué efecto tiene este hecho?
2. ¿Qué términos usan el padre y el hijo para referirse el uno al otro? ¿Qué nos dice sobre su relación? ¿Y qué términos utiliza el narrador para referirse al niño?
3. Describa la relación entre el padre y su hijo notando ejemplos específicos del cuento. Puede identificar los términos de la pregunta #2, pero añada más información.
4. ¿Qué horas del día se destacan? ¿Qué suceso importante ocurre a cada una de estas horas?
5. En el primer párrafo, la naturaleza ha sido personificada. Identifique otras ocasiones donde la naturaleza se representa así. ¿Cree Ud. que la naturaleza tiene un papel importante? Explique.
6. Señale los casos de presentimiento o de prefiguración que Ud. encuentre en el cuento.
7. ¿Qué ironías hay en el cuento? (Ironías se consideran incongruencias entre lo que se espera y lo que ocurre.)
8. «El hijo» fue publicado originalmente con el título «El padre». ¿Cuál de los títulos le parece mejor? ¿Por qué?

LAZOS GRAMATICALES

El efecto de usar el presente y el presente perfecto[6] en vez del pretérito

4-7 Análisis de tiempos. Este cuento se narra principalmente con verbos del presente y presente perfecto. Considere esto al contestar las siguientes preguntas.

[6]En español, aunque se prefiere el término **pretérito perfecto** para el *present perfect*, en este texto se decidió usar **presente perfecto** para que el concepto fuera más claro para los estudiantes.

1. ¿Qué efecto tiene el uso de verbos del tiempo presente en vez de verbos en el tiempo pasado?
2. Hojee el cuento para ver dónde se ha usado el presente perfecto y el pretérito. ¿Para qué tipos de acciones se ha usado cada tiempo verbal?
3. Examine los tiempos verbales en la conversación imaginaria entre el padre y su hijo a continuación. Esta conversación emplea principalmente el pretérito, y una vez el imperfecto. Fíjese dónde se ha usado el presente perfecto. ¿Qué efecto tiene este uso del presente perfecto que no habría tenido el pretérito?

—¿Cómo no te fijaste en el sol para saber la hora?... —murmura aún el primero.

—Me fijé, papá... Pero cuando iba a volver vi las garzas de Juan y las seguí...

—¡Lo que me has hecho pasar, chiquito!...

—Piapiá... —murmura también el chico. Después de un largo silencio:

—Y las garzas, ¿las mataste? —pregunta el padre.

—No...

La colocación de los adjetivos descriptivos

Como hemos visto, muchos adjetivos descriptivos pueden colocarse antes o después de un sustantivo. Generalmente, cuando se cambia la posición, hay un cambio de connotación —si no de denotación también. A veces, el contexto o el significado permite sólo una posición, pero muchas veces, la persona que escribe o habla puede tomar la decisión, según lo que quiere comunicar.

4-8 ¿Qué información se comunica con los adjetivos prepuestos? En «El hijo» casi la mitad de los adjetivos descriptivos preceden a su sustantivo. En esta actividad, vamos a tratar de descubrir los propósitos del autor por haber empleado tantos adjetivos antes de su sustantivo.

1. ¿Cuáles son las funciones de un adjetivo cuando sigue a su sustantivo? ¿Cuáles son cuando precede a su sustantivo? Repase la explicación de la colocación de los adjetivos descriptivos en la sección 2 del *Manual de gramática* (pp. 290–298).
2. ¿Cuál(es) de las funciones que Ud. identificó en la pregunta anterior parecen explicar la frecuente pre-posición de adjetivos descriptivos en este cuento? ¿Qué tipo de información se comunica con esta práctica?
3. Examine los siguientes fragmentos del cuento. ¿Qué información imparte la pre-posición de adjetivos en cada caso?

- No es fácil, sin embargo, para un padre viudo, sin otra fe ni esperanza que la vida de su hijo, educarlo como lo ha hecho él, libre en su (a) **corto** radio de acción, seguro de sus (b) **pequeños** pies y manos desde que tenía cuatro años, consciente de la inmensidad de (c) **ciertos** peligros y de la escasez de sus (d) **propias** fuerzas.
- Las fuerzas que permiten entregar un (a) **pobre** padre alucinado a la más (b) **atroz** pesadilla tienen también un límite.

4. Quiroga ha usado el adjetivo **nimio** tres veces en el cuento y cada vez aparece antes del sustantivo. Examine los contextos siguientes de las tres ocasiones y explique por qué van en posición precedente. ¿Qué cree Ud. que el autor quiere comunicar al lector con este uso?

- En ese instante, no muy lejos, suena un estampido.

  —La Saint-Etienne... —piensa el padre al reconocer la detonación. —Dos palomas de menos en el monte...
  Sin prestar más atención al **nimio** acontecimiento, el hombre se abstrae de nuevo en su tarea.
- ¡Oh! No son suficientes un carácter templado y una ciega confianza en la educación de un hijo para ahuyentar el espectro de la fatalidad que un padre de vista enferma ve alzarse desde la línea del monte. Distracción, olvido, demora fortuita: ninguno de estos **nimios** motivos que pueden retardar la llegada de su hijo, hallan cabida en aquel corazón.
- —Y las garzas, ¿las mataste? —pregunta el padre.
  —No...

  Nimio detalle, después de todo.

Relea el cuento aplicando lo que ha aprendido y practicado en los ejercicios de la sección «**Lazos gramaticales**». Si lo hace, entenderá mejor el cuento y fortalecerá su comprensión de la gramática.

A ESCRIBIR

Estrategias de composición

Esta sección incluye una serie de pasos para ayudarlo/la a: (1) formular y desarrollar sus ideas, (2) buscar evidencia del cuento para apoyar sus argumentos y (3) organizar su composición para que sea cohesiva y coherente. También incluye instrucciones para buscar y corregir errores de gramática y de vocabulario. Estas sugerencias acompañan el primer tema porque son específicas para ese tema, pero son útiles para todos los temas. Si Ud. opta por uno de los otros temas, lea las sugerencias incluidas para el Tema uno y adáptelas para el tema que elija.

Tema 1

Escriba otro fin para el cuento. Siga el modelo de Quiroga, escribiéndolo principalmente en el tiempo presente (usando el presente perfecto cuando sea apropiado).

Al completar cada uno de los siguientes pasos, marque (✓) la casilla a la izquierda.

❑ a. Decida dónde va a empezar su versión.

❑ b. Haga una lista de eventos que van a ocurrir desde donde empiece su versión. Asegúrese que el nuevo final concuerde con los detalles y eventos que lo preceden.

❑ c. Añada información de trasfondo, siguiendo el modelo que ofrece Quiroga en el cuento.

❑ d. Cuando haya escrito su borrador, revíselo, asegurándose que todo siga un orden lógico y que el fin parezca lógico según los detalles de la versión de Quiroga. Haga las correcciones necesarias.

❑ e. Dele un título interesante. (Si su nuevo final cambia mucho la trama del cuento, sería apropiado cambiar el título original.)

❑ f. Antes de entregar su composición, revísela asegurándose que:

- ❑ haya usado vocabulario correcto y variado
- ❑ no haya usado **ser**, **estar** y **haber** demasiado (es preferible usar verbos más expresivos)
- ❑ haya concordancia entre los adjetivos y artículos y los sustantivos a que se refieren
- ❑ haya concordancia entre los verbos y sus sujetos
- ❑ **ser** y **estar** se usen correctamente
- ❑ el subjuntivo se use cuando sea apropiado
- ❑ el pretérito y el imperfecto se hayan usado correctamente
- ❑ no haya errores de ortografía ni de acentuación

Otros temas de composición

2. El padre del cuento sufre de alucinaciones. ¿Qué cree Ud. que sea la causa de sus alucinaciones? Escriba un ensayo explicando los orígenes o las causas de sus alucinaciones. Puede inventar razones pero deben parecer creíbles. Luego apoye su opinión con información del cuento.

3. ¿Cree Ud. que una muerte inesperada es más triste que una esperada? Escriba un ensayo explicando su punto de vista. Aunque no es necesario, puede mencionar elementos de «El hijo», si son relevantes a sus argumentos.
4. Explore la idea de la ironía como se ve en este cuento. Incluya ironías de acontecimientos y de lenguaje.

CAPÍTULO

5

La casa nueva

Silvia Molina (1946–   )

ANTES DE LEER

5-1 Reflexiones. Considere las siguientes preguntas antes de leer el cuento.

1. Piense en su niñez. ¿Cuál fue su sueño más deseado cuando era niño/a? ¿Se realizó su sueño o no? ¿Cómo se sintió cuando (no) se realizó?
2. Cuando era niño/a, ¿su familia se mudó a una casa nueva alguna vez? Si se mudaron, ¿qué esperaba que tuviera la casa nueva? ¿Cómo se sentía Ud. en la casa nueva? ¿Qué le gustaba o no le gustaba sobre ella? Si nunca se mudaron, ¿deseaba Ud. mudarse? ¿Por qué sí o no?
3. Cuando era niño/a, ¿cómo habría cambiado su vida si sus padres hubieran ganado la lotería?
4. Lea el primer párrafo buscando la siguiente información.
   a. ¿Quién narra el cuento?
   b. ¿A quién se dirige la narración?
   c. ¿Es niña o adulta la narradora?
   d. ¿Con qué recuerdo sobre su padre empieza la narradora el cuento?

Enfoques léxicos

Cognados falsos

5-2 Examinación de cognados falsos en «La casa nueva». Este cuento contiene varios cognados falsos, algunos se incluyen en los ejercicios a continuación. (Para más detalle sobre los cognados falsos, lea la sección número uno del *Manual de gramática* [pp. 285–290].)

1. Aunque **colonia** puede significar *colony*, en este cuento no tiene este significado. Mire la oración donde aparece y determine su significado entre las opciones dadas. Todas son posibles traducciones de **colonia,** pero sólo una sirve en este contexto.

   A veces, pasa el tiempo y uno se niega a olvidar ciertas promesas; como aquella tarde en que mi papá me llevó a ver la casa nueva de la **colonia** Anzures.

   a. barrio nuevo
   b. campamento (donde los niños pasan las vacaciones)
   c. cinta de seda
   d. agua perfumada

➔ Si Ud. ha determinado que **a** es la respuesta correcta, tiene razón.

2. La palabra **guardar** puede traducirse a *to guard*, pero tiene otro significado en este cuento. Igualmente, **tabla** puede significar *table* en el sentido de **gráfico, cuadro** o **lista de cosas ordenadas,** pero tiene otro significado aquí. Lea el fragmento del cuento donde ocurren estas dos palabras y determine sus significados en este contexto.

   —Ésta va a ser tu recámara.

   Había inflado el pecho y hasta parecía que se le cortaba la voz de emoción. Para mí solita, pensé. Ya no tendría que dormir con mis hermanos. Apenas abrí una puerta,[1] él se apresuró:

   —Para que **guardes** la ropa.

   Y la verdad, la puse allí, muy acomodadita en las **tablas**, y mis tres vestidos colgados, y mis tesoros en aquellos cajones.

➔ Si usted ha determinado que **guardar** significa **poner (algo) en su sitio** o **colocar (algo) donde esté seguro** tiene razón. (Un sinónimo para **armario** o **ropero** es **guardarropa.**) **Tablas** también significa **listones de madera plana,** que son los estantes del armario donde se coloca la ropa doblada.

3. El verbo **tender** puede traducirse a *to tend* en el sentido de **inclinarse** o **tener una tendencia** como en «Cada persona **tiende** a responder de manera única ante un evento trágico». Pero aquí tiene el significado de **acostarse** o **tumbarse.**° En el siguiente fragmento del cuento, la narradora está recordando lo que pensó cuando era niña y su padre le mostraba la casa nueva. Cuando él le reveló el baño al lado de su cuarto, ella estuvo tan impresionada que se imaginó a sí misma en el acto de acostarse en el agua de la tina.°

   to stretch out

   bañera

   ... pero él me detuvo y abrió la otra puerta:

   —Mira, murmuró, un baño.

   Y yo **me tendí** con el pensamiento en aquella tina inmensa, suelto mi cuerpo para que el agua lo arrullara.

Grupos léxicos

5-3 Palabras relacionadas. Complete las siguientes frases con la palabra adecuada. Las palabras agrupadas tienen la misma raíz y por lo tanto tienen un significado relacionado. Utilice su conocimiento de la gramática para escoger la palabra correcta. No será necesario cambiar las formas de las palabras. Usará algunas palabras más de una vez. Verifique sus respuestas buscando la oración en el cuento. (Las oraciones de cada grupo se presentan en el orden en que aparecen en el cuento.)

---

[1]La puerta que se menciona es la de un ropero.

baño - baños - bañaría - bañada

1. —Mira, murmuró, un ___________.
2. Luego me enseñó su recámara, su ___________, su vestidor.
3. Después, salió usted recién ___________, olorosa a durazno, a manzana, a limpio.
4. Esperaría a que llegaran ustedes, miraría las paredes lisitas, me sentaría en los pisos de mosaico, en las alfombras, en la sala acojinada; me (1) ___________ en cada uno de los (2) ___________;...

llegará - llegaran - llegada

5. Esperaría a que ustedes ___________,...
6. Allí esperaría la ___________ de usted, mamá,...
7. Mi papá no irá a la cantina; ___________ temprano a dibujar.

cerrar - encerrada - encerré

8. Y lo ___________ ahí para que hiciera sus dibujos sin gritos ni peleas,...
9. No quería irme de allí nunca, mamá. Aun ___________ viviría feliz.
10. —Bájate, vamos a (1) ___________.

    —¿Cómo que van a (2) ___________, papá?

5-4 Palabras relacionadas y sus definiciones. Empareje la palabra de la columna A con su definición de la columna B.

A	B
___ 1. sueño	a. representación gráfica basada en líneas
___ 2. soñador	b. cuarto pequeño para cambiarse de ropa
___ 3. dibujar	c. escribir representaciones gráficas
___ 4. dibujo	d. persona que tiene muchos deseos o esperanzas
___ 5. dibujante	e. prenda de ropa para mujeres
___ 6. vestido	f. persona que se gana la vida haciendo representaciones gráficas
___ 7. vestidor	g. sinónimo de **deseo** o **esperanza**

Escriba oraciones originales usando todas las palabras relacionadas en una sola oración (**sueño** con **soñador; dibujar** y **dibujo** con **dibujante; vestido** con **vestidor**). Va a escribir tres oraciones en total.

Modelo

Un **escritor escribe** en su **escritorio**.

Antónimos y sinónimos

5-5 Antónimos. Todas las palabras en este ejercicio aparecen en el cuento. Empareje las palabras de la columna A con su antónimo de la columna B. Luego escriba una frase original para cada pareja de palabras.

A	B
___ 1. limpieza	a. sucia
___ 2. abrir	b. triste
___ 3. limpia	c. cerrar
___ 4. feliz	d. mugre
___ 5. olvidar	e. recordar

5-6 Sinónimos. Todas las palabras en este ejercicio aparecen en el cuento. Empareje las palabras de la columna A con su sinónimo de la columna B. Luego escriba una frase original para una palabra de cada pareja.

A	B
___ 1. suerte	a. acordarse
___ 2. lotería	b. contento
___ 3. recámara	c. fortuna
___ 4. feliz	d. rifa
___ 5. recordar	e. cuarto

A LEER

Estrategia de lectura: Entender escenas retrospectivas°

flashbacks

«La casa nueva» es un cuento en que la narradora le relata a su madre un incidente de su niñez. Mientras se lo describe, interpone comentarios dirigidos a su madre; sus comentarios alternan entre el presente (cuando le está hablando a su madre) y el pasado que está recordando. Este cambio puede confundir al lector que lea sin poner atención al lenguaje. En este ejercicio, vamos a examinar segmentos del cuento y a determinar algunas de las técnicas del lenguaje que utiliza la autora para indicar este cambio.

5-7 ¿Cómo se cambia del presente al pasado? Con un/a compañero/a, haga el siguiente ejercicio y comparta sus ideas con el resto de la clase.

1. Lea el primer párrafo del cuento fijándose en el lenguaje —expresiones y tiempos verbales— que indica cuándo la narradora está en el presente y cuándo cambia al pasado para relatar el incidente.

2. Ahora lea el segundo párrafo. ¿Cuál es el enfoque de este párrafo? ¿Cómo nos recuerda la narradora que la «audiencia» para su relato es su madre?
3. Hojee el resto del cuento. ¿Qué signos de puntuación señalan los comentarios de su padre?

Silvia Molina

Silvia Molina nació en la Ciudad de México en 1946. Estudió antropología en la Escuela Nacional de Antropología e Historia y también hizo la licenciatura en Lengua y Literatura Hispánicas en la Universidad Nacional Autónoma de México (UNAM). Ha sido profesora de la UNAM y profesora visitante de la Brigham Young University. Molina es novelista, cuentista y ensayista y ha recibido diversos premios por sus escritos, entre ellos: el Premio Xavier Villaurrutia (1977), el Premio Antonio Robles de Literatura Infantil (1984), el Premio Nacional de Literatura Infantil Juan de la Cabada (1992) y el Premio Sor Juana Inés de la Cruz (1998). Además de escritora, ha sido agregada° cultural de la embajada de México en Bélgica entre 2001–2004 y recientemente ha sido la directora del Centro Nacional de Información y Promoción de la Literatura del Instituto Nacional Bellas Artes en México. Algunas de sus obras han sido traducidas al inglés, al francés y al alemán. «La casa nueva» es el primer cuento en una colección de cuentos titulada *Dicen que me case yo* que se publicó en 1989. Molina trata temas íntimos que evocan diversas emociones, lo cual podrá ver a continuación.

attaché

La casa nueva

Silvia Molina

A Elena Poniatowska

Claro que no creo en la suerte, mamá. Ya está usted como mi papá. No me diga que fue un soñador; era un enfermo —con el perdón de usted. ¿Qué otra cosa? Para mí, la fortuna está ahí o, de plano, no está. Nada de que nos vamos a sacar la lotería. ¿Cuál lotería? No, mamá. La vida no es ninguna ilu-
5 sión; es la vida, y se acabó. Está bueno para los niños que creen en todo: «Te voy a traer la camita», y de tanto esperar, pues se van olvidando. Aunque le

diré. A veces, pasa el tiempo y uno se niega a olvidar ciertas promesas; como aquella tarde en que mi papá me llevó a ver la casa nueva de la colonia Anzures.

10 El trayecto en el camión, desde San Rafael, me pareció diferente, mamá. Como si fuera otro... Me iba fijando en los árboles —se llaman fresnos, insistía él—, en los camellones° repletos de flores anaranjadas y amarillas —son girasoles y margaritas—, decía.

camellones: divisiones entre las dos calzadas de una avenida

Miles de veces habíamos recorrido Melchor Ocampo, pero nunca hasta 15 Gutemberg. La amplitud y la limpieza de las calles me gustaba cada vez más. No quería recordar la San Rafael, tan triste y tan vieja: «No está sucia, son los años» —repelaba° usted siempre, mamá. ¿Se acuerda? Tampoco quería pensar en nuestra privada° sin intimidad y sin agua.

repelaba: *grumbled, moaned*

privada: retrete, excusado

Mi papá se detuvo antes de entrar y me preguntó:

20 —¿Qué te parece? Un sueño, ¿verdad?

Tenía la reja° blanca, recién pintada. A través de ella vi por primera vez la casa nueva... La cuidaba un hombre uniformado. Se me hizo tan... igual que cuando usted compra una tela: olor a nuevo, a fresco, a ganas de sentirla.

reja: cerca de barrotes de hierro

Abrí bien los ojos, mamá. Él me llevaba de aquí para allá de la mano. 25 Cuando subimos me dijo:

—Ésta va a ser tu recámara.

Había inflado el pecho y hasta parecía que se le cortaba la voz de la emoción. Para mí solita, pensé. Ya no tendría que dormir con mis hermanos. Apenas abrí una puerta, él se apresuró:

30 —Para que guardes la ropa.

Y la verdad, la puse allí, muy acomodadita en las tablas, y mis tres vestidos colgados, y mis tesoros en aquellos cajones. Me dieron ganas de saltar en la cama del gusto, pero él me detuvo y abrió la otra puerta:

—Mira, murmuró, un baño.

35 Y yo me tendí con el pensamiento en aquella tina° inmensa, suelto mi cuerpo para que el agua lo arrullara.°

tina: bañera

arrullara: *would lull it to sleep*

Luego me enseñó su recámara, su baño, su vestidor. Se enrollaba el bigote como cuando estaba ansioso. Y yo, mamá, la sospeché° enlazada a él en esa camota —no se parecía en nada a la suya—, en la que harían sus cosas 40 sin que sus hijos escucháramos. Después, salió usted recién bañada, olorosa a durazno, a manzana, a limpio. Contenta, mamá, muy contenta de haberlo abrazado a solas, sin la perturbación ni los lloridos de mis hermanos.

sospeché: imaginé

Pasamos por el cuarto de las niñas, rosa como sus mejillas y las camitas gemelas; y luego, mamá, por el cuarto de los niños que «ya verás, acá van a 45 poner los cochecitos y los soldados». Anduvimos por la sala, porque tenía sala; y por el comedor y por la cocina y por el cuarto de lavar y planchar. Me subió hasta la azotea° y me bajó de prisa porque «tienes que ver el cuarto para mi restirador».° Y lo encerré ahí para que hiciera sus dibujos sin gritos ni peleas, sin niños cállense que su papá está trabajando, que se quema las pes- 50 tañas° de dibujante para darnos de comer.

azotea: terraza

restirador: mesa para dibujar

se quema las pestañas: trabaja hasta muy tarde en la noche

No quería irme de allí nunca, mamá. Aun encerrada viviría feliz. Esperaría a que llegaran ustedes, miraría las paredes lisitas, me sentaría en los

pisos de mosaico, en las alfombras, en la sala acojinada; me bañaría en cada uno de los baños; subiría y bajaría cientos, miles de veces, la escalera de pie-
55 dra y la de caracol; hornearía muchos panes para saborearlos despacito en el comedor. Allí esperaría la llegada de usted, mamá, la de Anita, de Rebe, de Gonza, del bebé, y mientras también escribiría una composición para la escuela: *La casa nueva.*

En esta casa, mi familia va a ser feliz. Mi mamá no se volverá a quejar de
60 *la mugre° en que vivimos. Mi papá no irá a la cantina; llegará temprano a dibujar. Yo voy a tener mi cuartito, mío, para mí solita; y mis hermanos...*

suciedad grasienta

No sé qué me dio por soltarme de su mano, mamá. Corrí escaleras arriba, a mi recámara, a verla otra vez, a mirar bien los muebles y su gran ventanal; y toqué la cama para estar segura de que no era una de tantas prome-
65 sas de mi papá, que allí estaba todo tan real como yo misma, cuando el hombre uniformado me ordenó:

—Bájate, vamos a cerrar.

Casi ruedo° las escaleras, el corazón se me salía por la boca:

roll, fall down

—¿Cómo que van a cerrar, papá? ¿No es mi recámara?

70 Ni con el tiempo he podido olvidar: ¡que iba a ser nuestra cuando se hiciera la rifa!

DESPUÉS DE LEER

PREGUNTAS

En general

1. ¿Cómo se siente la narradora hacia su padre en general y en cuanto a este incidente en particular? ¿Por qué se siente así?
2. ¿Cómo se siente la narradora hacia su madre? ¿Por qué se siente así?

En detalle

1. ¿Qué cosas le fascinaban a la niña durante el viaje con su padre a la casa nueva?
2. Compare el barrio San Rafael con la colonia Anzures.
3. Describa la casa nueva con detalle.
4. ¿Qué se sabe y qué se puede inferir sobre la casa donde vivía la familia?
5. ¿Cómo se sentía el padre mientras le mostraba la casa a su hija?
6. Según la niña, ¿cómo mejoraría su propia vida y la vida del resto de su familia cuando vivieran en la casa nueva? Mencione detalles del cuento.
7. ¿Por qué cree Ud. que la niña dijo que quería bañarse en cada uno de los baños?

8. ¿Qué evidencia hay que durante el recorrido por la casa nueva la niña ya sospechaba que esta promesa de su padre era como las anteriores? ¿Por qué ya sospechaba esto?
9. ¿Cuándo y cómo se enteró la niña que la casa no iba a ser de su familia?
10. ¿Quién era el hombre uniformado?

Discusión e interpretación

1. ¿Qué representaba la casa nueva para la niña? ¿Y ahora, como adulta, qué representa?
2. ¿Por qué la narradora reacciona tan negativamente contra su padre? ¿Por qué parece tan enojada con su madre?
3. ¿Qué tipo de persona fue el padre? Dado que sólo tenemos los datos que la narradora ha mencionado en su relato, ¿está Ud. de acuerdo con la opinión de ella sobre su padre —de que «era un enfermo»? Explique.
4. La narradora menciona las promesas de su padre más de una vez. ¿A qué promesas se refiere? ¿Qué significaban para ella cuando era niña y qué significan ahora?
5. ¿Cree Ud. que el padre le mentía a su hija cuando le hacía promesas? Explique.
6. ¿Cree Ud. que la desilusión que siente la narradora la siente por sí sola o que la siente por otros también? Explique.
7. ¿Con qué motivo le relató la narradora este recuerdo a su madre?
8. Compare la visión de la vida y de la suerte del padre con la de la narradora.
9. ¿Por qué cree usted que la narradora no ha podido olvidar este incidente?
10. ¿Es mejor desear algo que nunca se vaya a realizar o nunca haberlo deseado?
11. Cuando la narradora describe lo que pasó cuando ellos estaban en la casa nueva, su descripción incluye tanto eventos que ocurrieron como los que se imaginó. Repase esta sección (empezando con «—¿Qué te parece? Un sueño, ¿verdad?» línea 20 hasta el fin) y haga una lista de los eventos que se imaginó.

LAZOS GRAMATICALES

Diminutivos

En este cuento se usan ciertas formas diminutivas. Como hemos visto en otros capítulos, varios sufijos se usan para formar diminutivos, pero los sufijos usados en este cuento se basan en **-ito** y en sus formas femeninas y plurales. Ya sabe que los diminutivos se usan principalmente para indicar tamaño pequeño, edad joven o cariño, a veces los tres simultáneamente. La discusión de los sufijos diminutivos y aumentativos, pp. 48–49, que acompaña «El ausente» puede serle útil.)

5-8 Una examinación del efecto del uso de diminutivos. Identifique la forma base y la parte del habla (sustantivo, adjetivo o adverbio) de los diminutivos en negrita en los siguientes fragmentos del cuento. Tomando en cuenta las funciones de los diminutivos, analícelos usando las siguientes preguntas como guía.

- —Para que guardes la ropa.

  Y la verdad, la puse allí, muy **acomodadita** en las tablas, y mis tres vestidos colgados, y mis tesoros en aquellos cajones.
- Pasamos por el cuarto de las niñas, rosa como sus mejillas y las **camitas** gemelas; y luego, mamá, por el cuarto de los niños que «ya verás, acá van a poner los **cochecitos** y los soldados».
- Esperaría a que llegaran ustedes, miraría las paredes **lisitas**, me sentaría en los pisos de mosaico, en las alfombras, en la sala acojinada;...hornearía muchos panes para saborearlos **despacito** en el comedor... Allí esperaría la llegada de usted, mamá, la de **Anita**,...
- Yo voy a tener mi **cuartito**, mío, para mí **solita**; y mis hermanos...

1. ¿Cuál es el efecto del uso del diminutivo en vez de la palabra base? (Si lee los fragmentos sustituyendo los diminutivos por su forma base, puede ser más fácil reconocer el efecto.) ¿Qué se pierde si no se usan?
2. ¿Cómo traduciría usted las frases «mi cuartito» y «para mí solita» manteniendo la emoción y la cualidad infantil que contienen estas expresiones en español?

Usos del pretérito y del imperfecto

En las escenas retrospectivas de la visita a la casa nueva, podemos ver un uso especial del pretérito. La narradora utiliza verbos del **pretérito** no sólo para avanzar la narración, sino también para hablar de eventos que se imagina en el futuro cuando tuvieran la casa nueva.

Lea los fragmentos del cuento a continuación prestando atención a los verbos en el pretérito. Observe que sólo algunos de los pretéritos se usan para estas fantasías (los que están en negrita).

- ...Apenas abrí una puerta, él se apresuró:

  —Para que guardes la ropa.

  Y la verdad, la **puse** allí, muy acomodadita en las tablas, y mis tres vestidos colgados, y mis tesoros en aquellos cajones.

- ...Me dieron ganas de saltar en la cama del gusto, pero él me detuvo y abrió la otra puerta:

  —Mira, murmuró, un baño.

  Y yo **me tendí** con el pensamiento en aquella tina inmensa, suelto mi cuerpo para que el agua lo arrullara.

En los fragmentos anteriores, ¿pudo Ud. percibir la diferencia entre las acciones que realmente ocurrieron y las que la narradora imaginó? A primera vista puede parecer curioso que la narradora usara el pretérito para acciones que no ocurrieron. Pero, puesto que las fantasías formaron parte de las escenas retrospectivas, es natural que utilizara el pretérito para indicar lo que «vio» en su imaginación. Si no lee con cuidado, puede recibir la falsa impresión que esos eventos realmente ocurrieron.

5-9 Uso especial del pretérito. Examine los verbos en negrita en el pretérito en los siguientes fragmentos. Lea con cuidado para determinar cuáles se usan para avanzar la narración y cuáles se usan para indicar lo que imaginó la niña. (Pista: cada fragmento tiene tres verbos en el pretérito; en el primero, dos de los pretéritos indican lo que imaginó y en el segundo, uno indica lo que imaginó.)

1. Luego me **enseñó** su recámara, su baño, su vestidor. Se enrollaba el bigote como cuando estaba ansioso. Y yo, mamá, la **sospeché** enlazada a él en esa camota —no se parecía en nada a la suya—, en la que harían sus cosas sin que sus hijos escucháramos. Después, **salió** usted recién bañada, olorosa a durazno, a manzana, a limpio. Contenta, mamá, muy contenta de haberlo abrazado a solas, sin la perturbación ni los lloridos de mis hermanos.
2. Me **subió** hasta la azotea y me **bajó** de prisa porque «tienes que ver el cuarto para mi restirador». Y lo **encerré** ahí para que hiciera sus dibujos sin gritos ni peleas, sin niños cállense que su papá está trabajando, que se quema las pestañas de dibujante para darnos de comer.

5-10 El imperfecto para acciones repetitivas. El imperfecto se usa para diferentes tipos de acciones o estados en el pasado. Los usos principales son: acciones o estados en progreso, acciones habituales, acciones anticipadas/planeadas y acciones repetitivas. (Recuerde que si las acciones se repiten un determinado número de veces, se usa el pretérito.)

1. Lea el siguiente fragmento examinando los verbos imperfectos en negrita y conteste las preguntas. Identifique el uso del imperfecto en cada caso.

   Mi papá se detuvo antes de entrar y me preguntó:

   —¿Qué te parece? Un sueño, ¿verdad?

   Tenía la reja blanca, recién pintada. A través de ella vi por primera vez la casa nueva... La **cuidaba** un hombre uniformado. Se me hizo tan… igual que cuando usted compra una tela: olor a nuevo, a fresco, a ganas de sentirla.

Abrí bien los ojos, mamá. Él me **llevaba** de aquí para allá de la mano. Cuando subimos me dijo:

—Ésta va a ser tu recámara.

2. ¿Por qué no se puede clasificar la acción de **llevaba** en la pregunta número 1 como una acción habitual?

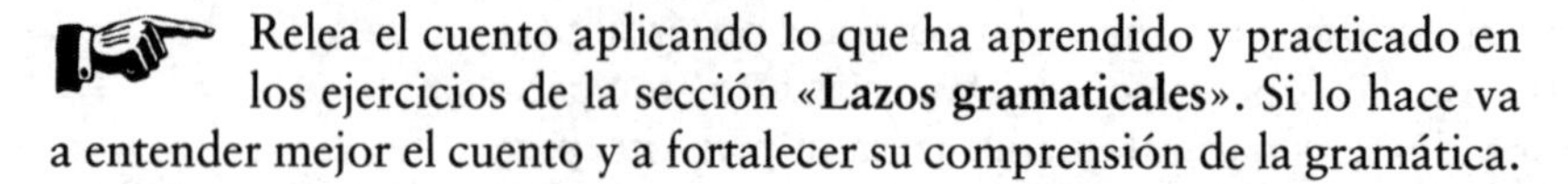

Relea el cuento aplicando lo que ha aprendido y practicado en los ejercicios de la sección «**Lazos gramaticales**». Si lo hace va a entender mejor el cuento y a fortalecer su comprensión de la gramática.

A ESCRIBIR

Estrategias de composición

Esta sección incluye una serie de pasos para ayudarlo/la a: (1) formular y desarrollar sus ideas, (2) buscar evidencia del cuento para apoyar sus argumentos y (3) organizar su composición para que sea cohesiva y coherente. También incluye instrucciones para buscar y corregir errores de gramática y de vocabulario. Estas sugerencias acompañan el primer tema porque son específicas para ese tema pero son útiles para todos los temas. Si escoge otro tema, lea las sugerencias incluidas para el Tema uno y adáptelas para el tema que elija.

Tema 1

En la vida, a veces ocurre que los adultos (los padres u otras personas) engañan a los niños —generalmente sin querer hacerlo. Escriba un ensayo sobre una decepción/desilusión que Ud. experimentó cuando era niño/a.

Al completar cada uno de los siguientes pasos, marque (✓) la casilla a la izquierda.

- ❑ a. Haga una lista de los elementos importantes de lo que pasó (los involucrados, información del trasfondo, detalles importantes, etc.)
- ❑ b. Recuerde las emociones que sentía antes y después de que la desilusión/decepción ocurrió. Haga una lista de estas emociones para que las use donde sean apropiadas.
- ❑ c. Describa lo que pasó desde su perspectiva como niño/a.
- ❑ d. Al final de su ensayo, incluya las reacciones y observaciones tanto emocionales como intelectuales que siente ahora, como adulto/a. ¿Ha podido perdonar a la persona que lo/la engañó? Explique.
- ❑ e. Reescriba su introducción y escriba una conclusión.

- ❑ f. Cuando haya escrito su borrador, revíselo, asegurándose que todo siga un orden lógico. Utilice sus listas para asegurarse que haya incluido todos los elementos importantes y que sus ideas fluyan bien. Haga las correcciones necesarias.
- ❑ g. Dele un título interesante.
- ❑ h. Antes de entregar su composición, revísela asegurándose que:
  - ❑ haya usado vocabulario correcto y variado
  - ❑ no haya usado **ser, estar** y **haber** demasiado (es preferible usar verbos más expresivos)
  - ❑ haya concordancia entre los adjetivos y artículos y los sustantivos a que se refieren
  - ❑ haya concordancia entre los verbos y sus sujetos
  - ❑ **ser** y **estar** se usen correctamente
  - ❑ el subjuntivo se use cuando sea apropiado
  - ❑ el pretérito y el imperfecto se hayan usado correctamente
  - ❑ no haya errores de ortografía ni de acentuación

Otros temas de composición

2. Es evidente que el motivo de la narradora no sólo es relatar un recuerdo triste de su niñez, sino relatárselo a su madre. Con esto en mente, explore el papel de la madre en el cuento.
3. Escriba lo que la madre le responde a su hija después del relato. Puede escribir la respuesta imitando la forma del cuento, o puede escribirla usando el formato de una carta.
4. Escriba un ensayo en el que explore la siguiente cuestión: ¿Qué quiere decir **ser soñador** y **ser realista**? ¿Son filosofías de vida que son mutuamente exclusivas o es posible mantener las dos a la vez?

CAPÍTULO

6

Una sortija para mi novia

Humberto Padró (1906–1958)

ANTES DE LEER

6-1 Reflexiones. Considere las siguientes preguntas antes de leer el cuento.

1. ¿Bajo qué circunstancias compra un hombre una sortija° para su novia?
2. Hojee los dos primeros párrafos buscando información sobre José Miguel, el personaje principal. Luego, escriba dos a tres oraciones describiéndolo.
3. Al principio del cuento, ¿qué problema enfrentaba José Miguel?

anillo

Enfoques léxicos

Cognados falsos

6-2 Examinación de cognados falsos en «Una sortija para mi novia». Este cuento contiene cognados falsos, algunos se incluyen en los ejercicios a continuación. (Para más detalle sobre los cognados falsos, lea la sección número uno del *Manual de gramática* [pp. 285–290].)

1. La palabra **venta** no quiere decir *vent*, lo cual se expresa en español con diversas expresiones, según el tipo de *vent*: conducto de ventilación, rejilla de ventilación, respiradero, etc. **Venta** está relacionada con la palabra **vender**. Tenga esto en mente al examinar el siguiente fragmento del cuento mientras determina su significado.

   En su curiosear inconsciente y desinteresado, José Miguel llegó hasta hojear a un libro de ventas que estaba sobre el cristal del mostrador.

→ Si Ud. ha determinado que **ventas** quiere decir *sales*, tiene razón.

2. Aunque **preciso** puede significar *precise*, en expresiones impersonales, quiere decir **necesario.** Por ejemplo, **Es preciso decir la verdad** quiere decir **Es necesario decir la verdad.**
3. Aunque **número** muchas veces significa *number*, tiene otro significado en este cuento. Si uno quiere comprar un anillo para otra persona, tiene que saber la medida del dedo —o **número**— de la persona que va a llevarlo. En este sentido es sinónimo de **talla.** (**Número** o **talla** tiene el mismo significado para todo tipo de calzado también.)
4. Como hemos visto en otros capítulos, **largo** nunca quiere decir *large*, lo cual se expresa con **grande** cuando se refiere al tamaño físico y con **numeroso** cuando se refiere a una cantidad. Si Ud. no recuerda la definición de **largo**, lea la frase del cuento donde esta palabra ocurre. El contexto hace bastante claro su significado. Si Ud. ya sabe su definición, el contexto confirmará su comprensión.

   ...aquellos dedos finos y **largos**...

➔ Si Ud. ha determinado que **largos** quiere decir *long*, tiene razón.

5. Como hemos visto en el capítulo 5, **guardar** puede tener el significado de *to guard,* pero no en este cuento. Aquí significa **poner (algo) donde esté seguro.** Lea la oración del cuento donde ocurre esta palabra para familiarizarse con ella.

   —Gracias —respondió José Miguel, mientras guardaba el estuche° en el bolsillo del chaleco.

   °caja pequeña

6. **Partir** no quiere decir *to part* sino **cortar, romper** o **salir.** Cuando **partir** significa **cortar** o **romper** se usa con un complemento directo porque hay que cortar o romper algo. Cuando quiere decir **salir,** se usa sin complemento directo. (Cuando un verbo se usa con un complemento directo se dice que es transitivo. Cuando se usa sin un complemento directo es intransitivo.) Examine la siguiente oración del cuento y determine si quiere decir **cortar, romper** o **salir.**

   Y **partieron**.

➔ Si Ud. ha determinado que **partir** quiere decir **salir,** tiene razón.

7. Como vimos en el capítulo 1, **gracioso** casi nunca se traduciría a *gracious*. Generalmente quiere decir **cómico** o **divertido, atractivo** o **bello.** Con los dos últimos significados se puede traducir a *cute*, que es una buena traducción para su uso en este cuento.
8. Como hemos visto, **criatura** no quiere decir *creature* en el sentido de **animal grotesco** o **monstruo.** Como vimos en el capítulo 4, puede traducirse a *creature* en una expresión como **criatura de Dios** o **criatura de hábito.** En este cuento cuando encuentre la palabra **criatura,** probablemente usaría su cognado *creature* para traducirla.

En más detalle

Brillante generalmente es cognado de *brilliant.* En ambas lenguas puede ser tanto un adjetivo como un sustantivo. En este cuento **brillante** se usa como sustantivo y podría traducirse a *brilliant*, pero este uso de *brilliant* es poco común. Lea el siguiente fragmento del cuento para determinar el significado.

> —Aquí tiene usted a escoger... ¿No le parece que ésta es muy bonita? —dijo la joven, mostrándole una hermosa sortija de **brillantes**.

➔ Si ha determinado que **brillantes** quiere decir **diamantes**, tiene razón.[1]

[1] Un **brillante** (*a brilliant*) es un diamante que ha sido cortado o tallado.

Grupos léxicos

6-3 Palabras relacionadas: definiciones. Defina las siguientes palabras utilizando una palabra relacionada en su definición. Subraye las palabras relacionadas. ¡Ojo! Generalmente no es buena idea usar una palabra relacionada como parte de la definición pero en esta actividad es apropiado porque el objetivo es enfatizar las relaciones entre las palabras. Recuerde que las palabras relacionadas comparten una raíz. Si no conoce la palabra que tiene que definir, búsquela en un diccionario. Siga el modelo.

Modelo

Palabra	**Definición**
muestrario	Un **muestrario** es un conjunto de **muestras** de productos comerciales, como anillos.

1. joyería
2. cubierta
3. disculparse
4. endemoniado
5. enloquecer
6. regalar
7. incrédulo
8. desear

Antónimos y sinónimos

6-4 Antónimos. Empareje las palabras de la columna A con su antónimo de la columna B. Luego, escriba una frase original para cada pareja de antónimos. (Las palabras aparecen en el cuento, algunas con un cambio de forma.)

A	B
____ 1. primero	a. ingenuidad
____ 2. preguntar	b. con
____ 3. sin	c. encontrar
____ 4. picardía	d. replicar
____ 5. distraídamente	e. partir
____ 6. buscar	f. intencionadamente
____ 7. penetrar	g. último

6-5 Sinónimos. Empareje las palabras de la columna A con su sinónimo de la columna B. Luego, escriba una frase original para una palabra de cada pareja. (Las palabras aparecen en el cuento, algunas con un cambio de forma.)

A	B
____ 1. ciudad	a. carro
____ 2. sortija	b. bonita
____ 3. diamante	c. querer
____ 4. automóvil	d. replicar
____ 5. bella	e. agregar
____ 6. linda	f. palpar
____ 7. desear	g. anillo
____ 8. preguntar	h. brillante
____ 9. contestar	i. hermosa
____10. añadir	j. inquirir
____11. acariciar	k. urbe

A LEER

Estrategia de lectura: Práctica en inferir el significado de palabras desconocidas

Los buenos lectores pueden inferir el significado de palabras desconocidas, tanto en su lengua nativa como en una lengua extranjera. Aunque no siempre es posible inferir correctamente, muchas veces lo es. En la siguiente actividad, vamos a practicar esta estrategia con palabras poco comunes en este cuento.

6-6 ¿Puede Ud. inferir el significado de estas palabras? Lea los siguientes fragmentos del cuento. Usando el contexto y su conocimiento del español, determine el significado de las palabras en negrita. Prepárese a explicar cómo determinó el significado de cada palabra.

1. Aquella mañana (¡ya eran las once!), José Miguel se levantó decidido a comprar una sortija para su novia. Esto, para José Miguel Arzeno, rico, joven, desocupado, debía ser la cosa más sencilla del mundo. Bastaría con tomar su «roadster» del garaje, y de un salto ir a la joyería más acreditada de la ciudad. Pero he aquí que la cosa no era tan fácil como **aparentaba**, puesto que antes de procurarse la sortija, José Miguel debía buscar a quién regalársela. Para decirlo mejor, José Miguel no tenía novia.

2. Sin embargo, razón había para creer que aquella decisión suya de comprar una sortija para su novia, le iba haciendo, sin duda, desistir de su inquietante vida **donjuanesca**, para darse finalmente en una última aventura definitiva.

3. En su curiosear inconsciente y desinteresado, José Miguel llegó hasta hojear a un libro de ventas que estaba sobre el cristal del mostrador. Sobre la **cubierta** estaba escrito un nombre de mujer.
4. —¿En qué puedo servirle, caballero? —le preguntó de pronto una joven que, para decirlo de una vez, era la **dependienta**.
5. —¿Y vale? —consultó José Miguel.

   —Mil doscientos dólares.

   —Muy bien. Déjemela usted.

   —Y ¿no desea **grabarla**?

   —¡Ah!, sí... se me olvidaba...

   —¿Cuáles son las iniciales de su novia?

Mientras lee el cuento, utilice la estrategia de inferir cuando encuentre una palabra que no conozca. Mantenga una actitud imparcial hacia su idea porque a veces es posible inferir incorrectamente. Si encuentra información que parece contradecir su idea inicial, puede ser necesario cambiarla y/o buscarla en el diccionario.

Humberto Padró

Humberto Padró nació en Ciales, Puerto Rico en 1906 y murió en San Juan en 1958. Fue maestro, cuentista, poeta y periodista. Perteneció a la generación literaria Cuentistas de índice (así llamada por una revista literaria *Índice* que publicó las obras de estos cuentistas, impulsando su popularidad). Desgraciadamente, Padró escribió relativamente poco durante su corta vida, habiendo publicado sólo dos colecciones de cuentos. *Diez cuentos*, en la que apareció el siguiente cuento, se publicó en 1929. Su segunda colección —*El antifaz y los demás son cuentos*— se publicó póstumamente en 1960. Sus cuentos se caracterizan por los elementos humorísticos y un tono juguetón, los cuales se ven en «Una sortija para mi novia».

Una sortija para mi novia

Humberto Padró

Aquella mañana (¡ya eran las once!), José Miguel se levantó decidido a comprar una sortija para su novia. Esto, para José Miguel Arzeno, rico, joven, desocupado,° debía ser la cosa más sencilla del mundo. Bastaría con tomar su

° sin empleo

«roadster» del garaje, y de un salto ir a la joyería más acreditada de la ciudad.
5 Pero he aquí que la cosa no era tan fácil como aparentaba, puesto que antes de procurarse la sortija, José Miguel debía buscar a quién regalársela. Para decirlo mejor, José Miguel no tenía novia.

Ni nunca la había tenido. Pero, eso sí, no vaya a dársele a esta actitud suya una interpretación beatífica... Ahí está, si no, para desmentirla,° su 10 «amigo de correrías» como le llamaba a su automóvil, cómplice suyo en más de una aventurilla galante y escabrosa.°

contradecirla

peligrosa y difícil, casi inmoral

Sin embargo, razón había para creer que aquella decisión suya de comprar una sortija para su novia, le iba haciendo, sin duda, desistir de° su inquietante vida donjuanesca, para darse finalmente en una última aventura definitiva. 15 Pero... y ¿dónde estaba la novia?

abandonar

Ya en la ciudad, José Miguel penetró en «La Esmeralda»,° tenida por la más aristocrática joyería de la urbe. Era la primera vez que visitaba un establecimiento de aquella índole, pues muy a pesar de su posición envidiable, las joyas nunca le habían llamado mucho la atención.

piedra preciosa de color verde

20 Mientras venían a atenderle, José Miguel se complacía en mirar, sin admiración, la profusión de prendas de diversas formas y matices que resaltaban° desde el fondo de terciopelo° negro de los escaparates,° igual que una constelación de astros en el fondo de terciopelo negro de la noche. En su curiosear inconsciente y desinteresado, José Miguel llegó hasta a hojear un libro de ventas que estaba 25 sobre el cristal del mostrador. Sobre la cubierta estaba escrito un nombre de mujer.

sobresalían

velvet/display cases

—¿En qué puedo servirle, caballero? —le preguntó de pronto una joven que, para decirlo de una vez, era la dependienta. Pero, ¡qué dependienta!

—Deseo una sortija para mi novia —replicó José Miguel, al mismo tiempo que se apresuraba a dejar sobre la mesa el libro de ventas que distraí-30 damente había tomado del mostrador. Y luego, alargándolo a la joven medio turbado,° preguntó:

disturbed, upset

—¿Éste es su libro de ventas, verdad?

—Sí, y suyo, si le parece...

—No, gracias, no lo necesito— dijo José Miguel sonriendo.

35 —¡Ah!, pues yo sí. —agregó la joven con gracejo°—. En este libro de ventas está mi felicidad.

wit and charm

—¿Y cómo?

—Pues...cuanto más crecidas sean mis ventas, mayores serán mis beneficios.° —repuso ella, no encontrando otra cosa que contestar.

commissions

40 Ambos se buscaron° con los ojos y rieron.

se miraron intensamente

—Y bien, volvamos a la sortija —dijo entonces la dependienta, que, ¿será preciso decirlo?, ya a José Miguel se le había antojado bonita.[2]

—Sí, muéstreme usted algunas, si tiene la bondad.

—¿Qué número la busca usted?

45 —¡Ah, qué torpe soy! No lo recuerdo.— trató de disculparse José Miguel.

—¿Tendrá su novia los dedos poco más o menos igual a los míos? —consultó la joven, mientras le mostraba su mano con ingenuidad.°

cándida, honesta e inocentemente

[2]it had already occurred to José Miguel that she was pretty.

—Deje ver —dijo entonces José Miguel, atreviéndose a acariciar levemente aquellos dedos finos y largos, rematados° en uñas° punzantes y pulidas, hechas sin duda (como lo estaban) para palpar° zafiros y diamantes.

perfeccionados/ *fingernails*/tocar

—¡Ah! Tiene usted unas manos peligrosísimas —dijo al cabo de un rato José Miguel, mientras dejaba escapar suavemente los dedos de la joven.

—¿Sí? Y ¿por qué? —inquirió ella con interés.

—¡Ah! Porque serían capaces de hacer enloquecer a cualquiera acariciándolas.

—¿No me diga?

Y volvieron a sonreír.

—Bueno, ¿y cree usted que de venirme bien° la sortija ha de quedarle ajustada[3] a su novia?

since it fits me well

—Sí, es muy probable.

Y la linda dependienta fue por el muestrario.° En tanto, José Miguel estudiaba devotamente su figura maravillosamente modelada.

conjunto de anillos

—Aquí tiene usted a escoger... ¿No le parece que ésta es muy bonita? —dijo la joven, mostrándole una hermosa sortija de brillantes.

—Tiene que serlo, ya que a usted así le parece... Pruébesela° a ver...

—Me viene como anillo al dedo —agregó ella con picardía.°

Póngasela
travesura y astucia

—¿Y vale? —consultó José Miguel.

—Mil doscientos dólares.

—Muy bien. Déjemela usted.

—Y ¿no desea grabarla?

—¡Ah!, sí... se me olvidaba...

—¿Cuáles son las iniciales de su novia?

José Miguel volvió a mirar el libro de ventas que estaba sobre el mostrador. Luego dijo:

—R. M. E.

—Perfectamente —dijo la joven dependienta, mientras escribía aquellas tres iniciales en una tarjetita amarilla que luego ató a la sortija.

—¿Cuándo puedo venir a buscarla? —inquirió José Miguel.

—La sortija... querrá usted decir... —comentó ella intencionadamente.

—Pues, ¡claro! Es decir... si usted no decide otra cosa...

Rieron de nuevo.

—Puede usted venir esta tarde a las cinco.

—Muy bien. Entonces, hasta las cinco.

—Adiós y gracias.

II

No había motivo para extrañarse de que a las seis menos cuarto José Miguel aún no se hubiera presentado en la joyería a reclamar su sortija. El reloj y la hora eran cosas que nunca le habían preocupado. Suerte a que su «amigo de correrías» volaba como un endemoniado.

---

[3]Aunque **ajustado** significa *tight*, en este contexto la implicación es que la sortija también le quedaría bien a su novia.

90 Ya estaban a punto de cerrar el establecimiento cuando José Miguel penetró jadeante en la joyería.

—Si se tarda usted un momento más no nos encuentra aquí —le dijo al verle llegar la bella dependienta que aquella mañana le había vendido el ani-
95 llo. Y entregándole el estuche con la sortija, agregó:

—Tenga usted. Estoy segura de que a «ella» le ha de agradar mucho.

—Gracias —respondió José Miguel, mientras guardaba el estuche en el bolsillo del chaleco.

Y viendo que la joven dependienta se disponía también a abandonar el
100 establecimiento, José Miguel le preguntó:

—¿Me permite que la lleve en mi carro hasta su casa? Después de todo, será en recompensa por haberme prestado sus dedos para el número de la sortija...

—Si usted no tiene inconveniente...

105 Y partieron.

. . . .

—Señorita, perdóneme que le diga a usted una cosa —le había dicho José Miguel a la linda dependienta, mientras el automóvil se deslizaba° muellemente° a lo largo de la avenida.

se movía
suavemente

110 —Con tal de que su novia no vaya a oírlo... —repuso ella con graciosa ironía.

—Rosa María, usted es una criatura sencillamente adorable...

—Pero... ¿cómo sabe usted mi nombre? —inquirió ella con extrañeza.

—Rosa María Estades... ¿No se llama usted así?

115 —Justamente. Pero, ¿como lo ha llegado a saber?

—Lo leí esta mañana sobre la cubierta de su libro de ventas.

—¡Vaya que es usted listo! Pero tenga cuidado con sus piropos,[4] pues la sortija para su novia que le está oyendo, bien podría revelárselos a ella, y... ¡entonces sí que es verdad!...

120 —Rosa María, ¡por Dios! no se burle usted de mí. A usted es a quien únicamente yo quiero. No tengo ninguna otra novia.

—¡Ja! ¡Ja! ¡Ja! ¡Qué tonto! Y entonces, si no tiene usted ninguna otra novia, ¿cómo se explica lo de las iniciales en la sortija?

—Muy fácilmente. Verá usted.

125 Y esto diciendo, José Miguel buscó la sortija en el bolsillo del chaleco, y mostrándosela a la joven, añadió:

—Esta sortija es para ti, Rosa María, R. M. E. Rosa María Estades... ¿Comprendes ahora lo de las iniciales?

---

[4]**Piropos** son comentarios insinuantes, coquetos y halagadores dirigidos a una persona. El uso de **piropos** en este contexto es especialmente ingenioso por parte del autor porque es un juego de palabras: un **piropo** también es un tipo de piedra preciosa, muy apreciada. Es una variedad de granate (*garnet*).

Y Rosa María, haciendo todo lo posible por poder comprender, inquirió,
130 todavía medio incrédula:

—Pero... ¿será posible?...

—Sí —respondió entonces José Miguel que sonreía de triunfo— tan posible como la posibilidad de que se cumplan los deseos que tengo de darte un beso.

135 Doy fe de° que se cumplieron, repetidas veces, sus deseos... — Testifico

Lo demás... queda a la imaginación casi siempre razonable del lector.

DESPUÉS DE LEER

Preguntas

En general

1. ¿Quiénes son los personajes principales y cuál era su relación al principio del cuento?
2. ¿Qué tipo de vida llevaba José Miguel?
3. ¿Cómo era la dependienta?

En detalle

1. ¿Qué tipo de establecimiento era «La Esmeralda»? ¿Por qué fue allí José Miguel?
2. ¿Por qué José Miguel nunca había visitado un establecimiento de este tipo antes? ¿Por qué es curioso que nunca hubiera visitado tal establecimiento?
3. ¿Cuál fue la actitud de José Miguel hacia la mercancía en «La Esmeralda» cuando entró en la tienda? ¿Por qué?
4. Según la predicción en el segundo párrafo, ¿qué impacto en su estilo de vida tendría su decisión de comprar una sortija para su novia?
5. ¿Por qué dijo la dependienta que el libro de ventas contenía su felicidad?
6. ¿Cuándo sabemos que José Miguel estaba interesado en la dependienta?
7. ¿Qué ocurrió que le dio a José Miguel la oportunidad de acariciar los dedos de la dependienta?
8. ¿Cómo decidió José Miguel cuál de las sortijas comprar? ¿Cuánto costaba la sortija que iba a comprar?
9. ¿Qué iniciales iban a grabarse en la sortija? ¿Por qué decidió José Miguel poner estas iniciales en la sortija? ¿De quién eran?

10. ¿Por qué regresó tarde a la joyería José Miguel? ¿A qué hora llegó? ¿Cómo convirtió José Miguel su llegada tardía en un beneficio para él?
11. ¿Cuándo se dio cuenta la dependienta que ella era la novia de su cliente? ¿Qué hizo José Miguel para revelárselo?
12. ¿Cuál fue la reacción de la dependienta cuando José Miguel le habló usando su nombre?
13. Aunque la narración no dice cuál fue la reacción de Rosa María cuando José Miguel la besó, se puede inferir. ¿Cómo reaccionó? ¿Cuál es la «evidencia»?

Discusión e interpretación

1. Dice en el segundo párrafo que había razón para creer que la decisión de José Miguel de comprar una sortija para su novia iba a llevarlo a «una última aventura definitiva». ¿Cuál sería esta «última aventura definitiva»?
2. Repase el cuento buscando las veces donde se ven indicaciones de que José Miguel y/o Rosa María sonrieron o rieron. Haga un minianálisis psicológico para determinar por qué sonrieron o rieron. ¿Es posible generalizar los motivos para estas reacciones o hay varias razones? Explique.
3. Repase el cuento examinando las ocasiones cuando José Miguel y/o Rosa María estaban flirteando. ¿Cuál es la diferencia entre el flirteo de él y el de ella? ¿Por qué cree Ud. que la dependienta —aunque estaba flirteando también —no se dio cuenta antes de que ella era la persona que iba a recibir la sortija? Mencione las evidencias para apoyar sus ideas.
4. ¿Por qué cree Ud. que Rosa María reaccionó positivamente a los avances de un hombre que acababa de conocer? Para contestar, use tanto evidencia del cuento como sus propias ideas e imaginación.
5. ¿Cómo cree que Ud. reaccionaría si un desconocido lo/la tratara como José Miguel trató a Rosa María?
6. En varias ocasiones en el cuento el narrador hace comentarios directamente al lector. Estos comentarios son parecidos a los **apartes°** de una obra teatral. En una obra teatral, los apartes suelen ser comentarios de uno o más de los personajes y pueden dirigirse directamente al público, pero el que dice un aparte supone que los demás personajes no pueden oírlo. Los «apartes» en este cuento vienen del narrador, no de los personajes. Otra diferencia de los apartes en el cuento es que no han sido señalados con la palabra **aparte** como se hace en el texto de una obra teatral. Por eso, para los lectores del cuento, no son fáciles de reconocer. Lea los siguientes fragmentos e identifique la parte (frases u oraciones enteras)

asides

donde el narrador habla directamente al lector. ¿Cuál es el efecto de estos comentarios?

1. —¿En qué puedo servirle, caballero? —le preguntó de pronto una joven que, para decirlo de una vez, era la dependienta. Pero, ¡qué dependienta!
2. —Y bien, volvamos a la sortija —dijo entonces la dependienta, que, ¿será preciso decirlo?, ya a José Miguel se le había antojado bonita.
3. Doy fe de que se cumplieron, repetidas veces, sus deseos...

   Lo demás... queda a la imaginación casi siempre razonable del lector.

LAZOS GRAMATICALES

Formas de tratamiento

La forma de tratamiento que usa la gente entre sí revela mucho sobre su relación. Aunque esto varía entre países y hasta entre familias, en general, el uso de las formas de **usted** indica una relación formal.

6-7 ¿Qué revelan las formas de tratamiento en «Una sortija para mi novia»? Conteste las siguientes preguntas tomando en cuenta el papel del tratamiento.

1. Hojee la primera parte del cuento para ver en qué forma se trataban José Miguel y Rosa María para dirigirse el uno al otro.
   a. ¿Qué indicios gramaticales señala este tratamiento? Haga una lista.
   b. ¿Qué títulos usan? Haga una lista.
   c. ¿Qué indica este tratamiento sobre la relación entre él y ella?
2. Hay un breve período de transición donde José Miguel todavía utiliza tratamiento formal, sin embargo, hay muestras que su relación está cambiando hacia una relación informal. ¿Qué aspecto de su lenguaje indica que la situación está en transición, por lo menos para José Miguel?
3. Hacia el final del cuento, José Miguel empieza a usar otra forma de tratamiento.
   a. ¿Qué forma usa con la dependienta hacia el final?
   b. ¿Qué indicios gramaticales señala este tratamiento? Haga una lista.
   c. ¿En qué momento cambió José Miguel su forma de tratamiento con ella?
   d. ¿Qué indica este cambio de tratamiento para su relación?

4. ¿Es posible indicar gramaticalmente diferencias de tratamiento en inglés como se puede hacer en español? ¿Cómo se señalan diferencias de formalidad y de intimidad en inglés?

En más detalle

Cuando una persona utiliza las formas singulares familiares (las de **tú**) con alguien, este tratamiento se llama **tuteo** y el verbo es **tutear**. Los niños, los amigos, los novios, los esposos y los familiares se tutean, aunque hay variabilidad entre los países y los individuos de habla española. Para saber qué forma es apropiada para usar con alguien, observe la forma de tratamiento que esa persona usa con Ud. También debe considerar la relación social entre la persona y Ud. Por ejemplo, si algunos de sus profesores lo/la tutean, Ud. generalmente debe tratarlos con Ud. para mostrarles respeto.

Usos del futuro

El uso principal para el tiempo futuro es indicar acciones futuras. Pero también se usa para hacer conjeturas sobre el presente. Por ejemplo, si alguien toca a la puerta y Ud. está esperando una visita de su amigo Ernesto, antes de contestar la puerta, podría decirse, «Será Ernesto». Este comentario no es una predicción, sino una conjetura sobre el presente. Aunque hay diversas maneras de expresar conjeturas en el presente —diciendo, por ejemplo, **Probablemente es Ernesto; Supongo que es Ernesto; Me imagino que Ernesto ha llegado**, etc. —el tiempo futuro por sí solo se usa frecuentemente.

6-8 ¿Predicciones o conjeturas? Examine los siguientes fragmentos del cuento para determinar si el tiempo futuro se ha usado para indicar el futuro o para conjeturas en el presente. Escriba la oración con el verbo futuro de otra manera manteniendo el sentido del verbo original, como en los modelos. Pista: Los casos que indican el futuro pueden expresarse usando la estructura **ir** + **a** + infinitivo. Hay diferentes maneras de expresar conjeturas. (Considere los ejemplos en el párrafo anterior.)

Modelos

- Tomás **estará** en el aeropuerto mañana a las seis.
  (Indica el futuro.)
  Paráfrasis: Tomás **va a estar** en el aeropuerto mañana a las seis.
- Tomás **estará** en el aeropuerto ahora.
  (Conjetura en el presente.)
  Paráfrasis: Tomás **probablemente está** en el aeropuerto ahora.

1. —Pues...cuanto más crecidas sean mis ventas, mayores **serán** mis beneficios —repuso ella, no encontrando otra cosa que contestar.
2. —Y bien, volvamos a la sortija —dijo entonces la dependienta, que, **¿será preciso decirlo?**, ya a José Miguel se le había antojado bonita.
3. —¿**Tendrá** su novia los dedos poco más o menos igual a los míos? —consultó la joven, mientras le mostraba su mano con ingenuidad.
4. —¿Cuándo puedo venir a buscarla? —inquirió José Miguel.

   —La sortija... **querrá** usted decir... —comentó ella intencionadamente.
5. —¿Me permite que la lleve en mi carro hasta su casa? Después de todo, **será** en recompensa por haberme prestado sus dedos para el número de la sortija...
6. —¡Ja! ¡Ja! ¡Ja! ¡Qué tonto! Y entonces, si no tiene usted ninguna otra novia, ¿cómo se explica lo de las iniciales en la sortija?

   —Muy fácilmente. (a) **Verá** usted.

   Y esto diciendo, José Miguel buscó la sortija en el bolsillo del chaleco, y mostrándosela a la joven, añadió:

   —Esta sortija es para ti, Rosa María, R. M. E. Rosa María Estades... ¿Comprendes ahora lo de las iniciales?

   Y Rosa María, haciendo todo lo posible por poder comprender, inquirió, todavía medio incrédula:

   —Pero... (b) ¿**será** posible?...

Apreciar lenguaje con dobles sentidos

Parte del humor y la gracia de «Una sortija para mi novia» yace en las expresiones y situaciones de doble sentido que ocurren durante las conversaciones entre José Miguel y la dependienta. Un caso ocurre cuando él le dice a ella que se pruebe la sortija para ver si es la talla correcta para su novia. Después de ponérsela, ella dice: «Me viene como anillo al dedo» que es un dicho común en español. Puesto que los dichos y otras frases hechas suelen usarse sólo figurativamente, su comentario es cómico porque lo ha usado literalmente. Además, su respuesta tiene un doble sentido, uno figurativo y el otro literal. Sería igual si una persona se probara un guante y comentara con el dicho inglés, "*It fits like a glove.*" Ahora, en el ejercicio a continuación, vamos a considerar otras situaciones y expresiones con doble sentido del cuento.

6-9 La gracia de los dobles sentidos. En el cuento, los personajes frecuentemente dicen algo con un doble sentido. A veces un personaje dice una frase ambigua sin darse cuenta de la verdad que ha revelado pero otras veces lo hace a propósito. Identifique la base del doble sentido en los fragmentos del cuento a continuación y si la persona lo dijo a propósito o no. Los fragmentos tienen bastante información para determinar el doble sentido pero están en el orden en que aparecen en el cuento si quiere buscarlos y examinar el contexto más amplio.

1. —¡Ah! Tiene usted unas manos peligrosísimas —dijo al cabo de un rato José Miguel, mientras dejaba escapar suavemente los dedos de la joven.

   —¿Sí? Y ¿por qué? —inquirió ella con interés.

   —¡Ah! Porque serían capaces de hacer enloquecer a cualquiera acariciándolas.
2. —Bueno, ¿y cree usted que de venirme bien la sortija ha de quedarle ajustada a su novia?

   —Sí, es muy probable.
3. —Perfectamente —dijo la joven dependienta, mientras escribía aquellas tres iniciales en una tarjetita amarilla que luego ató a la sortija.

   —¿Cuándo puedo venir a buscarla? —inquirió José Miguel.

   —La sortija...querrá usted decir... —comentó ella intencionadamente.

   —Pues, ¡claro! Es decir... si usted no decide otra cosa...
4. Ya estaban a punto de cerrar el establecimiento cuando José Miguel penetró jadeante en la joyería.

   —Si se tarda usted un momento más no nos encuentra aquí —le dijo al verle llegar la bella dependienta que aquella mañana le había vendido el anillo. Y entregándole el estuche con la sortija, agregó:

   —Tenga usted. Estoy segura de que a «ella» le ha de agradar mucho.
5. —Señorita, perdóneme que le diga a usted una cosa —le había dicho José Miguel a la linda dependienta, mientras el automóvil se deslizaba muellemente a lo largo de la avenida.

   —Con tal de que su novia no vaya a oírlo... —repuso ella con graciosa ironía.
6. En este último ejemplo, recuerde Ud. el juego de palabras que resulta del uso de la palabra piropos en el comentario de la dependienta. (Ver la nota sobre piropos, p. 96.) ¿Cuál es el sentido obvio y cuál es el doble sentido?

   —¡Vaya que es usted listo! Pero tenga cuidado con sus piropos, pues la sortija para su novia que le está oyendo, bien podría revelárselos a ella, y... ¡entonces sí que es verdad!...

Muchas veces el lenguaje es ambiguo y puede causar malentendidos y conflictos, como hemos visto con la examinación de los ejemplos en este ejercicio, pero la ambigüedad también puede crear situaciones divertidas y cómicas. A veces la ambigüedad puede «traducirse» a otra lengua sin problema, pero, otras veces el doble sentido sólo podría ocurrir en una lengua. Los juegos de palabras generalmente no se traducen bien a otra lengua. Las diferencias de significado que ocurren con la ambigüedad de ciertas estructuras gramaticales no pueden traducirse tampoco, a menos que las dos lenguas compartan la estructura. Por estas razones, si alguien tradujera el cuento «Una sortija para mi novia» al inglés, parte del humor se perdería. Usted puede entender el humor por su conocimiento del español, y puede apreciar estas sutilezas del vocabulario y de la gramática del español.

☞ Relea el cuento aplicando lo que ha aprendido y practicado en los ejercicios de la sección «**Lazos gramaticales**». Si lo hace va a entender mejor el cuento y a fortalecer su comprensión de la gramática.

A ESCRIBIR

Estrategias de composición

Esta sección incluye una serie de pasos para ayudarlo/la a: (1) formular y desarrollar sus ideas, (2) buscar evidencia del cuento para apoyar sus argumentos y (3) organizar su composición para que sea cohesiva y coherente. También incluye instrucciones para buscar y corregir errores de gramática y de vocabulario. Estas sugerencias acompañan el primer tema porque son específicas para ese tema pero son útiles para todos los temas. Si escoge otro tema, lea las sugerencias incluidas para el Tema uno y adáptelas para el tema que elija.

Tema 1

Este cuento tiene un tono juguetón. ¿Cómo logra el autor este tono? Escriba un ensayo en que discuta las técnicas que utilizó Humberto Padró para hacer divertido su relato. Dé ejemplos específicos del cuento.

Al completar cada uno de los siguientes pasos, marque (✓) la casilla a la izquierda.

❑ a. Examine el cuento buscando ejemplos del lenguaje (juegos de palabras, etc.) y las situaciones cómicas. Haga una lista de las varias técnicas y clasifíquelas según el tipo de técnica. Repase las preguntas que se encuentran después del cuento y los ejercicios de «**Lazos gramaticales**» para ver otras ideas de aspectos que pueda incluir en su ensayo.

❑ b. Organice su lista de técnicas en un orden lógico.

❑ c. Haga una lista de citas que muestren ejemplos de estas técnicas. A veces será apropiado citarlas directamente y otras veces será mejor sólo describir o parafrasearlas.

❑ d. Reescriba su introducción y escriba una conclusión.

- ❑ e. Cuando haya escrito su borrador, revíselo, asegurándose que todo siga un orden lógico y que sus ideas fluyan bien. Utilizando sus listas, asegúrese que haya incluido todos los elementos importantes. Haga las correcciones necesarias.
- ❑ f. Dele un título interesante a su ensayo.
- ❑ g. Antes de entregar su ensayo, revíselo asegurándose que:
  - ❑ haya usado vocabulario correcto y variado
  - ❑ no haya usado **ser**, **estar** y **haber** demasiado (es preferible usar verbos más expresivos)
  - ❑ haya concordancia entre los adjetivos y artículos y los sustantivos a que se refieren
  - ❑ haya concordancia entre los verbos y sus sujetos
  - ❑ **ser** y **estar** se usen correctamente
  - ❑ el subjuntivo se use cuando sea apropiado
  - ❑ el pretérito y el imperfecto se hayan usado correctamente
  - ❑ no haya errores de ortografía ni de acentuación

Otros temas de composición

2. Este cuento se publicó hace más o menos 80 años. José Miguel no es representativo de los hombres de esa época, sin embargo, parece una situación posible, aunque extrema. En esa época seguramente la mujer no habría podido hacer algo parecido para conseguir un novio. ¿Cree Ud. que en nuestra época una mujer pudiera hacer semejante cosa o que todavía hay criterios distintos para juzgar la conducta de los hombres y de las mujeres? Escriba un ensayo en que explique sus opiniones sobre esta cuestión ofreciendo ejemplos específicos del mundo actual para apoyar sus argumentos. Incluya también ejemplos apropiados del cuento.
3. Escriba el «próximo capítulo» en la historia de José Miguel y Rosa María. Trate de mantener el mismo tono juguetón del original. Use palabras de doble sentido y otras expresiones ambiguas como las del cuento. (Estudie el ejercicio 6–9 para repasar algunos de los dobles sentidos del cuento.) Dado que el cuento original se basa en una situación bastante absurda, sería buena idea si el capítulo que Ud. escriba se basara en otra situación absurda.
4. Si ha leído «Una carta de amor», escriba un ensayo en que compare el hombre de ese cuento con José Miguel de «Una sortija para mi novia». Compare tanto su aspecto físico como su comportamiento.

CAPÍTULO

7

Primera impresión

Rubén Darío (1867–1916)

ANTES DE LEER

7-1 Reflexiones. Considere las siguientes preguntas antes de leer el cuento.

1. ¿Qué tipo de amor sienten los adolescentes? ¿Hacia quién/es sienten este amor? ¿Por quién/es sentía Ud. amor cuando era adolescente?
2. ¿Cuántos años tenía cuando se enamoró por primera vez? ¿Su enamorado/a se enamoró de Ud. también o fue un romance unilateral? ¿Todavía está con él/ella? ¿Sigue pensando en él/ella de vez en cuando?
3. ¿Cómo sería su pareja ideal? Mencione atributos tanto físicos como de carácter.
4. Un personaje del cuento dice que «no hay quien pueda explicar el amor». Aunque sea difícil explicar lo que es el amor, escriba un párrafo en que lo define. Luego comparta sus ideas con la clase.

Enfoques léxicos

Cognados falsos

7-2 Examinación de cognados falsos en «Primera impresión». Este cuento contiene cognados falsos, algunos se incluyen en los ejercicios a continuación. (Para más detalle sobre los cognados falsos, lea la sección número uno del *Manual de gramática* [pp. 285–290].)

1. Aunque **ilusión** puede significar *illusion*, en este cuento tiene el significado de **esperanza** o **deseo.** Examine la primera oración a continuación, para familiarizarse con esta palabra antes de leer el cuento.

   Yo caminaba por este mundo con el alma virgen de toda **ilusión.**

2. La palabra **decepción** no quiere decir *deception*, lo cual generalmente se expresa en español con **engaño** o **fraude**, según el contexto. **Decepción** se expresa en inglés con *disappointment* o *let-down*. El verbo que expresa esta idea es **decepcionar.**
3. Aunque **planta** puede significar *plant* en el sentido del **organismo vegetal**, en este cuento significa la **parte inferior del pie** (*sole*). Examine la oración a continuación para familiarizarse con ella antes de leer el cuento. (¡Ojo! **Miróme** es una estructura arcaica para **Me miró.**)

   Miróme nuevamente y yo extasiado ante su hermosura, subyugado por su belleza, iba a echarme a sus **plantas**...

4. **Relación** puede significar *relation* o *relationship*, pero en este cuento significa **relato, cuento** o **informe.** Examine la oración a continuación para familiarizarse con ella antes de leer el cuento.

   Ésta fue la **relación** que una vez me hizo mi amigo...

5. **Disgustar** no quiere decir *to disgust*, lo cual se expresa con **dar(le) asco (a)** o **repugnar.** Ya sabe el significado de **gustar** y sabiendo que **disgustar** es lo opuesto de **gustar,** puede determinar su significado y recordarlo fácilmente. En otras palabras «Eso me disgusta» es lo mismo que decir «Eso no me gusta». Funciona gramaticalmente como **gustar.**

Grupos léxicos

7-3 Palabras relacionadas. Complete las siguientes frases con la palabra adecuada. Las palabras agrupadas tienen la misma raíz y por lo tanto tienen un significado relacionado. Utilice su conocimiento de la gramática para escoger la palabra correcta. No será necesario cambiar las formas de las palabras. Usará algunas palabras más de una vez. Verifique sus respuestas buscando la oración en el cuento. (Las oraciones de cada grupo se presentan en el orden en que aparecen en el cuento.)

amor - amorosas - amorosamente - amaba - amado

1. Oía a mis compañeros contar sus conquistas __________, pero jamás prestaba atención a lo que decían y no comprendía nada.
2. Nunca mi corazón había palpitado __________.
3. ¡Ah, no hay __________ que pueda semejarse al __________ de una madre!
4. ¿Has __________ alguna vez?
5. ¡Ah! no hay quien pueda explicar el __________.
6. Miróme nuevamente y yo extasiado ante su hermosura, subyugado por su belleza, iba a echarme a sus plantas para decirle que en ese momento empezaba a sentir todo lo que había dicho, que __________ por la primera vez de mi vida...

recuerdo - recordando

7. Una noche tuve un sueño. Sueño que tengo grabado en el corazón, y cuyo __________ jamás he podido apartarlo de mi mente.
8. Yo me hallaba recostado en un árbol, admirando la naturaleza y __________ las inocentes pláticas que cuando niño había sostenido con mi madre...

sueño - soñé

9. Una noche tuve un __________.
10. __________ que me encontraba en un hermoso campo.
11. Desde entonces yo camino por este mundo en busca de la mujer de mi __________...

sentir - sentido - sentí

12. __________ en mi corazón una cosa inexplicable.

13. —Ernesto, ¿has __________ alguna vez dentro de tu pecho el fuego misterioso del amor?

14. Miróme nuevamente y yo extasiado ante su hermosura, subyugado por su belleza, iba a echarme a sus plantas para decirle que en ese momento empezaba a __________ todo lo que había dicho...

Antónimos y sinónimos

7-4 Antónimos. Empareje las palabras de la columna A con su antónimo de la columna B. Luego escriba una frase original para cada pareja de antónimos. (Las palabras aparecen en el cuento, algunas con un cambio de forma.)

A	B
____ 1. acercarse	a. desaparecer
____ 2. agradar	b. encontrar
____ 3. aparecer	c. placer
____ 4. blanco	d. perderse
____ 5. buscar	e. negro
____ 6. dolor	f. tranquilo
____ 7. dulce	g. fantasía
____ 8. encontrarse	h. alejarse
____ 9. nervioso	i. amargo
____10. realidad	j. disgustar

7-5 Sinónimos. Empareje las palabras de la columna A con su sinónimo de la columna B. Luego escriba una frase original para una palabra de cada pareja. (Las palabras aparecen en el cuento, algunas con un cambio de forma.)

A	B
____ 1. amaba	a. alabastrino
____ 2. belleza	b. articular
____ 3. blanco	c. abrasar
____ 4. inocente	d. angelical
____ 5. pronunciar	e. apacible
____ 6. quemar	f. quería
____ 7. sol	g. melancólico
____ 8. sombrío	h. hermosura
____ 9. tranquilo	i. triste
____10. triste	j. astro

A LEER

Estrategia de lectura: Reconocer elementos poéticos en la «prosa poética»

Los estudiosos que examinan los cuentos de Darío usan términos como «poesía en prosa», «prosa poética» y «cuentos poéticos» para describirlos. Vamos a considerar algunas de las características de la poesía que se ven en «Primera impresión» en el siguiente ejercicio.

7-6 Identificar elementos poéticos en «Primera impresión». Con un/a compañero/a, hagan los siguientes ejercicios y compartan sus ideas con el resto de la clase.

1. Denle un vistazo a la forma del cuento. ¿En qué aspecto formal —en su presentación formal, o «física»— parece un poema?
2. Hagan una lista de cualidades y características que Uds. asocien con la poesía. Consideren el lenguaje, estructuras gramaticales, temas comunes, etc.
3. Ahora lean unas líneas del cuento buscando evidencia de las características que identificaron en la pregunta dos e identifiquen otros elementos poéticos.
4. En la poesía lírica (enfatiza las emociones del/de la poeta), especialmente cuando se trata el amor, se ve una descripción exaltada de la amada (o del amado). Hojeen la sección que describe a la joven (líneas 45–52) y hagan una lista de las palabras y frases que el joven utiliza para describirla.
5. La poesía frecuentemente contiene referencias a los sentidos. ¿Cuáles son los cinco sentidos? Al leer el cuento, identifiquen los sentidos que se mencionan.

Rubén Darío

Rubén Darío (bautizado Félix Rubén García Sarmiento) nació en el pueblo Metapa, Nicaragua en 1867. Sus padres se divorciaron cuando él era aún muy joven y creció en León, Nicaragua, con su tía abuela materna. Fue un niño precoz: empezó a escribir literatura bastante joven. Según su autobiografía, ya sabía leer a los tres años, escribía poesía a los 10 años y sus primeros poemas se publicaron antes de sus 13 años. El cuento «Primera impresión» fue publicado en *El Ensayo* (una revista literaria de León, Nicaragua), el 6 de abril de 1881 —cuando sólo tenía 14 años. Darío es conocido como el fundador del modernismo en Latinoamérica, un movimiento literario que abarca el fin del siglo XIX y el principio del siglo XX y que tuvo su principal impacto sobre la poesía. Además de poeta y cuentista, fue aduanero, diplomático, representante del gobierno nicaragüense y periodista. Entre sus muchas obras destacan *Azul*, una colección de poemas y cuentos (publicada en 1888 y luego revisada y ampliada en 1890), *Prosas profanas y otros poemas* (1896) y *Cantos de vida y esperanza* (1905), una colección de poemas. Durante su vida, vivió en o viajó a varios países de América y Europa (Chile, Argentina, Cuba, El Salvador, Guatemala, EE.UU., España y Francia). En 1916, cuando se enfermó, volvió a Nicaragua, donde poco después murió. Cuatro años después de su muerte, en su pueblo natal, le rindieron homenaje cambiando el nombre original de Metapa por Ciudad Darío.

Primera impresión

Rubén Darío

Yo caminaba por este mundo con el alma virgen de toda ilusión.

Era un niño que ni siquiera sospechaba existiera el amor.

Oía a mis compañeros contar sus conquistas amorosas, pero jamás prestaba atención a lo que decían y no comprendía nada. (5)

Nunca mi corazón había palpitado° amorosamente. Jamás mujer alguna había conmovido mi corazón, y mi existencia se deslizaba° suavemente como cristalino arroyuelo° en verde y florida pradera, sin que ninguna contrariedad viniera a turbar° la tranquilidad de que gozaba.

Mi dicha° se cifraba en el cariño de mi madre; cariño desinteresado, puro como el amor divino. (10)

¡Ah, no hay amor que pueda semejarse al amor de una madre!

Yo quería a mi madre y pensaba que ése era el único amor que existía.

Los días, los meses, los años transcurrían y mi vida siempre era feliz, y ninguna decepción venía a trastornar° la paz de mi espíritu. (15)

Todo me sonreía: todo era placer y ventura° en torno mío.

Así pasaba el tiempo y cumplí quince años.

Una noche tuve un sueño. Sueño que tengo grabado en el corazón, y cuyo recuerdo jamás he podido apartarlo de mi mente.

Soñé que me encontraba en un hermoso campo. El sol iba a ocultarse en el horizonte, y la hora del crepúsculo vespertino° se acercaba. (20)

Por doquiera se veían frondosos árboles de verde ramaje, que parecía envidiaban su último adiós al astro que desaparecía.

Las flores inclinaban su corola° tristes y melancólicas.

Allá a lo lejos, detrás de un pintoresco matorral,° se oía el dulce susurrar de una fuente apacible,° en cuyas límpidas aguas se reflejaban mil pintadas flores que se alzaban en su orilla y que parecía se contemplaban orgullosas de su hermosura. (35)

palpitado: *beat, pounded*
deslizaba: *glided, slid*
arroyuelo: *brook, small stream*
turbar: *disturb*
dicha: felicidad, buena suerte
trastornar: *upset, disrupt*
ventura: felicidad, suerte
vespertino: *evening twilight*
corola: la parte con pétalos
matorral: *thicket, bushes*
apacible: tranquila, agradable

Todo allí era tranquilo y sereno. Todo estaba risueño.

40 Yo me hallaba recostado en un árbol, admirando la naturaleza y recordando las inocentes pláticas que cuando niño había sostenido con mi madre, en las que ella con un lenguaje sencillo y convincente, con el lenguaje de la virtud y de la fe, me hacía comprender los grandes beneficios que constantemente recibimos del Omnipotente, cuando vi aparecer de entre un bosquecillo de palmeras una mujer encantadora.
45

Era una joven hermosa.

Sus formas eran bellísimas.

Sus ojos negros y relucientes, semejaban dos luceros.° — estrellas brillantes

Su cabellera larga y negra caía sobre sus blancas espaldas formando gruesos y brillantes tirabuzones,° haciendo realzar° más su color alabastrino. — *spiral-shaped curls*/ enfatizando
50

Su boca pequeña y de labios de carmín guardaba dentro unos dientes de perla.

Yo quedé estático al verla.

Ella llegóse[1] junto a mí y púsome[1] una mano sobre la frente.

55 A su contacto me estremecí.° Sentí en mi corazón una cosa inexplicable. Me parecía que mi rostro abrasaba. — temblé

Estuvo mirándome un momento y después con una voz armoniosa, voz de hadas, voz de ángel, me dijo:

—¡Ernesto!...

60 Un temblor nervioso agitó todo mi cuerpo al oír su voz. ¿Cómo sabía mi nombre? ¿Quién se lo había dicho? Yo no podía explicarme nada de esto. Ella continuó.

—Ernesto, ¿has sentido alguna vez dentro de tu pecho el fuego misterioso del amor? ¿Tu corazón ha palpitado por alguna mujer?

65 Yo la miraba con arrobamiento° y no pude contestar; la voz expiró en la garganta y por más esfuerzos que hacía no me fue posible hablar. — éxtasis

—Contestadme, prosiguió ella, decidme una palabra siquiera. ¿Has amado alguna vez?

Hice otro nuevo esfuerzo y por fin articulé una palabra.

70 —¿Qué es el amor?, dije.

—¡El amor! ¡Ah! no hay quien pueda explicar el amor. Es necesario sentirlo para saber lo que es. Es necesario haber experimentado en el corazón su influencia para adivinarlo. El amor es unas veces un fuego que nos abrasa el corazón, que nos quema las entrañas, pero que sin embargo nos agrada;
75 otras un bálsamo reparador que nos anima y nos eleva a las regiones ideales mostrándonos en el porvenir mil halagüeñas° esperanzas. El amor es una mezcla de dolor y de placer; pero en ese dolor hay un *algo* dulce y en ese placer nada de amargo. El amor es una necesidad del alma; es el alma misma. — *promising, encouraging*

Al pronunciar estas palabras su rostro había adquirido una belleza ange-
80 lical. Sus ojos eran más brillantes aún y despedían rayos que penetraban en mi corazón y me hacían despertar sensaciones desconocidas hasta entonces para mí.

---

[1]formas arcaicas o poéticas de **se llegó** y **se puso**

Mirómeº nuevamente y yo extasiado ante su hermosura, subyugado por su belleza, iba a echarme a sus plantas para decirle que en ese momento empezaba a sentir todo lo que había dicho, que amaba por la primera vez de mi vida, cuando ella lanzó un grito y se alejó apresuradamente yendo a perderse en el bosquecillo de palmeras de donde la había visto salir momentos antes.

Me miró

El sol ya se había ocultado completamente, y la noche extendía sus negras alas sobre el mundo.

La luna se levantaba majestuosa en Oriente y su luz venía a iluminar mi frente.

Yo quise seguir a la joven, pero al dar un paso caí al suelo, y al caer me encontré con la cabeza entre las almohadas, mientras que un rayo del sol que penetraba en la ventana hería mis pupilas, haciéndome comprender toda la realidad.

¡Todo había sido una alucinación de mi fantasía!

Ésta fue la primera impresión que recibí y nunca se ha borrado de mi corazón. Desde entonces yo camino por este mundo en busca de la mujer de mi sueño y aún no la he encontrado. Ésta es la causa por qué me ves, amigo Jaime, siempre triste y sombrío. Pero yo no desespero; ha de llegar un día en que se presentará ante mi paso. Ese día será el más feliz de mi vida: más feliz que aquellos que pasaba al lado de mi madre y en medio de la inocencia.

*

* *

Ésta fue la relación que una vez me hizo mi amigo Ernesto y yo la publico hoy, seguro de que no disgustará a las simpáticas lectoras ni a los bondadosos lectores de *El Ensayo*.

Jaime Jil[2]

DESPUÉS DE LEER

PREGUNTAS

En general

1. ¿Quién narra este relato?
2. ¿Quién es Ernesto? ¿Quién es Jaime? ¿Cuál es la relación entre ellos?
3. ¿Cómo era la relación entre Ernesto y su madre?
4. ¿A qué se refiere la **primera impresión** del título? ¿Primera impresión de qué? (Esta frase se menciona otra vez al final del cuento en la línea 97.)

[2]Seudónimo que usó Darío cuando escribió para *El Ensayo*, una revista literaria de Nicaragua.

En detalle

1. Describa la niñez de Ernesto.
2. ¿Qué cualidades de su madre mencionó Ernesto? ¿Cómo describió Ernesto el lenguaje de su madre?
3. Según Ernesto, ¿qué sabía del amor cuando era niño?
4. ¿Qué evento marcó para Ernesto su transformación de niño a adolescente/pre-adulto? ¿Cuántos años tenía cuando este evento ocurrió?
5. Al principio del sueño, ¿dónde estaba Ernesto? ¿Cómo era el trasfondo?
6. ¿En qué estaba pensando Ernesto cuando vio aparecer a la joven mujer?
7. ¿Cómo reaccionó Ernesto cuando vio a la mujer? ¿Y cómo reaccionó cuando ella le tocó la frente? Identifique las manifestaciones físicas de sus emociones.
8. ¿Cómo era la mujer según Ernesto?
9. ¿Durante qué parte del día tuvo lugar el encuentro? ¿Cree que es significativo que ocurriera en esta parte del día y no en otra? Explique.
10. Según la mujer, ¿qué hay que hacer para saber lo que es el amor? ¿Está Ud. de acuerdo? Explique.
11. Cuando la mujer se fue, ¿por qué Ernesto no la siguió? ¿Intentó seguirla?

Discusión e interpretación

1. Compare la vida de Ernesto antes y después del sueño. ¿Cómo ha cambiado su vida y cómo cambió él?
2. El amor es un tema del cuento que cambia de carácter a través del mismo. ¿Puede Ud. identificar diferentes tipos de amor para cada «etapa» del relato (antes, durante y después del sueño)?
3. Compare el amor que sintió Ernesto hacia su madre cuando era niño y el que sintió hacia la mujer de su sueño. ¿A qué se pueden atribuir estas diferencias?
4. ¿El amor que siente Ernesto hacia la mujer es realista o idealizado? En su opinión, ¿siente un amor verdadero? Explique.
5. Si Ernesto hubiera conocido a esta mujer o a una parecida en la realidad, ¿cree que hubiera tenido la misma reacción? ¿Por qué sí o por qué no?
6. ¿De dónde apareció la mujer del sueño de Ernesto? ¿Qué representa para él?
7. En la poesía muchas veces se ve la yuxtaposición de ideas opuestas. Relea la sección (líneas 71–78) donde la mujer describe lo que es el amor buscando los opuestos que utiliza para describir el amor.

8. ¿Está de acuerdo con la definición del amor que ofrece la mujer? ¿Cómo se compara su definición con la que Ud. escribió en el ejercicio 7–1 antes de leer el cuento?
9. ¿Por qué cree Ud. que Ernesto no ha podido olvidar el sueño? ¿Ha tenido un sueño que todavía recuerde? Descríbalo.

LAZOS GRAMATICALES

Usos del pretérito y del imperfecto

Recuerde que así como hay diferencias básicas entre los usos del pretérito y del imperfecto, también hay múltiples usos para el pretérito y para el imperfecto. Si está dudoso/a sobre los usos del pretérito y del imperfecto, repase la sección cuatro del *Manual de gramática* (pp. 307–314).

7-7 Vamos a ser detectives lingüísticos. Conteste las siguientes preguntas tomando en cuenta los varios usos del pretérito y del imperfecto.

1. Hojee la primera parte del cuento —antes del sueño— para ver qué tiempo verbal —pretérito o imperfecto— se usa casi exclusivamente en esta parte. ¿Para qué tipos de acciones se usa?
2. ¿Cuál es la primera acción expresada en el pretérito? ¿Qué momento significativo en la vida de Ernesto señala este uso del pretérito?
3. Repase la sección donde Ernesto describe su sueño (líneas 18–92). ¿Para qué tipos de acciones se usa el imperfecto aquí?
4. Examine los siguientes verbos en el pretérito donde ocurren en el sueño e indique con una X si señalan el principio o el fin de acciones o estados. Un caso es ambiguo (no está claro si se enfatiza el principio o el fin). Cuando halle otra información en el cuento que confirme su decisión, prepárese para señalarla a la clase.

Verbo	Principio	Fin	Caso ambiguo (principio/fin)
vi			
quedé			
llegóse			
púsome			

Verbo	Principio	Fin	Caso ambiguo (principio/fin)
me estremecí			
sentí			
estuvo mirándome			
dijo			

5. Relea la sección del sueño (líneas 18–92) prestando atención a los verbos pretéritos. En general, ¿para qué tipos de acciones/estados se ha utilizado el pretérito?

7-8 Usos «especiales» del pretérito y del imperfecto. Examine los siguientes fragmentos del cuento enfocándose en los verbos en negrita. Determine la diferencia de significado que la selección de aspecto (pretérito/imperfecto) crea. Luego conteste las preguntas que siguen.

- ¿Cómo sabía mi nombre? ¿Quién se lo había dicho? Yo **no podía** explicarme nada de esto.
- Yo la miraba con arrobamiento y **no pude** contestar; la voz expiró en la garganta y por más esfuerzos que hacía no me fue posible hablar.
- Yo **quise** seguir a la joven, pero al dar un paso caí al suelo, y al caer me encontré con la cabeza entre las almohadas, mientras que un rayo del sol que penetraba en la ventana hería mis pupilas, haciéndome comprender toda la realidad.

1. En el primer fragmento, ¿Logró Ernesto explicarse cómo la mujer sabía su nombre, o no sabemos? Explique su respuesta según las reglas de uso que se aplican.
2. En el segundo fragmento, ¿Ernesto contestó, o no sabemos? Explique su respuesta según las reglas que se aplican.
3. En el tercer fragmento, ¿Ernesto siguió a la joven, o no sabemos? Explique su respuesta según las reglas que se aplican.
4. Explique el significado del tercer fragmento si se hubiera usado **quería** en vez de **quise.**

7-9 Usos del imperfecto. Examine la siguiente oración enfocándose en los verbos en negrita. Luego, conteste las preguntas.

> Miróme nuevamente y yo extasiado ante su hermosura, subyugado por su belleza, **iba** a echarme a sus plantas para decirle que en ese momento **empezaba** a sentir todo lo que había dicho, que amaba por la primera vez de mi vida, cuando ella lanzó un grito y se alejó

apresuradamente yendo a perderse en el bosquecillo de palmeras de donde la había visto salir momentos antes.

1. ¿Qué uso del imperfecto tiene **iba**?
2. ¿Si **empezar**, por su significado, indica el principio de una acción, ¿cómo es posible usarlo en el imperfecto? ¿Cuál sería la traducción inglesa para **empezaba**?
3. ¿Por qué cree Ud. que Darío utilizó el imperfecto de **empezar** en vez del pretérito, el aspecto que se usaría con más frecuencia con este verbo? ¿Cómo afecta la acción el uso del imperfecto?

La colocación de los adjetivos descriptivos

Como ya sabe, cuando los adjetivos descriptivos preceden a su sustantivo, muchas veces es porque estos adjetivos describen una cualidad que la persona que habla o escribe asocia con el sustantivo. Esta asociación puede ser subjetiva y emocionante. En la poesía, la subjetividad y la emoción abundan, como lo vemos en «Primera impresión». Anteriormente en la discusión sobre el lenguaje poético en «Estrategias de lectura» descubrimos que este cuento asemeja un poema en muchos aspectos. En esta actividad, vamos a examinar cómo la colocación de los adjetivos descriptivos añade al efecto poético del cuento.

7-10 El efecto poético de la pre-posición de los adjetivos descriptivos. En «Primera impresión» muchos de los adjetivos descriptivos preceden a su sustantivo. En esta actividad, vamos a examinar fragmentos del cuento para ver cómo la colocación anterior de los adjetivos ayuda a crear una cualidad poética. Al hacer este análisis vamos a descubrir que a veces un autor tiene la opción de usar ambas posiciones según su propósito. (Si tiene dudas sobre por qué los adjetivos descriptivos preceden y siguen a su sustantivo, repase la sección dos del *Manual de gramática* [pp. 290–298].)

1. Cuando el joven habla de la naturaleza, los adjetivos casi siempre preceden a su sustantivo. Lea el siguiente fragmento del cuento prestando atención a los adjetivos en negrita. Luego léalo otra vez intercambiando el orden de los sustantivos y los adjetivos. Este cambio no crea un verdadero cambio de significado, pero sí crea un cambio de tono. ¿En qué posición (anterior o posterior) dan los adjetivos un tono más subjetivo y personal a la descripción de la naturaleza y en qué posición le dan un tono más objetivo y menos personal?

   Por doquiera se veían frondosos árboles de verde ramaje, que parecía envidiaban su último adiós al astro que desaparecía.

   Las flores inclinaban su corola tristes y melancólicas

   Allá a lo lejos, detrás de un pintoresco matorral, se oía el dulce susurrar de una fuente apacible, en cuyas límpidas aguas se reflejaban mil pintadas flores que se alzaban en su orilla y que parecía se contemplaban orgullosas de su hermosura.

2. Eduardo tuvo una fuerte reacción emocional ante la presencia de la joven. Relea el siguiente pasaje del cuento y conteste la pregunta usando lo que sabe sobre la posición de los adjetivos. ¿Por qué cree Ud. que en esta descripción casi todos los adjetivos siguen al sustantivo?

   ...vi aparecer de entre un bosquecillo de palmeras una mujer encantadora.
   Era una joven hermosa.
   Sus formas eran bellísimas.
   Sus ojos negros y relucientes, semejaban dos luceros.
   Su cabellera larga y negra caía sobre sus blancas espaldas formando gruesos y brillantes tirabuzones, haciendo realzar más su color alabastrino.
   Su boca pequeña y de labios de carmín guardaba dentro unos dientes de perla.
   Yo quedé estático al verla.

Además de la subjetividad que ofrece la pre-posición de los adjetivos, también señala cualidades que la persona que habla/escribe asocia con el sustantivo. En el fragmento anterior, Eduardo ha recreado el momento cuando vio a la joven por primera vez; ya que acababa de conocerla, todavía no asociaba cualidades con ella. Tal vez es por esto que la mayoría de sus adjetivos que la describen van después. Sin embargo, no todos los adjetivos descriptivos en el fragmento van después. En dos casos van antes («blancas espaldas» y «gruesos y brillantes tirabuzones»). Obviamente, la discusión aquí no presenta un método científico con reglas de uso fijas, sino que presenta tendencias y posibles explicaciones e interpretaciones. Especialmente con textos literarios, un autor tiene muchas opciones y no todas son decisiones conscientes.

Relea el cuento aplicando lo que ha aprendido y practicado en los ejercicios de la sección «**Lazos gramaticales**». Si lo hace va a entender mejor el cuento y a fortalecer su comprensión de la gramática.

A ESCRIBIR

Estrategias de composición

Esta sección incluye una serie de pasos para ayudarlo/la a: (1) formular y desarrollar sus ideas, (2) buscar evidencia del cuento para apoyar sus argumentos y (3) organizar su composición para que sea cohesiva y coherente. También incluye instrucciones para buscar y corregir errores de gramática y de vocabulario. Estas sugerencias acompañan el primer tema porque son específicas para ese tema, pero son útiles para todos los temas. Si escoge otro tema, lea las sugerencias incluidas para el Tema uno y adáptelas para el tema que elija.

Tema 1

Escriba un cuento poético sobre su primer amor (o, si prefiere, puede inventarlo) imitando el estilo del joven Darío. Escríbalo en primera persona. Recuerde que «Primera impresión» se publicó cuando Darío sólo tenía 14 años así que su actitud hacia el amor era bastante inocente e ingenua. Si Ud. también era muy joven cuando conoció a su primer amor, sería apropiado revivir sus impresiones de adolescente, no sus impresiones de adulto/a.

Al completar cada uno de los siguientes pasos, marque (✓) la casilla a la izquierda.

- ❑ a. Haga una lista de los elementos importantes del momento en que conoció a la persona que iba a ser su primer amor (de información de trasfondo, detalles importantes, descripción de la persona, etc.).
- ❑ b. Recuerde las emociones que sentía antes y después que lo/la conoció. Haga una lista de estas emociones con detalles para intercalarlos donde sean relevantes durante su relato.
- ❑ c. Imite el estilo de Darío incluyendo los mismos elementos —la descripción de su vida antes de conocer a esta persona, la descripción del trasfondo cuando la conoció, sus emociones al conocerla, la conversación si la hubo, etc. Incluya elementos poéticos como los que se han discutido en este capítulo. Escriba su relato principalmente en el tiempo pasado como en el cuento de Darío.
- ❑ d. Cuando haya escrito su borrador, revíselo, asegurándose que todo siga un orden lógico, que haya incluido todos los elementos importantes y que sus ideas fluyan bien. Haga las correcciones necesarias.
- ❑ e. Dele un título interesante a su cuento.
- ❑ f. Antes de entregar su cuento, revíselo asegurándose que:
  - ❑ haya usado vocabulario correcto y variado
  - ❑ no haya usado **ser**, **estar** y **haber** demasiado (es preferible usar verbos más expresivos)
  - ❑ haya concordancia entre los adjetivos y artículos y los sustantivos a que se refieren
  - ❑ haya concordancia entre los verbos y sus sujetos
  - ❑ **ser** y **estar** se usen correctamente
  - ❑ el subjuntivo se use cuando sea apropiado

- ❑ el pretérito y el imperfecto se hayan usado correctamente
- ❑ no haya errores de ortografía ni de acentuación

Otros temas de composición

2. Relate lo que Ernesto le hubiera escrito a su amigo («Jaime Jil») sobre su primer amor cuando fuera mayor y más maduro. Puede describir lo que hubiera pasado de encontrar a la mujer de su sueño. Utilice un tono serio o cómico según su preferencia.
3. Escriba un ensayo en que compare los diferentes tipos de amor. Incluya en su ensayo los tipos que se ven en el cuento, pero no se limite a estos. Su ensayo debe abarcar una visión más amplia que la visión del mundo presentada en el cuento. Incluya «evidencia» del cuento que apoye sus argumentos. Puede incluir «evidencia» de su experiencia personal o la de sus amigos o familiares.
4. La mujer del sueño ofrece una definición sofisticada del amor, una que tendría que originarse de una persona que lo ha experimentado, según lo que ella dice. ¿Está de acuerdo con ella cuando dice que hay que experimentar el amor para saber lo que es? Escriba un ensayo en el que explore esta idea. Considere las siguientes cuestiones e incluya las que le parezcan importantes en su ensayo (no tiene que limitarse a estas ideas): Si es verdad lo que dijo la mujer, ¿cómo es posible que esta definición apareció en el sueño de un adolescente que hasta entonces no había experimentado este tipo de amor? ¿O es que Darío, siendo la «voz» de Ernesto, experimentó este tipo de amor?
5. ¿Ha tenido un sueño en que se revelara algo que Ud. no sabía cuando estaba despierto/a? Escriba un ensayo en que describa su sueño. En su ensayo, conteste las siguientes preguntas: ¿De dónde vienen estas ideas? ¿De la subconsciencia? ¿Los sueños sirven para procesar los varios tipos de información a que estamos expuestos durante el día?

CAPÍTULO

8

La noche de los feos

Mario Benedetti (1920–   )

ANTES DE LEER

8-1 Reflexiones. Considere las siguientes preguntas antes de leer el cuento.

1. ¿Qué importancia tiene la apariencia física en la vida? ¿Se debe juzgar a una persona por su apariencia? Explique.
2. ¿Cómo reacciona la gente cuando ve a alguien con un defecto físico? ¿Es comprensible esta reacción? ¿Es apropiada?
3. Piense en alguien con un defecto u otro tipo de impedimento físico. ¿Qué actitud tiene esta persona hacia su propio impedimento? (¿Cree Ud. que a él/ella le molesta, lo acepta, lo ignora, lo odia, trata de superarlo, se lamenta de su suerte, (otra actitud/reacción)?
4. ¿Cuál sería una reacción apropiada de alguien con un impedimento cuando ve a otra persona con un impedimento parecido?

Enfoques léxicos

Cognados falsos

8-2 Examinación de cognados falsos en «La noche de los feos». Este cuento contiene cognados falsos, algunos se incluyen en los ejercicios a continuación. (Para más detalle sobre los cognados falsos, lea la sección número uno del *Manual de gramática* [pp. 285–290].)

1. **Vulgar** no se traduce a *vulgar* (lo cual suele expresarse con **grosero**), sino a **común** y **ordinario.** Por ejemplo, **un hombre vulgar** quiere decir **un hombre común/ordinario.** El fragmento a continuación contiene el adverbio **vulgarmente** formado del adjetivo. **Comúnmente** sería un buen sinónimo en este contexto.

   Ambos somos feos. Ni siquiera **vulgarmente** feos.

2. Como hemos visto en capítulos anteriores, **guardar** puede significar *to guard*, pero no en el siguiente ejemplo. Mire la oración donde aparece y determine su significado entre las opciones dadas. Todas son posibles traducciones de **guardó** pero sólo una sirve en este contexto.

   Nos sentamos, pedimos dos helados, y ella tuvo coraje (eso también me gustó) para sacar del bolso su espejito y arreglarse el pelo. Su lindo pelo.

   —¿Qué está pensando?—, pregunté.

   Ella **guardó** el espejo y sonrió.

   a. *kept* b. *put away* c. *held on to*

➔ Si Ud. ha determinado que **b** es la respuesta correcta, tiene razón.

3. Así como **largo** nunca significa *large*, **largamente** no significa *largely*. Lea el contexto donde aparece esta palabra. ¿Puede determinar su significado?

   Hablamos **largamente**. A la hora y media hubo que pedir dos cafés para justificar la prolongada permanencia.

➔ Si Ud. ha determinado que **largamente** quiere decir **por mucho tiempo**, tiene razón.

4. Aunque **permanencia** puede significar *permanence*, en la oración anterior tiene otro significado. Lea la oración otra vez y determine su significado.

➔ Si Ud. ha determinado que **permanencia** significa **estancia** (*stay* — sustantivo), tiene razón.

5. Como vimos en el capítulo 3, **rudo** raras veces puede traducirse a *rude*. (*Rude* se expresa con **descortés, grosero** u **ofensivo.**) ¿Puede inferir el significado más común de **rudo** leyendo el contexto donde aparece en el cuento? Observe en la oración que el atributo **rudo** del héroe de una película que los protagonistas están viendo está contrastado con el atributo **suave** de la heroína. Este contraste de cualidades opuestas puede ayudarlo/la a determinar su significado.

   Durante una hora y cuarenta minutos admiramos las respectivas bellezas del **rudo** héroe y la suave heroína.

➔ Si Ud. ha determinado que aquí **rudo** significa **inculto**, tiene razón. También, puede significar **sencillo** o **poco inteligente.**

El cuadro a continuación tiene otros cognados falsos del cuento que se deben notar.

Cognado falso	Significado
corriente	normal, común
desgraciados	desafortunados (*unfortunate*), *wretched*
simpatía	*liking*, afecto (*affection*), comprensión mutua

Grupos léxicos

8-3 Palabras relacionadas. En esta actividad, aumentará su conocimiento léxico utilizando lo que ya sabe sobre otras palabras en español. Conteste las siguientes preguntas prestando atención a la raíz de las palabras.

1. Ud. ya sabe lo que significa **feo**, una palabra que aparece en el título. ¿Sabe la palabra **fealdades**? Tiene la misma raíz de **feo**. Examine los contextos donde se usa e infiera su significado.

   - Nos miramos las respectivas **fealdades** con detenimiento, con insolencia, sin curiosidad.
   - Un rostro horrible y aislado tiene evidentemente su interés; pero dos **fealdades** juntas constituyen en sí mismas un espectáculo mayor, poco menos que coordinado; algo que se debe mirar en compañía, junto a uno (o una) de esos bien parecidos° con quienes merece compartirse el mundo.

   good-looking

2. **Ojeada** y **ojo** tienen la misma raíz. ¿Qué quiere decir **ojeada** en la siguiente oración del cuento?

   Allí fue donde por primera vez nos examinamos sin simpatía pero con oscura solidaridad; allí fue donde registramos, ya desde la primera **ojeada**, nuestras respectivas soledades.

3. **Solo** y **soledad** tienen la misma raíz. Si sabe el significado de una de estas palabras, este conocimiento puede ayudarlo/la a determinar el significado de la otra. Examine las dos oraciones del cuento a continuación y determine sus significados. (A propósito: **solidaridad**, un cognado con la palabra *solidarity*, no tiene la misma raíz de las otras dos.)

   - Allí fue donde por primera vez nos examinamos sin simpatía pero con oscura solidaridad; allí fue donde registramos, ya desde la primera ojeada, nuestras respectivas **soledades**.
   - —Vivo **solo**, en un apartamento, y queda cerca.

A LEER

Estrategia de lectura: Entender y apreciar un punto de vista

Un narrador puede narrar su relato ficticio desde tres puntos de vista: primera, segunda y tercera persona, aunque narrar de la segunda persona no se usa con frecuencia. Cada **punto de vista** —también llamado la **voz del narrador**— tiene tanto ventajas como limitaciones. Vamos a considerar algunas de éstas en la siguiente actividad. La voz del narrador determina la cantidad y el tipo de información, y la perspectiva desde la cual el lector va a recibir la narración.

8-4 ¿Quién narra «La noche de los feos»? Haga los siguientes ejercicios tomando en cuenta la voz del narrador.

1. Hojee el primer párrafo. ¿Quién narra el cuento? ¿Lo narra en primera, segunda o tercera persona? ¿Quién es el otro personaje principal?

2. Si el narrador narra en primera persona, puede observar la acción o participar en ella. Hojee la primera parte del cuento, leyendo la primera oración de cada párrafo. ¿El narrador participa en la acción o sólo la observa? ¿Qué efecto tendrá esto en cómo Ud. va a experimentar la acción?
3. Para un/a lector/a, ¿cuál es una ventaja de leer del punto de vista de un narrador de primera persona?
4. ¿Qué limitaciones hay con el uso de primera persona?

Un/a narrador/a puede ser fiable o no fiable. Muchas veces no podemos determinar si es fiable o no hasta que terminamos la lectura. Aun cuando es fiable, su perspectiva es limitada porque sólo ofrece su punto de vista. Cuando lea este cuento, piense en quién está narrando y cómo comunica las perspectivas de los otros personajes.

Mario Benedetti

Mario Benedetti nació en 1920 en Paso de los Toros, Uruguay, pero su familia se trasladó a Montevideo cuando tenía cuatro años. Ha publicado numerosas obras —cuentos, poesía, novelas y ensayos— muchas de las cuales se han traducido a varias lenguas. Después del golpe de estado en Uruguay en 1973, se estableció una dictadura militar y se prohibieron sus escritos. Vivió en el exilio (en la Argentina, Perú, Cuba y España) durante la dictadura militar, pero en 1985, con la restauración de la democracia, volvió a Uruguay. Ha recibio varios premios por sus obras, entre ellos el prestigioso premio Jristo Bótev de Bulgaria (1986) y el premio Llama de Oro de Amnistía Internacional (1987). El cuento «La noche de los feos» viene de la colección de cuentos llamada *La muerte y otras sorpresas* que se publicó en 1968. Si Ud. ha leído «La carta de amor» de Benedetti en el capítulo 2, pronto verá que este cuento tiene un tono y tema muy distintos de los de «La noche de los feos». Estas diferencias son una indicación de la diversidad de sus obras.

La noche de los feos

Mario Benedetti

1

Ambos somos feos. Ni siquiera vulgarmente feos. Ella tiene un pómulo hundido.° Desde los ochos años, cuando le hicieron la operación. Mi asquerosa

sunken cheekbone

marca junto a la boca viene de una quemadura feroz, ocurrida a comienzos de mi adolescencia.

5 Tampoco puede decirse que tengamos ojos tiernos, esa suerte de faros de justificación por los que a veces los horribles consiguen arrimarse° a la belleza. No, de ningún modo. Tanto los de ella como los míos son ojos llenos de resentimiento, que sólo reflejan la poca o ninguna resignación con que enfrentamos nuestro infortunio. Quizá eso nos haya unido. Tal vez *unido* no 10 sea la palabra más apropiada. Me refiero al odio implacable que cada uno de nosotros siente por su propio rostro.

Nos conocimos a la entrada del cine, haciendo cola para ver en la pantalla a dos hermosos cualesquiera. Allí fue donde por primera vez nos exami- 15 namos sin simpatía pero con oscura solidaridad; allí fue donde registramos, ya desde la primera ojeada, nuestras respectivas soledades. En la cola todos estaban de a dos, pero además eran auténticas parejas: esposos, novios, amantes, abuelitos, vaya uno a saber. Todos —de la mano o del brazo— tenían a alguien. Sólo ella y yo teníamos las manos sueltas y crispadas.°

20 Nos miramos las respectivas fealdades con detenimiento, con insolencia, sin curiosidad. Recorrí la hendedura° de su pómulo con la garantía de desparpajo° que me otorgaba mi mejilla encogida.° Ella no se sonrojó. Me gustó que fuera dura, que devolviera mi inspección con una ojeada minuciosa a la zona lisa,° brillante, sin barba, de mi vieja quemadura.

25 Por fin entramos. Nos sentamos en filas distintas, pero contiguas. Ella no podía mirarme, pero yo, aun en la penumbra,° podía distinguir su nuca de pelos rubios, su oreja fresca, bien formada. Era la oreja de su lado normal.

Durante una hora y cuarenta minutos admiramos las respectivas bellezas del rudo héroe y la suave heroína. Por lo menos yo he sido siempre capaz 30 de admirar lo lindo. Mi animadversión° la reservo para mi rostro, y a veces para Dios. También para el rostro de otros feos, de otros espantajos.° Quizá debería sentir piedad, pero no puedo. La verdad es que son algo así como espejos. A veces me pregunto qué suerte habría corrido el mito si Narciso hubiera tenido un pómulo hundido, o el ácido le hubiera quemado la mejilla, 35 o le faltara media nariz, o tuviera una costura° en la frente.

La esperé a la salida. Caminé unos metros junto a ella, y luego le hablé. Cuando se detuvo y me miró, tuve la impresión de que vacilaba. La invité a que charláramos un rato en un café o una confitería. De pronto aceptó.

40 La confitería estaba llena, pero en ese momento se desocupó una mesa. A medida que pasábamos entre la gente, quedaban a nuestras espaldas las señas, los gestos de asombro. Mis antenas están particularmente adiestradas° para captar esa curiosidad enfermiza, ese inconsciente sadismo de los que tienen un rostro corriente, milagrosamente simétrico. Pero esta vez ni siquiera 45 era necesario mi adiestrada intuición, ya que mis oídos alcanzaban para registrar murmullos, tosecitas, falsas carrasperas.° Un rostro horrible y aislado tiene evidentemente su interés; pero dos fealdades juntas constituyen en sí mismas un espectáculo mayor, poco menos que° coordinado; algo que se debe mirar en compañía, junto a uno (o una) de esos bien parecidos con quienes merece 50 compartirse el mundo.

arrimarse: acercarse
crispadas: *free, unattached and tense*
hendedura: *crevice*
desparpajo / mejilla encogida: *self-confidence/ shriveled cheek*
lisa: suave
penumbra: oscuridad
animadversión: hostilidad
espantajos: espantapájaros
costura: *scar*
adiestradas: entrenadas
carrasperas: *throat clearings*
poco menos que: casi

Nos sentamos, pedimos dos helados, y ella tuvo coraje (eso también me gustó) para sacar del bolso su espejito y arreglarse el pelo. Su lindo pelo.

—¿Qué está pensando?—, pregunté.

Ella guardó el espejo y sonrió. El pozo° de la mejilla cambió de forma. **hueco, depresión**

55 —Un lugar común—, dijo. —Tal para cual.

Hablamos largamente. A la hora y media hubo que pedir dos cafés para justificar la prolongada permanencia. De pronto me di cuenta de que tanto ella como yo estábamos hablando con una franqueza tan hiriente que amenazaba traspasar la sinceridad y convertirse en un casi equivalente de la hipo-

60 cresía. Decidí tirarme a fondo.

—Usted se siente excluida del mundo, ¿verdad?

—Sí—, dijo, todavía mirándome.

—Usted admira a los hermosos, a los normales. Usted quisiera tener un rostro tan equilibrado como esa muchachita que está a su derecha, a pesar de

65 que usted es inteligente, y ella, a juzgar por su risa, irremisiblemente° estúpida. *irretrievably*

—Sí.

Por primera vez no pudo sostener mi mirada.

—Yo también quisiera eso. Pero hay una posibilidad, ¿sabe?, de que usted y yo lleguemos a algo.

70 —¿Algo como qué?

—Como queremos, caramba. O simplemente congeniar.° Llámele como quiera, pero hay una posibilidad. **llevarse bien**

Ella frunció el ceño.° No quería concebir esperanzas. *frowned*

—Prométame no tomarme por un chiflado.° *nut, crackpot*

75 —Prometo.

—La posibilidad es meternos en la noche. En la noche íntegra. En lo oscuro total. ¿Me entiende?

—No.

—¡Tiene que entenderme! Lo oscuro total. Donde usted no me vea,

80 donde yo no la vea. Su cuerpo es lindo, ¿no lo sabía?

Se sonrojó, y la hendedura de la mejilla se volvió súbitamente escarlata.

—Vivo solo, en un apartamento, y queda cerca.

Levantó la cabeza y ahora sí me miró preguntándome, averiguando sobre mí, tratando desesperadamente de llegar a un diagnóstico.

85 —Vamos—, dijo.

2

No sólo apagué la luz sino que además corrí° la doble cortina. A mi lado ella respiraba. Y no era una respiración afanosa.° No quiso que la ayudara a desvestirse. **cerré** *heavy*

90 Yo no veía nada, nada. Pero igual pude darme cuenta de que ahora estaba inmóvil, a la espera. Estiré cautelosamente una mano, hasta hallar su pecho. Mi tacto me transmitió una versión estimulante, poderosa. Así vi su vientre, su sexo. Sus manos también me vieron.

95 En ese instante comprendí que debía arrancarme (y arrancarla) de aquella mentira que yo mismo había fabricado. O intentado fabricar. Fue como un relámpago. No éramos eso. No éramos eso.

Tuve que recurrir a todas mis reservas de coraje, pero lo hice. Mi mano ascendió lentamente hasta su rostro, encontró el surco° de horror, y empezó una lenta, convincente y convencida caricia. En realidad mis dedos (al principio un poco temblorosos, luego progresivamente serenos) pasaron muchas veces sobre sus lágrimas.

crevice, groove

Entonces, cuando yo menos lo esperaba, su mano también llegó a mi cara, y pasó y repasó el costurón y el pellejo liso, esa isla sin barba, de mi marca siniestra.

Lloramos hasta el alba. Desgraciados, felices. Luego me levanté y descorrí la cortina doble.

DESPUÉS DE LEER

PREGUNTAS

En general

1. Describa al hombre y a la mujer incluyendo una descripción física y una de temperamento. ¿Qué tienen en común? ¿Desde cuándo han tenido sus «defectos»?
2. ¿Por qué sienten una especie de solidaridad?

En detalle

Primera parte

1. ¿Dónde se conocieron el narrador y la mujer? ¿Qué les atrajo?
2. Según el narrador en el segundo párrafo, ¿qué tienen en común los dos personajes en cuanto a su actitud sobre su apariencia?
3. El narrador describe a las otras parejas en la cola como «auténticas parejas». ¿Por qué no constituyen el hombre y la mujer una auténtica pareja?
4. ¿Quiénes son los «hermosos cualesquiera» a quienes se refiere el narrador?
5. ¿Qué ocurre en el cine? ¿Qué es lo que ven en la película?
6. ¿Por qué dice el narrador que reserva su hostilidad para su propio rostro, para los rostros de «otros feos» y para Dios?
7. ¿Por qué el narrador no siente piedad por otros con defectos físicos?
8. ¿Cuándo es la primera vez que se hablan?
9. Cuando entran en la confitería, ¿cómo sabe el narrador qué tipos de reacciones tienen las personas que están allí? ¿Cómo es distinta la reacción de la gente comparada con las reacciones que el narrador ha experimentado en otras ocasiones?

10. La proposición que le ofrece el hombre a la mujer, ¿por qué incluye la oscuridad total? ¿Qué le proporciona a la pareja la promesa de la oscuridad?

Segunda parte

1. ¿Por qué el hombre no sólo apagó la luz sino que cerró las cortinas también?
2. Cuando el narrador se refiere a «aquella mentira que yo mismo había fabricado», ¿a qué se refiere? ¿Por qué era necesario acabar con esta mentira? ¿Qué hizo él para acabar con la mentira?
3. ¿Por qué lloró la mujer?
4. ¿Por qué lloraron los dos al final del cuento?

Discusión e interpretación

1. ¿Qué efecto ha tenido la apariencia en la personalidad del hombre y de la mujer? Haga una lista de ejemplos del cuento. ¿Qué papel han tenido las reacciones de otra gente hacia sus defectos sobre el carácter del hombre y de la mujer?
2. ¿Por qué utiliza el narrador el adverbio **milagrosamente** en la siguiente frase para describir los atributos de la gente que tiene facciones normales?: «Mis antenas están particularmente adiestradas para captar esa curiosidad enfermiza, ese inconsciente sadismo de los que tienen un rostro corriente, **milagrosamente** simétrico.»
3. ¿Qué quiere decir el hombre cuando dice «Recorrí la hendedura de su pómulo con la garantía de desparpajo que me otorgaba mi mejilla encogida»?
4. En el cine si el hombre hubiera estado sentado donde viera el lado imperfecto de la mujer en vez del lado normal, ¿cree que se hubiera interesado en conocerla mejor? Explique.
5. Dé un resumen del mito de Narciso. Explique el porqué de la referencia a este mito en el cuento. (Si no conoce el mito, búsquelo en una encidopedia o en el Internet.)
6. Al final de la primera parte el narrador comenta que la mujer «no quería concebir esperanzas». ¿Qué quiere decir esto?
7. Comente los aspectos de la mujer —tanto físicos como de temperamento— que le gustan al hombre.
8. ¿Por qué era tan difícil para el hombre tocar la cara de la mujer? ¿Qué le comunica a ella cuando le toca la cara? ¿Cómo responde ella?
9. Al final del cuento el hombre abre las cortinas. ¿Qué simboliza esta acción?
10. ¿Cree Ud. que el título del cuento sea apropiado? Explique.

11. Repase el cuento y haga dos listas con las expresiones que utiliza el narrador para referirse a la gente sin defectos y a la gente con defectos físicos. ¿Qué muestran estas expresiones sobre la actitud del hombre hacia los que tienen y los que no tienen defectos físicos?
12. ¿Cree que la actitud del hombre hacia el mundo y hacia sus circunstancias va a cambiar después de esta experiencia amorosa con la mujer? Explique su opinión.
13. ¿Por qué no dialogan los personajes en la segunda parte del cuento?
14. ¿Por qué cree que el autor decidió narrar el cuento desde la perspectiva del hombre? ¿Y por qué optó por usar la primera persona en vez de la tercera persona?
15. Con la excepción del diálogo en la confitería, el lector no recibe muchas indicaciones de la perspectiva de la mujer. Leemos los pensamientos del hombre y su interpretación de las acciones y expresiones de la mujer. ¿Está de acuerdo con su interpretación? Explique. ¿Hay otras indicaciones de lo que está pensando y experimentando la mujer?

LAZOS GRAMATICALES

La colocación de los adjetivos descriptivos

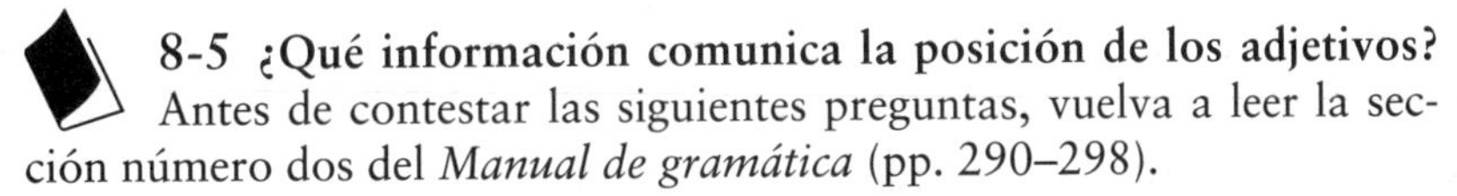

8-5 ¿Qué información comunica la posición de los adjetivos? Antes de contestar las siguientes preguntas, vuelva a leer la sección número dos del *Manual de gramática* (pp. 290–298).

1. Examine las siguientes expresiones del cuento. En cada caso, la frase en cuestión aparece a continuación, pero se recomienda que lea todo el párrafo donde aparece para entender mejor el contexto. ¿Qué efecto tiene la posición de los adjetivos con respecto al sustantivo que modifican? Considere cada caso separadamente.

   a. mi **asquerosa** marca (primer párrafo, líneas 2–3)
   b. una quemadura **feroz** (primer párrafo, línea 3)
   c. **oscura** solidaridad (tercer párrafo, línea 15)
   d. **rudo** héroe y la **suave** heroína (sexto párrafo, línea 29)
   e. su **lindo** pelo (noveno párrafo, línea 52)

2. Con una excepción, cada vez que el sustantivo **rostro** es modificado en el cuento, su adjetivo va después. Usando lo que sabe sobre el efecto de la posición de los adjetivos respecto a su sustantivo, explique la función del adjetivo en esta posición. Las siguientes oraciones del cuento pueden ayudarlo/la a formular su explicación.

Después

1. Mis antenas están particularmente adiestradas para captar esa curiosidad enfermiza, ese inconsciente sadismo de los que tienen un rostro **corriente, milagrosamente simétrico**.
2. Un rostro **horrible y aislado** tiene evidentemente su interés...
3. Usted quisiera tener un rostro tan **equilibrado** como esa muchachita que está a su derecha...

Antes

El único caso donde **rostro** tiene un adjetivo colocado antes es en la siguiente oración. ¿Por qué va antes?

4. Me refiero al odio implacable que cada uno de nosotros siente por su **propio** rostro.

3. Examine la siguiente oración nuevamente, esta vez concentrándose en las posiciones de los adjetivos en negrita. Luego conteste las preguntas que le siguen.

   Mis antenas están particularmente adiestradas para captar esa curiosidad **enfermiza**, ese **inconsciente** sadismo de los que tienen un rostro corriente, milagrosamente simétrico.

   a. ¿Por qué cree que el autor ha puesto el adjetivo **enfermiza** después del sustantivo **curiosidad**?
   b. ¿Por qué se ha colocado **inconsciente** antes de **sadismo** en vez de después?
   c. ¿Sería posible cambiar el orden de los adjetivos/sustantivos en estas frases y tener sentido en este contexto? Si es posible, explique cómo cambiaría el sentido.

Las cláusulas con «si»

8-6 ¿Probable o improbable?/¿Presente o pasado? Antes de contestar las siguientes preguntas, vuelva a leer la sección número seis del *Manual de gramática* sobre las cláusulas con «si» (pp. 323–326). Las respuestas pueden determinarse si se fija en los tiempos gramaticales de la cláusula con **si** y su cláusula independiente correspondiente —y el tipo de información que comunican estas estructuras.

1. **Narciso:** Lea la siguiente oración que hace referencias al mito de Narciso y conteste las preguntas a continuación.

   A veces me pregunto qué suerte habría corrido el mito si Narciso hubiera tenido un pómulo hundido, o el ácido le hubiera quemado la mejilla, o le faltara media nariz, o tuviera una costura en la frente.

a. ¿Qué tipo de situación se ve en la oración anterior? ¿Probable o improbable? ¿Es una situación orientada hacia el presente o el pasado?
b. Si una persona no conoce el mito de Narciso, ¿qué puede inferir sobre Narciso usando solamente la información dada en la estructura de la oración? ¿Tuvo o no tuvo los impedimentos indicados en la pregunta del narrador? ¿Cómo lo sabe? ¿Hay una posibilidad de que Narciso tuviera estos impedimentos? Explique, usando las reglas para las cláusulas con **si**.
c. Leyendo esta oración en el contexto del cuento ¿es posible describir a Narciso en términos generales sin conocer el mito? Explique.

2. **El narrador:** Ahora piense otra vez en el narrador. ¿Cree que si el narrador hubiera tenido facciones perfectas —si no hubiera tenido sus propias imperfecciones— habría tenido interés en la mujer? Explique su respuesta usando evidencia del cuento.

El efecto de usar antónimos

Conteste las siguientes preguntas para determinar el efecto de los antónimos.

8-7 Polos opuestos: El efecto de usar antónimos.

1. Este cuento contiene muchos contrastes y numerosos antónimos. Por ejemplo, el adjetivo **feos** del título se puede contrastar con **hermosos**, que se usa en el cuento. Busque los antónimos utilizados en el cuento para las siguientes palabras. Si encuentra otros pares de antónimos, apúntelos.
   a. feos: (además de **hermosos**, busque otro antónimo)
   b. suerte:
   c. fealdad:
   d. entrada:
   e. tembloroso:
   f. correr:
2. ¿Qué efecto causa el empleo frecuente de conceptos opuestos en este cuento? Si se eliminaran todas las referencias opuestas, ¿qué efecto tendría en el cuento? ¿Qué se perdería?
3. De la lista de antónimos del ejercicio número uno, ¿cuáles considera más importantes en el cuento? Explique.

Variar el enfoque alternando entre los tiempos

8-8 Una examinación de los tiempos. Ud. probablemente observó que varias veces el narrador cambió el tiempo entre el presente y el pasado. En este ejercicio vamos a examinar por qué el autor ha hecho estos cambios de tiempo.

1. Repase los cuatro primeros párrafos. ¿Cuándo utiliza el pasado? ¿Cuándo usa el presente?
2. Examine la alternancia de tiempos en los párrafos seis y ocho de la primera parte. ¿Por qué utiliza el tiempo presente aquí?
3. Hojee el resto de la primera parte. El uso del tiempo presente es abundante aquí también. ¿Por qué se usa el tiempo presente en esta sección?
4. Dadas sus respuestas a las preguntas anteriores, ¿por qué cree que el autor decidió no usar el tiempo presente en la segunda parte?

Relea el cuento aplicando lo que ha aprendido y practicado en los ejercicios de la sección «**Lazos gramaticales**». Si lo hace, va a entender mejor el cuento y a fortalecer su comprensión de la gramática.

A ESCRIBIR

Estrategias de composición

Esta sección incluye una serie de pasos para ayudarlo/la a: (1) formular y desarrollar sus ideas, (2) buscar evidencia del cuento para apoyar sus argumentos y (3) organizar su composición para que sea cohesiva y coherente. También incluye instrucciones para buscar y corregir errores de gramática y de vocabulario. Estas sugerencias acompañan el primer tema porque son específicas para ese tema, pero son útiles para todos los temas. Si escoge otro tema, lea las sugerencias incluidas para el Tema uno y adáptelas para el tema que elija.

Tema 1

El aislamiento y la solidaridad son temas que se repiten en el cuento. Escriba un ensayo en que examine la naturaleza de esta dicotomía. ¿Son fuerzas opuestas o son dos aspectos de un total? Desarrolle su perspectiva examinando cómo estos temas se manifiestan en el cuento.

Al completar cada uno de los siguientes pasos, marque (✓) la casilla a la izquierda.

- ❑ a. Piense en ejemplos de su vida (o de la vida en general) del aislamiento y de la solidaridad. Prepare una introducción de lo que significan estos conceptos.
- ❑ b. Haga una lista de los ejemplos (explícitos e implícitos) del aislamiento y de la solidaridad que ocurren en el cuento.
- ❑ c. Incluya los pensamientos del hombre y las reacciones de los dos personajes.
- ❑ d. Incluya sus ideas sobre la condición humana que se ve reflejada en esta aparente dicotomía.

- ❑ e. Reescriba su introducción y escriba una conclusión.
- ❑ f. Cuando haya escrito su borrador, revíselo, asegurándose que sus ideas sigan un orden lógico y que fluyan bien. Haga las correcciones necesarias.
- ❑ g. Dele un título interesante.
- ❑ h. Antes de entregar su composición, revísela asegurándose que:
  - ❑ haya usado vocabulario correcto y variado
  - ❑ no haya usado **ser**, **estar** y **haber** demasiado (es preferible usar verbos más expresivos)
  - ❑ haya concordancia entre los adjetivos y artículos y los sustantivos a que se refieren
  - ❑ haya concordancia entre los verbos y sus sujetos
  - ❑ **ser** y **estar** se usen correctamente
  - ❑ el subjuntivo se use cuando sea apropiado
  - ❑ el pretérito y el imperfecto se hayan usado correctamente
  - ❑ no haya errores de ortografía ni de acentuación

Otros temas de composición

2. Escriba una breve composición sobre la dicotomía entre la claridad y la oscuridad (tanto literales como figurativas) que se manifiestan en el cuento.
   Ejemplos: la franqueza entre el hombre y la mujer al principio del cuento, pero, luego «la mentira» fabricada por el hombre; el correr y el descorrer de la cortina doble en el cuarto.
3. Escriba un ensayo examinando la importancia de la apariencia física y la validez de juzgar a otros por las apariencias. Incluya aspectos del cuento para apoyar sus argumentos.
4. Reescriba el cuento desde el punto de vista de la mujer.

CAPÍTULO

9

Axolotl

Julio Cortázar (1914–1984)

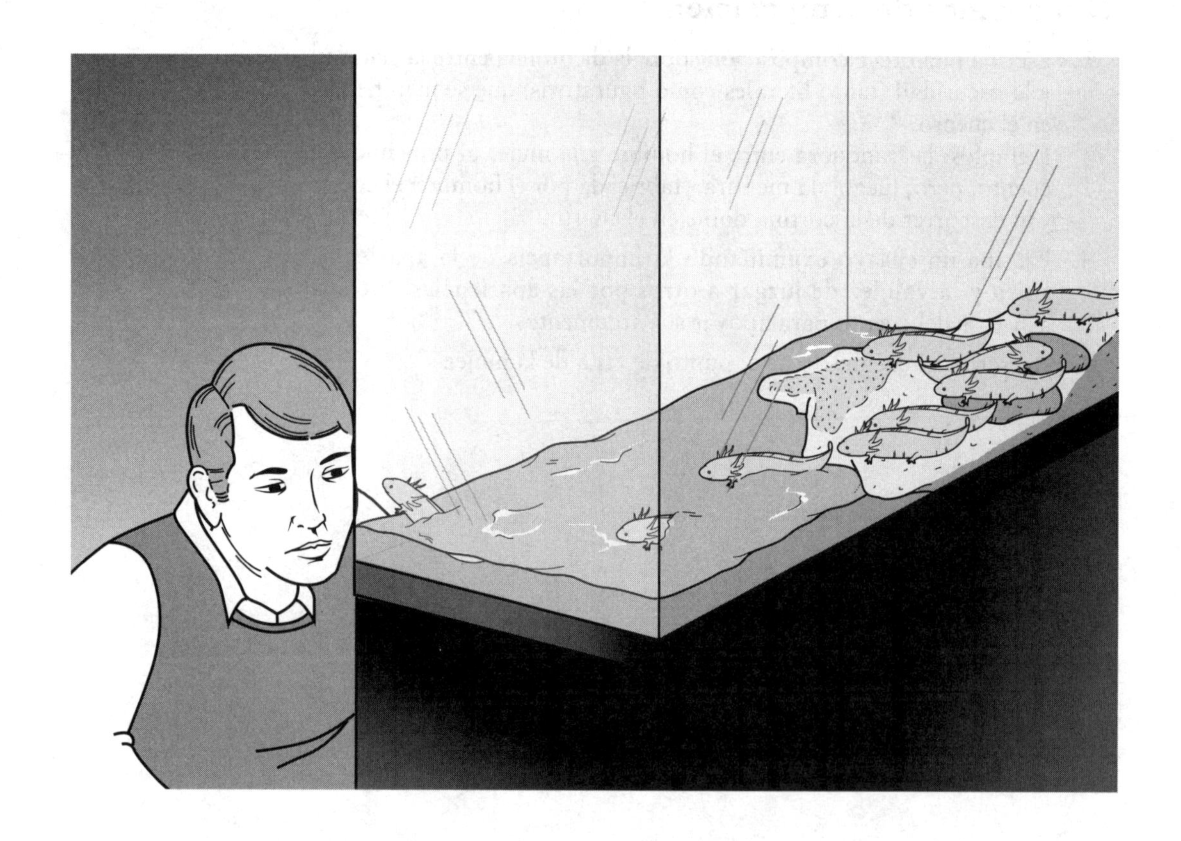

ANTES DE LEER

9-1 Reflexiones. Considere las siguientes preguntas antes de leer el cuento.

1. ¿Alguna vez ha ido a un zoológico o acuario? ¿Qué animales le gustan más? ¿Por qué? ¿Qué pensamientos y emociones pasan por su mente cuando mira los animales? ¿Ha sentido un nexo, un vínculo con algún animal? Explique.
2. ¿Por qué cree Ud. que los seres humanos nos interesamos tanto en los animales en los zoológicos?
3. Lea el tercer párrafo (líneas 13–21) del cuento para ver la descripción de los axolotl provista por el narrador del cuento. Luego conteste las siguientes preguntas:
   a. ¿Cuáles son los dos indicios que utiliza el narrador para determinar que los axolotl son animales mexicanos?
   b. ¿Cuál es uno de los datos que el narrador aprendió sobre los axolotl del diccionario que consultó?

En más detalle

El axolotl (también escrito **axolote** y **ajolote**) es un tipo de salamandra larval —animal anfibio que se encuentra principalmente en México y el oeste de los EE.UU. que se caracteriza por su estado neotónico. **Neotónico** quiere decir que los axolotl viven y se reproducen sin experimentar metamorfosis, o sea que permanecen en forma larval. Por esto viven toda la vida en el agua, a diferencia de otros anfibios, como el sapo. El sapo experimenta una metamorfosis de su forma larval (un renacuajo°) a su forma adulta —un sapo— que puede andar en la tierra. Los axolotl tienen branquias° externas. La palabra **axolotl** es del náhuatl, la lengua de los aztecas. La **x** se pronuncia como la *sh* en náhuatl y como la **j** en español. En náhuatl, esta palabra literalmente quiere decir **muñeca de agua** o **juguete de agua**.

tadpole
gills

Enfoques léxicos

Cognados falsos

9-2 Examinación de cognados falsos en «Axolotl». Este cuento contiene varios cognados falsos, algunos se incluyen en los ejercicios a continuación. (Para más detalle sobre los cognados falsos, lea la sección número uno del *Manual de gramática* [pp. 285–290].)

1. La palabra **sensible** en español no quiere decir *sensible*. Esto es obvio en la oración que contiene la palabra. Lea a continuación una descripción de un axolotl, e infiera su significado.

Vi un cuerpecito rosado y como translúcido (pensé en las estatuillas chinas de cristal lechoso), semejante a un pequeño lagarto de quince centímetros, terminado en una cola de pez y una delicadeza extraordinaria, la parte más **sensible** de nuestro cuerpo.

→ Si usted ha inferido que **sensible** quiere decir *sensitive*, tiene razón. Otras palabras relacionadas en el cuento son: **insensibles** y **sensibilidad.** También son cognados falsos —no significan *insensible* o *sensibility*, sino *insensitive* y *sensitivity*, respectivamente.

2. Como vimos en el capítulo 8, la palabra **vulgar** generalmente no se traduce a la palabra *vulgar*, la cual se expresa en español con varias expresiones, por ejemplo **grosero** o **de mal gusto. Vulgar** frecuentemente tiene el significado de **común** u **ordinario.** Lea la frase en el cuento para familiarizarse con la palabra antes de leer el cuento.

   Opté por los acuarios, soslayé° peces vulgares hasta dar inesperadamente con los axolotl.

   ° ***I sidestepped, went around***

Grupos léxicos

9-3 Palabras relacionadas. Complete las siguientes frases con la palabra adecuada. Las palabras agrupadas tienen la misma raíz y por lo tanto tienen un significado relacionado. Utilice su conocimiento de la gramática para escoger la palabra correcta. No será necesario cambiar las formas de las palabras. Usará algunas palabras más de una vez. Verifique sus respuestas buscando la oración en el cuento. (Las oraciones de cada grupo se presentan en el orden en que aparecen en el cuento.)

mirar - mirada - mirando - mirándome - mirándolos - mirarlos - miró - miraba - miraban

1. Iba a verlos al acuario del Jardin des Plantes y me quedaba horas __________, observando su inmovilidad,...
2. Me apoyaba en la barra de hierro que bordea los acuarios y me ponía a __________.
3. Había nueve ejemplares, y la mayoría apoyaba la cabeza contra el cristal, __________ con sus ojos de oro a los que se acercaban.
4. Un rostro inexpresivo, sin otro rasgo que los ojos, dos orificios como cabezas de alfiler, enteramente de un oro transparente, carentes de toda vida pero mirando, dejándose penetrar por mi __________ que parecía pasar a través del punto áureo y perderse en un diáfano misterio interior.
5. Los ojos de los axolotl me decían de la presencia de una vida diferente, de otra manera de __________.

6. O yo estaba también en él, o todos nosotros pensábamos como un hombre, incapaces de expresión, limitados al resplandor dorado de nuestros ojos que ___________ la cara del hombre pegada al acuario.
7. Ayer lo vi, me ___________ largo rato y se fue bruscamente.
8. Los ojos de oro seguían ardiendo con su dulce, terrible luz; seguían ___________ desde una profundidad insondable que me daba vértigo.
9. Yo creo que era la cabeza de los axolotl, esa forma triangular rosada con los ojillos de oro. Eso ___________ y sabía.

inmovilidad - movernos - inmóviles - movimientos - se movía

10. Iba a verlos al acuario del Jardin des Plantes y me quedaba horas mirándolos, observando su ___________, sus oscuros ___________.
11. Turbado, casi avergonzado, sentí como una impudicia asomarme a esas figuras silenciosas e ___________ aglomeradas en el fondo del acuario.
12. A veces una pata ___________ apenas, yo veía los diminutos dedos posándose con suavidad en el musgo.
13. Es que no nos gusta ___________ mucho, y el acuario es tan mezquino.
14. Oscuramente me pareció comprender su voluntad secreta, abolir el espacio y el tiempo con una ___________ indiferente.
15. Ellos seguían mirándome, ___________.
16. Llegué a ir todos los días, y de noche los imaginaba ___________ en la oscuridad, adelantando lentamente una mano que de pronto encontraba la de otro.

desesperada - inesperadamente - esperaba - esperanzas

17. Opté por los acuarios, soslayé peces vulgares hasta dar ___________ con los axolotl.
18. Los imaginé conscientes, esclavos de su cuerpo, infinitamente condenados a un silencio abisal, a una reflexión ___________.
19. Me sorprendía musitando palabras de consuelo, transmitiendo pueriles ___________.
20. Detrás de esas caras aztecas, inexpresivas y sin embargo de una crueldad implacable, ¿qué imagen ___________ su hora?

Expresiones útiles

9-4 Expresiones con «dar». Como vimos en el capítulo uno, **dar** se usa en muchas expresiones comunes en español. Las tres expresiones a continuación aparecen en este cuento. Escriba una oración original usando cada una de las expresiones. Observe que **darse cuenta** es un verbo reflexivo mientras que **dar con** y **dar vértigo** generalmente se usan con un pronombre de complemento indirecto.

Expresión con «dar»	Significado
dar con (+ sustantivo)	encontrar (*to find, to come across*)
darse cuenta	comprender (*to realize*)
dar vértigo	*to make dizzy*

Diminutivos

En la sección «En más detalle» en la página 135, aprendió sobre los axolotl y el dibujo en la página 134 le da una idea de su apariencia física. Si no hubiera un dibujo ni una descripción, descubriría mucho sobre su apariencia por el lenguaje que utiliza Cortázar para describirlos. Un aspecto de su descripción es el uso frecuente de diminutivos.

9-5 El uso de diminutivos en «Axolotl». Considere la siguiente lista de diminutivos del cuento mientras contesta las preguntas.

cuerpecitos	estatuillas	ramitas	ramillas	manecitas	ojillos

1. ¿Qué sabemos de la apariencia física de los axolotl por el uso de estos diminutivos para describirlos?
2. De estos ejemplos, ¿puede identificar dos terminaciones usadas en español para diminutivos?
3. ¿Puede identificar la palabra base de cada palabra?
4. Además de usar diminutivos para referirse a la pequeñez de los axolotl, Cortázar ha usado adjetivos, por ejemplo **pequeños**, **diminutos** y **menudos**. Usando las palabras base que identificó en la pregunta anterior y un adjetivo, escriba definiciones de los diminutivos.

   Modelo

   Un **cuerpecito** es un **cuerpo pequeño**.

A LEER

Estrategia de lectura: Reconocer y apreciar las técnicas de un autor

Julio Cortázar es un autor conocido por sus cuentos cuyos personajes se mueven entre el mundo de la realidad y el de la ficción o la fantasía.

Uno de sus talentos como escritor es su habilidad de hacer creíble lo increíble, hacer realista lo inverosímil.

En el primer párrafo de «Axolotl», se nos presenta un acontecimiento inverosímil como si fuera un evento natural y normal. Este párrafo que sigue nos provee un resumen sucinto de lo que va a pasar en el cuento.

> Hubo un tiempo en que yo pensaba mucho en los axolotl. Iba a verlos al acuario del Jardin des Plantes y me quedaba horas mirándolos, observando su inmovilidad, sus oscuros movimientos. Ahora soy un axolotl.

En este párrafo, descubrimos inmediatamente que el narrador, fascinado por los axolotl que visita todos los días en un acuario, va a convertirse en uno. Revelarlo directamente y al principio presta fe a un «hecho» que no puede ocurrir en la realidad. Desde el principio estamos conscientes que esto va a pasar y lo aceptamos. Así que la metamorfosis del hombre en axolotl no nos vendrá como una revelación sorprendente al final. Lo que se nos revela a lo largo del cuento es el **proceso** de la metamorfosis. Parte de la diversión para el lector será ser testigo a este proceso.

Siga leyendo el cuento, recordando que el narrador va a convertirse en axolotl, y preste atención a los indicios de su metamorfosis. Haga una lista de los indicios para discutirlos en clase.

Julio Cortázar

Julio Cortázar nació en Bruselas, Bélgica en 1914 de padres argentinos. En 1916, su familia se mudó a Suiza y dos años más tarde, regresaron a Argentina. De 1935 a 1945 fue maestro de primaria y de secundaria; en 1944 empezó a enseñar literatura en la Universidad de Cuyo en Mendoza, Argentina pero tuvo que renunciar a su puesto por sus actividades políticas. De 1945 a 1951 fue traductor de obras literarias. En 1951, se mudó a París donde trabajó como traductor y escritor. Vivió allí hasta su muerte en 1984. Durante su vida, escribió poesía, teatro, ensayos, cuentos y novelas. Recibió el Premio Medicis (1974) y el Premio Orden Rubén Darío de la Intendencia Cultural (1983), ortogado por el gobierno de Nicaragua. Los temas de sus cuentos son varios pero muchos tienen elementos de fantasía donde la división entre la realidad y la fantasía se borra. El cuento «Axolotl» es un buen ejemplo de su característico estilo. Proviene de *Final del juego*, una colección de cuentos que se publicó en 1956.

Axolotl

Julio Cortázar

Hubo un tiempo en que yo pensaba mucho en los axolotl. Iba a verlos al acuario del Jardin des Plantes[1] y me quedaba horas mirándolos, observando su inmovilidad, sus oscuros movimientos. Ahora soy un axolotl.

El azar° me llevó hasta ellos una mañana de primavera en que París abría su cola de pavorreal° después de la lenta invernada.° Bajé por el bulevar de Port-Royal, tomé St. Marcel y L'Hôpital, vi los verdes entre tanto gris y me acordé de los leones. Era amigo de los leones y las panteras, pero nunca había entrado en el húmedo y oscuro edificio de los acuarios. Dejé mi bicicleta contra las rejas y fui a ver los tulipanes. Los leones estaban feos y tristes y mi pantera dormía. Opté por los acuarios, soslayé° peces vulgares hasta dar inesperadamente con los axolotl. Me quedé una hora mirándolos y salí, incapaz de otra cosa.

En la biblioteca Sainte-Geneviève consulté un diccionario y supe que los axolotl son formas larvales, provistas de branquias,° de una especie de batracios del género amblistoma. Que eran mexicanos lo sabía ya por ellos mismos, por sus pequeños rostros rosados aztecas y el cartel en lo alto del acuario. Leí que se han encontrado ejemplares en África capaces de vivir en tierra durante los períodos de sequía, y que continúan su vida en el agua al llegar la estación de las lluvias. Encontré su nombre español, ajolote, la mención de que son comestibles y que su aceite se usaba (se diría que no se usa más) como el de hígado de bacalao.

No quise consultar obras especializadas, pero volví al día siguiente al Jardin de Plantes. Empecé a ir todas las mañanas, a veces de mañana y de tarde. El guardián de los acuarios sonreía perplejo al recibir el billete. Me apoyaba en la barra de hierro que bordea los acuarios y me ponía a mirarlos. No hay nada de extraño en esto, porque desde un primer momento comprendí que estábamos vinculados, que algo infinitamente perdido y distante seguía sin embargo uniéndonos. Me había bastado detenerme aquella primera mañana ante el cristal donde unas burbujas° corrían en el agua. Los axolotl se amontonaban° en el mezquino y angosto° (sólo yo puedo saber cuán angosto y mezquino) piso de piedra y musgo° del acuario. Había nueve ejemplares, y la mayoría apoyaba la cabeza contra el cristal, mirando con sus ojos de oro a los que se acercaban. Turbado, casi avergonzado, sentí como una impudicia° asomarme° a esas figuras silenciosas e inmóviles aglomeradas en el fondo del acuario. Aislé mentalmente una, situada a la derecha y algo separada de las otras, para estudiarla mejor. Vi un cuerpecito rosado y como translúcido (pensé en las estatuillas chinas de cristal lechoso), semejante a un pequeño lagarto de quince centímetros, terminado en una cola de pez de una

azar: la casualidad
pavorreal / invernada: *peacock*/invierno
soslayé: *I sidestepped, went around*
branquias: *gills*
burbujas: *bubbles*
amontonaban / mezquino y angosto / musgo: *piled up*/*miserable and narrow*/*moss*
impudicia: *shamelessness*
asomarme: acercarme

---

[1]El cuento «Axolotl» tiene lugar en París; por eso los nombres de lugares están en francés.

delicadeza extraordinaria, la parte más sensible de nuestro cuerpo. Por el
40 lomo corría una aleta° transparente que se fusionaba con la cola, pero lo que me obsesionó fueron las patas, de una finura sutilísima, acabadas en menudos° dedos, en uñas minuciosamente humanas. Y entonces descubrí sus ojos, su cara. Un rostro inexpresivo, sin otro rasgo que los ojos, dos orificios como
45 cabezas de alfiler, enteramente de un oro transparente, carentes de° toda vida pero mirando, dejándose penetrar por mi mirada que parecía pasar a través del punto áureo y perderse en un diáfano° misterio interior. Un delgadísimo halo negro rodeaba el ojo y lo inscribía en la carne rosa, en la piedra rosa de la cabeza vagamente triangular pero con lados curvos e irregulares, que le
50 daban una total semejanza con una estatuilla corroída por el tiempo. La boca estaba disimulada por el plano triangular de la cara, sólo de perfil se adivinaba su tamaño considerable; de frente una fina hendedura° rasgaba apenas la piedra sin vida. A ambos lados de la cabeza, donde hubieran debido estar las orejas, le crecían tres ramitas rojas como de coral, una excrecencia vegetal, las
55 branquias, supongo. Y era lo único vivo en él, cada diez o quince segundos las ramitas se enderezaban° rígidamente y volvían a bajarse. A veces una pata se movía apenas, yo veía los diminutos dedos posándose con suavidad en el musgo. Es que no nos gusta movernos mucho, y el acuario es tan mezquino; apenas avanzamos un poco nos damos con la cola o la cabeza de otro de
60 nosotros; surgen dificultades, peleas, fatiga. El tiempo se siente menos si nos estamos quietos.

Fue su quietud lo que me hizo inclinarme fascinado la primera vez que vi a los axolotl. Oscuramente me pareció comprender su voluntad secreta, abolir el
65 espacio y el tiempo con una inmovilidad indiferente. Después supe mejor, la contracción de las branquias, el tanteo de las finas patas en las piedras, la repentina natación (algunos de ellos nadan con la simple ondulación del cuerpo) me probó que eran capaces de evadirse de ese sopor° mineral en que pasaban horas ente-
70 ras. Sus ojos, sobre todo, me obsesionaban. Al lado de ellos, en los restantes acuarios, diversos peces me mostraban la simple estupidez de sus hermosos ojos semejantes a los nuestros. Los ojos de los axolotl me decían de la presencia de una vida diferente, de otra manera de mirar. Pegando mi cara al vidrio (a veces el guardián tosía, inquieto) buscaba ver mejor los diminutos puntos áureos, esa
75 entrada infinitamente lento y remoto de las criaturas rosadas. Era inútil golpear con el dedo en el cristal, delante de sus caras; jamás se advertía la menor reacción. Los ojos de oro seguían ardiendo con su dulce, terrible luz; seguían mirándome desde una profundidad insondable° que me daba vértigo.

80 Y sin embargo estaban cerca. Lo supe antes de esto, antes de ser un axolotl. Lo supe el día en que me acerqué a ellos por primera vez. Los rasgos antropomórficos de un mono revelan, al revés de lo que cree la mayoría, la distancia que va de ellos a nosotros. La absoluta falta de semejanza de los axolotl con el ser humano me probó que mi reconocimiento era válido, que
85 no me apoyaba en analogías fáciles. Sólo las manecitas... Pero una lagartija° tiene también manos así, y en nada se nos parece. Yo creo que era la cabeza de los axolotl, esa forma triangular rosada con los ojillos de oro. Eso miraba y sabía. Eso reclamaba. No eran *animales*.

fin
pequeños
lacking
translúcido
crack, slit
se levantaban
letargo, adormecimiento
impenetrante
especie de lagarto

95 Parecía fácil, casi obvio, caer en la mitología. Empecé viendo en los axolotl una metamorfosis que no conseguía anular° una misteriosa humanidad. Los imaginé conscientes, esclavos de su cuerpo, infinitamente condenados a un silencio abisal,° a una reflexión desesperada. Su mirada ciega, el diminuto disco de oro inexpresivo y sin embargo terriblemente lúcido, me penetraba 100 como un mensaje: «Sálvanos, sálvanos.» Me sorprendía musitando palabras de consuelo, transmitiendo pueriles esperanzas. Ellos seguían mirándome, inmóviles; de pronto las ramillas rosadas de las branquias se enderezaban. En ese instante yo sentía como un dolor sordo; tal vez me veían, captaban mi esfuerzo por penetrar en lo impenetrable de sus vidas. No eran seres huma- 105 nos, pero en ningún animal había encontrado una relación tan profunda conmigo. Los axolotl eran como testigos de algo, y a veces como horribles jueces. Me sentía innoble frente a ellos; había una pureza tan espantosa en esos ojos transparentes. Eran larvas, pero larva quiere decir máscara y también fantasma. Detrás de esas caras aztecas, inexpresivas y sin embargo de una cruel- 110 dad implacable, ¿qué imagen esperaba su hora?

Les temía. Creo que de no haber sentido la proximidad de otros visitantes y del guardián, no me hubiese atrevido a quedarme solo con ellos. «Usted se los come con los ojos», me decía riendo el guardián, que debía suponerme 115 un poco desequilibrado. No se daba cuenta de que eran ellos los que me devoraban lentamente por los ojos, en un canibalismo de oro. Lejos del acuario no hacía más que pensar en ellos, era como si me influyeran a distancia. Llegué a ir todos los días, y de noche los imaginaba inmóviles en la oscuridad, adelantando lentamente una mano que de pronto encontraba la de otro. 120 Acaso sus ojos veían en plena noche, y el día continuaba para ellos indefinidamente. Los ojos de los axolotl no tienen párpados.°

Ahora sé que no hubo nada de extraño, que eso tenía que ocurrir. Cada mañana, al inclinarme sobre el acuario, el reconocimiento era mayor. Sufrían, cada fibra de mi cuerpo alcanzaba ese sufrimiento amordazado,° esa tortura 125 rígida en el fondo del agua. Espiaban algo, un remoto señorío° aniquilado,° un tiempo de libertad en que el mundo había sido de los axolotl. No era posible que una expresión tan terrible que alcanzaba a vencer la inexpresividad forzada de sus rostros de piedra, no portara un mensaje de dolor, la prueba de esa condena eterna, de ese infierno líquido que padecían.° Inútilmente 130 quería probarme que mi propia sensibilidad proyectaba en los axolotl una conciencia inexistente. Ellos y yo sabíamos. Por eso no hubo nada de extraño en lo que ocurrió. Mi cara estaba pegada al vidrio del acuario, mis ojos trataban una vez más de penetrar el misterio de esos ojos de oro sin iris y sin pupila. Veía de muy cerca la cara de un axolotl inmóvil junto al vidrio. Sin tran- 135 sición, sin sorpresa, vi mi cara contra el vidrio, en vez del axolotl vi mi cara contra el vidrio, la vi fuera del acuario, la vi del otro lado del vidrio. Entonces mi cara se apartó y yo comprendí.

Sólo una cosa era extraña: seguir pensando como antes, saber. Darme cuenta de eso fue en el primer momento como el horror del enterrado vivo 140 que despierta a su destino. Afuera, mi cara volvía a acercarse al vidrio, veía mi boca de labios apretados por el esfuerzo de comprender a los axolotl. Yo era

anular: borrar, eliminar
abisal: abismal, profundo
párpados: *eyelids*
amordazado: silenciado
señorío / aniquilado: *domain/destroyed*
padecían: sufrían

un axolotl y sabía ahora instantáneamente que ninguna comprensión era posible. Él estaba fuera del acuario, su pensamiento era un pensamiento fuera del acuario. Conociéndolo, siendo él mismo, yo era un axolotl y estaba en mi mundo. El horror venía —lo supe en el mismo momento— de creerme
145 prisionero en un cuerpo de axolotl, transmigrado a él con mi pensamiento de hombre, enterrado vivo en un axolotl, condenado a moverme lúcidamente entre criaturas insensibles. Pero aquello cesó cuando una pata vino a rozarme la cara, cuando moviéndome apenas a un lado vi a un axolotl junto a mí que me miraba, y supe que también él sabía, sin comunicación posible pero tan
150 claramente. O yo estaba también en él, o todos nosotros pensábamos como un hombre, incapaces de expresión, limitados al resplandor dorado de nuestros ojos que miraban la cara del hombre pegada al acuario.

Él volvió muchas veces, pero viene menos ahora. Pasa semanas sin asomarse.° Ayer lo vi, me miró largo rato y se fue bruscamente. Me pareció que
155 no se interesaba tanto por nosotros, que obedecía a una costumbre. Como lo único que hago es pensar, pude pensar mucho en él. Se me ocurre que al principio continuamos comunicados,° que él se sentía más que nunca unido al misterio que lo obsesionaba. Pero los puentes están cortados entre él y yo, porque lo que era su obsesión es ahora un axolotl, ajeno° a su vida de hom-
160 bre. Creo que al principio yo era capaz de volver en cierto modo a él —ah, sólo en cierto modo— y mantener alerta su deseo de conocernos mejor. Ahora soy definitivamente un axolotl, y si pienso como un hombre es sólo porque todo axolotl piensa como un hombre dentro de su imagen de piedra rosa. Me parece que de todo esto alcancé a comunicarle algo en los primeros
165 días, cuando yo era todavía él. Y en esta soledad final, a la que él ya no vuelve, me consuela pensar que acaso va a escribir sobre nosotros, creyendo imaginar un cuento va a escribir todo esto sobre los axolotl.

asomarse: aparecer
comunicados: conectados, comunicándonos
ajeno: *alien*

DESPUÉS DE LEER

PREGUNTAS

En general

1. En una o dos oraciones, usando sus propias palabras, resuma el cuento. (El primer párrafo puede ayudarlo/la.)
2. ¿Diría Ud. que este cuento es realista o fantástico, o una combinación de los dos? Explique brevemente.

En detalle

1. ¿Qué animales prefería visitar el narrador antes de empezar a visitar los axolotl? ¿Qué lo impulsó a visitar los axolotl por primera vez?
2. ¿Cuál fue la reacción del narrador ante los axolotl la primera vez que los visitó?

3. ¿Con qué cultura antigua asociaba los axolotl el narrador? ¿Por qué?
4. ¿Qué hizo después de su primera visita?
5. ¿Por qué «el guardián de los acuarios sonreía perplejo al recibir el billete» del hombre?
6. Según el narrador, ¿por qué no fue extraña su costumbre de visitar los axolotl?
7. Describa el acuario de los axolotl.
8. ¿Cómo se sintió el narrador cuando vio que los axolotl miraban al público? ¿Por qué cree que reaccionó así?
9. ¿Cómo son los ojos de los axolotl? (Use las descripciones de los ojos en el cuento.)
10. ¿Por qué describió el narrador el cuerpo de los axolotl como una «piedra sin vida»? Según él, ¿por qué a los axolotl no les gustaba moverse?
11. ¿Cuál fue el mensaje que el hombre creía que los axolotl trataban de comunicarle?
12. ¿Por qué estaba convencido que hay una relación cercana entre los axolotl y los seres humanos? ¿Y por qué es esta relación más cercana que la relación entre los monos y los seres humanos? ¿Qué «evidencia» ofreció el narrador para explicar su convicción?
13. ¿Qué evento extraño (aunque no para el narrador) ocurre en el párrafo número nueve?
14. Cuando el hombre se dio cuenta de que era un axolotl, se sintió muy solo. ¿Qué pasó en ese momento que le mostró que él no era el único axolotl que pensaba así?
15. ¿Qué cambio ocurrió al final del cuento?
16. Cuando el hombre se convirtió en axolotl, ¿qué comprendió?
17. ¿Cómo era la actitud del hombre hacia los axolotl después del cambio? ¿Por qué él no seguía su rutina anterior?
18. ¿Qué esperanza tiene el axolotl al final del cuento?

Discusión e interpretación

1. Repase el cuento y apunte los indicios que afirman que el narrador ya es un axolotl cuando está narrando el cuento.
2. ¿Por qué cree Ud. que Cortázar utilizó la palabra **axolotl** en vez de **ajolote** para referirse a estas criaturas?
3. ¿Cree que los axolotl realmente sufren tanto como piensa el narrador? Explique.
4. ¿Qué expresiones utiliza el narrador para describir el destino de los axolotl? ¿Por qué cree Ud. que usa estas frases?

5. En varias partes del cuento, ciertas características de los axolotl —tanto físicas como de conducta— captan el interés del hombre. Identifique estas características y explique por qué le interesan tanto.
6. ¿Cuántos narradores hay en la historia? ¿Desde qué perspectiva se narra la historia al final del cuento? Explique.
7. A veces el narrador compara la vida de los axolotl con la de un prisionero. Haga una lista de las expresiones que aluden a esto. ¿En qué sentido/s son prisioneros los axolotl?
8. En una ocasión el narrador menciona que los axolotl «no eran animales», luego habla de «una misteriosa humanidad» y después, dice que «no eran seres humanos». ¿Qué son, entonces? ¿Tienen atributos humanos, según el narrador? ¿Cuáles?
9. ¿Qué emociones le provocan los axolotl al hombre? ¿Por qué cree Ud. que estos animalitos le provocan estas emociones?
10. ¿Hay algo irónico en el concepto de una metamorfosis de un ser humano a un axolotl? Explique. Refiérase a la sección «En más detalle» en la página 135 para ayudarlo/la a contestar.
11. Al final del cuento el narrador-axolotl dice, «los puentes están cortados entre él y yo». ¿Cómo se explica esta separación?
12. En el cuento, se ven referencias a los sentidos, en particular a la vista y al tacto. Busque referencias en el cuento. ¿Por qué tiene el hombre tanto interés en estos sentidos?
13. Parte de la fascinación del hombre por los axolotl es que ve un vínculo entre ellos y el pasado. ¿Por qué los asocia con el pasado? ¿Tendrá que ver con la evolución?
14. Probablemente ha notado que la palabra **axolotl** puede ser tanto singular como plural. Usando «evidencia» del cuento, arguya por qué en su opinión la palabra «Axolotl» del título es singular, plural o ambigua.
15. ¿Qué importancia tiene la comunicación en esta historia?
16. Hay varios elementos contradictorios en el cuento. Un ejemplo se ve en la siguiente oración: «Su mirada ciega, el diminuto disco de oro inexpresivo y sin embargo terriblemente lúcido, me penetraba como un mensaje». Busque otros elementos contradictorios y haga una lista de ellos. Examínelos y explique por qué cree Ud. que Cortázar ha incluido tantas aparentes contradicciones en este cuento.
17. En este relato, el narrador ha usado **mirar** y palabras relacionadas (**mirada, mirando**, etc.) 14 veces y una forma de **ver** aun más frecuentemente. Sabiendo que Cortázar fue un excelente escritor, uno que creó sus obras con mucha destreza, debemos suponer que lo hizo deliberadamente. ¿Por qué aparecen estas palabras y sus variantes tantas veces? ¿Qué importancia tienen en el cuento? ¿Ve Ud. otras palabras que se han usado repetidamente?

LAZOS GRAMATICALES

Ser/Estar + adjetivos

9-6 Vamos a ser detectives lingüísticos. **Ser** y **estar**, cuando se usan con adjetivos, comunican diferentes tipos de información. En este ejercicio, vamos a explorar brevemente algunas de las diferencias. (Si está dudoso/a sobre los usos de **ser/estar** con los adjetivos, repase la sección número tres del *Manual de gramática* [pp. 298–306]).

1. En la primera parte del cuento, el narrador utiliza los adjetivos **feos** y **tristes** para describir los leones.

   Los leones estaban feos y tristes y mi pantera dormía.

   En la opinión del narrador, ¿los leones normalmente tenían los atributos de fealdad y de tristeza?
2. Explique su respuesta para la primera pregunta. Conteste señalando «evidencia» gramatical para apoyar su respuesta.

La colocación de los adjetivos descriptivos

9-7 ¿Qué comunican los adjetivos pre-puestos? Si necesita un repaso sobre el tipo de información que los adjetivos llevan según su posición antes o después del sustantivo, lea la explicación sobre la colocación de los adjetivos descriptivos en la sección número dos del *Manual de gramática* (pp. 290–298).

1. Según lo que ha aprendido del efecto que tiene la posición de los adjetivos descriptivos, ¿por qué cree usted que Cortázar describe los movimientos de los axolotl como «sus **oscuros** movimientos» en vez de como «sus movimientos **oscuros**»? ¿Y por qué describe el acuario de los axolotl como «el **húmedo y oscuro** edificio de los acuarios» en vez de «el edificio **húmedo y oscuro** de los acuarios»? ¿Qué implican los adjetivos cuando preceden al sustantivo y qué implican cuando lo siguen?
2. Busque otros adjetivos descriptivos que preceden a su sustantivo y comente el significado que esta posición imparte al sustantivo.

La manipulación de la gramática para variar la perspectiva

La mayor parte del cuento se narra desde el punto de vista del hombre-narrador, pero de vez en cuando se notan comentarios desde su perspectiva de axolotl. Las preguntas en el siguiente ejercicio lo/la ayudarán a determinar cuándo habla el narrador-hombre y cuándo habla el narrador-axolotl.

9-8 Cambios de perspectiva —¿es del hombre o del axolotl? Conteste las preguntas a continuación para descubrir cómo Cortázar realiza el cambio de perspectivas entre el hombre y el axolotl.

1. ¿Qué tiempos verbales utiliza Cortázar para lograr este cambio de perspectivas? En otras palabras, ¿suele usar un tiempo para una de las perspectivas y otro tiempo para la otra? El primer párrafo puede darle una indicación.
2. Cuando el narrador habla de **nosotros** (usando formas verbales de **nosotros** y los pronombres **nosotros** y **nos**), a veces lo hace desde su perspectiva como hombre, otras veces desde su perspectiva como axolotl. Examine los siguientes fragmentos prestando atención a estas formas. (Examine los fragmentos en el cuento para ver un contexto más amplio. Se han incluido el número del párrafo y las líneas en el cuento donde aparecen.) ¿En cuál/es de estos fragmentos se usan formas de **nosotros** y **nos** desde la perspectiva del hombre y en cuál/es se usan desde la perspectiva del axolotl? ¿Cómo lo sabe?

    1. No hay nada de extraño en esto, porque desde un primer momento comprendí que **estábamos vinculados**, que algo infinitamente perdido y distante seguía sin embargo uniéndo**nos**. (Párrafo número cuatro, líneas 25–28)
    2. Es que **no nos gusta movernos** mucho, y el acuario es tan mezquino; apenas **avanzamos** un poco **nos damos con la cola o la cabeza de otro de nosotros**; surgen dificultades, peleas, fatiga. El tiempo se siente menos si **nos estamos quietos**. (Párrafo número cuatro, líneas 58–61)
    3. Lo supe el día en que me acerqué a ellos por primera vez. Los rasgos antropomórficos de un mono revelan, al revés de lo que cree la mayoría, la distancia que va de ellos **a nosotros**. (Párrafo número seis, líneas 81–83)
    4. O yo estaba también en él, o **todos nosotros pensábamos** como un hombre, incapaces de expresión, limitados al resplandor dorado de nuestros ojos que miraban la cara del hombre pegada al acuario. (Párrafo número diez, líneas 150–152)
    5. Ayer lo vi, me miró largo rato y se fue bruscamente. Me pareció que no se interesaba tanto por **nosotros**, que obedecía a una costumbre. Como lo único que hago es pensar, pude pensar mucho en él. Se me ocurre que al principio **continuamos comunicados**, que él se sentía más que nunca unido al misterio que lo obsesionaba. Pero los puentes están cortados entre **él y yo**, porque lo que era su obsesión es ahora un axolotl, ajeno a su vida de hombre. Creo que al principio yo era capaz de volver en cierto modo a él —ah, sólo en cierto modo— y mantener alerta su deseo de conocer**nos** mejor. Ahora soy definitivamente un axolotl, y si pienso como un hombre es sólo porque todo axolotl piensa como un hombre dentro de su imagen de piedra rosa.

Me parece que de todo esto alcancé a comunicarle algo en los primeros días, cuando yo era todavía él. Y en esta soledad final, a la que él ya no vuelve, me consuela pensar que acaso va a escribir sobre **nosotros**, creyendo imaginar un cuento va a escribir todo esto sobre los axolotl. (Párrafo número once, líneas 154–167)

3. Otro juego de gramática que utiliza Cortázar es variar el uso del adjetivo posesivo **nuestro/s** para alternar la perspectiva del narrador de cuando era hombre y de cuando era axolotl. Busque este adjetivo en los siguientes párrafos e indique si se usa para presentar la perspectiva del narrador como hombre o como axolotl.
   - párrafo número cuatro, línea 39: nuestro cuerpo
   - párrafo número cinco, líneas 71–72: sus hermosos ojos semejantes a los nuestros
   - párrafo número diez, líneas 151–152: nuestros ojos

La «a personal»

La preposición **a** (o «**a** personal») se usa para señalar sustantivos de complemento directo que se refieren a personas específicas. La «**a** personal» también puede usarse con un animal u objeto personificado (por ej., para mostrar cariño hacia las mascotas o hacia una ciudad, como en los siguientes ejemplos: «Quiero mucho a mis gatas» o «Echo de menos a mi querida Sevilla».) Este segundo uso es subjetivo y es la persona que habla o escribe quien determina si quiere usar la **a** o no. Por ejemplo, una persona podría decir «Odio los perros» mientras que otra podría decir «Quiero mucho a los perros». Vamos a usar esta información en el próximo ejercicio.

9-9 Vamos a ser detectives lingüísticos. En el cuento «Axolotl», podemos ver casos interesantes del uso de la «**a** personal» por parte del narrador cuando habla de los animales cuatro. Los tres fragmentos a continuación se presentan en el orden en que aparecen en el cuento. En cada caso, un sustantivo que se refiere a un animal se usa como complemento directo. Examínelos y discuta lo que muestran sobre la actitud del narrador hacia los axolotl. Compárela con su actitud hacia los peces.

1. Párrafo número uno: Opté por los acuarios, soslayé **peces** vulgares hasta dar inesperadamente con los axolotl.
2. Párrafo número cinco: Fue su quietud lo que me hizo inclinarme fascinado la primera vez que vi a **los axolotl**.
3. Párrafo número diez: Afuera, mi cara volvía a acercarse al vidrio, veía mi boca de labios apretados por el esfuerzo de comprender a **los axolotl**.
4. Párrafo número diez: Pero aquello cesó cuando una pata vino a rozarme la cara, cuando moviéndome apenas a un lado vi a **un axolotl** junto a mí que me miraba, y supe que también él sabía, sin comunicación posible pero tan claramente.

Usos del pretérito y del imperfecto

9-10 Análisis de usos del pretérito y del imperfecto en el cuento. Antes de contestar las preguntas a continuación, repase la explicación del pretérito/imperfecto en la sección número cuatro del *Manual de gramática* (pp. 307–314).

1. Lea el primer párrafo (líneas 1–3) examinando los usos del imperfecto. ¿Para qué tipo de acciones se usa el imperfecto aquí? En la primera frase del segundo párrafo (líneas 4–5) se ve otro verbo imperfecto. ¿Es el mismo uso del imperfecto del primer párrafo? Si es distinto, ¿cuál es?
2. Lea de nuevo la primera oración del cuento enfocándose en los tiempos verbales. ¿El hombre sigue pensando mucho en los axolotl? ¿Cómo lo sabe? (Para contestar, use lo que sabe sobre los varios usos del pretérito.)
3. Observe el uso del pretérito de **saber** en el tercer párrafo (línea 13). ¿Cómo se traduciría la palabra **supe** en este contexto? ¿Ha notado otras incidencias de **supe** en el cuento? (Se usa seis veces en total, en los párrafos 3, 5, 6 y 10 (líneas 13, 65, 81 y 149.) En estos contextos el pretérito señala el inicio del saber —el inicio de su comprensión. ¿Por qué cree Ud. que el narrador pone tanto énfasis en el principio de su comprensión?

Relea el cuento aplicando lo que ha aprendido y practicado en los ejercicios de la sección «**Lazos gramaticales**». Esto lo/la ayudará a entender mejor el cuento y a fortalecer su comprensión de la gramática.

A ESCRIBIR

Estrategias de composición

Esta sección incluye una serie de pasos para ayudarlo/la a: (1) formular y desarrollar sus ideas, (2) buscar evidencia del cuento para apoyar sus argumentos y (3) organizar su composición para que sea cohesiva y coherente. También incluye instrucciones para buscar y corregir errores de gramática y de vocabulario. Estas sugerencias acompañan el primer tema porque son específicas para ese tema, pero son útiles para todos los temas. Si opta por otro tema, lea las sugerencias incluidas para el Tema uno y adáptelas para el tema que elija.

Tema uno

La fascinación u obsesión del narrador por los ojos de los axolotl se nota a lo largo del cuento. Escriba un ensayo sobre el poder que el narrador atribuye a los ojos de los axolotl.

Al completar cada uno de los siguientes pasos, marque (✓) la casilla a la izquierda.

- ❑ a. Repase los lugares donde se mencionan los ojos y haga una lista de todas las referencias en el orden en que aparecen. (Escriba una lista completa de todos los comentarios **fuera de contexto** porque así será más fácil ver las semejanzas y las diferencias entre estos comentarios. Y esto lo/la ayudará a organizar su ensayo.)
- ❑ b. Organice la información que identificó en la pregunta anterior en dos listas mostrando las semejanzas y las diferencias.
- ❑ c. En su ensayo, escriba un resumen de lo que descubrió sobre el poder de los ojos.
- ❑ d. Añada un párrafo en que Ud. explore el poder de los ojos en términos generales (fuera del contexto del cuento). Insértelo donde le parezca apropiado —al principio como una introducción, después de su discusión de ejemplos del cuento o como transición a su conclusión.
- ❑ e. Reescriba su introducción y escriba una conclusión.
- ❑ f. Cuando haya escrito su borrador, revíselo, utilizando sus listas para asegurarse que haya apoyado sus argumentos con ejemplos específicos. Asegúrese que todo siga un orden lógico y que sus ideas fluyan bien. Haga las correcciones necesarias.
- ❑ g. Dele un título interesante a su ensayo.
- ❑ h. Antes de entregar su composición, revísela asegurándose que:
  - ❑ haya usado vocabulario correcto y variado
  - ❑ no haya usado **ser, estar** y **haber** demasiado (es preferible usar verbos más expresivos)
  - ❑ haya concordancia entre los adjetivos y artículos y los sustantivos a que se refieren
  - ❑ haya concordancia entre los verbos y sus sujetos
  - ❑ **ser** y **estar** se usen correctamente
  - ❑ el subjuntivo se use cuando sea apropiado
  - ❑ el pretérito y el imperfecto se hayan usado correctamente
  - ❑ no haya errores de ortografía y ni de acentuación

Otros temas de composición

2. Según las descripciones de los axolotl ofrecidas por el narrador, tienen atributos físicos de varios tipos de animales (inclusive del ser humano). Busque todas las referencias a animales en el cuento y escriba su propia descripción de los axolotl.

3. ¿Ha estado Ud. obsesionado/a con algo? ¿Con qué? ¿Cómo ha afectado su vida esa obsesión? ¿Le ha causado algún cambio de actitud o de costumbre? Escriba un ensayo en el cual describa y explique su obsesión y compárela con la del hombre del cuento.
4. Explore la idea de la metamorfosis y cómo se manifiesta en el cuento. Incluya en su ensayo una discusión de lo que es la metamorfosis —tanto literal como figurativamente. Considere las siguientes preguntas en su ensayo: ¿Qué hay de irónico en que los axolotl —siendo animales anfibios capaces de la metamorfosis— no se transforman y el hombre —quien pertenece a un género incapaz de la metamorfosis— sí se transforma? ¿En qué manera o forma ha logrado la metamorfosis? ¿Físicamente? ¿Espiritualmente? ¿De otra manera?

CAPÍTULO

10

La mujer que llegaba a las seis

Gabriel García Márquez (1928–)

ANTES DE LEER

10-1 Reflexiones. Considere las siguientes preguntas antes de leer el cuento.

1. Lea los dos primeros párrafos y conteste las siguientes preguntas.
   a. ¿Dónde tiene lugar el cuento?
   b. ¿Quiénes son los personajes principales? y ¿qué tipo de relación tienen?
2. Lea el título. ¿Qué indica el uso del imperfecto sobre la mujer en el título «La mujer que llegaba a las seis»?
3. Habiendo leído el título y la primera parte del cuento, ¿cree Ud. que la hora va a tener mayor importancia en este cuento? Explique.

Enfoques léxicos

Cognados falsos

10-2 Examinación de cognados falsos en «La mujer que llegaba a las seis.» Este cuento contiene varios cognados falsos, algunos se incluyen en los ejercicios a continuación. (Para más detalle sobre los cognados falsos, lea la sección número uno del *Manual de gramática* [pp. 285–290].)

1. Aunque **comedia** puede significar *comedy*, tiene otros significados también. Por ejemplo, puede significar **obra dramática** (el equivalente de *play*) y cuando se usa figurativamente, puede significar **farsa** o **fingimiento** (*pretense*). Lea el siguiente fragmento del cuento y determine cuál de estos posibles significados tiene aquí.

   —Hola, reina —dijo José cuando la vio sentarse. Luego caminó hacia el otro extremo del mostrador, limpiando con un trapo seco la superficie vidriada. Hasta con la mujer con quien había llegado a adquirir un grado de casi intimidad, el gordo y rubicundo mesonero representaba su diaria **comedia** de hombre diligente.

➔ Si cree que en este contexto el mejor equivalente de **comedia** es **farsa** o **fingimiento**, tiene razón. Cuando lea el cuento, este significado se hará aun más claro.

2. **Registrar** tiene el significado de *to register*, por ejemplo, en el sentido de **anotar** o **apuntar**, o para **inscribir documentos**. También puede significar **examinar con cuidado, examinar tratando de encontrar algo oculto** o **inspeccionar**. Lea la oración del cuento y determine su significado.

   —Y es verdad —dijo la mujer. Se volvió a mirar al hombre que estaba del otro lado del mostrador, **registrando** la nevera.°

refrigerador

→ Si ha determinado que **registrando** quiere decir **examinando** o **inspeccionando,** tiene razón. Los otros significados no tienen sentido aquí.

3. Aunque **congestionado** puede significar *congested,* tiene otro significado en este cuento. Se usa en la frase «su enorme cara congestionada» para describir la condición de la cara del hombre en el cuento. En este contexto, quiere decir **enrojecida.**

4. **Defraudar** puede significar *to defraud* pero en este cuento tiene otro significado. La forma de la palabra usada en el cuento es **defraudado,** el equivalente de **decepcionado** —*disappointed, let down.* Lea el fragmento del cuento a continuación para familiarizarse con su significado.

   José estaba confundido. Tal vez sintió un poco de indignación. Tal vez, cuando la mujer se echó a reír se sintió **defraudado.**

5. **Molestar** casi nunca se traduce a *to molest.* (*To sexually molest* es **abusar**; cuando *to molest* quiere decir *to harass,* se puede usar **importunar** o **molestar.**) **Molestar** generalmente quiere decir **irritar, fastidiar, enojar** o **incomodar** como en la siguiente oración del cuento.

   —Mañana me voy y te prometo que no volveré a **molestarte** nunca.

En más detalle

Registrarse (la forma reflexiva) se usa con el significado *to register* en la expresión **registrarse en un hotel.** En ciertos dialectos **registrarse** se usa como equivalente de **matricularse** en la universidad, pero como no se acepta universalmente, sería mejor usar **matricularse** o **inscribirse** para este sentido.

Grupos léxicos

10-3 Palabras relacionadas. Complete las siguientes frases con la palabra adecuada. Las palabras agrupadas tienen la misma raíz y por lo tanto tienen un significado relacionado. Utilice su conocimiento de la gramática para escoger la palabra correcta. No será necesario cambiar las formas de las palabras. Usará algunas palabras más de una vez. Verifique sus respuestas buscando la oración en el cuento. (Las oraciones de cada grupo se presentan en el orden en que aparecen en el cuento.)

ternura - enternecedor - tierna

1. De pronto la mujer dejó de mirar hacia la calle y habló con la voz apagada, ___________, diferente.
2. Entonces la mujer habló de nuevo, con el tono ___________ y suave cuando dijo: ¿Es verdad que me quieres, Pepillo?
3. Ella se inclinó hacia adelante, lo asió fuertemente por el cabello, pero con un gesto de evidente ___________.
4. El hombre la miró con una ___________ densa y triste, como un buey maternal.

mirar - miró - mirado - mirando - mirada

5. Se volvió a (1) ___________ al hombre que estaba del otro lado del mostrador, registrando la nevera. Estuvo contemplándolo durante dos, tres segundos. Luego (2) ___________ el reloj, arriba del armario. Eran las seis y tres minutos.
6. —No tengo hambre —dijo la mujer. Se quedó (1) ___________ otra vez la calle, viendo los transeúntes turbios de la ciudad atardecida. Durante un instante hubo un silencio turbio en el restaurante. Una quietud interrumpida apenas por el trasteo de José en el armario. De pronto la mujer dejó de (2) ___________ hacia la calle y habló con la voz apagada, tierna, diferente.
7. —Entonces no —dijo. Y volvió a (1) ___________lo a los ojos, con un extraño esplendor en la (2) ___________, a un tiempo acongojada y desafiante.
8. Otra vez se alejó. Había (1) ___________ el reloj. Había visto que iban a ser las seis y media. Había pensado que dentro de unos minutos el restaurante empezaría a llenarse de gente y tal vez por eso se puso a frotar el vidrio con mayor fuerza, (2) ___________ hacia la calle a través del cristal de la ventana.
9. José echó el cuerpo hacia atrás para (1) ___________ el reloj. (2) ___________ luego al parroquiano que seguía silencioso, aguardando en el rincón, y finalmente a la carne, dorada en el caldero. Sólo entonces habló.

10-4 Más práctica con las palabras relacionadas. Este ejercicio lo/la ayudará a hacer más conexiones entre palabras que ya conoce y otras menos comunes que tienen la misma raíz. Conteste las siguientes preguntas pensando en este tipo de relación léxica. Así cuando encuentre estas palabras en el cuento le será más fácil recordar su significado.

1. **Girar** tiene varios sentidos, entre ellos *to turn, to spin (around), to revolve, to rotate, to swivel.* Sabiendo esto, ¿puede Ud. determinar el significado de las palabras en negrita en las siguientes oraciones del cuento?
   - ...una mujer entró, como todos los días a esa hora, y se sentó sin decir nada en la alta silla **giratoria**.

- Una idea que entró por un oído, **giró** por un momento, vaga, confusa, y salió luego por el otro, dejando apenas un cálido vestigio de pavor.
- La mujer **hizo girar** la cabeza hacia el otro lado.

➔ Si Ud. ha determinado que en este contexto **giratoria** significa *swivel*, que **giró** significa *spun around* y que **hizo girar** significa *turned*, tiene razón.

2. Pensando en el significado de **boca**, lea la oración a continuación y determine el significado de **bocanada**. (En esta escena, la mujer está fumando.)

   La mujer tragó la primera **bocanada** de humo denso, se cruzó de brazos, todavía con los codos apoyados en el mostrador, y se quedó mirando hacia la calle, a través del amplio cristal del restaurante.

➔ Si Ud. ha determinado que **bocanada** quiere decir *mouthful* o *puff*, tiene razón. Una **bocanada** también puede referirse a una pequeña cantidad de comida o bebida (la cantidad que cabría en la boca).

3. **Trago** es parecido a **bocanada** en que se refiere a una cantidad que cabe en la boca. Ambas palabras pueden referirse a una cantidad de líquido que se puede tomar rápidamente de una vez. Muchas veces **trago** se refiere a tomar bebidas alcohólicas. El fragmento de la pregunta anterior muestra un caso donde **tragar** no se refiere a un líquido, pero tiene la misma idea de ingerir algo.
4. Si Ud. sabe que **pavor** quiere decir **terror, horror** o **gran miedo,** ¿puede adivinar el significado del adjetivo **pavoroso**?

➔ Si ha determinado que **pavoroso** significa **horrífico, horroroso, espantoso, que da terror,** tiene razón.

5. Sabiendo que **bello** significa **lindo** o **bonito,** ¿puede Ud. determinar el significado del participio pasado **embellecido** del verbo **embellecer**?

➔ Si Ud. cree que **embellecido** describe a alguien o algo que parece bello, tiene razón. En el cuento, **embellecida** describe a la mujer que, aunque no es alguien a quien se describiría como **bella**, las circunstancias en que se encuentra la han embellecido en la opinión del otro personaje principal.

6. Sabiendo que **pestaña** significa *eyelash*, ¿puede Ud. determinar lo que el verbo **pestañear** significa? ¿Cuál es una acción común que se hace con las pestañas? Si tiene una idea, para confirmarla, lea el siguiente fragmento hacia el final del cuento. Se describe a la mujer.

Se quedó pensativa como si de repente se hubiera sumergido en un submundo extraño, poblado de formas turbias, desconocidas. No oyó, del otro lado del mostrador, el ruido que hizo la carne fresca al caer en la manteca hirviente... Se quedó así, concentrada, reconcentrada, hasta cuando volvió a levantar la cabeza, **pestañeando**, como si regresara de una muerte momentánea. Entonces vio al hombre que estaba junto a la estufa, iluminado por el alegre fuego ascendente.

➔ Si Ud. ha determinado que **pestañear** significa *to blink*, tiene razón. En otros contextos, puede significar *to wink*. **Guiñar el/un ojo** es un sinónimo de **pestañear** en este sentido. **Guiñar un ojo** también aparece en este cuento.

7. Sabiendo el significado de **cuchillo** debe ayudarlo/la a inferir el significado de **cuchillada.** Cuando lea esta palabra en el cuento probablemente le será obvio que quiere decir **golpe con un cuchillo.**

10-5 Palabras relacionadas: definiciones. Defina las siguientes palabras utilizando una palabra relacionada en su definición. Subraye las palabras relacionadas. (¡Ojo! Generalmente no es buena idea usar una palabra relacionada como parte de la definición pero en esta actividad, el objetivo es enfatizar las relaciones entre las palabras. Recuerde que las palabras relacionadas comparten una raíz.) Si no conoce la palabra que tiene que definir, búsquela en un diccionario. Siga el modelo.

Palabra	**Definición**
diaria	Una acción **diaria** ocurre cada **día.**
tontería	
polvoriento	
borrachera	
descubrimiento	
asesino	

Expresiones útiles

Los verbos **dar, tener, hacer, acabar** y **volver** se usan en muchas expresiones útiles y este cuento está repleto de tales expresiones. Los ejercicios en esta sección le darán la oportunidad de estudiar y practicar estas expresiones y familiarizarse con ellas antes de leer el cuento.

10-6 Expresiones con «dar», «tener», «hacer», «acabar» y «volver». Estudie las expresiones de los cinco cuadros a continuación. Luego haga uno o más de los siguientes ejercicios según las instrucciones de su profesor/a:

1. Escriba una oración original para dos a cuatro de las expresiones en cada uno de los cuadros.
2. Escriba dos o tres párrafos incorporando dos o tres de las expresiones de cada lista (10-15 expresiones en total).
3. Escriba una minicomposición cohesiva de dos a tres párrafos (sobre cualquier tema o uno que su profesor/a asigne) en que incorpore dos o tres de las expresiones de cada lista (10-15 expresiones en total).
4. Escriba una composición cohesiva más extensa en que incorpore todas las expresiones de cada lista.

Expresión con «dar»	**Explicación o expresión en uso**
darse cuenta *to realize (to be fully aware of)*	**Darse cuenta** es un verbo reflexivo.
dar miedo (a alguien) *to make (someone) afraid* *to frighten (someone)*	**Dar miedo** funciona como **gustar.**
dar (una/la hora) *to strike (an/the hour)*	Acababan de **dar** las seis. *It had just* ***struck*** *six o'clock.*
dar la espalda (a alguien) *to turn one's back (to someone)*	**Dar la espalda** funciona como **gustar.**
dar golpes *to hit, strike*	José se puso a **dar golpecitos** en el mostrador... *José* ***began to strike lightly*** *the counter...*
dar vuelta (a) *to turn (something) over*	José **dio vuelta** al lomillo... *José* ***turned over*** *the tenderloin...*

Expresión con «tener»	**Explicación o expresión en uso**
tener hambre *to be hungry*	*No tengo hambre* —dijo la mujer. *"****I am not hungry,****" said the women*
tener ganas de + infinitivo *to feel like* + gerundio	No **tengo ganas de comer** nada. *I don't* ***feel like eating*** *anything.*
tener que + infinitivo *to have to* + infinitivo	Ven acá, **tengo que** hablar contigo. *Come here;* ***I have to*** *talk with you.*
tener asco a (alguien) *to have disgust for (someone)*	**Tener asco** funciona como **gustar.**
tener + (un período de tiempo) de + infinitivo	**Tengo** un cuarto de hora de estar aquí.
to have + participio pasado + *(for a period of time)*	*I* ***have been*** *here for a quarter of an hour.*

Expresión con «hacer»	Explicación o expresión en uso
hacer daño (a uno/alguien) *to cause harm/damage (to someone/ something), to hurt/harm/damage/ upset (someone/something)*	**Hacer daño** funciona como **gustar.** Hoy te **hizo daño** el almuerzo. *Today your lunch **(has) upset** you (**didn't agree with** you).*
hace + (período de tiempo) + **que** + (verbo en el presente) *have... __________-ed/have been __________-ing* *for* + (período de tiempo) (o) (verbo en el presente) + **hace** + (período de tiempo)	Hace seis meses que vivo aquí. *I have lived/been living here for six months.* Vivo aquí hace seis meses. *For six months I have lived/been living here.*
hace + (período de tiempo) + (**que**) + (verbo en el pasado) __________*-ed* (período de tiempo) + *ago* (o) (verbo en el pasado) + **hace** + (período de tiempo)	**Hace un mes** (que) estuve allí. (o) Estuve allí **hace un mes.** *I was there **a month ago.***

En más detalle

Más sobre las estructuras con *hace*

Hay muchas variaciones para la estructura **hace + período de tiempo** pero a continuación sólo se presentan las que aparecen en el cuento. He aquí algunas de las fórmulas:

➔ Para acciones que empezaron en el pasado y continúan en el presente:

Variación 1: Hace + (período de tiempo) + **que** + (verbo en el presente)

Ejemplo

—Hace tres meses que no tienes plata y siempre te preparo algo bueno —dijo José.

Variación 2: (Verbo en el presente) + **hace** + (período de tiempo). También, la frase anterior podría expresarse de la siguiente manera.

—No tienes plata hace tres meses y siempre te preparo algo bueno —dijo José.

→ Equivalentes de *ago*: Acciones que ocurrieron en el pasado

Variación 1: Hace + (período de tiempo) (+ que) + (verbo en el pasado—pretérito o imperfecto)

Que es opcional en la variación anterior, como los ejemplos del cuento muestran.

Ejemplos

— Sólo hace un momento me di cuenta de que eso es una porquería.

— Hace tiempo que debiste darte cuenta.

— Hace tiempo me estaba dando cuenta —dijo la mujer, —pero sólo hace un rato acabé de convencerme.

Las frases del grupo anterior podrían expresarse usando esta variación. Por ejemplo, se podría decir:

—Debiste darte cuenta hace tiempo.

Variación 2: (Verbo en el pasado—pretérito o imperfecto) + **hace** + (período de tiempo)

Ejemplo

—Lo resolví hace un rato —dijo la mujer.

Expresión con «acabar»	Explicación o expresión en uso
acabar *to finish/end*	**Acabó** el trabajo a tiempo. *She **finished** the work on time.*
acabar con *to finish with/to put an end to*	Debes **acabar con** ese tipo de vida. *You should **put an end** to that type of life.*
acabar (en el presente) de + infinitivo *to have just (done something)*	**Acabo de** leer la tarea. ***I have just** read the homework.*
acabar (en el imperfecto) de + infinitivo *had just (done something)*	**Acababan** de dar las seis. *The clock **had just*** struck six o'clock.
acabar (en el pretérito) de + infinitivo *finished/completed (an action)*	**Acabó de leer** la novela. *He **finished reading** the novel.* Hace un rato **acabé** de convencerme. *A while ago I **became** convinced.*[1]

[1]Observe que **acabar de** + infinitivo no siempre se expresa con *finished* o *completed*.

Expresión con «volver»	Explicación o expresión en uso
volver *to turn*	Habló sin **volver** la cara. *He spoke without turning his head.*
volver a + infinitivo *to (do something) again*	**Volvió** a mirarlo. *He **looked** at her again.*
volverse *to turn around/to turn over*	**Se volvió** a mirar al hombre. *She **turned around** to look at the man.*
volverse + adjetivo *to become* + adjetivo	**Se volvió** enfática. *She **became** emphatic.*

En más detalle

Aunque la estructura «**volver a** + infinitivo» casi siempre quiere decir **rehacer algo**, a veces puede tener otro significado. Por ejemplo, **Volvió a mirarla** generalmente significa **La miró otra vez**, pero con un contexto especial, podría significar *He turned to look at her*. Hay un caso así en este cuento, donde el hombre le da la espalda a la mujer y continúa hablándole, sin volver la cara hacia ella. Cuando por fin vuelve la cara hacia ella, la frase dice: **Y sólo entonces José volvió a mirarla.** Aunque esta frase podría interpretarse como *And only then did José look at her again*, con todo lo que ha ocurrido en esta escena, parece más probable que el intento del autor fuera *And only then did José turn to look at her.* Cuando encuentre esta frase, vea cuál de estas interpretaciones prefiere. La diferencia de significado es muy sutil pero es interesante considerar las ambigüedades que a veces ocurren en una lengua.

Antónimos y sinónimos

10-7 Antónimos. Empareje las palabras de la columna A con su antónimo de la columna B. Luego, escriba una frase para cada pareja de antónimos. (Las palabras aparecen en el cuento, algunas con un cambio de forma.)

A	B
____ 1. abrir	a. indiferente
____ 2. apasionado	b. distinto
____ 3. encender	c. alegre
____ 4. triste	d. ruido
____ 5. acercarse	e. salir
____ 6. verdad	f. cerrar
____ 7. silencio	g. alejarse
____ 8. entrar	h. apagar
____ 9. igual	i. mentira

10-8 Sinónimos. Empareje las palabras de la columna A con su sinónimo de la columna B. Luego, escriba una frase para una palabra de cada pareja. (Las palabras aparecen en el cuento, algunas con un cambio de forma.)

	A	B
____	1. vidrio	a. quietud
____	2. quizá	b. trago
____	3. parroquianos	c. de nuevo
____	4. sonrojarse	d. salvaje
____	5. repentinamente	e. asir
____	6. bocanada	f. ruborizarse
____	7. agarrar	g. cristal
____	8. otra vez	h. distinto
____	9. taciturno	i. melancólico
____	10. bruto	j. de golpe
____	11. silencio	k. clientela
____	12. diferente	l. tal vez

A LEER

Estrategia de lectura: Más práctica en inferir el significado de palabras desconocidas

Como ya sabe, se puede inferir el significado de palabras desconocidas, tanto en su lengua nativa como en una lengua extranjera. Aunque no siempre es posible inferir correctamente, muchas veces lo es. En la actividad siguiente, vamos a practicar esta estrategia con palabras poco comunes en este cuento.

10-9 ¿Puede Ud. inferir el significado de estas palabras? Lea el siguiente fragmento del cuento y, usando el contexto y su conocimiento del español, determine el significado de las palabras en negrita. Si lo lee dos veces le será más fácil determinar los significados. Prepárese para explicar cómo determinó el significado de cada palabra.

> La puerta (1) **oscilante** se abrió. A esa hora no había nadie en el restaurante de José. Acababan de dar las seis y el hombre sabía que sólo a las seis y media empezarían a llegar los (2) **parroquianos** habituales. Tan conservadora y regular era su clientela, que no había acabado el reloj de dar la sexta (3) **campanada** cuando una mujer entró, como todos los días a esa hora, y se sentó sin decir nada en la alta silla giratoria. Traía un cigarrillo (4) **sin encender**, (5) **apretado** entre los labios.

—Hola, reina —dijo José cuando la vio sentarse. Luego caminó hacia el otro extremo del mostrador, limpiando con un (6) **trapo** seco la superficie vidriada. Siempre que entraba alguien al restaurante, José hacía lo mismo. Hasta con la mujer con quien había llegado a adquirir un grado de casi intimidad, el gordo y rubicundo (7) **mesonero** representaba su diaria comedia de hombre diligente. Habló desde el otro extremo del mostrador.

Mientras lea el cuento, utilice esta estrategia cuando encuentre palabras que no conozca. Mantenga una actitud abierta hacia su idea porque a veces es posible inferir incorrectamente. Si luego encuentra información que parece contradecir su idea inicial, puede ser necesario cambiarla o buscarla en el diccionario.

Gabriel García Márquez

Gabriel García Márquez nació en 1928 en Aracataca, un pueblo en el norte de Colombia. Puesto que sus padres eran muy pobres, sus abuelos maternos lo criaron hasta que su abuelo falleció. A la edad de ocho años, regresó a la casa de sus padres porque su abuela estaba perdiendo la vista y ya no podía criarlo. De joven adulto, influenciado por sus padres, empezó a estudiar la carrera de derecho en la universidad. Pero durante esta época, ya que no le interesaba el derecho, descuidaba sus estudios y pasó la mayoría de su tiempo escribiendo para periódicos, leyendo literatura y desarrollando su propio estilo. Durante su vida adulta ha dedicado su tiempo a varias causas políticas progresistas, ha viajado extensamente y actualmente tiene residencias en Colombia, México y Estados Unidos. Además de periodista, cuentista y novelista, ha sido guionista y editor de revistas. Su obra más famosa hasta el momento es la novela *Cien años de soledad* que se publicó en 1967. Muchos dicen que es la obra latinoamericana más famosa del mundo. Se ha traducido a más de 25 idiomas y ha ganado numerosos premios, entre ellos el Premio Nobel de Literatura en 1982. Es del género del realismo mágico, un término usado para describir una estrategia literaria en que se narran eventos fantásticos y míticos como si fueran comunes y corrientes. La diagnosis en 1999 de cáncer linfático le impulsó a empezar su autobiografía que piensa publicar en tres volúmenes. El primero, *Vivir para contarla*, se publicó en 2002. El cuento «La mujer que llegaba a las seis», escrito en 1950, —mucho antes de que el autor desarrollara su característico estilo del realismo mágico— es realista y tiene un estilo más simple y directo. A través de las obras de García Márquez, se ven excelentes ejemplos de personajes bien desarrollados, dos de los cuales aparecen en este cuento.

La mujer que llegaba a las seis

Gabriel García Márquez

La puerta oscilante se abrió. A esa hora no había nadie en el restaurante de José. Acababan de dar las seis y el hombre sabía que sólo a las seis y media empezarían a llegar los parroquianos habituales. Tan conservadora y regular era su clientela, que no había acabado el reloj de dar la sexta campanada cuando 5 una mujer entró, como todos los días a esa hora, y se sentó sin decir nada en la alta silla giratoria. Traía un cigarrillo sin encender, apretado entre los labios.

—Hola, reina —dijo José cuando la vio sentarse. Luego caminó hacia el otro extremo del mostrador,° limpiando con un trapo seco la superficie vidriada.° Siempre que entraba alguien al restaurante José hacía lo mismo. 10 Hasta° con la mujer con quien había llegado a adquirir un grado de casi intimidad, el gordo y rubicundo mesonero representaba su diaria comedia de hombre diligente. Habló desde el otro extremo del mostrador.

—¿Qué quieres hoy? —dijo.

—Primero que todo quiero enseñarte a ser caballero —dijo la mujer. 15 Estaba sentada al final de la hilera de sillas giratorias, de codos en el mostrador, con el cigarrillo apagado° en los labios. Cuando habló apretó la boca para que José advirtiera el cigarrillo sin encender.

—No me había dado cuenta —dijo José.

—Todavía no te has dado cuenta de nada —dijo la mujer.

20 El hombre dejó el trapo en el mostrador, caminó hacia los armarios° oscuros y olorosos a alquitrán° y a madera polvorienta, y regresó luego con los fósforos. La mujer se inclinó para alcanzar la lumbre° que ardía entre las manos rústicas y velludas del hombre; José vio el abundante cabello de la mujer, empavonado de vaselina gruesa y barata. Vio su hombro descubierto, 25 por encima del corpiño floreado. Vio el nacimiento del seno° crepuscular, cuando la mujer levantó la cabeza, ya con brasa° entre los labios.

—Estás hermosa hoy, reina —dijo José.

—Déjate de tonterías —dijo la mujer.— No creas que eso me va a servir para pagarte.

30 —No quise decir eso, reina —dijo José.— Apuesto a que° hoy te hizo daño el almuerzo.

La mujer tragó la primera bocanada de humo denso, se cruzó de brazos, todavía con los codos apoyados en el mostrador, y se quedó mirando hacia la calle, a través del amplio cristal° del restaurante. Tenía una expresión 35 melancólica. De una melancolía hastiada° y vulgar.

—Te voy a preparar un buen bistec —dijo José.

—Todavía no tengo plata —dijo la mujer.

—Hace tres meses que no tienes plata y siempre te preparo algo bueno —dijo José.

40 —Hoy es distinto —dijo la mujer, sombríamente, todavía mirando hacia la calle.

counter
glazed
Aun
extinguido
cupboards
tar
fuego
breast
ember (del fuego del cigarrillo)
I bet that
ventana
cansada y aburrida

—Todos los días son iguales —dijo José.— Todos los días el reloj marca las seis, entonces entras y dices que tienes un hambre de perro y entonces yo te preparo algo bueno. La única diferencia es ésa, que hoy no dices que tienes
45 un hambre de perro, sino que el día es distinto.

—Y es verdad —dijo la mujer. Se volvió a mirar al hombre que estaba del otro lado del mostrador, registrando la nevera.° Estuvo contemplándolo durante dos, tres segundos. Luego miró el reloj, arriba del armario. Eran las seis y tres minutos. «Es verdad, José. Hoy es distinto» dijo. Expulsó el humo y
50 siguió hablando con palabras cortas, apasionadas: «Hoy no vine a las seis, por eso es distinto, José».

refrigerador

El hombre miró el reloj.

—Me corto el brazo si ese reloj se atrasa un minuto —dijo.

—No es eso, José. Es que hoy no vine a las seis —dijo la mujer.

55 —Vine a las seis menos cuarto.

—Acaban de dar las seis, reina —dijo José—. Cuando tú entraste acababan de darlas.

—Tengo un cuarto de hora de estar aquí —dijo la mujer.

José se dirigió hacia donde ella estaba. Acercó a la mujer su enorme
60 cara congestionada, mientras tiraba con el índice° de uno de sus párpados.°

index finger/eyelids

—Sóplame° aquí —dijo.

Blow (Breathe) on me

La mujer echó la cabeza hacia atrás. Estaba seria, fastidiosa,°[2] blanda;° embellecida por una nube de tristeza y cansancio.

irritada/suave, tierna

—Déjate de tonterías, José. Tú sabes que hace más de seis meses que
65 no bebo.

—Eso se lo vas a decir a otro —dijo—. A mí no. Te apuesto a que por lo menos se han tomado un litro entre dos.

—Me tomé dos tragos con un amigo —dijo la mujer.

—Ah; entonces ahora me explico —dijo José.

70 —Nada tienes que explicarte —dijo la mujer—. Tengo un cuarto de hora de estar aquí.

El hombre se encogió de hombros.°

shrugged

—Bueno, si así lo quieres, tienes un cuarto de hora de estar aquí —dijo —. Después de todo a nadie le importa nada diez minutos más o diez minutos
75 menos.

—Sí importan, José —dijo la mujer. Y estiró° los brazos por encima del mostrador, sobre la superficie vidriada, con un aire de negligente abandono. Dijo: «Y no es que yo lo quiera: es que hace un cuarto de hora que estoy aquí» Volvió a mirar el reloj y rectificó:

extendió

80 —Qué digo: ya tengo veinte minutos.

—Está bien, reina —dijo el hombre—. Un día entero con su noche te regalaría yo para verte contenta.

Durante todo este tiempo José había estado moviéndose detrás del mostrador, removiendo objetos, quitando una cosa de un lugar para ponerla
85 en otro. Estaba en su papel.

---

[2]En versiones publicadas más tarde, **fastidiada** se ha usado.

—Quiero verte contenta —repitió. Se detuvo bruscamente, volviéndose hacia donde estaba la mujer —dijo.

—¿Tú sabes que te quiero mucho? —dijo.

La mujer lo miró con frialdad.

90 —¿Síii...? Qué descubrimiento, José. ¿Crees que me quedaría contigo por un millón de pesos?

—No he querido decir eso, reina —dijo José—. Vuelvo a apostar a que te hizo daño el almuerzo.

—No te lo digo por eso —dijo la mujer. Y su voz se volvió menos indo-

95 lente.° —Es que ninguna mujer soportaría una carga° como la tuya ni por un millón de pesos.

José se ruborizó. Le dio la espalda a la mujer y se puso a sacudir el polvo° en las botellas del armario. Habló sin volver la cara.

—Estás insoportable° hoy, reina. Creo que lo mejor es que te comas el

100 bistec y te vayas a acostar.

—No tengo hambre —dijo la mujer. Se quedó mirando otra vez la calle, viendo los transeúntes turbios de la ciudad atardecida. Durante un instante hubo un silencio turbio en el restaurante. Una quietud interrumpida apenas por el trasteo° de José en el armario. De pronto la mujer dejó de mirar hacia

105 la calle y habló con la voz apagada,° tierna, diferente.

—¿Es verdad que me quieres, Pepillo?

—Es verdad —dijo José, en seco, sin mirarla.

—¿A pesar de lo que te dije? —dijo la mujer.

—¿Qué me dijiste? —dijo José, todavía sin inflexiones en la voz, todavía

110 sin mirarla.

—Lo del millón de pesos —dijo la mujer.

—Ya lo había olvidado —dijo José.

—Entonces, ¿me quieres? —dijo la mujer.

—Sí —dijo José.

115 Hubo una pausa. José siguió moviéndose con la cara vuelta hacia los armarios, todavía sin mirar a la mujer. Ella expulsó una nueva bocanada de humo, apoyó el busto contra el mostrador, y luego, con cautela y picardía, mordiéndose la lengua antes de decirlo, como si hablara en puntillas:°

—¿Aunque no me acueste contigo? —dijo.

120 Y sólo entonces José volvió a mirarla:

—Te quiero tanto que no me acostaría contigo —dijo. Luego caminó hacia donde ella estaba. Se quedó mirándola de frente, los poderosos brazos apoyados en el mostrador, delante de ella, mirándola a los ojos. Dijo—: Te quiero tanto que todas las tardes mataría al hombre que se va contigo.

125 En el primer instante la mujer pareció perpleja. Después miró al hombre con atención, con una ondulante expresión de compasión y burla. Después guardó un breve silencio, desconcertada. Y después rió estrepitosamente.°

—Estás celoso, José. ¡Qué rico, estás celoso!

José volvió a sonrojarse con una timidez franca, casi desvergonzada,°

130 como le habría ocurrido a un niño a quien le hubieran revelado de golpe todos los secretos. Dijo:

insensitive/weight

shake, dust off

insufrible, *unbearable*

rummaging around

débil, tímida

on tiptoe

ruidosamente

insolente, impudente

—Esta tarde no entiendes nada, reina. —Y se limpió el sudor con el trapo. Dijo:— La mala vida te está embruteciendo.

Pero ahora la mujer había cambiado de expresión. «Entonces no», dijo.
135 Y volvió a mirarlo a los ojos, con un extraño esplendor en la mirada, a un tiempo acongojada° y desafiante:

preocupada, ansiosa

—Entonces, no estás celoso.

—En cierto modo, sí —dijo José—. Pero no es como tú dices.

Se aflojó el cuello y siguió limpiándose, secándose la garganta con el trapo.

140 —¿Entonces? —dijo la mujer.

—Lo que pasa es que te quiero tanto que no me gusta que hagas eso —dijo José.

—¿Qué? —dijo la mujer.

—Eso de irte con un hombre distinto todos los días —dijo José.

145 —¿Es verdad que lo matarías para que no se fuera conmigo? —dijo la mujer.

—Para que no se fuera, no —dijo José —. Lo mataría porque *se fue* contigo.

—Es lo mismo —dijo la mujer.

La conversación había llegado a densidad excitante. La mujer hablaba
150 en voz baja, suave, fascinada. Tenía la cara pegada al rostro saludable y pacífico del hombre, que permanecía inmóvil, como hechizado° por el vapor de las palabras.

bewitched

—Todo eso es verdad —dijo José.

—Entonces —dijo la mujer, y extendió la mano para acariciar el áspero
155 brazo del hombre. Con la otra arrojó la colilla.° — Entonces, ¿tú eres capaz de matar a un hombre?

el resto del cigarrillo

—Para lo que te dije, sí —dijo José. Y su voz tomó una acentuación casi dramática.

La mujer se echó a reír convulsivamente, con una abierta intención de
160 burla.

—Qué horror, José. Qué horror —dijo, todavía riendo—, José matando a un hombre. iQuién hubiera dicho que detrás del señor gordo y santurrón° que nunca me cobra, que todos los días me prepara un bistec y que se distrae hablando conmigo hasta cuando encuentro un hombre, hay un asesino! ¡Qué
165 horror, José! ¡Me das miedo!

sanctimonious

José estaba confundido. Tal vez sintió un poco de indignación. Tal vez, cuando la mujer se echó a reír, se sintió defraudado.

—Estás borracha, tonta —dijo—. Vete a dormir. Ni siquiera tendrás ganas de comer nada.

170 Pero la mujer ahora había dejado de reír y estaba otra vez seria, pensativa, apoyada en el mostrador. Vio alejarse al hombre. Lo vio abrir la nevera y cerrarla otra vez, sin extraer nada de ella. Lo vio moverse después hacia el extremo opuesto del mostrador. Lo vio frotar el vidrio reluciente, como al principio. Entonces la mujer habló de nuevo, con el tono enternecedor y suave
175 cuando dijo: ¿Es verdad que me quieres, Pepillo?

—José —dijo.

Él hombre no la miró.

—¡José!

—Vete a dormir...—dijo José—. Y métete un baño antes de acostarte
180 para que se te serene la borrachera.

—En serio, José —dijo la mujer—. No estoy borracha.

—Entonces te has vuelto bruta —dijo José.

—Ven acá, tengo que hablar contigo —dijo la mujer.

El hombre se acercó tambaleandoº entre la complacencia y la desconfianza. **vacilando**

185 —¡Acércate!

El hombre volvió a pararse frente a la mujer. Ella se inclinó hacia adelante, lo asióº fuertemente por el cabello, pero con un gesto de evidente ternura. **agarró**

—Repíteme lo que me dijiste al principio —dijo.

—¿Qué? —dijo José. Trataba de mirarla con la cabeza agachada,º asido **inclinada**
190 por el cabello.

—Que matarías a un hombre que se acostara conmigo —dijo la mujer.

—Mataría a un hombre que se hubiera acostado contigo, reina. Es verdad —dijo José.

La mujer lo soltó.º ***let him go***

195 —¿Entonces me defenderías si yo lo matara? —dijo, afirmativamente, empujando con un movimiento de brutal coquetería la enorme cabeza de cerdo de José. El hombre no respondió nada; sonrió.

—Contéstame, José —dijo la mujer—. ¿Me defenderías si yo lo matara?

—Eso depende —dijo José—. Tú sabes que eso no es tan fácil como
200 decirlo.

—A nadie le cree más la policía que a ti —dijo la mujer.

José sonrió, digno, satisfecho. La mujer se inclinó de nuevo hacia él, por encima del mostrador.

—Es verdad, José. Me atrevería a apostar que nunca has dicho una
205 mentira —dijo.

—No se saca nada con eso —dijo José.

—Por lo mismo —dijo la mujer—. La policía lo sabe y te cree cualquier cosa sin preguntártelo dos veces.

José se puso a dar golpecitos en el mostrador, frente a ella, sin saber
210 qué decir. La mujer miró nuevamente hacia la calle. Miró luego el reloj y modificó el tono de voz, como si tuviera interés en concluir el diálogo antes de que llegaran los primeros parroquianos.

—¿Por mí dirías una mentira, José? —dijo—. En serio.

Y entonces José se volvió a mirarla, bruscamente, a fondo, como si una
215 idea tremenda se le hubiera agolpadoº dentro de la cabeza. Una idea que entró por un oído, giró por un momento, vaga, confusa, y salió luego por el otro, dejando apenas un cálidoº vestigio de pavor.º ***raced, crowded*** ***warm*/terror**

—¿En qué líoº te has metido reina? —dijo José. Se inclinó hacia adelante, los brazos otra vez cruzados sobre el mostrador. La mujer sintió el vahoº
220 fuerte y un poco amoniacal de su respiración, que se hacía difícil por la presión que ejercía el mostrador contra el estómago del hombre. ***mess*** **vapor**

—Esto sí es en serio, reina. ¿En qué lío te has metido? —dijo.

La mujer hizo girar la cabeza hacia el otro lado.

—En nada —dijo—. Sólo estaba hablando por entretenerme.
225 Luego volvió a mirarlo.
—¿Sabes que quizá no tengas que matar a nadie?
—Nunca he pensado matar a nadie —dijo José desconcertado.
—No, hombre —dijo la mujer—. Digo que a nadie que se acueste conmigo.
—¡Ah! —dijo José—. Ahora sí que estás hablando claro. Siempre he
230 creído que no tienes necesidad de andar en esa vida. Te apuesto a que si te dejas de eso te doy el bistec más grande de todos los días, sin cobrarte nada.
—Gracias, José —dijo la mujer—. Pero no es por eso. Es que *ya no podré* acostarme con nadie.
235 —Ya vuelves a enredar° las cosas —dijo José. Empezaba a parecer impaciente.

confundir, complicar

—No enredo nada —dijo la mujer. Se estiró en el asiento y José vio sus senos aplanados y tristes debajo del corpiño.
—Mañana me voy y te prometo que no volveré a molestarte nunca. Te
240 prometo que no volveré a acostarme con nadie.
—¿Y de dónde te salió esa fiebre? —dijo José.
—Lo resolví hace un rato —dijo la mujer—. Sólo hace un momento me di cuenta de que eso es una porquería.°

acción sucia o indecente

José agarró otra vez el trapo y se puso a frotar el vidrio, cerca de ella.
245 Habló sin mirarla.
Dijo:
—Claro que como tú lo haces es una porquería. Hace tiempo que debiste darte cuenta.
—Hace tiempo me estaba dando cuenta —dijo la mujer—. Pero sólo
250 hace un rato acabé de convencerme. Les tengo asco a los hombres.
José sonrió. Levantó la cabeza para mirar, todavía sonriendo, pero la vio concentrada, perpleja, hablando, y con los hombros levantados; balanceándose en la silla giratoria, con una expresión taciturna, el rostro dorado por una prematura harina otoñal.
255 —¿No te parece que deben dejar tranquila a una mujer que mate a un hombre porque después de haber estado con él siente asco de ése y de todos los que han estado con ella?
—No hay para qué ir tan lejos —dijo José, conmovido, con un hilo de lástima en la voz.
260 —¿Y si la mujer le dice al hombre que le tiene asco cuando lo ve vistiéndose, porque se acuerda de que ha estado revolcándose° con él toda la tarde y siente que ni el jabón ni el estropajo° podrán quitarle su olor?

rolling around
scourer, scouring cloth

—Eso pasa, reina —dijo José, ahora un poco indiferente, frotando el mostrador. —No hay necesidad de matarlo. Simplemente dejarlo que se vaya.
265 Pero la mujer seguía hablando y su voz era una corriente uniforme, suelta, apasionada.
—¿Y si cuando la mujer le dice que le tiene asco, el hombre deja de vestirse y corre otra vez para donde ella, a besarla otra vez, a...?
—Eso no lo hace ningún hombre decente —dijo José.

270 —¿Pero, y si lo hace? —dijo la mujer, con exasperante ansiedad—. ¿Si el hombre no es decente y lo hace y entonces la mujer siente que le tiene tanto asco que se puede morir, y sabe que la única manera de acabar con todo eso es dándole una cuchillada por debajo?

—Esto es una barbaridad —dijo José—. Por fortuna no hay hombre que 275 haga lo que tú dices.

—Bueno —dijo la mujer, ahora completamente exasperada—. ¿Y si lo hace? Suponte que lo hace.

—De todos modos no es para tanto° —dijo José. Seguía limpiando el mostrador, sin cambiar de lugar, ahora menos atento a la conversación.

no es gran cosa

280 La mujer golpeó el vidrio con los nudillos. Se volvió afirmativa, enfática.

—Eres un salvaje, José —dijo—. No entiendes nada. —Lo agarró con fuerza por la manga. —Anda, di que sí debía matarlo la mujer.

—Está bien —dijo José, con un sesgo° conciliatorio—. Todo será como tú dices.

turn

285 —¿Eso no es defensa propia? —dijo la mujer, sacudiéndole° por la manga.

shaking him

José le echó entonces una mirada tibia y complaciente. «Casi, casi», dijo. Y le guiñó un ojo, en un gesto que era al mismo tiempo una comprensión cordial y un pavoroso compromiso de complicidad. Pero la mujer siguió 290 seria; lo soltó.

—¿Echarías una mentira para defender a una mujer que haga eso? —dijo.

—Depende —dijo José.

—¿Depende de qué? —dijo la mujer.

—Depende de la mujer —dijo José.

295 —Suponte que es una mujer que quieres mucho —dijo la mujer—. No para estar con ella, ¿sabes?, sino como tú dices que la quieres mucho.

—Bueno, como tú quieras, reina —dijo José, laxo, fastidiado.°

irritado, casi aburrido

Otra vez se alejó. Había mirado el reloj. Había visto que iban a ser las seis y media. Había pensado que dentro de unos minutos el restaurante 300 empezaría a llenarse de gente y tal vez por eso se puso a frotar el vidrio con mayor fuerza, mirando hacia la calle a través del cristal de la ventana. La mujer permanecía en la silla, silenciosa, concentrada, mirando con un aire de declinante tristeza los movimientos del hombre. Viéndolo, como podría ver a un hombre una lámpara que ha empezado a apagarse. De pronto, sin reac- 305 cionar, habló de nuevo, con una voz untuosa de mansedumbre.°

sickeningly sweet with gentleness

—¡José!

El hombre la miró con una ternura densa y triste, como un buey maternal. No la miró para escucharla; apenas para verla, para saber que estaba ahí, esperando una mirada que no tenía por qué ser de protección o de solidari- 310 dad. Apenas una mirada de juguete.

—Te dije que mañana me voy y no me has dicho nada —dijo la mujer.

—Sí —dijo José—. Lo que no me has dicho es para dónde.

—Por ahí —dijo la mujer—. Para donde no haya hombres que quieran acostarse con una.

315 José volvió a sonreír.

—¿En serio te vas? —preguntó, como dándose cuenta de la vida, modificando repentinamente la expresión del rostro.

—Eso depende de ti —dijo la mujer—. Si sabes decir a qué hora vine, mañana me iré y nunca más me pondré en estas cosas. ¿Te gusta eso?

320 José hizo un gesto afirmativo con la cabeza, sonriente y concreto. La mujer se inclinó hacia donde él estaba.

—Si algún día vuelvo por aquí, me pondré celosa cuando encuentre otra mujer hablando contigo, a esta hora y en esta misma silla.

—Si vuelves por aquí debes traerme algo —dijo José.

325 —Te prometo buscar por todas partes el osito de cuerda,° para traértelo —dijo la mujer.

° *wind-up toy bear*

José sonrió y pasó el trapo por el aire que se interponía entre él y la mujer, como si estuviera limpiando un cristal invisible. La mujer también sonrió, ahora con un gesto de cordialidad y coquetería. Luego el hombre se alejó, 330 frotando el vidrio hacia el otro extremo del mostrador.

—¿Qué? —dijo José sin mirarla.

—¿Verdad que a cualquiera que te pregunte a qué hora vine le dirás que a las seis menos cuarto? —dijo la mujer.

—¿Para qué? —dijo José, todavía sin mirarla y ahora como si apenas la 335 hubiera oído.

—Eso no importa —dijo la mujer—. La cosa es que lo hagas.

José vio entonces al primer parroquiano que penetró por la puerta oscilante y caminó hasta una mesa del rincón. Miró el reloj. Eran las seis y media en punto.

340 —Está bien, reina —dijo distraídamente—. Como tú quieras. Siempre hago las cosas como tú quieres.

—Bueno —dijo la mujer—. Entonces, prepárame el bistec.

El hombre se dirigió a la nevera, sacó un plato con carne y lo dejó en la mesa. Luego encendió la estufa.

345 —Te voy a preparar un buen bistec de despedida, reina —dijo.

—Gracias, Pepillo —dijo la mujer.

Se quedó pensativa como si de repente se hubiera sumergido en un submundo extraño, poblado de formas turbias, desconocidas. No se[3] oyó, del otro lado del mostrador, el ruido que hizo la carne fresca al caer en la manteca 350 hirviente. No oyó, después, la crepitación seca y burbujeante cuando José dio vuelta al lomillo en el caldero y el olor suculento de la carne sazonada fue saturando, a espacios medidos, el aire del restaurante. Se quedó así, concentrada, reconcentrada, hasta cuando volvió a levantar la cabeza, pestañeando, como si regresara de una muerte momentánea. Entonces vio al hombre que 355 estaba junto a la estufa, iluminado por el alegre fuego ascendente.

—Pepillo.

—Ah.

—¿En qué piensas? —dijo la mujer.

---

[3]En versiones del cuento publicadas más tarde, la palabra **se** no aparece aquí. **No oyó** parece la versión correcta.

—Estaba pensando si podrás encontrar en alguna parte el osito de
360 cuerda —dijo José.

—Claro que sí —dijo la mujer—. Pero lo que quiero que me digas es si me darás todo lo que te pidiera de despedida.

José la miró desde la estufa.

—¿Hasta cuándo te lo voy a decir?° —dijo— ¿Quieres algo más que el
365 mejor bistec?

¿Cuántas veces tengo que decírtelo?

—Sí —dijo la mujer.

—¿Qué? —dijo José.

—Quiero otro cuarto de hora.

José echó el cuerpo hacia atrás, para mirar el reloj. Miró luego al parro-
370 quiano que seguía silencioso, aguardando en el rincón, y finalmente a la carne, dorada en el caldero. Sólo entonces habló.

—En serio que no te entiendo, reina —dijo.

—No seas tonto, José —dijo la mujer—. Acuérdate que estoy aquí desde las cinco y media.

375 *(1950)*

DESPUÉS DE LEER

Preguntas

En general

1. ¿Qué se sabe sobre la clientela de José?
2. ¿Qué tipo de hombre era José? ¿Qué características de su personalidad destacan? (Escriba un párrafo en que describa tanto su aspecto físico como su personalidad.)
3. ¿Qué tipo de mujer era «la reina»? ¿Qué características de su personalidad destacan? (Escriba un párrafo en que describa tanto su aspecto físico como su personalidad.)

En detalle

1. Temprano en el cuento leemos que «Hasta con la mujer con quien había llegado a adquirir un grado de casi intimidad, el gordo y rubicundo mesonero representaba su diaria comedia de hombre diligente». Busque la evidencia en el cuento donde José representaba un papel de «hombre diligente».
2. ¿Por qué les tenía asco a los hombres la mujer?
3. ¿Qué intención tuvo la mujer cuando le llamó «Pepillo» a José?
4. La mujer era muy manipuladora. Identifique ejemplos de su manipulación.
5. ¿Qué tipo de hombre era José? ¿Qué importancia tenía el carácter de José para la mujer?

6. ¿Qué argumentos usaba la mujer para justificar el asesinato de un hombre?
7. ¿Qué importancia para el cuento tiene la regularidad de la clientela de José?

Discusión e interpretación

1. ¿Cómo reaccionó la mujer cuando José le dijo que la quería? ¿Por qué cree Ud. que reaccionó así?
2. ¿Cuándo se dio cuenta la mujer que la vida que llevaba era vergonzosa y que ya no quería seguir así? ¿Por qué cree Ud. que se tardó tanto tiempo en darse cuenta?
3. ¿Por qué era tan importante para la mujer establecer que ella había llegado antes de las seis?
4. Al final del cuento la mujer indicó que quería que José dijera que ella había llegado a las cinco y media. ¿Por qué no le pidió esto al principio?
5. Mientras dialogaban, José no parecía darse cuenta que la mujer —cuando fingía hablar de asuntos hipotéticos— realmente hablaba de asuntos verdaderos. ¿Cuándo cree Ud. que él se dio cuenta que hablaba en serio? Cite evidencia del cuento.
6. Este cuento tiene un rico diálogo entre José y la «reina» pero el lenguaje corporal de los dos comunica mucho también. Repase el cuento buscando ejemplos del lenguaje corporal y prepárese a explicar lo que significan.
7. La mujer mantiene que «hoy es distinto» mientras que José dice que «todos los días son iguales». ¿En qué aspectos tiene razón José y en qué aspectos tiene razón la mujer? ¿En qué aspectos están equivocados?
8. Durante el cuento la mujer sufría una serie de cambios emocionales. Identifíquelos y explique por qué cambió tantas veces.
9. Hay varias referencias al apetito de la mujer. ¿Qué indica su falta de apetito al principio y durante la mayoría del cuento? ¿Qué señala el regreso de su apetito hacia el final?
10. Repase el cuento buscando indicaciones de la ingenuidad e inocencia de José.
11. ¿Cree Ud. que fue justificado el asesinato de un hombre? Explique.

LAZOS GRAMATICALES

Ser/Estar + adjetivos

Tanto **ser** como **estar** se usan con adjetivos para describir cosas o personas pero, como Ud. sabe, comunican diferente información sobre la persona o cosa descrita. (Si necesita más detalles, antes de hacer el siguiente ejercicio, refiérase a la sección número tres del *Manual de gramática* [pp. 298–306].)

10-10 ¿Qué información se comunica con «ser» y con «estar»? Tomando en cuenta lo que sabe sobre **ser** y **estar** + adjetivos, comente el uso de **ser** o de **estar** en los siguientes fragmentos del cuento. Explique por qué se ha usado **ser** y **estar**. Luego explique la importancia que esta información tiene para la trama del cuento.

1. **Tan conservadora y regular era** su clientela, que no había acabado el reloj de dar la sexta campanada cuando una mujer entró, como todos los días a esa hora, y se sentó sin decir nada en la alta silla giratoria.
2. José vio el abundante cabello de la mujer, empavonado de vaselina gruesa y barata. Vio su hombro descubierto, por encima del corpiño floreado. Vio el nacimiento del seno crepuscular, cuando la mujer levantó la cabeza, ya con brasa entre los labios.

   —**Estás hermosa** hoy, reina —dijo José.
3. La mujer echó la cabeza hacia atrás. **Estaba seria, fastidiosa, blanda; embellecida** por una nube de tristeza y cansancio.
4. —**Estás insoportable** hoy, reina. Creo que lo mejor es que te comas el bistec y te vayas a acostar.
5. En el primer instante la mujer pareció perpleja. Después miró al hombre con atención, con una ondulante expresión de compasión y burla. Después guardó un breve silencio, desconcertada. Y después rió estrepitosamente.

   —**Estás celoso**, José. ¡Qué rico, **estás celoso**!

   José volvió a sonrojarse con una timidez franca, casi desvergonzada, como le habría ocurrido a un niño a quien le hubieran revelado de golpe todos los secretos.
6. —Entonces —dijo la mujer, y extendió la mano para acariciar el áspero brazo del hombre. Con la otra arrojó la colilla—. Entonces, ¿tú **eres capaz** de matar a un hombre?
7. —Qué horror, José. Qué horror —dijo, todavía riendo—. José matando a un hombre. ¡Quién hubiera dicho que detrás del señor gordo y santurrón que nunca me cobra, que todos los días me prepara un bistec y que se distrae hablando conmigo hasta cuando encuentro un hombre, hay un asesino! ¡Qué horror, José! ¡Me das miedo!

   José (1) **estaba confundido**. Tal vez sintió un poco de indignación. Tal vez, cuando la mujer se echó a reír, se sintió defraudado.

   —(2) **Estás borracha**, tonta —dijo—. Vete a dormir. Ni siquiera tendrás ganas de comer nada.

Pero la mujer ahora había dejado de reír y (3) **estaba** otra vez **seria, pensativa**, apoyada en el mostrador.

Usos del pretérito y del imperfecto

En esta sección se presenta una serie de usos interesantes del pretérito y del imperfecto. Los ejercicios van a ayudarlo/la a refinar su comprensión de la información que estos dos aspectos del tiempo pasado comunican. Si necesita repasar los usos, consulte la sección número cuatro del *Manual de gramática* (pp. 307–314).

10-11 ¿Qué nos sugiere el título? El uso del imperfecto en el título nos da importante información sobre el cuento. Considere lo que sabe sobre los usos del imperfecto para contestar las siguientes preguntas.

1. ¿Qué indica el uso del imperfecto en el título sobre las prácticas/costumbres de la mujer? ¿Qué información en el primer párrafo confirma lo que ya suponemos leyendo el título?
2. En una traducción inglesa de este cuento se ha traducido el título como «The Woman Who Came at Six O'Clock». Sabiendo lo que sabe sobre los usos del imperfecto, ¿cree Ud. que este título inglés sea una traducción adecuada del original? Explique. Si no le gusta el título, ¿puede ofrecer una traducción mejor?

10-12 Usos interesantes del pretérito. Algunos libros de texto hacen ciertas afirmaciones —erróneas, semi-erróneas o incompletas— sobre los usos del pretérito y del imperfecto. En este ejercicio, vamos a ver evidencia en contra de algunas de estas afirmaciones.

1. Muchos libros de texto señalan que el pretérito de **querer** significa *tried* y que **no querer** en el pretérito quiere decir *refused*. Aunque **pueden** traducirse así, también pueden traducirse a *wanted* y *didn't want*, respectivamente —traducciones que suelen asociarse con el imperfecto. Lea el siguiente fragmento del cuento y preste atención a la expresión **no quise**. ¿Cree Ud. que quiere decir *I refused*? Si no, ¿cómo lo traduciría Ud.?

   —Estás hermosa hoy, reina —dijo José.

   —Déjate de tonterías —dijo la mujer—. No creas que eso me va a servir para pagarte.

   —**No quise** decir eso, reina —dijo José—. Apuesto a que hoy te hizo daño el almuerzo.

2. Una regla errónea que se ofrece en algunos libros de texto es que las emociones se expresan en el pasado usando el imperfecto. ¿Cree Ud. que esto sea siempre verdad? (Obviamente, la respuesta es no.) Mire el siguiente ejemplo del cuento. ¿Por qué se ha usado el pretérito para expresar emociones? Piense en los usos regulares del pretérito.

—Qué horror, José. Qué horror —dijo, todavía riendo—. José matando a un hombre. ¡Quién hubiera dicho que detrás del señor gordo y santurrón que nunca me cobra, que todos los días me prepara un bistec y que se distrae hablando conmigo hasta cuando encuentro un hombre, hay un asesino! ¡Qué horror, José! ¡Me das miedo!

José estaba confundido. Tal vez **sintió** un poco de indignación. Tal vez, cuando la mujer se echó a reír, **se sintió** defraudado.

10-13 Comparando casos paralelos del pretérito y del imperfecto. En esta actividad, vamos a ver frases similares donde en una se ha usado el pretérito y en la otra se ha usado el imperfecto. Si hacemos comparaciones con situaciones paralelas, es más fácil ver las diferencias de uso y así entender mejor lo que el pretérito y el imperfecto comunican.

Cuando **seguir** se usa en el tiempo progresivo (con el gerundio), quiere decir **continuar**. Por eso, uno pensaría que **seguir** se usaría siempre en el imperfecto porque su significado implica acciones y estados continuos o en progreso. Sin embargo, **seguir** puede usarse a veces en el pretérito para indicar que la acción principal (el gerundio) empieza de nuevo. Vamos a ver un ejemplo en contexto y así se prepara para los otros ejercicios en esta actividad. Examine el siguiente fragmento prestando atención al uso de **siguió moviéndose**. ¿Por qué se usó el pretérito de **seguir** en este contexto? Prepare su explicación antes de leer la explicación que sigue más abajo.

Modelo

—Entonces, ¿me quieres? —dijo la mujer.

—Sí —dijo José.

Hubo una pausa. José **siguió moviéndose** con la cara vuelta hacia los armarios, todavía sin mirar a la mujer...

→ **Explicación:** Recuerde que un uso del pretérito es indicar el principio de una acción. Aunque «**seguir moviéndose**» claramente indica una continuidad de la acción de **moverse** (por el significado de **seguir** y también por el uso de una estructura progresiva), el uso de **seguir** en el pretérito indica que sus movimientos —que fueron interrumpidos por una pausa momentánea— han empezado de nuevo. La pausa se indica con la frase «**Hubo una pausa**» pero aun sin esta frase, el pretérito de **seguir** ya indica que hubo una pausa porque para empezar una acción de nuevo, tiene que haber habido una pausa. Lo que importa en este análisis es **lo que el pretérito nos comunica**: el efecto que la pregunta de la mujer tiene sobre José.

1. Examine los siguientes pares prestando atención al uso de **siguió/seguía** + gerundio en el contexto de la escena del fragmento. Note que en cada par, **siguió/seguía** están combinados con el mismo verbo. Prepárese para contestar las siguientes preguntas para cada par de fragmentos.
   - ¿Por qué en un caso se ha usado el pretérito y en el otro el imperfecto?
   - En cada caso, indique el significado que resulta del uso del pretérito y del imperfecto.

   (1a) —Y es verdad —dijo la mujer. Se volvió a mirar al hombre que estaba del otro lado del mostrador, registrando la nevera. Estuvo contemplándolo durante dos, tres segundos. Luego miró el reloj, arriba del armario. Eran las seis y tres minutos. «Es verdad, José. Hoy es distinto» dijo. Expulsó el humo y **siguió hablando** con palabras cortas, apasionadas. «Hoy no vine a las seis, por eso es distinto, José».

   (1b) —¿Y si la mujer le dice al hombre que le tiene asco cuando lo ve vistiéndose, porque se acuerda de que ha estado revolcándose con él toda la tarde y siente que ni el jabón ni el estropajo podrán quitarle su olor?

   —Eso pasa, reina —dijo José, ahora un poco indiferente, frotando el mostrador.

   —No hay necesidad de matarlo. Simplemente dejarlo que se vaya.

   Pero la mujer **seguía hablando**, y su voz era una corriente uniforme, suelta, apasionada.

   —¿Y si cuando la mujer le dice que le tiene asco, el hombre deja de vestirse y corre otra vez para donde ella, a besarla otra vez, a...?

   (2a) —Entonces, no estás celoso.

   —En cierto modo, sí —dijo José. —Pero no es como tú dices.

   Se aflojó el cuello y **siguió limpiándose**, secándose la garganta con el trapo.

   (2b) —De todos modos no es para tanto —dijo José. **Seguía limpiando** el mostrador, sin cambiar de lugar, ahora menos atento a la conversación.

2. Tanto **hubo** como **había** pueden traducirse a *there was*. Examine las siguientes oraciones y, usando lo que sabe sobre los usos del pretérito y del imperfecto, explique la diferencia de significado entre **había** en el primer caso y **hubo** en los dos últimos.
   a. La puerta oscilante se abrió. A esa hora no **había** nadie en el restaurante de José.

b. —No tengo hambre —dijo la mujer. Se quedó mirando otra vez la calle, viendo los transeúntes turbios de la ciudad atardecida. Durante un instante **hubo** un silencio turbio en el restaurante.

c. —Sí —dijo José.

Hubo una pausa. José siguió moviéndose con la cara vuelta hacia los armarios, todavía sin mirar a la mujer.

Usos del condicional

El condicional tiene tres usos principales.

1. Primero, se usa como equivalente del «futuro del pasado», cuando, en un determinado momento del pasado la acción no había ocurrido todavía. Por ejemplo, si en el presente decimos «Sabemos que vendrá dentro de la hora», en el pasado, diríamos «Sabíamos que **vendría** dentro de la hora». Por regla general, se puede usar la estructura **ir** (imperfecto) + **a** + **infinitivo** (Sabíamos que **iba a venir**...) y a veces el imperfecto del verbo mismo sirve (Sabíamos que **venía**...).
2. El segundo uso es para situaciones **condicionales** o **hipotéticas**, o sea, las que ocurrirían bajo ciertas circunstancias y frecuentemente son improbables. Estas frases ocurren con una frase con «si», aunque la cláusula con «si» no siempre se expresa abiertamente. Por ejemplo: Yo **diría** la verdad (si fuera Ud./si estuviera en su lugar, etc.).
3. El tercer uso es para hacer conjeturas en el pasado (como se usa el futuro para hacer conjeturas en el presente). Por ejemplo, si en el presente cuando alguien toca a la puerta decimos «Será Anita» (Probablemente es Anita), para decir lo mismo en el pasado, podríamos decir «**Sería** Anita» (Probablemente era Anita). En este capítulo, vamos a concentrarnos en los dos primeros usos porque son los que ocurren en este cuento.

Práctica/Modelo

Antes de hacer el ejercicio que sigue, lea el siguiente fragmento y determine si el condicional se ha usado para el futuro del pasado o si expresa una situación condicional/hipotética.

El hombre se encogió de hombros.

—Bueno, si así lo quieres, tienes un cuarto de hora de estar aquí —dijo—. Después de todo a nadie le importa nada diez minutos más o diez minutos menos.

—Sí importan, José —dijo la mujer.

(...)

—Está bien, reina —dijo el hombre—. Un día entero con su noche **te regalaría** yo para verte contenta.

➔ Si ha determinado que aquí el condicional se ha usado para una situación condicional/hipotética, tiene razón. (Pista: si sustituimos la frase **te iba a regalar** por **te regalaría** vemos que no tiene sentido, así que sabemos que no es un caso del «futuro del pasado».)

10-14 ¿Una predicción en el pasado o una situación hipotética? Examine los siguientes fragmentos para determinar si el tiempo condicional se ha usado para indicar (1) el futuro del pasado o (2) una situación condicional/hipotética. Luego, reescriba las oraciones donde el condicional indica el futuro del pasado usando la estructura **ir** (en el imperfecto) + **a** + **infinitivo.**

1. Acababan de dar las seis y el hombre sabía que sólo a las seis y media **empezarían** a llegar los parroquianos habituales.
2. —¿Síii...? Qué descubrimiento, José. ¿Crees que me **quedaría** contigo por un millón de pesos?
3. —Te quiero tanto que no me (1) **acostaría** contigo —dijo. Luego caminó hacia donde ella estaba. Se quedó mirándola de frente, los poderosos brazos apoyados en el mostrador, delante de ella, mirándola a los ojos. Dijo—: Te quiero tanto que todas las tardes (2) **mataría** al hombre que se va contigo.
4. —(1) **Mataría** a un hombre que se hubiera acostado contigo, reina. Es verdad —dijo José. La mujer lo soltó.

   —¿Entonces me (2) **defenderías** si yo lo matara? —dijo, afirmativamente, empujando con un movimiento de brutal coquetería la enorme cabeza de cerdo de José. El hombre no respondió nada; sonrió.
5. —¿**Echarías** una mentira para defender a una mujer que haga eso?
6. Había mirado el reloj. Había visto que iban a ser las seis y media. Había pensado que dentro de unos minutos el restaurante **empezaría** a llenarse de gente y tal vez por eso se puso a frotar el vidrio con mayor fuerza, mirando hacia la calle a través del cristal de la ventana.

Subjuntivo/Indicativo en cláusulas adverbiales

10-15 ¿Por qué subjuntivo o indicativo? Ciertas conjunciones adverbiales siempre van seguidas del subjuntivo pero muchas pueden usarse tanto con el subjuntivo como con el indicativo. El cambio entre indicativo y subjuntivo crea una diferencia de significado. Para las que varían, ¿qué determina si van con el subjuntivo o el indicativo? Si no recuerda, refiérase a la sección cinco del *Manual de gramática* (pp. 314–323). Luego conteste las preguntas a continuación.

1. Lea el siguiente fragmento prestando atención a los verbos en negrita. Luego conteste las preguntas que siguen.

   —Lo que pasa es que te quiero tanto que no me gusta que hagas eso —dijo José.

—¿Qué? —dijo la mujer.

—Eso de irte con un hombre distinto todos los días —dijo José.

—¿Es verdad que lo matarías para que no **se fuera** conmigo? —dijo la mujer.

—Para que no se fuera, no —dijo José; —lo mataría porque **se fue** contigo.

a. ¿Qué determina si se usa el subjuntivo o el indicativo en estos ejemplos?
b. ¿Qué nos dice el uso del subjuntivo en una de las cláusulas adverbiales y el uso del indicativo en la otra?
c. ¿Por qué cree Ud. que José ha hecho esta distinción?

2. Lea los dos fragmentos a continuación y compare las cláusulas adverbiales que están en negrita. Luego, enfocándose en el significado, explique por qué en el primer caso se ha usado el indicativo y en el segundo se ha usado el subjuntivo.

   a. José se dirigió hacia **donde ella estaba**.

   b. —Sí —dijo José —. Lo que no me has dicho es para dónde.

   —Por ahí —dijo la mujer—. Para **donde no haya hombres** que quieran acostarse con una.

3. En el fragmento a continuación, explique por qué en la primera cláusula con **como** se usó el subjuntivo mientras que en la segunda se usó el indicativo. ¿Cuál es la diferencia de significado?

   —Está bien, reina —dijo distraídamente—. **Como tú quieras**. Siempre hago las cosas **como tú quieres**.

Subjuntivo/Indicativo en cláusulas adjetivales

10-16 ¿Reales o no? El conector más común que introduce las cláusulas adjetivales es **que** y otro muy común es **lo que**. Ambos pueden emplearse con el indicativo o el subjuntivo. Con el indicativo, introducen cláusulas que describen cosas, personas o situaciones que existen, mientras que con el subjuntivo, introducen cláusulas que describen cosas, personas o situaciones que no existen o que no se sabe si existen. Considere esto al contestar las preguntas a continuación.

1. Lea la siguiente oración del cuento prestando atención a la cláusula adjetival. Los lectores sabemos que «la mujer» a quien la mujer describe es ella misma. ¿Por qué, entonces, ha empleado el subjuntivo en la cláusula adjetival?

   —¿No te parece que deben dejar tranquila a una mujer **que mate a un hombre** porque después de haber estado con él siente asco de ése y de todos los que han estado con ella?

2. Lea el siguiente fragmento prestando atención a las cláusulas adjetivales. Explique por qué en el primer caso se empleó el indicativo

después de **lo que** mientras que en el segundo se empleó el subjuntivo. ¿Cuál es la diferencia de significado?

—¿En qué piensas? —dijo la mujer.

—Estaba pensando si podrás encontrar en alguna parte el osito de cuerda —dijo José.

—Claro que sí —dijo la mujer—. Pero **lo que quiero** que me digas es si me darás todo **lo que te pidiera** de despedida.

Relea el cuento aplicando lo que ha aprendido y practicado en los ejercicios de la sección «**Lazos gramaticales**». Si lo hace, va a entender mejor el cuento y a fortalecer su comprensión de la gramática.

A ESCRIBIR

Estrategias de composición

Esta sección incluye una serie de pasos para ayudarlo/la a: (1) formular y desarrollar sus ideas, (2) buscar evidencia del cuento para apoyar sus argumentos y (3) organizar su composición para que sea cohesiva y coherente. También incluye instrucciones para buscar y corregir errores de gramática y de vocabulario. Estas sugerencias acompañan el primer tema porque son específicas para ese tema pero son útiles para todos los temas. Si opta por otro tema, lea las sugerencias incluidas para el Tema uno y adáptelas para el tema que elija.

Tema uno

La mujer del cuento es muy manipuladora. Escriba un ensayo en que explore las varias maneras en que trató de manipular a José. Incluya una discusión de las acciones y los recursos lingüísticos (tanto gramaticales como léxicos) que utilizó para manipularlo. Cite ejemplos de «La mujer que llegaba a las seis».

Al completar cada uno de los siguientes pasos, marque (✓) la casilla a la izquierda.

❑ a. Relea el cuento buscando ejemplos del lenguaje y de las acciones que parecen manipuladores. Subráyelos en el texto o haga una lista.

❑ b. Examine el lenguaje y las acciones manipuladoras para determinar qué dice y cómo lo dice, y qué hace para manipularlo. (Pista: las reacciones de José —tanto verbales como físicas— a lo que la mujer le dice y los frecuentes cambios de humor que ella tiene durante el cuento muchas veces señalan cambios de su estrategia.) Para el lenguaje, examine los términos y las estructuras gramaticales que ella utilizó.

- ❑ c. Después de examinar el cuento, repase los ejercicios de este capítulo porque algunos pueden darle otros aspectos para incluir en su ensayo.
- ❑ d. Escriba una introducción y una conclusión y asegúrese que sus ideas fluyan bien.
- ❑ e. Cuando haya escrito su borrador, revíselo, utilizando su lista para asegurarse que haya incluido todos los elementos importantes y que todo siga un orden lógico. Haga las correcciones necesarias.
- ❑ f. Dele un título interesante a su cuento.
- ❑ g. Antes de entregar su ensayo, revíselo asegurándose que:
  - ❑ haya usado vocabulario correcto y variado
  - ❑ no haya usado **ser, estar** y **haber** demasiado (es preferible usar verbos más expresivos)
  - ❑ haya concordancia entre los adjetivos y artículos y los sustantivos a que se refieren
  - ❑ haya concordancia entre los verbos y sus sujetos
  - ❑ **ser** y **estar** se usen correctamente
  - ❑ el subjuntivo se use cuando sea apropiado
  - ❑ el pretérito y el imperfecto se hayan usado correctamente
  - ❑ no haya errores de ortografía ni de acentuación

Otros temas de composición

2. La mujer mantiene que «hoy es distinto» mientras que José dice que «todos los días son iguales». Los dos tienen y no tienen razón. Escriba un ensayo en que explore esta idea. Señale en qué sentido hoy es como todos los días y en qué sentido es distinto. Incluya una discusión de cómo la realidad del cuento corresponde o no a la postura de los dos personajes. Cite ejemplos del cuento.
3. Escriba un ensayo en que compare el carácter de José y el de la mujer. (Recuerde que **carácter** significa las cualidades personales que indican la esencia de la persona, su modo de ser.) Cite ejemplos del cuento.
4. La regularidad de la clientela de José juega un papel importante en el cuento. Escriba un ensayo en que explore esta idea. Dé ejemplos específicos del cuento.

CAPÍTULO

11

El dúo de la tos

Leopoldo Alas («Clarín») (1852–1901)

ANTES DE LEER

11-1 Reflexiones. Considere las siguientes preguntas antes de leer el cuento.

1. ¿Ha estado Ud. en una situación donde ha estado rodeado/a de gente que no conociera? ¿Cómo se sintió?
2. ¿Alguna vez se ha sentido Ud. muy solo/a? ¿Por qué? ¿Qué hizo para remediar la situación?
3. Lea los tres primeros párrafos del cuento y conteste las siguientes preguntas.
   a. ¿Qué tipo de lugar es el hotel del *Águila*?
   b. ¿Qué tipo de gente se hospeda en este hotel?
   c. ¿Qué tipo de interacciones tienen los huéspedes del hotel?
   d. ¿Quiénes son los personajes principales del cuento?
4. Hojee algunos de los párrafos que tienen los signos de puntuación « » para determinar qué tipo de información se señala entre estos signos.
5. Lea el título.
   a. ¿Qué sugiere la palabra **tos**° en el título sobre los personajes del cuento? *cough*
   b. ¿Qué es un dúo?
   c. ¿Qué sería un **dúo de la tos**?

Enfoques léxicos

Cognados falsos

11-2 Examinación de cognados falsos en «El dúo de la tos». Este cuento contiene varios cognados falsos, algunos se incluyen en los ejercicios a continuación. (Para más detalle sobre los cognados falsos, lea la sección número uno del *Manual de gramática* [pp. 285–290].)

1. Aunque **tender** puede significar *to tend*, en el sentido de **tener una tendencia** (como en «Eduardo tiende a decir cosas inapropiadas»), tiene otro significado en este cuento. Lea la siguiente oración y determine su significado.

   El gran hotel del *Águila* **tiende** su enorme sombra sobre las aguas dormidas de la dársena.° *dock*

➔ Si ha determinado que en este contexto quiere decir **extiende** (*stretches*), tiene razón.

2. **Vapor** puede tener el significado de *vapor* (fluído gaseoso que, bajo presión, se convierte parcialmente en líquido), como en «Los volcanes

activos pueden emitir toneladas de vapores y gases». En este cuento, **vapor** es un tipo de barco, relacionado con el significado general de **vapor**. Sabiendo esto y tomando en cuenta que el cuento se escribió a finales del siglo XIX, ¿puede Ud. adivinar qué tipo de barco sería?

➔ Si Ud. ha determinado que **vapor** significa *steamship*, tiene razón.

3. **Rumor** puede significar *rumor*, como en «Según los rumores que andan por la oficina, el jefe va a casarse con su secretaria». Pero tiene otro significado en este cuento: **sonido vago, suave y continuo.**
4. Hemos visto en otros capítulos que **vulgar** generalmente no se traduce a *vulgar*. **Vulgar** suele significar **común** y **ordinario**, como en este cuento.
5. También hemos visto que **desgracia** generalmente no significa *disgrace*, sino **mala suerte** o **infortunio.** Esto es su significado en este cuento. Lea el siguiente fragmento del cuento prestando atención a la palabra **desgracias** y luego trate de recordar el significado cuando lea el cuento.

   «Era el reloj de la muerte,» pensaba la víctima, el número 36, un hombre de treinta años, familiarizado con la desesperación, solo en el mundo, sin más compañía que los recuerdos del hogar paterno, perdidos allá en lontananzas° de **desgracias** y errores, y una sentencia de muerte pegada al pecho, como una factura de viaje a ***un bulto*** en un ferrocarril.

   lontananzas: en la distancia

6. **Matrimonio** puede traducirse a *matrimony* pero muchas veces tiene otro significado relacionado. También puede traducirse a *marriage* (**casamiento, unión de una pareja casada**). Lea la siguiente oración del cuento e indique cuál de estas posibilidades tiene más sentido en este contexto.

   Pero en fin, ello era amor, amor de **matrimonio** antiguo, pacífico, compañía en el dolor, en la soledad del mundo.

➔ Si ha determinado que en este contexto **matrimonio** se refiere a un **casamiento** de muchos años, tiene razón. (**Pareja casada** es una posibilidad, pero **casamiento** es más probable porque se refiere más al estado que a las personas.)

7. **Simpatía** no quiere decir *sympathy*, lo cual puede expresarse con **compasión. Simpatía** puede significar **cariño, amabilidad, amistad, inclinación afectiva** (*liking, fondness*) y a veces significa **solidaridad.** Lea el siguiente fragmento del cuento y verá que **solidaridad** es un buen sinónimo en este contexto. (Cuando lea el cuento, el significado será aun más claro porque verá que tanto la mujer que se hospeda en el cuarto 32 como el hombre del cuarto 36 tienen una tos, uno de los síntomas de sus serias enfermedades.)

La tos del 36 le dio lástima y le inspiró **simpatía**. Conoció pronto que era trágica también.

Probablemente ha observado la relación entre **simpático** y **simpatía.** Esta relación puede ayudarlo/la a recordar el significado de **simpatía.** Recuerde que **simpático** no quiere decir *sympathetic*, sino **agradable** y **amable.**

8. **Postura** puede significar *posture* en el sentido de la posición del cuerpo (por ejemplo, «Para mejorar la **postura,** hay que fortalecer los músculos haciendo ejercicios»). También tiene el sentido de *position*, como punto de vista o actitud que alguien mantiene sobre algo (por ejemplo, «Su **postura** sobre el asunto irrita a mucha gente»). En este cuento, tiene un significado distinto. En el fragmento que sigue, la frase **cambiar de postura** tiene un doble sentido: tanto **cambiar de posición (física)** como **cambiar de lugar.**

   En efecto; el enfermo del 36, sin recordar que el cambiar de postura sólo es cambiar de dolor, había huido de aquella fonda,° en la cual había padecido tanto... como en las demás.

   ° *boarding house, inn*

9. **Sano** no se traduce a *sane* (lo cual puede expresarse con **cuerdo**). Lea la siguiente oración del cuento y trate de determinar su significado.

   Iba por el mundo, de pueblo en pueblo, como *bulto* perdido, buscando aire **sano** para un pecho enfermo...

➔ Si ha determinado que **sano** significa **bueno para la salud, saludable,** tiene razón.

En más detalle

Aunque **sano** no quiere decir *sane*, curiosamente, su antónimo —insano— puede significar *insane* (**loco**) o *unhealthy*, así que la forma negativa puede referirse a la salud mental o física. Generalmente, el contexto indicará cuál de los significados tiene **insano.**

Grupos léxicos

11-3 Palabras relacionadas. Complete las siguientes frases con la palabra adecuada. Las palabras agrupadas tienen la misma raíz y por lo tanto tienen un significado relacionado. Utilice su conocimiento de la gramática para escoger la palabra correcta. No será necesario cambiar las formas de las palabras. Usará algunas palabras más de una vez. Verifique sus respuestas buscando la oración en el cuento. (Las oraciones de cada grupo se presentan en el orden en que aparecen en el cuento.)

tos - toser - tosía - tosió - tosiendo

1. «Sola del todo,» pensó la mujer, que, aún ___________, seguía allí, mientras hubiera aquella *compañía*...
2. La del 32 (1) ___________, en efecto; pero su (2) ___________ era... ¿cómo se diría? más poética, más dulce, más resignada. La (3) ___________ del 36 protestaba; a veces rugía. La del 32 casi parecía un estribillo de una oración, un miserere; era una queja tímida, discreta, una (4) ___________ que no quería despertar a nadie. El 36, en rigor, todavía no había aprendido a (5) ___________, como la mayor parte de los hombres sufren y mueren sin aprender a sufrir y a morir. El 32 (6) ___________ con arte; con ese arte del dolor antiguo, sufrido, sabio, que suele refugiarse en la mujer.
3. La (1) ___________ del 36 le dio lástima y le inspiró simpatía. Conoció pronto que era trágica también. «Estamos cantando un dúo,» pensó; y hasta sintió cierta alarma del pudor, como si aquello fuera indiscreto, una cita en la noche. (2) ___________ porque no pudo menos; pero bien se esforzó por contener el primer golpe de (3)___________.

dolor - dolorosa - dolorosas

4. En aquellas tinieblas, más ___________ por no ser completas, parece que la idea de luz, la imaginación recomponiendo las vagas formas, necesitan ayudar para que se vislumbre lo poco y muy confuso que se ve allá abajo.
5. Su propia tos se le antojó menos ___________ *apoyándose* en aquella *varonil* que la protegía contra las tinieblas, la soledad y el silencio.
6. ¿Por qué ha de ser así? ¿Por qué no hemos de levantarnos ahora, unir nuestro ___________, llorar juntos?

desaparece - desapareció - desaparecían - desaparecida - desaparición

7. A veces aquella chispa triste se mueve, se amortigua, ___________, vuelve a brillar.
8. En la obscuridad el agua toma la palabra y brilla un poco, cual una aprensión óptica, como un dejo de la luz ___________, en la retina, fosforescencia que padece ilusión de los nervios.
9. Y el 36, sin pensar más en el 32, (1) ___________, cerró el balcón con triste rechino metálico, que hizo en el bulto de la derecha un efecto de melancolía análogo al que produjera antes en el bulto que fumaba la (2) ___________ del foco eléctrico del Puntal.
10. De tarde en tarde hacia dentro, en las escaleras, en los pasillos, resonaban los pasos de un huésped trasnochador; por las rendijas de la puerta entraban en las lujosas celdas, horribles con su lujo uniforme y vulgar, rayos de luz que giraban y ___________.

solo - sola - solas - soledad

11. Ya no entraban huéspedes. A poco, todo debía de dormir. Ya no había testigos; ya podía salir la fiera; ya estaría a __________ con su presa.

12. «¿Eres joven? Yo también. ¿Estás (1) __________ en el mundo? Yo también. ¿Te horroriza la muerte en la (2) __________? También a mí. ¡Si nos conociéramos! ¡Si nos amáramos! Yo podría ser tu amparo, tu consuelo. ¿No conoces en mi modo de toser que soy buena, delicada, discreta, casera, que haría de la vida precaria un nido de pluma blanda y suave, para acercarnos juntos a la muerte, pensando en otra cosa, en el cariño? ¡Qué (3) __________ estás! ¡Qué (4) __________ estoy! ...»

lejos - a lo lejos - lejano - lejana - alejado

13. De repente desapareció una claridad __________, produciendo el efecto de un relámpago que se nota después que pasó.
14. Las gabarras se mueven poco más que el minutero de un gran reloj; pero de tarde en tarde chocan, con tenue, triste, monótono rumor, acompañado del ruido de la marea que __________ suena, como para imponer silencio, con voz de lechuza.
15. De pronto creyó oír como un eco __________ y tenue de su tos...
16. La enfermedad la había hecho salir de aquel asilo; le habían dado bastante dinero para poder andar algún tiempo sola por el mundo, de fonda en fonda; pero la habían __________ de sus discípulas.
17. De modo que lo que en efecto le quería decir la tos del 32 al 36 no estaba muy __________ de ser lo mismo que el 36, delirando, venía como a adivinar...

11-4 Palabras relacionadas: definiciones. Defina las siguientes palabras utilizando una palabra relacionada en su definición. Subraye las palabras relacionadas. (¡Ojo! Generalmente no es buena idea usar una palabra relacionada como parte de la definición pero en esta actividad, el objetivo es enfatizar las relaciones entre las palabras.) Recuerde que las palabras relacionadas comparten una raíz. Si no conoce la palabra que tiene que definir, búsquela en el glosario o en un diccionario. Siga el modelo.

Modelos

Palabra	Definición
campanada	El sonido que hace una **campana** cuando se toca es una **campanada.**
consuelo	Para **consolar** a alguien, le damos **consuelo.**

1. alturas
2. ayuda
3. doloroso
4. enfermedad
5. lujoso
6. madrugador
7. mirada
8. pacífico
9. unión
10. viajero

Expresiones útiles

Equivalentes de *to look (at), to look for, to see, to watch; to watch (over), to look/seem, to look like*

Estas palabras a veces confunden a los estudiantes anglohablantes porque tienen significados parecidos. Estudie el cuadro a continuación y los ejemplos. La mayoría de las expresiones en el cuadro aparece en el cuento.

Expresión en español	Traducción inglesa
ver	*to see / to look at / to watch*
mirar	*to look (at) / to watch*
buscar	*to look for / to seek*
velar	*to watch over / to keep watch (over)* *to stay awake / to not sleep*
parecer	*to seem / to look (like)* (en el sentido de *to seem*)
parecerse (a)	*to resemble / to look like* (en el sentido de *to resemble*)

Ejemplos

- —¿Puedes **ver** mis lentes? No sé dónde los dejé.
  —No, no los **veo** pero te ayudaré a **buscar**los.
- No le gusta **ver** la televisión cuando todo el mundo está hablando.
- La enfermera **vela** a sus pacientes con interés y preocupación.
- Me **parece** que no vamos a poder escaparnos de este aprieto.
- **Mira** a ese niño —**parece** muy cansado.
- Carlos **se parece** mucho a su hermano.

11-5 Mire y verá, busque y encontrará. Los siguientes fragmentos vienen del cuento. Al completar esta actividad, se familiarizará un poco con el cuento antes de leerlo. Utilice los significados de las expresiones y su conocimiento de la gramática para elegir la respuesta correcta. No debe cambiar la forma en que se presentan en la lista. Cada opción se usa y no se repite (a menos que se repita en la lista).

buscando	mira	parecía	se parecía	vela	vemos
verás	se ve	se ven	se ven	verse	

1. Es un inmenso caserón cuadrado, sin gracia, de cinco pisos, falansterio del azar, hospicio° de viajeros, cooperación anónima de la indiferencia, negocio por acciones, dirección por contrata que cambia a menudo, veinte criados que cada ocho días ya no son los mismos, docenas y docenas de huéspedes° que no se conocen, que se miran sin __________, que siempre son *otros* y que cada cual toma por los de la víspera.°

   lodging / *guests* / día anterior

2. En aquellas tinieblas,° más dolorosas por no ser completas, parece que la idea de luz, la imaginación recomponiendo las vagas formas, necesitan ayudar para que se vislumbre lo poco y muy confuso que __________ allá abajo.

   oscuridad

3. __________ el del 36, y percibe un bulto más negro que la obscuridad ambiente, del matiz° de las gabarras de abajo.

   shade, hue, tint

4. «Sola del todo», pensó la mujer, que, aún tosiendo, seguía allí, mientras hubiera aquella *compañía*... compañía semejante a la que se hacen dos estrellas que nosotros (1) __________, desde aquí, juntas, gemelas, y que allá en lo infinito, ni (2) __________ ni se entienden.
5. Iba por el mundo, de pueblo en pueblo, como *bulto* perdido, __________ aire sano para un pecho enfermo;...
6. Llegó a notar el 36 que la tos del 32 le acompañaba como una hermana que __________; parecía toser para acompañarle.
7. Pensó primero en volver a su patria. ¿Para qué? No la esperaba nadie; además, el clima de España era más benigno. Benigno, sin querer. A ella le (1) __________ esto muy frío, el cielo azul muy triste, un desierto. Había subido hacia el Norte, que (2) __________ un poco más a su patria.
8. «... ¡Qué solo estás! ¡Qué sola estoy! ¡Cómo te cuidaría yo! ¡Cómo tú me protegerías! Somos dos piedras que caen al abismo, que chocan una vez al bajar y nada se dicen, ni (1)__________, ni se compadecen... ¿Por qué ha de ser así? ¿Por qué no hemos de levantarnos ahora, unir nuestro dolor, llorar juntos? Tal vez de la unión de dos llantos naciera una sonrisa. Mi alma lo pide; la tuya también. Y con todo, ya (2) __________ cómo ni te mueves ni me muevo.»

Palabras con múltiples significados

En cualquier idioma, muchas palabras tienen más de un significado. Por ejemplo, **papel** puede significar *paper* o *role*, entre otras cosas. En este ejercicio, vamos a practicar con palabras del cuento que tienen más de un significado. Algunas de las palabras que se usan tienen aun más significados. Aquí sólo vamos a hablar de los significados en el cuento y otros bastante comunes.

Palabra	Significado #1	Significado #2	Significado #3
deber	(sust.): *duty* (obligación)	(verbo): • **deber** + infin.: *must/should/ought to* (una obligación) **Debe** trabajar. *He must work.* • **deber de** + infin.: *must be* + gerundio (una conjetura) **Debe de** trabajar ahora. (Probablemente está trabajando ahora.) *He* ***must be*** *working now.*	(verbo): *to owe*
esperanza	*hope* (fuerte deseo)	*expectation*	
esperar	*to hope* (desear fuertemente)	*to expect* (anticipar, sospechar)	*to wait for*
muelle	(adj.): suave, delicado, blando	(sust.): *spring* (objeto, generalmente de metal, que puede extenderse y recobrar su forma original)	(sust.): *wharf, pier*
paterno	del padre	de los padres (del padre y la madre)	
pegar	*to stick/to glue* (adherir una cosa a otra)	*to hit/to strike* (golpear)	
velar	*to watch over*	*to stay awake/to not sleep*	

11-6 ¿Cuál de los significados tiene aquí? Examine los siguientes fragmentos del cuento prestando atención a las palabras en negrita e identifique el significado del cuadro para cada palabra en los contextos dados. (Las oraciones aparecen en orden alfabético según las palabras de interés; no siguen el orden en que aparecen en el cuento.)

1. «Sí, allá voy; a mí me toca; es natural. Soy un enfermo, soy un galán, un caballero; sé mi **deber**; allá voy. ...».
2. Ya no entraban huéspedes. A poco, todo **debía** de dormir. Ya no había testigos; ya podía salir la fiera; ya estaría a solas con su presa.
3. Pensó primero en volver a su patria. ¿Para qué? No la (1) **esperaba** nadie; además, el clima de España era más benigno. Benigno, sin querer. A ella le parecía esto muy frío, el cielo azul muy triste, un desierto. Había subido hacia el Norte, que se parecía un poco más a su patria. No hacía más que eso, cambiar de pueblo y toser. (2) **Esperaba** locamente encontrar alguna ciudad o aldea en que la gente amase a los desconocidos enfermos.
4. Después de algunos minutos, perdida la **esperanza** de que *el 36* volviera al balcón, la mujer que tosía se retiró también; como un muerto que en forma de fuego fatuo respira la fragancia de la noche y se vuelve a la tierra.
5. «Algún viajero que fuma», piensa otro *bulto*, dos balcones más a la derecha, en el mismo piso. Y un pecho débil, de mujer, respira como suspirando, con un vago consuelo por el indeciso placer de aquella **inesperada** compañía en la soledad y la tristeza.
6. Los vapores de la dársena, las panzudas gabarras° sujetas al **muelle**, al pie del hotel, parecen ahora sombras en la sombra. *barges*
7. «Era el reloj de la muerte», pensaba la víctima, el número 36, un hombre de treinta años, familiarizado con la desesperación, solo en el mundo, sin más compañía que los recuerdos del hogar (1) **paterno**, perdidos allá en lontananzas de desgracias y errores, y una sentencia de muerte (2) **pegada** al pecho, como una factura de viaje a *un bulto* en un ferrocarril.
8. Llegó a notar el 36 que la tos del 32 le acompañaba como una hermana que **vela**; parecía toser para acompañarle.
9. «Se ha apagado el foco° del Puntal», piensa con cierta pena el *bulto* del 36, que se siente así más solo en la noche. «Uno menos para **velar**; uno que se duerme.» *spotlight*

Antónimos y sinónimos

11-7 Antónimos. Empareje las palabras de la columna A con su antónimo de la columna B. Luego escriba una frase para cada pareja de antónimos. (Las palabras aparecen en el cuento, algunas con un cambio de forma.)

	A	B
____	1. soledad	a. acordarse
____	2. oscuridad[1]	b. esperanza
____	3. olvidar	c. indiscreto
____	4. madrugador	d. silencio
____	5. acercarse	e. claridad
____	6. desesperación	f. trasnochador
____	7. ruido	g. alejarse
____	8. discreto	h. compañía

11-8 Sinónimos. Empareje las palabras de la columna A con su sinónimo de la columna B. Luego escriba una frase para una palabra de cada pareja. (Las palabras aparecen en el cuento, aunque algunas con un cambio de forma.)

	A	B
____	1. enorme	a. blanda
____	2. rumor	b. sepultura
____	3. de repente	c. de pronto
____	4. sufrir	d. busto
____	5. lúgubre	e. tristísimo
____	6. delicado	f. oscuridad
____	7. tinieblas	g. padecer
____	8. sepulcro	h. pena
____	9. suave	i. quebradizo
____	10. dolor	j. ruido o sonido suave o vago
____	11. pecho	k. inmenso

A LEER

Estrategia de lectura: Usar pistas gramaticales y léxicas para comprender mejor

En «El dúo de la tos» se oye la voz del narrador y también las voces (pensamientos) de los protagonistas, lo cual puede confundirnos. Para seguir la

[1] La palabra **o*b*scuridad** se usó en el cuento pero en las actividades se ha usado **oscuridad** porque es más común hoy en día. Ambas formas son correctas. Otras palabras en el cuento con ortografía menos común son: **trasformado** en vez de **transformado** y **trasportó** en vez de **transportó**. Ambas formas son correctas en estos casos también, pero las variantes con la **n** son más comunes.

narración, hay que reconocer pistas ortográficas, gramaticales y léxicas. Como se aclaró en la sección de «**Reflexiones**», una pista ortográfica —las comillas (« »)— se usan para señalar los pensamientos de los protagonistas, un hombre y una mujer. Pero hay que leer con cuidado porque no siempre se indica claramente si el texto entre comillas representa pensamientos del hombre o de la mujer. El narrador no siempre dice **el hombre** o **la mujer** cuando los describe o cuando habla de sus acciones. Varias veces se refiere al hombre y a la mujer como un **bulto**, así que ver este término no clarifica el referente. Cuando no se les identifica claramente, es necesario buscar pistas gramaticales y léxicas para saber quién «habla» o a quién se le describe. Vamos a practicar esta estrategia en el ejercicio a continuación para mejorar la comprensión del cuento.

11-9 Fíjese en las pistas gramaticales y léxicas. Lea los párrafos indicados y conteste las preguntas.

1. Lea los dos primeros párrafos del cuento. En el primero, el narrador describe el hotel donde se hospedan los huéspedes. En el segundo, se presentan pensamientos del hombre y una descripción de lo que está haciendo.

   ¿Qué está haciendo el hombre que puede servir para identificarlo más tarde?
2. Lea el tercer párrafo, donde se presenta a la mujer.
   a. ¿En quién está pensando? ¿Cómo lo sabe?
   b. ¿Qué términos utiliza el narrador para referirse a la mujer?
3. Lea el cuarto párrafo. El narrador dice claramente que los pensamientos en este párrafo son de la mujer. Ahora lea el párrafo número cinco.
   a. ¿De quién son los pensamientos del párrafo cinco? ¿Cómo lo sabe?
   b. ¿En qué número de cuarto está el hombre y en qué número de cuarto está la mujer?
4. Lea los párrafos seis y siete.

   ¿De quién son los pensamientos en el párrafo número siete? ¿Cómo lo sabemos?
5. Lea el párrafo 22 (que empieza con «Y tosía, tosía...»).
   a. ¿En qué cuarto está la mujer? ¿Cómo lo sabe?
   b. En la frase **la del 34**, ¿a qué se refiere **la** y a qué se refiere **el** (de **del**)?
6. Más adelante en el cuento, aparece la siguiente oración: El número 32 acaso no lo olvidara; pero ¿qué iba a hacer? Era sentimental la pobre enferma, pero no era loca, no era necia.

   Se sabe por la frase **el número 32** que el narrador está hablando sobre la mujer. ¿Qué otra evidencia gramatical se ve en esta frase que indica que se refiere a la mujer y no al hombre?

Mientras lea el cuento, si tiene dudas sobre quién está «hablando» o a quién se refiere el narrador, busque pistas gramaticales y léxicas para determinarlo.

Leopoldo Alas

Leopoldo Alas (conocido por el seudónimo de «Clarín», que quiere decir *clarion*) nació en Zamora, España en 1852. Su familia vivió por un tiempo en León y Guadalajara pero luego se trasladó a Oviedo, en la provincia de Asturias, donde vivió durante varias épocas de su vida. Alas obtuvo la Licenciatura de Derecho de la Universidad de Oviedo en 1871 y años después enseñaría derecho allí también. Después de obtener la licenciatura, se trasladó a Madrid donde estudió Derecho y Filosofía y Letras en la Universidad Central, de donde se doctoró en Derecho en 1878. Durante su estadía en Madrid, este conocido crítico literario escribió artículos periodísticos sobre diversos temas, para más tarde optar por los géneros novelista y cuentista por los que hoy se le reconoce. Escribió dos novelas que se consideraban y que se consideran muy importantes: *La Regenta* y *Mi único hijo*. Esta última novela iba a ser la primera novela de una tetralogía, pero desgraciadamente sólo esta novela de las cuatro pudo realizarse antes de su muerte prematura a los 49 años. Entre sus numerosos cuentos destaca «El dúo de la tos» que se publicó en 1896 en una colección titulada *Cuentos morales*. Alas mismo escribió en el prólogo de este tomo que los cuentos no eran realmente cuentos «morales» porque no era su intención edificar° al lector. Eran «morales» por su atención «a la psicología de las acciones intencionadas». Lo que le interesaba era enfocarse en el «*hombre interior*, su pensamiento, su sentir, su voluntad». Esto se ve en «El dúo de la tos», particularmente en los monólogos interiores de los dos personajes que, por su enfermedad, se encuentran, solos en el mundo.

edificar: incitar a la virtud

El dúo de la tos°

tos: *cough*

Leopoldo Alas («Clarín»)

El gran hotel del *Águila* tiende su enorme sombra sobre las aguas dormidas de la dársena.° Es un inmenso caserón cuadrado, sin gracia, de cinco pisos, falansterio[2] del azar, hospicio° de viajeros, cooperación anónima de la indiferencia, negocio por acciones, dirección por contrata que cambia a menudo, 5 veinte criados que cada ocho días ya no son los mismos, docenas y docenas

dársena: *dock*
hospicio: *lodging*

[2]alojamiento colectivo para mucha gente

de huéspedes° que no se conocen, que se miran sin verse, que siempre son *otros* y que cada cual toma por los de la víspera.°

«Se está aquí más solo que en la calle, tan solo como en el desierto,» piensa un *bulto,*° un hombre envuelto en un amplio abrigo de verano, que chupa un cigarro apoyándose con ambos codos en el hierro frío de un balcón, en el tercer piso. En la obscuridad de la noche nublada, el fuego del tabaco brilla en aquella altura como un gusano de luz.° A veces aquella chispa° triste se mueve, se amortigua, desaparece, vuelve a brillar.

«Algún viajero que fuma,» piensa otro *bulto*, dos balcones más a la derecha, en el mismo piso. Y un pecho débil, de mujer, respira como suspirando, con un vago consuelo por el indeciso placer de aquella inesperada compañía en la soledad y la tristeza.

«Si me sintiera muy mal, de repente; si diera una voz° para no morirme sola, ese que fuma ahí me oiría» sigue pensando la mujer, que aprieta contra un busto delicado, quebradizo, un chal de invierno, tupido,° bien oliente.

«Hay un balcón por medio; luego es en el cuarto número 36. A la puerta, en el pasillo, esta madrugada, cuando tuve que levantarme a llamar a la camarera, que no oía el timbre, estaban unas botas de hombre elegante.»

De repente desapareció una claridad lejana, produciendo el efecto de un relámpago que se nota después que pasó.

«Se ha apagado el foco° del Puntal», piensa con cierta pena el *bulto* del 36, que se siente así más solo en la noche. «Uno menos para velar; uno que se duerme.»

Los vapores de la dársena, las panzudas gabarras° sujetas al muelle,° al pie del hotel, parecen ahora sombras en la sombra. En la obscuridad el agua toma la palabra y brilla un poco, cual una aprensión óptica, como un dejo de la luz desaparecida, en la retina, fosforescencia que padece ilusión de los nervios. En aquellas tinieblas,° más dolorosas por no ser completas, parece que la idea de luz, la imaginación recomponiendo las vagas formas, necesitan ayudar para que se vislumbre° lo poco y muy confuso que se ve allá abajo. Las gabarras° se mueven poco más que el minutero de un gran reloj; pero de tarde en tarde chocan, con tenue, triste, monótono rumor, acompañado del ruido de la marea° que a lo lejos suena, como para imponer silencio, con voz de lechuza.°

El pueblo, de comerciantes y bañistas, duerme; la casa duerme.

El *bulto* del 36 siente una angustia en la soledad del silencio y las sombras.

De pronto, como si fuera un formidable estallido,° le hace temblar una tos seca, repetida tres veces como canto dulce de codorniz° madrugadora, que suena a la derecha, dos balcones más allá. Mira el del 36, y percibe un bulto más negro que la obscuridad ambiente, del matiz° de las gabarras de abajo. «Tos de enfermo, tos de mujer.» Y el del 36 se estremece,° se acuerda de sí mismo; había olvidado que estaba haciendo una gran calaverada,° una locura. ¡Aquel cigarro! Aquella triste contemplación de la noche al aire libre. ¡Fúnebre orgía! Estaba prohibido el cigarro, estaba prohibido abrir el balcón a tal hora, a pesar de que corría agosto y no corría ni un soplo de brisa. «¡Adentro, adentro! ¡A la sepultura,[3] a la cárcel horrible, al 36, a la cama, al nicho!°»

guests
día anterior
cuerpo, forma
firefly/spark (se refiere al fuego del cigarro)
gritara
tightly woven
luz
barges/wharf, pier
oscuridad
discern
barcos de carga y descarga
tide/owl
explosión
quail
shade
tiembla
acción tonta
concavidad para colocar algo

---

[3]donde se entierra un cadáver

Y el 36, sin pensar más en el 32, desapareció, cerró el balcón con triste rechino metálico, que hizo en el *bulto* de la derecha un efecto de melancolía análogo al que produjera antes en el bulto que fumaba la desaparición del foco eléctrico del Puntal.

55 «Sola del todo,» pensó la mujer, que, aún tosiendo, seguía allí, mientras hubiera aquella *compañía*... compañía semejante a la que se hacen dos estrellas que nosotros vemos, desde aquí, juntas, gemelas, y que allá en lo infinito, ni se ven ni se entienden.

Después de algunos minutos, perdida la esperanza de que *el 36* volviera 60 al balcón, la mujer que tosía se retiró también; como un muerto que en forma de fuego fatuo respira la fragancia de la noche y se vuelve a la tierra.

*

* *

Pasaron una, dos horas. De tarde en tarde hacia dentro, en las escaleras, en los pasillos, resonaban los pasos de un huésped trasnochador; por las rendijas° de la puerta entraban en las lujosas celdas, horribles con su lujo uni- 65 forme y vulgar, rayos de luz que giraban y desaparecían.

cracks

Dos o tres relojes de la ciudad cantaron la hora; solemnes campanadas precedidas de la tropa ligera de los *cuartos*,[4] menos lúgubres° y significativos. También en la fonda° hubo reloj que repitió el alerta.

profundamente tristes/pensión

Pasó media hora más. También lo dijeron los relojes.

70 «Enterado, enterado,» pensó el 36, ya entre las sábanas; y se figuraba que la hora, sonando con aquella solemnidad, era como la firma de los pagarés° que iba prestando a su vida su acreedor, la muerte. Ya no entraban huéspedes. A poco, todo debía de dormir. Ya no había testigos; ya podía salir la fiera; ya estaría a solas con su presa.

IOUs

75 En efecto; en el 36 empezó a resonar, como bajo la bóveda° de una cripta, una tos rápida, enérgica, que llevaba en sí misma el quejido° ronco de la protesta.

vault
grito de dolor

«Era el reloj de la muerte,» pensaba la víctima, el número 36, un hombre de treinta años, familiarizado con la desesperación, solo en el mundo, sin más compañía que los recuerdos del hogar paterno, perdidos allá en lonta- 80 nanzas° de desgracias y errores, y una sentencia de muerte pegada al pecho, como una factura de viaje a *un bulto* en un ferrocarril.

en la distancia

Iba por el mundo, de pueblo en pueblo, como *bulto* perdido, buscando aire sano para un pecho enfermo; de posada en posada,° peregrino del sepulcro, cada albergue° que el azar le ofrecía le presentaba aspecto de hospital. 85 Su vida era tristísima y nadie le tenía lástima. Ni en los folletines de los periódicos encontraba compasión. Ya había pasado el romanticismo que había tenido alguna consideración con los tísicos.[5] El mundo ya no se pagaba de sensiblerías,° o iban éstas por otra parte. Contra quien sentía envidia y cierto rencor sordo el número *36* era contra el proletariado, que se llevaba toda la 90 lástima del público. —El pobre jornalero,° ¡el pobre jornalero! —repetía, y

lodging
lodging
sentimentalismo exagerado
(day) laborer

---

[4]faint ringing of the quarter hours

[5]víctimas de la tisis (tuberculosis pulmonar)

nadie se acuerda del *pobre* tísico, del pobre condenado a muerte de que no han de hablar los periódicos. La muerte del prójimo, en no siendo digna de la Agencia Fabra,° ¡qué poco le importa al mundo!

servicio de noticias internacional

Y tosía, tosía, en el silencio lúgubre de la fonda dormida, indiferente
95 como el desierto. De pronto creyó oír como un eco lejano y tenue de su tos... Un eco... en tono menor. Era la del 32. En el 34 no había huésped aquella noche. Era un nicho vacío.

La del 32 tosía, en efecto; pero su tos era... ¿cómo se diría? más poética, más dulce, más resignada. La tos del 36 protestaba; a veces rugía.° La del
100 32 casi parecía un estribillo° de una oración, un miserere;[6] era una queja tímida, discreta, una tos que no quería despertar a nadie. El 36, en rigor, todavía no había aprendido a toser, como la mayor parte de los hombres sufren y mueren sin aprender a sufrir y a morir. El 32 tosía con arte; con ese arte del dolor antiguo, sufrido, sabio, que suele refugiarse en la mujer.

roared

refrain

105 Llegó a notar el 36 que la tos del 32 le acompañaba como una hermana que vela; parecía toser para acompañarle.

Poco a poco, entre dormido y despierto, con un sueño un poco teñido de fiebre, el 36 fue trasformando la tos del 32 en voz, en música, y le parecía entender lo que decía, como se entiende vagamente lo que la música dice.

110 La mujer del 32 tenía veinticinco años, era extranjera; había venido a España por hambre, en calidad de institutriz[7] en una casa de la nobleza. La enfermedad la había hecho salir de aquel asilo; le habían dado bastante dinero para poder andar algún tiempo sola por el mundo, de fonda en fonda; pero la habían alejado de sus discípulas.° *Naturalmente*. Se temía el contagio.
115 No se quejaba. Pensó primero en volver a su patria. ¿Para qué? No la esperaba nadie; además, el clima de España era más benigno. Benigno, sin querer. A ella le parecía esto muy frío, el cielo azul muy triste, un desierto. Había subido hacia el Norte, que se parecía un poco más a su patria. No hacía más que eso, cambiar de pueblo y toser. Esperaba locamente encontrar alguna
120 ciudad o aldea en que la gente amase a los desconocidos enfermos.

alumnas a las que cuidaba

La tos del 36 le dio lástima y le inspiró simpatía. Conoció pronto que era trágica también. «Estamos cantando un dúo,» pensó; y hasta sintió cierta alarma del pudor,° como si aquello fuera indiscreto, una cita en la noche. Tosió porque no pudo menos;° pero bien se esforzó por contener el primer
125 golpe de tos.

modestia

fue necesario, no hubo alternativa

La del 32 también se quedó medio dormida, y con algo de fiebre; casi deliraba también; también *trasportó* la tos del 36 al país de los ensueños,° en que todos los ruidos tienen palabras. Su propia tos se le antojó menos dolorosa *apoyándose* en aquella *varonil*° que la protegía contra las tinieblas, la
130 soledad y el silencio. «Así se acompañarán las almas del purgatorio.» Por una asociación de ideas, natural en una institutriz, del purgatorio pasó al infierno,

fantasías

viril, manly (se refiere a la tos del hombre)

---

[6]canto solemne que se hace del Salmo 50 (de la Biblia) en las tinieblas de la Semana Santa

[7]mujer encargada de la educación e instrucción de los niños

al del Dante, y vio a *Paolo* y *Francesca* abrazados en el aire, arrastrados por la *bufera*° *infernal*.[8]

fuerte viento

*

* *

La idea de la *pareja*, del amor, del *dúo*, surgió antes en el número 32
135 que en el 36.

La fiebre sugería en la institutriz cierto misticismo erótico; ¡erótico! no es ésta la palabra. ¡Eros! el amor sano, pagano ¿qué tiene aquí que ver? Pero en fin, ello era amor, amor de matrimonio antiguo, pacífico, compañía en el dolor, en la soledad del mundo. De modo que lo que en efecto le quería decir
140 la tos del 32 al 36 no estaba muy lejos de ser lo mismo que el 36, delirando, venía como a adivinar:

«¿Eres joven? Yo también. ¿Estás solo en el mundo? Yo también. ¿Te horroriza la muerte en la soledad? También a mí. ¡Si nos conociéramos! ¡Si nos amáramos! Yo podría ser tu amparo, tu consuelo. ¿No conoces en mi
145 modo de toser que soy buena, delicada, discreta, *casera*,° que haría de la vida precaria un nido de pluma blanda y suave, para acercarnos juntos a la muerte, pensando en otra cosa, en el cariño? ¡Qué solo estás! ¡Qué sola estoy! ¡Cómo te cuidaría yo! ¡Cómo tú me protegerías! Somos dos piedras que caen al abismo, que chocan una vez al bajar y nada se dicen, ni se ven, ni se
150 compadecen... ¿Por qué ha de ser así? ¿Por qué no hemos de levantarnos ahora, unir nuestro dolor, llorar juntos? Tal vez de la unión de dos llantos naciera una sonrisa. Mi alma lo pide; la tuya también. Y con todo, ya verás cómo ni te mueves ni me muevo.»

doméstica

Y la enferma del 32 oía en la tos del 36 algo muy semejante a lo que el
155 36 deseaba y pensaba:

«Sí, allá voy; a mí me toca; es natural. Soy un enfermo, soy un galán,° un caballero; sé mi deber; allá voy. Verás qué delicioso es, entre lágrimas, con perspectiva de muerte, ese amor que tú sólo conoces por libros y conjeturas. Allá voy, allá voy... si me deja la tos... ¡esta tos!... ¡Ayúdame, ampárame,
160 consuélame! Tu mano sobre mi pecho, tu voz en mi oído, tu mirada en mis ojos...»

hombre guapo y elegante

*

* *

Amaneció. En estos tiempos, ni siquiera los tísicos son consecuentes románticos. El número 36 despertó, olvidado del sueño, del dúo de la tos.

---

[8]Hace referencias a la *Divina Comedia* de Dante; Paolo y Francesca son amantes; la *bufera infernal* significa el **vendaval° infernal** que arrastra a los espíritus de los condenados.

whirlwind

165 El número 32 acaso no lo olvidara; pero ¿qué iba a hacer? Era sentimental la pobre enferma, pero no era loca, no era necia. No pensó ni un momento en buscar realidad que correspondiera a la ilusión de una noche, al vago consuelo de aquella compañía de la tos nocturna. Ella, eso sí, se había ofrecido de buena fe; y aun despierta, a la luz del día, ratificaba su intención;
170 hubiera consagrado el resto, miserable resto de su vida, *a cuidar aquella tos de hombre*... ¿Quién sería? ¿Cómo sería? ¡Bah! Como tantos otros príncipes rusos del país de los ensueños. Procurar verle... ¿para qué?

Volvió la noche. La del 32 no oyó toser. Por varias tristes señales pudo convencerse de que en el 36 ya no dormía nadie. Estaba vacío como el 34.

175 En efecto; el enfermo del 36, sin recordar que el cambiar de postura sólo es cambiar de dolor, había huido de aquella fonda, en la cual había padecido tanto... como en las demás. A los pocos días dejaba también el pueblo. No paró hasta Panticosa,[9] donde tuvo la última posada. No se sabe que jamás hubiera vuelto a acordarse de la tos del dúo.

180 La mujer vivió más: dos o tres años. Murió en un hospital, que prefirió a la fonda; murió entre Hermanas de la Caridad, que algo la consolaron en la hora terrible. La buena psicología nos hace conjeturar que alguna noche, en sus tristes insomnios, echó de menos° el dúo de la tos; pero no sería en los últimos momentos, que son tan solemnes. O acaso sí.

missed

DESPUÉS DE LEER

PREGUNTAS

En general

1. ¿Cuál es el tono del cuento? ¿Le provocó el cuento algunas emociones? ¿Cuáles?
2. ¿Qué términos se usan para referirse a las personas en el cuento? ¿Por qué cree que se usaron estos términos?
3. ¿En qué tipo de establecimiento tiene lugar el cuento? Si los cuartos eran lujosos, ¿por qué se describieron como horribles?
4. ¿Quiénes se hospedaban en los cuartos números 36, 32 y 34?
5. El cuento está dividido en tres partes. ¿Cuál es el enfoque de cada parte?
6. ¿Por qué se sentían tan solos el hombre y la mujer?

En detalle

1. ¿Durante qué parte del día comienza el cuento?

[9]balneario (*spa*) en los Pirineos españoles en la provincia de Huesca, Aragón, conocido por sus famosas aguas de manantial curativas

2. ¿Qué tipo de enfermedad tenían el hombre y la mujer? ¿Qué síntomas tenían?
3. ¿Qué compartían la mujer del 32 y el hombre del 36?
4. ¿Cómo sabía la mujer que un hombre vivía en el cuarto número 36?
5. ¿Cuál fue la reacción de la mujer cuando el hombre cerró el balcón y desapareció en su cuarto?
6. ¿Qué emociones sentían los protagonistas por su propia condición? ¿Y por la condición del otro?
7. ¿Cómo pasaba la vida el hombre?
8. Según el hombre, ¿en qué sentido ha abandonado el mundo a los tísicos?
9. ¿Por qué había venido a España la mujer? ¿Por qué perdió su puesto de institutriz? Cuando ya no podía trabajar como institutriz, ¿por qué no volvió a su patria?
10. ¿Cómo difería la tos del hombre de la de la mujer?
11. ¿En qué sentido era el toser del hombre y de la mujer como un dúo? ¿Qué referencias hay en el cuento que indican una comparación entre la tos y la música? ¿Qué significa **el dúo de la tos**?
12. ¿Cuándo y por qué sintió un poco de vergüenza la mujer?
13. ¿Por qué pensó la mujer en el *El Infierno* de Dante?
14. ¿A cuál de los dos se le ocurrió primero la idea de que eran una pareja? ¿En qué sentido eran como una pareja?
15. ¿Qué pasó en la mañana? ¿Cómo se sentía el hombre? ¿La mujer? ¿Cómo se dio cuenta la mujer que ya no había nadie en el 36?
16. ¿Qué indicaciones hay durante el cuento que los protagonistas van a morir? ¿Quién murió primero? ¿Dónde murió el hombre? ¿y la mujer?

Discusión e interpretación

1. ¿Qué efecto tiene el uso del término **bulto** para referirse a las personas que se hospedan en este hotel?
2. ¿Por qué se refiere el hombre a su cuarto con términos como **sepultura, cárcel** y **nicho**?
3. ¿Por qué se mencionan tantas veces la hora y el pasar del tiempo? ¿En qué sección se mencionan más? ¿Por qué?
4. En sus respectivas soledades, ¿cómo se consolaron con la presencia del otro?
5. ¿Cuántos años tenían? ¿Cree Ud. que la edad es importante en la historia? Explique.
6. Relea los párrafos donde el hombre imaginaba lo que la mujer quería decirle (líneas 142–153) y donde la mujer imaginaba lo que él

quería decirle a ella (líneas 156–161). ¿Qué imaginaba el hombre que la mujer quería decirle? ¿Qué imaginaba la mujer que el hombre quería decirle? ¿Qué revelan estos pensamientos sobre sus propios deseos? ¿Reflejan lo que realmente se dirían el uno al otro si tuvieran la oportunidad de conocerse?

7. Durante el cuento, se ven frecuentes contrastes entre la oscuridad y la luz. Busque ejemplos de esto en el cuento. ¿Por qué cree que Alas usó estas contrastes? ¿Qué importancia tienen para la trama?
8. Hay referencias al sonido y al silencio en el cuento. Repáselo buscando las referencias y apúntelas. ¿Por qué cree que Alas usó estos contrastes? ¿Qué importancia tienen para la trama?
9. El cuento contiene referencias a la muerte y a palabras que se asocian con la muerte. Busque las referencias y apúntelas. ¿Por qué hay tantas referencias a la muerte?
10. También hay muchas referencias a la encarcelación en el cuento. Busque las referencias y apúntelas. ¿Por qué cree que Alas ha usado la metáfora de la encarcelación para describir el estado del hombre y de la mujer?

LAZOS GRAMATICALES

Formas de tratamiento

Piense sobre los usos apropiados del tratamiento mientras hace el siguiente ejercicio. Por ejemplo, ¿cuándo y con quién generalmente se usa la forma de **usted** y cuándo se usa la forma **tú**? Hay diferencias de uso según la cultura y los individuos, pero, de todos modos, hay ciertas tendencias que son comunes.

11-10 ¿Qué se comunica con la forma de tratamiento? Conteste las siguientes preguntas recordando los usos del tratamiento.

1. El hombre y la mujer en «El dúo de la tos» no se conocen. Sabiendo esto, ¿qué forma de tratamiento se espera que utilicen para comunicarse?
2. Vuelva a leer los párrafos donde el hombre imaginaba lo que la mujer quería decirle (párrafo 31) y donde la mujer imaginaba lo que el hombre quería decirle (párrafo 33). (La primera parte de cada párrafo se encuentra más abajo, pero relea los párrafos enteros para contestar las preguntas mejor.)
   a. ¿Qué forma de tratamiento usan para estas conversaciones imaginarias?
   b. ¿Por qué cree que han usado este tratamiento en sus fantasías?
   c. ¿Qué implica esta forma de tratamiento?

d. ¿Por qué —para estas conversaciones imaginarias— no habría sido apropiado utilizar un tratamiento más formal?

Párrafo 31

«¿Eres joven? Yo también. ¿Estás solo en el mundo? Yo también. ¿Te horroriza la muerte en la soledad? También a mí....»

Párrafo 33

«Sí, allá voy; a mí me toca; es natural. Soy un enfermo, soy un galán, un caballero; sé mi deber; allá voy. Verás qué delicioso es, entre lágrimas...»

3. Si los protagonistas hubieran podido conocerse, ¿cree que hubieran usado un tratamiento formal o informal para su primer encuentro? Explique su respuesta.

Cláusulas con «si»

11-11 ¿Fantasías improbables o posibles? En este ejercicio, consideraremos dos de las fantasías de la mujer. Lea los fragmentos[10] prestando atención a las oraciones que contienen cláusulas con «**si**» y conteste las siguientes preguntas. (Antes de contestarlas, vuelva a leer la sección número seis del *Manual de gramática* [pp. 323–326].) Puede determinar las respuestas si se fija en los tiempos gramaticales de las cláusulas con «**si**» y su cláusula independiente correspondiente —y el tipo de información que comunican estas estructuras.

1. Primero determine si cada caso indica **una situación posible** o **improbable.** Prepárese para explicar cómo la estructura gramatical le da la respuesta a esta pregunta. ¿Qué forma verbal se usa en la cláusula con «**si**» y qué forma verbal se usa en la cláusula principal? (¡Ojo! En el primer fragmento, las dos cláusulas aparecen en oraciones separadas.)
2. Explique por qué en un caso la mujer indica una situación **improbable**, mientras que en el otro, indica una **posible.**
   - «¿Eres joven? Yo también. ¿Estás solo en el mundo? Yo también. ¿Te horroriza la muerte en la soledad? También a mí. **¡Si nos conociéramos! ¡Si nos amáramos! Yo podría ser tu amparo, tu consuelo. ¿No conoces en mi modo de toser que soy buena, delicada, discreta,** ***casera*****, que haría de la vida precaria un nido de pluma blanda y suave, para acercarnos juntos a la muerte, pensando en otra cosa, en el cariño**? ¡Qué solo estás! ¡Qué sola estoy! **¡Cómo te cuidaría yo! ¡Cómo tú me protegerías!**...»
   - «Sí, allá voy; a mí me toca; es natural. Soy un enfermo, soy un galán, un caballero; sé mi deber; allá voy. Verás qué delicioso es,

---

[10]Recuerde que el segundo fragmento contiene lo que la mujer imagina que el hombre quería decirle.

entre lágrimas, con perspectiva de muerte, ese amor que tú sólo conoces por libros y conjeturas. **Allá voy, allá voy...si me deja la tos**... ¡esta tos!... ¡Ayúdame, ampárame, consuélame! Tu mano sobre mi pecho, tu voz en mi oído, tu mirada en mis ojos...»

Adjetivos y pronombres demostrativos
Usos de los demostrativos

Los adjetivos y pronombres demostrativos (**este, ese, aquel** y sus otras formas) se usan para señalar la distancia relativa entre la persona que habla o escribe y la entidad (persona, animal u objeto) señalada con el adjetivo o pronombre demostrativo. Ciertos adverbios pueden usarse con los demostrativos, aunque su uso no es obligatorio: **aquí/acá** se usan con **este, ahí** (*there*) con **ese** y **allá/allí** (*over there*) con **aquel.** Observe la combinación de **aquellas/allá** y de **ése/ahí** y en los dos fragmentos del cuento a continuación.

- En **aquellas** tinieblas, más dolorosas por no ser completas, parece que la idea de luz, la imaginación recomponiendo las vagas formas, necesitan ayudar para que se vislumbre lo poco y muy confuso que se ve **allá** abajo.
- «Si me sintiera muy mal, de repente; si diera una voz para no morirme sola, **ese** que fuma **ahí** me oiría» sigue pensando la mujer...

Estos adverbios tienen significados paralelos a los de los demostrativos, aún cuando no se combinan con los demostrativos. **Aquí,** por ejemplo, se refiere a lo que está cerca, mientras que **allá** se refiere a lo que está bastante lejos, lo cual se ve en el siguiente fragmento.

> ... compañía semejante a la que se hacen dos estrellas que nosotros vemos, desde **aquí**, juntas, gemelas, y que **allá** en lo infinito, ni se ven ni se entienden.

Además de indicar diferencias relativas espaciales o físicas, los demostrativos también pueden usarse para indicar diferencias temporales (de tiempo) y distancias psicológicas o emocionales.

¿Ese o aquel?

La decisión de utilizar **ese** o **aquel** (y sus otras formas) es, a veces, obligatoria. Un caso obligatorio sería cuando hay dos cosas remotas bajo consideración, una de las cuales está más remota que la otra. Por ejemplo, «No me refiero a **ese** hombre sino a **aquél**» (cuando **aquel** hombre está más lejos que **ése**). Pero muchas veces el hablante/escritor decide si quiere usar **ese** o **aquel.** Los casos no obligatorios no siguen reglas fijas pero **aquel** generalmente implica una distancia bastante grande y la enfatiza.

El uso frecuente de formas de **aquel** da un tono general de tristeza, de soledad y de aislamiento. El efecto de la repetición de formas de **aquel** es enfatizar la distancia psicológica y emocional entre los personajes y sus prójimos y la distancia temporal y espacial entre los personajes y los lectores. **Aquel** subraya el hecho que los personajes no pueden ser consolados en su sufrimiento por varias razones: (1) los otros seres humanos de su época no tienen interés en ellos; (2) los personajes no pueden consolarse el uno al otro porque su enfermedad los tiene atrapados y además, ni el hombre ni la mujer sabe que la otra persona está pensando en él/ella; (3) y los lectores —aunque sentimos compasión por ellos— no podemos consolarlos porque estamos separados de ellos en tiempo (y, obviamente, porque venimos de mundos diferentes —de la realidad y de la ficción).

Los ejercicios en la actividad siguiente lo/la ayudará a reconocer y apreciar los significados de los demostrativos.

11-12 Lo que comunican los demostrativos. Tomando en cuenta los diversos usos de los demostrativos, lea los siguientes fragmentos del cuento concentrándose en los demostrativos que están en negrita.

1. En una conversación entre dos personas, **este** se refiere a cosas cercanas a la persona que habla y **ese** se refiere a cosas cercanas al oyente, como en el siguiente fragmento que tiene la voz del hombre cuando «habla» con la mujer. Léalo y conteste las siguientes preguntas.

   «Sí, **allá** voy; a mí me toca; es natural. Soy un enfermo, soy un galán, un caballero; sé mi deber; **allá** voy. Verás qué delicioso es, entre lágrimas, con perspectiva de muerte, **ese** amor que tú sólo conoces por libros y conjeturas. ...»

   a. ¿Por qué se ha usado la frase «**ese** amor» en este fragmento?

   b. ¿Qué implica el uso del adverbio **allá**?

2. En el cuento se menciona mucho la tos del hombre y la de la mujer. En los siguientes fragmentos, ¿quién tose?

   - «Sí, allá voy; a mí me toca; es natural. Soy un enfermo, soy un galán, un caballero; sé mi deber; allá voy. Verás qué delicioso es, entre lágrimas, con perspectiva de muerte, ese amor que tú sólo conoces por libros y conjeturas. Allá voy, allá voy... si me deja la tos... ¡**esta** tos!...»
   - Ella, eso sí, se había ofrecido de buena fe; y aun despierta, a la luz del día, ratificaba su intención; hubiera consagrado el resto, el miserable resto de su vida, a *cuidar* ***aquella*** *tos de hombre...*

3. Los demostrativos a continuación señalan una parte del día. Considere esto al leer los párrafos y luego conteste las preguntas.

   - «...A la puerta, en el pasillo, **esta** madrugada, cuando tuve que levantarme a llamar a la camarera, que no oía el timbre, estaban unas botas de hombre elegante.»
   - Y tosía, tosía, en el silencio lúgubre de la fonda dormida, indiferente como el desierto. De pronto creyó oír como un eco lejano y tenue de

su tos... Un eco... en tono menor. Era la del 32. En el 34 no había huésped **aquella** noche. Era un nicho vacío.

a. ¿Por qué se ha usado en un caso **esta** mientras que en el otro se ha usado **aquella**?
b. ¿De quién es la perspectiva en cada fragmento? ¿Del hombre, de la mujer o del narrador/lector?

4. Como hemos visto, el narrador utiliza formas de **aquel** mucho más frecuentemente que formas de **ese**. Lea los siguientes fragmentos, prestando atención a los demostrativos en negrita. ¿Por qué cree que el narrador ha usado formas de **aquel** en vez de formas de **ese**? Para ayudarlo/la a contestar, escoja una respuesta de cada lista de opciones en el cuadro y añada sus propias ideas. (Puede escoger más de una respuesta de la primera columna.)

Para indicar...	**Es una distancia...**
distancia espacial/física	entre el hombre/la mujer y su pasado
distancia temporal	entre el hombre/la mujer y los lectores
distancia emocional y/o psicológica	entre el hombre y la mujer

- «Algún viajero que fuma,» piensa otro *bulto*, dos balcones más a la derecha, en el mismo piso. Y un pecho débil, de mujer, respira como suspirando, con un vago consuelo por el indeciso placer de **aquella** inesperada compañía en la soledad y la tristeza.
- «Sola del todo,» pensó la mujer, que, aún tosiendo, seguía allí, mientras hubiera **aquella** *compañía*... compañía semejante a la que se hacen dos estrellas que nosotros vemos, desde aquí, juntas, gemelas, y que allá en lo infinito, ni se ven ni se entienden.
- La mujer del 32 tenía veinticinco años, era extranjera; había venido a España por hambre, en calidad de institutriz en una casa de la nobleza. La enfermedad la había hecho salir de **aquel** asilo; le habían dado bastante dinero para poder andar algún tiempo sola por el mundo, de fonda en fonda; pero la habían alejado de sus discípulas. *Naturalmente*. Se temía el contagio. ...
- El número 32 acaso no lo olvidara; pero ¿qué iba a hacer? Era sentimental la pobre enferma, pero no era loca, no era necia. No pensó ni un momento en buscar realidad que correspondiera a la ilusión de una noche, al vago consuelo de **aquella** compañía de la tos nocturna. Ella, eso sí, se había ofrecido de buena fe; y aun despierta, a la

luz del día, ratificaba su intención; hubiera consagrado el resto, el miserable resto de su vida, a *cuidar **aquella** tos de hombre*... ¿Quién sería? ¿Cómo sería? ¡Bah! Como tantos otros príncipes rusos del país de los ensueños. Procurar verle... ¿para qué?

- En efecto; el enfermo del 36, sin recordar que el cambiar de postura sólo es cambiar de dolor, había huido de **aquella** fonda, en la cual había padecido tanto... como en las demás. A los pocos días dejaba también el pueblo.

Relea el cuento aplicando lo que ha aprendido y practicado en los ejercicios de la sección «**Lazos gramaticales**». Si lo hace, va a entender mejor el cuento y a fortalecer su comprensión de la gramática.

A ESCRIBIR

Estrategias de composición

Esta sección incluye una serie de pasos para ayudarlo/la a: (1) formular y desarrollar sus ideas, (2) buscar evidencia del cuento para apoyar sus argumentos y (3) organizar su composición para que sea cohesiva y coherente. También incluye instrucciones para buscar y corregir errores de gramática y de vocabulario. Estas sugerencias acompañan el primer tema porque son específicas para ese tema, pero son útiles para todos los temas. Si opta por otro tema, lea las sugerencias incluidas para el Tema uno y adáptelas para el tema que elija.

Tema uno

En el cuento se presentan muchas comparaciones entre la tos de los personajes y la música. Escriba un ensayo en que explore la idea de la metáfora de la música para caracterizar la tos de los protagonistas.

Al completar cada uno de los siguientes pasos, marque (✓) la casilla a la izquierda.

- ❑ a. Repase y subraye en el cuento las referencias a la música y a la tos. Haga dos listas.
- ❑ b. De sus listas, primero busque los casos donde hay una conexión clara entre la tos y la música. Luego busque evidencia oculta° de la conexión.

  no obvia
- ❑ c. Escriba la parte principal de su ensayo explorando la noción de la metáfora de la música para representar sus enfermedades, y especialmente las toses. Explore las siguientes ideas: Generalmente, no se asocia una tos con la música. Entonces, ¿por qué cree que Alas las asoció? ¿En qué sentidos parece música la tos? Incluya ejemplos específicos del cuento.

- ❑ d. Reescriba su introducción y escriba una conclusión.
- ❑ e. Cuando haya escrito su borrador, revíselo, utilizando sus listas para asegurarse que haya incluido todos los elementos importantes, que todo siga un orden lógico y que sus ideas fluyan bien. Haga las correcciones necesarias.
- ❑ f. Dele un título interesante a su cuento.
- ❑ g. Antes de entregar su ensayo, revíselo asegurándose que:
  - ❑ haya usado vocabulario correcto y variado
  - ❑ no haya usado **ser**, **estar** y **haber** demasiado (es preferible usar verbos más expresivos)
  - ❑ haya concordancia entre todos los adjetivos y artículos y los sustantivos a que se refieren
  - ❑ haya concordancia entre los verbos y sus sujetos
  - ❑ **ser** y **estar** se usen correctamente
  - ❑ el subjuntivo se use cuando sea apropiado
  - ❑ el pretérito y el imperfecto se hayan usado correctamente
  - ❑ no haya errores de ortografía ni de acentuación

Otros temas de composición

2. Las palabras **solo/a**, **soledad**, y sinónimos se usan mucho en el cuento. Explore las razones por las cuales el hombre y la mujer se sienten tan solos, tan aislados. Dé evidencia del cuento para apoyar sus argumentos.
3. El cuento tiene una interesante mezcla de la deshumanización de los seres humanos junto con la humanización de los objetos. Comente estos elementos contradictorios dando ejemplos del cuento. Explore la importancia de estos contrastes y contradicciones para la trama.
4. Hay muchas referencias a la oscuridad y a la luz en este cuento. Repase el cuento buscando referencias a la oscuridad y a la luz. Escriba un ensayo explicando por qué Alas usó estas oposiciones para narrar la historia y qué importancia tienen en la trama. Incluya ejemplos del cuento.
5. Escriba un ensayo comparando la soledad de los personajes en «La noche de los feos» y «El dúo de la tos» y su deseo de encontrar consuelo y compartir su tristeza con otros que sufren de manera parecida. Incluya ejemplos de los dos cuentos. (Puede incorporar otros aspectos de comparación si desea.)

CAPÍTULO

12

Tedy

Lupita Lago (María Canteli Dominicis) (1933–   )

ANTES DE LEER

12-1 Reflexiones. Considere las siguientes preguntas antes de leer el cuento.

1. ¿Tuvo Ud. una mascota durante su niñez? ¿Qué tipo de animal era? Escriba un párrafo describiéndolo. (Prepárese para describirlo oralmente en clase si su profesor/a se lo pide.)
2. ¿Tiene algún recuerdo en particular sobre su mascota favorita? Prepárese para describir lo que pasó.
3. Lea los dos primeros párrafos del cuento. ¿Quién era Tedy? ¿Cómo era?
4. ¿Quién narra este cuento?

Enfoques léxicos

Cognados falsos

12-2 Examinación de cognados falsos en «Tedy». Este cuento contiene varios cognados falsos, algunos se incluyen en los ejercicios a continuación. (Para más detalle sobre los cognados falsos, lea la sección número uno del *Manual de gramática* [pp. 285–290].)

1. Como vimos en el capítulo 7, la palabra **disgustar** no quiere decir *to disgust*, lo cual se expresa en español con **dar/le asco a** o **repugnar**, entre otras expresiones. **Disgustar** es lo opuesto de **gustar**. Sabiendo esto, ¿cómo podría parafrasear la frase en negrita en el siguiente fragmento del cuento?

   Tenía mi madre un sentido sumamente utilitario de la vida. **Le disgustaba** que hubiese en casa cualquier cosa inútil, ya fuese animal, objeto o persona.

➔ Si Ud. la ha parafraseado como **no le gustaba**, tiene razón.

2. Aunque **colegio** puede significar *college* en ciertas expresiones, como *College of Cardinals* (Colegio de cardenales) o *electoral college* (colegio electoral), generalmente no tiene este sentido. (*College* se expresa con **universidad.**) ¿Recuerda el significado general de **colegio**? Lea el siguiente fragmento del cuento e identifique un sinónimo en español.

   El hecho es que Tedy desapareció un buen día. Era viernes. A mi hermanito Beto y a mí nos extrañó no ver a nuestro lado su hociquito húmedo cuando bajamos de la guagua al volver del **colegio**, pero pensamos que estaría entretenido persiguiendo algún insecto.

➔ Si Ud. la ha traducido como **escuela**, tiene razón.

3. Aunque **copa** puede traducirse a *cup* (en el sentido de **trofeo** —por ejemplo, en **Copa Mundial**°), generalmente tiene otro significado, como lo tiene en el fragmento de este cuento a continuacíon. Léalo para determinar su significado en este cuento.

   World Cup

   Pasó el sábado y amaneció un domingo radiante. Ese día teníamos invitados. A mi madre le encantaba que hubiese gente a comer, porque esto le daba ocasión de sacar el mantel bordado de hilo,° las **copas** finas y los cubiertos de plata.

   embroidered linen tablecloth

➔ Si Ud. ha determinado que **copa** quiere decir **vaso con pie para beber vino**, tiene razón.

4. **Palo** no significa *pail* ni *pale* sino *stick* o *pole*. **Palo** es sinónimo de **vara**, otra palabra que se usa en este cuento.
5. A lo mejor, Ud. recuerda que **largo** nunca quiere decir *large*. Si no recuerda la definición de **largo**, lea el siguiente fragmento del cuento donde aparece esta palabra. ¿Puede recordarla o determinarla del contexto?

   Armados de un palo **largo** con un gancho en la punta…, nos fuimos al mangal.

➔ Si Ud. ha recordado o determinado que **largo** quiere decir **con una extensión alongada**, tiene razón.

6. También hemos visto en otros capítulos que **rudo** no significa *rude*, lo cual puede expresarse con **descortés, grosero, ofensivo** o **maleducado. Rudo** tiene varios equivalentes en inglés, entre ellos *rough, unpolished, simple, uncultured, coarse* y *stupid*. Lea el fragmento a continuación y determine su signficado en este contexto.

   Beto lo acarició con sus manos gordezuelas y **rudas**, hechas a cazar lagartijas y a manejar el tirapiedras.

➔ Si Ud. ha determinado que aquí **rudas** quiere decir *rough* o *coarse*, tiene razón.

Grupos léxicos

12-3 Palabras relacionadas: definiciones. Defina las siguientes palabras utilizando la palabra relacionada entre paréntesis en la definición. Subraye las palabras relacionadas. Puede cambiar las formas de las palabras. Recuerde que las palabras relacionadas comparten la raíz. Si no conoce la palabra que tiene que definir, búsquela en un diccionario. Siga el modelo. (¡Ojo! Generalmente no es buena idea usar una palabra relacionada como parte de la definición pero en esta actividad, el objetivo es enfatizar las relaciones entre las palabras.)

Modelo

Palabra	**Definición**
malvado (malo, mal)	Una persona **malvada** es una persona con **malas** intenciones que trata muy **mal** a la gente o animales.

1. viviente (vivir)
2. mangal (mango)
3. enganchar (gancho)
4. hojarasca (hojas [de los árboles])
5. susto (asustar)
6. tirapiedras (tirar, piedras)
7. sinvergüenza (sin, vergüenza)
8. entretenimientos (entretenido)
9. pequeñez (pequeño)
10. juguete (jugar)

Palabras con múltiples significados

En cualquier idioma, muchas palabras tienen más de un significado. Por ejemplo, **pluma** puede significar *feather* o *pen*, entre otras cosas. En este ejercicio, vamos a practicar con palabras en el cuento que tienen más de un significado. Aquí sólo vamos a usar los significados en el cuento y otros bastante comunes.

Palabra	Significado #1	Significado #2	Significado #3
cachorro	*puppy*	*cub* (del león, tigre, oso)	*kitten*
cubiertos	*place settings*	*cutlery*	(adj.) *covered* (de **cubrir**)
deshacerse	*to become undone*	*to get rid of* (con **de**)	*to melt*
extrañar	*to miss (someone/ something)*	*to seem strange*	

extraño	*strange, odd*	*extraneous* (con **a**)	
juego	*game*	*set* (por ej., de utensilios o herramientas)	*match* (con **hacer**)
manejar	conducir (un automóvil)	*to handle/wield*	*to manage/ operate*
pata	*paw*	(coloquial) *luck*	*female duck*
quinta	*country estate*	*draft (military)*	*fifth* (en música)
rabo	*tail* (de un animal)	*stem* (de una hoja o fruta)	*corner* (del ojo)
tapa	*lid*	*appetizer* (en España)	

12-4 ¿Cuál de los significados tiene aquí? Examine los siguientes fragmentos del cuento prestando atención a las palabras en negrita. Identifique cuál de los significados del cuadro tiene cada palabra en los contextos dados. (Las oraciones aparecen en orden alfabético según las palabras de interés; no siguen el orden en que aparecen en el cuento.)

1. —Los perros de raza fina se conocen porque de (1) **cachorros** tienen las (2) **patas** muy gordas —me había dicho mi abuelo.
2. A mi madre le encantaba que hubiese gente a comer, porque esto le daba ocasión de sacar el mantel bordado de hilo, las copas finas y los **cubiertos** de plata.
3. Y un perrillo como Tedy era a las claras un trasto. Por eso un día —esto lo supe después— mi madre le pidió a Gerardo que **se deshiciese** de Tedy.
4. El hecho es que Tedy desapareció un buen día. Era viernes. A mi hermanito Beto y a mí nos **extrañó** no ver a nuestro lado su hocicquito húmedo cuando bajamos de la guagua al volver del colegio, pero pensamos que estaría entretenido persiguiendo algún insecto.
5. El cuerpecillo blanco y café parecía aún más frágil, y temblaba con una mezcla **extraña** de alegría y pavor.
6. Le fascinaba perseguir mariposas, contemplar arrobado los moscones de alas tornasoladas que zumbaban en el bochorno

espeso de la tarde, jugar al (1) **juego** interminable de convertirse en trompo viviente tratando de capturar su propio (2) **rabo**.

7. Por eso Princesa, aunque era una gran danesa de rancia estirpe, no lo parecía: en vez de las orejitas artificialmente puntiagudas de los perros modernos, tenía dos apéndices largos y caídos que **hacían juego** con sus ojos lagañosos para darle un aspecto de lo más aburrido.
8. Beto lo acarició con sus manos gordezuelas y rudas, hechas a cazar lagartijas y a **manejar** el tirapiedras.
9. No he explicado aún que no vivíamos en la ciudad, sino en las afueras, en una de esas llamadas «**quintas** de recreo».
10. En el centro del pozo, semihundido en la mezcla pantanosa de hojarasca y piedras, había un latón abollado y herrumbroso. La **tapa** no encajaba bien, pero estaba asegurada con un alambre.

Sinónimos

12-5 Sinónimos. Empareje las palabras de la columna A con su sinónimo de la columna B. Luego escriba una frase para una palabra de cada pareja. (Las palabras aparecen en el cuento, aunque algunas con un cambio de forma.)

A	B
____ 1. aullido	a. clase
____ 2. después de	b. cosa inútil
____ 3. endeble	c. débil
____ 4. experto	d. gemido
____ 5. miedo	e. pavor
____ 6. palo	f. perito
____ 7. tipo	g. tras
____ 8. trasto	h. vara

A LEER

Estrategia de lectura: Reconocer regionalismos e inferir sus significados

Los hispanohablantes de diversos países de habla española pueden entenderse porque comparten una lengua. Sin embargo, a veces puede haber confusión porque cada país o región utiliza términos específicos que la gente de otros países no conoce. Estas diferencias dialectales léxicas se llaman **regionalismos.** Este cuento tiene lugar en Cuba y la autora es cubana. Por esta razón, aparecerán algunas palabras particularmente cubanas o caribeñas. Podemos anticipar algunos detalles que se van a mencionar en el cuento. Por ejemplo, los tipos de plantas, cultivos y otros productos que se asocian con el clima de esa región. Tendríamos ciertas expectativas para un relato que tiene lugar en una región tropical como Cuba que no tendríamos para un relato que tiene lugar en una región temporada o polar. Obviamente no todos los regionalismos van a tener que ver con el clima pero es razonable esperar algunos. En la actividad que sigue, vamos a practicar la estrategia de inferir palabras desconocidas con algunas de las palabras regionales en este cuento.

12-6 ¿Puede Ud. inferir el significado de estos regionalismos? Lea los siguientes fragmentos del cuento para determinar el significado de los regionalismos en negrita. Utilice el contexto donde aparece la palabra, el contexto geográfico donde tiene lugar el cuento y su conocimiento del español para ayudarlo/la. Prepárese para explicar cómo determinó el significado de cada palabra.

1. Era un perrito joven, pero a las claras se veía que su pequeñez no era solamente producto de su corta edad.

   —Los perros de raza fina se conocen porque de cachorros tienen las patas muy gordas— me había dicho mi abuelo. Y este cachorro no dejaba dudas de que era **sato**, por las patas delgadas y el cuerpecillo endeble, que temblaba lastimosamente al menor susto.
2. El hecho es que Tedy desapareció un buen día. Era viernes. A mi hermanito Beto y a mí nos extrañó no ver a nuestro lado su hociquito húmedo cuando bajamos de la **guagua** al volver del colegio, pero pensamos que estaría entretenido persiguiendo algún insecto.
3. El resto del terreno lo compartían un naranjal y una arboleda de mangos que era la envidia de la comarca. No llegaban a nuestra quinta los servicios del acueducto, a pesar de que estaba a sólo siete kilómetros del pueblo. Cuando mi padre la compró, había un pozo exiguo en el centro del **mangal**, pero él decidió que nos hacía falta agua de la mejor calidad, y tras excavar un pozo artesiano un poco más allá, mandó cegar con escombros el pozo viejo.
4. A nuestros invitados de aquel día les gustaban los mangos, y cuando ya se iban, mi padre les ofreció algunos. —Beto y Lupita irán a cogérselos, ellos saben tirar los mejores— les dijo. Beto tendría unos once años por aquel entonces, y yo dos menos. Armados de un palo largo con un gancho en la punta y una **jaba de yagua**, nos fuimos al mangal.

Mientras lea el cuento, utilice esta estrategia cuando encuentre palabras que no conozca. Mantenga una actitud abierta hacia su idea porque a veces es posible inferir incorrectamente. Si luego encuentra información que parece contradecir su idea inicial, puede ser necesario cambiarla o buscar la palabra en el diccionario.

Lupita Lago

Lupita Lago (pseudónimo de María Canteli Dominicis) nació en Camagüey, Cuba en 1933. Obtuvo el doctorado en Filosofía y Letras de la Universidad de La Habana. En 1960 se trasladó a los Estados Unidos y obtuvo el doctorado en literatura española de New York University. Ha sido profesora de español en Ohio Wesleyan, en Sweet Briar College y en St. Johns University en Nueva York. En 2000, se jubiló de St. Johns, donde había enseñado durante 36 años. Actualmente vive parte del año en Nueva York y la otra en Miami. Ha publicado escritos sobre la crítica literaria, inclusive *Don Juan en el teatro español del siglo XX*. Ha sido autora o co-autora de numerosos libros de texto. En uno de ellos, *Repase y escriba*, se publicó el cuento «Tedy» (1987), el único cuento que ha publicado. Este cuento le presenta un emocionante recuerdo de su niñez en Cuba en el que relata lo que le pasó a su adorado perro, Tedy.

Tedy

Lupita Lago

Era un perrito joven, pero a las claras° se veía que su pequeñez no era solamente producto de su corta edad. —Los perros de raza fina se conocen porque de cachorros tienen las patas muy gordas— me había dicho mi abuelo. Y este cachorro no dejaba dudas de que era sato, por las patas delgadas y el
5 cuerpecillo endeble, que temblaba lastimosamente° al menor susto. Le pusimos Tedy. Se me ha olvidado completamente de dónde vino. Debió de habérnoslo regalado alguien, porque cuando yo era niña nadie compraba animales domésticos ni plantas. Hubiera sido absurdo pagar por ellos: los amigos eran fuente inagotable de plantas, perros y gatos.

10 Tedy era experto en encontrar entretenimientos. Le fascinaba perseguir mariposas, contemplar arrobado° los moscones de alas tornasoladas° que zumbaban en el bochorno° espeso de la tarde, jugar al juego interminable de convertirse en trompo° viviente tratando de capturar su propio rabo.

—No nos conviene tener este tipo de perro— dijo mi madre desde un
15 principio. —Princesa es mansa, pero es muy grande, y su ladrido profundo

claras: claramente, obviamente
lastimosamente: *pitifully*
arrobado/tornasoladas: fascinado/iridiscentes
bochorno: calor
trompo: *top* (juguete)

puede asustar a cualquier intruso. Pero a éste, ¿quién va a tenerle miedo?— Princesa era una gran danesa negra. También nos la había regalado alguien. No se usaba tampoco cuando yo era niña, la poda° cruel de orejas y rabos que es hoy ritual obligado para algunas clases de perros. Por eso Princesa, aunque 20 era una gran danesa de rancia estirpe,° no lo parecía: en vez de las orejitas artificialmente puntiagudas° de los perros modernos, tenía dos apéndices largos y caídos que hacían juego con sus ojos lagañosos° para darle un aspecto de lo más aburrido.

Tenía mi madre un sentido sumamente utilitario de la vida. Le disgus- 25 taba que hubiese en casa cualquier cosa inútil, ya fuese animal, objeto o persona. Y un perrillo como Tedy era a las claras un trasto.° Por eso un día —esto lo supe después— mi madre le pidió a Gerardo que se deshiciese de Tedy. Gerardo era un peón desmañado,° rayando en retrasado mental, que a mí me caía muy antipático. —Cuando dije «deshacerse» —nos explicó luego ella 30 apenada —, no me pasó por la mente nada malo, simplemente quería que le encontrase otros amos.°

El hecho es que Tedy desapareció un buen día. Era viernes. A mi hermanito Beto y a mí nos extrañó no ver a nuestro lado su hociquito[1] húmedo cuando bajamos de la guagua al volver del colegio, pero pensamos que estaría entrete- 35 nido persiguiendo algún insecto. La alarma surgió cuando llegó la noche.

Al día siguiente, lo buscamos por todas partes, pero fue inútil.

Pasó el sábado y amaneció un domingo radiante. Ese día teníamos invitados. A mi madre le encantaba que hubiese gente a comer, porque esto le daba ocasión de sacar el mantel bordado de hilo,° las copas finas y los cubier- 40 tos de plata. —En una mesa así, se siente uno persona— decía siempre. Mi padre no comentaba nada, pero asentía complacido.

No he explicado aún que no vivíamos en la ciudad, sino en las afueras, en una de esas llamadas «quintas de recreo». Claro que, tratándose de mi madre, el recreo no era tal, y en nuestro terreno había más tomates y lechu- 45 gas que rosas, y se criaba multitud de gallinas para no tener que comprar huevos ni pollos. El resto del terreno lo compartían un naranjal y una arboleda de mangos que era la envidia de la comarca.° No llegaban a nuestra quinta los servicios del acueducto, a pesar de que estaba a sólo siete kilómetros del pueblo. Cuando mi padre la compró, había un pozo exiguo° en el centro del mangal, 50 pero él decidió que nos hacía falta agua de la mejor calidad, y tras excavar un pozo artesiano un poco más allá, mandó cegar° con escombros° el pozo viejo. De éste, quedó sólo un hoyo semiseco, relleno hasta más de la mitad con hojarasca° y cascajo.°

A nuestros invitados de aquel día les gustaban los mangos, y cuando ya 55 se iban, mi padre les ofreció algunos. —Beto y Lupita irán a cogérselos, ellos saben tirar los mejores— les dijo. Beto tendría unos once años por aquel entonces, y yo dos menos.

poda: acto de cortar
estirpe: noble linaje
puntiagudas: *pointed*
lagañosos: *bleary*
trasto: cosa inútil
desmañado: torpe
amos: dueños
mantel bordado de hilo: *embroidered linen tablecloth*
comarca: región
exiguo: *small, meagre well*
cegar / escombros: cubrir/*rubble*
hojarasca / cascajo: hojas/fragmentos de piedra

[1] **Hocico** es la parte prolongada de la cabeza de un animal que consiste en la nariz y la boca.

Armados de un palo largo con un gancho en la punta y una jaba de yagua,° nos fuimos al mangal. Habíamos cogido cuatro o cinco mangos, cuando un gemido apagado° llegó a mis oídos. —¿Qué es eso?— exclamé sobresaltada.° Como un eco de mi voz, el gemido se repitió, esta vez más audible y lastimero.° —¡Quieta, déjame escuchar!— ordenó Beto, a quien no se le escapaba ocasión para hacer valer su mayorazgo.[2] Y después de concentrarse escuchando los gemidos, dictaminó[3] con voz de perito:° —¡Viene del pozo seco!— En el centro del pozo, semihundido° en la mezcla pantanosa de hojarasca y piedras, había un latón abollado y herrumbroso.[4] La tapa no encajaba bien, pero estaba asegurada con un alambre.° Beto bajó con certero tino° la vara de tumbar mangos y enganchó el alambre. Le costó un poco de trabajo, pero por fin pudo subir el latón. El gemido era ahora un aullido que taladraba los tímpanos.°

Cuando logramos romper el alambre, Tedy saltó, como saltan esos muñecos de las cajas metálicas de juguete mientras se toca la música con una manigueta.° El cuerpecillo blanco y café parecía aún más frágil, y temblaba con una mezcla extraña de alegría y pavor. Beto lo acarició con sus manos gordezuelas y rudas, hechas a cazar lagartijas° y a manejar el tirapiedras. Tenía un brillo° de lágrimas en los ojos, de costumbre burlones. —A este sinvergüenza° le hace falta un buen baño— dijo mientras lo alzaba como un trofeo—. El latón es viejo y él está todo lleno de óxido.°

Han pasado muchos años de este episodio de mi niñez. Pero cuando oigo que a las personas malvadas las llaman «animales» y «perros», veo los ojitos húmedos de Tedy brillar en la oscuridad del latón cerrado.

basket of royal palm leaves/muffled
startled
plaintive
experto
half-sunken
wire
buena precisión
pierced our eardrums
handle, crank
small lizards
glimmer, glint
rascal
rust

DESPUÉS DE LEER

Preguntas

En general

1. ¿Quiénes son los personajes principales y cuál es su relación?
2. Describa el lugar donde vivía la familia de la narradora.
3. ¿Cómo difería la actitud de Lupita y Beto hacia Tedy y la actitud de su madre hacia él?
4. Describa a Tedy. Incluya una descripción física y de su temperamento.

[2]los derechos que vienen al primer hijo
[3]anunció con autoridad
[4]*a bent and rusty drum* (*large metal container*)

En detalle

1. ¿Por qué era tan obvio que Tedy era sato? ¿Cómo lo adquirieron?
2. ¿Qué le gustaba hacer a Tedy?
3. ¿Por qué no le gustaba Tedy a la madre de la narradora?
4. ¿Quién era Princesa? ¿Por qué le gustaba a la madre? ¿Por qué no parecía una perra de raza fina aunque lo era?
5. ¿Quién era Gerardo? ¿Qué tipo de persona era?
6. Cuando Lupita y Beto bajaron del autobús al volver del colegio, y Tedy no los esperaba, ¿por qué no estaban preocupados? ¿Cuándo empezaron a preocuparse por él?
7. ¿Por qué el padre de la narradora había excavado un pozo artesiano cuando ya había otro pozo en el mangal? ¿Qué mandó hacer con el pozo viejo después de que se excavó el nuevo?
8. ¿Cómo era diferente este domingo de otros días?
9. ¿Por qué fueron Lupita y Beto al mangal? ¿Qué ocurrió mientras estaban allí recogiendo mangos?
10. ¿Cómo encontraron a Tedy? ¿Dónde estaba cuando lo hallaron?
11. ¿Qué hizo Tedy cuando lo soltaron del latón? ¿En qué condiciones estaba?
12. ¿Cómo reaccionó Beto cuando lo encontraron? ¿Por qué cree que reaccionó así?

Discusión e interpretación

1. ¿Qué tipo de persona era la madre de la narradora? ¿Ha notado una contradicción en su actitud general sobre la vida y su actitud cuando tenía invitados? Explique.
2. La madre de la narradora explicó que cuando le había dicho a Gerardo que se deshiciera de Tedy que no tenía malas intenciones y que sólo quería que le encontrara otros amos. ¿La cree? Explique por qué sí o por qué no, usando evidencia del cuento.
3. La madre consideraba a Tedy un trasto. ¿Por qué? ¿Cree que realmente era un trasto? Explique su respuesta usando evidencia del cuento y sus propias opiniones.
4. ¿Qué opina la narradora sobre la poda de orejas y rabos que los dueños de perros practican hoy en día con ciertas razas de perro? ¿Qué otros rituales de cepillado° se practican hoy en día para «mejorar» la apariencia de los perros? ¿Qué opina Ud. sobre la poda de orejas y rabos y los otros rituales?

° *grooming*

5. ¿Ha tenido una mascota muy especial? ¿Qué atributos la hicieron especial? Descríbala y narre un evento interesante que recuerde sobre ella.
6. Parece que Gerardo encerró a Tedy en un latón y lo puso en el pozo viejo porque malentendió lo que la madre intentaba comunicarle cuando le dijo que se deshiciera de Tedy. ¿Ha usted experimentado una situación donde un malentendido° tuviera (o pudiera haber tenido) consecuencias trágicas o cómicas? Describa lo que se dijo que causó el malentendido (o lo que pasó que fue malinterpretado). ¿Cómo terminó este episodio —bien o mal?

misunderstanding

LAZOS GRAMATICALES

El uso de diminutivos en «Tedy»

La narradora de «Tedy» usa muchos diminutivos. Recuerde que los diminutivos se usan para indicar pequeñez física, pequeña cantidad, edad joven, cariño (y a veces irrisión°). En el siguiente ejercicio vamos a practicar con los diminutivos para aprender a identificarlos y a determinar lo que significan en este cuento.

burla

12-7 Lo que los diminutivos comunican en «Tedy». Conteste las siguientes preguntas tomando en cuenta las formas diversas y los varios usos de los diminutivos.

1. El cuadro a continuación contiene los diminutivos que se han usado en el cuento. Llénelo con la información pedida en las siguientes preguntas. (Si no quiere escribir en su libro, puede copiar el cuadro en una hoja de papel o fotocopiarlo.) Para cada diminutivo, identifique:
   a. la parte del habla (sustantivo, adjetivo o adverbio). (Examine la palabra en contexto para determinar esto. Las líneas donde aparecen las palabras se indican entre paréntesis en el cuadro.)
   b. la palabra base.
   c. el sufijo diminutivo que se ha usado.

Diminutivo	Parte del habla	Palabra base	Sufijo diminutivo
perrito (l. 1)			
cuerpecillo (ll. 5, 73)			

orejitas (l. 20)			
perrillo (l. 26)			
hermanito (l. 32)			
hociquito (l. 33)			
Lupita (l. 55)			
gordezuelas (l. 75)			
ojitos (l. 81)			

2. Examine los diminutivos en contexto para contestar las siguientes preguntas. (Véase las líneas indicadas entre paréntesis en el cuadro anterior.)
   a. ¿A quién/es se refieren cuando se usan?
   b. ¿Qué indica el diminutivo en cada caso?

El sufijo **-(z)uelo(s)/-(z)uela(s)** crea formas diminutivas que generalmente indican pequeñez pero pueden traer una connotación peyorativa (o cariñosa) a la vez. Por ejemplo, **arroyo/arroyuelo** (*stream/small stream, trickle, rivulet*) se refiere a la pequeñez de este cuerpo de agua, pero **mujerzuela** (mujer de poca estimación, de mala vida) sólo trae una connotación despectiva o peyorativa —no se refiere a su tamaño físico. Puesto que el significado de los diminutivos en **-(z)uelo** varía tanto, es muy importante considerar el contexto para ver si se refiere a la pequeñez o si tiene una connotación despectiva o cariñosa.

3. Cuando la narradora se refiere a las manos de su hermano, utiliza el diminutivo **gordezuelas**. (Véase la línea 75.) ¿Cree que es una referencia a su pequeñez o que tiene una connotación peyorativa o cariñosa? Explique usando evidencia del cuento, en particular el contexto donde utiliza la palabra.

En más detalle

Los diminutivos y aumentativos lexicalizados

Recuerde que a veces las formas diminutivas y aumentativas pueden lexicalizarse. Esto quiere decir que llegan a ser una palabra en sí —una que tiene su propia entrada en un diccionario. En este cuento se ven dos ejemplos de aumentativos que se han lexicalizado: **moscones** y **burlones**. Estas palabras tienen un sufijo aumentativo **-ón/-ones**. ¿Recuerda el tipo de información que lleva este sufijo? ¿Puede determinar la palabra base de estas dos palabras?

→ Si ha identificado **mosca** y **burla** como las palabras base, tiene razón. El sufijo **-ón/-ona** y sus formas plurales pueden indicar tamaño grande. Esto se ve en **moscón** porque un moscón es una especie de mosca grande. En el caso de burlón, **burlón** es un adjetivo que se deriva del sustantivo **burla** que indica la cualidad de burlarse de algo. Puede significar *mocking, joking* o *teasing*. El sufijo aumentativo acentúa o aumenta esta característica.

Vimos en el cuento «Una carta de amor» la palabra **frutillas** —una forma diminutiva de **frutas** que se ha lexicalizado en algunos dialectos donde tiene el significado **fresas**. «Tedy» no tiene casos de diminutivos lexicalizados.

Recuerde que si una palabra termina en lo que parece un sufijo diminutivo (**-ito**, **-illo**, **-uelo**, etc.), no siempre es un sufijo diminutivo. Por ejemplo, la palabra **perito** significa **experto** —no debe confundirla con **perrito**— y no es una forma diminutiva. **Brillo** y **abuelo** no son diminutivos tampoco. Igualmente, no todas las palabras que terminan en **-ón/-ona** son aumentativos. Por ejemplo, **peón**, **ocasión**, **persona** y **latón** no son aumentativos.

Conjetura en el pasado

12-8 Diversas maneras de expresar conjetura en el pasado. Hay varias maneras de expresar conjetura en el pasado, algunas ya las hemos considerado en otros capítulos. En este ejercicio vamos a explorar maneras de indicar conjetura en el pasado.

1. Lea los dos fragmentos de «Tedy» a continuación e identifique la forma verbal que se usa aquí para expresar conjetura. (Es la misma forma en ambos fragmentos.) Luego, cambie la forma verbal por otra frase que también exprese conjetura en el pasado.

   a. El hecho es que Tedy desapareció un buen día. Era viernes. A mi hermanito Beto y a mí nos extrañó no ver a nuestro lado su hociquito húmedo cuando bajamos de la guagua al volver del colegio, pero pensamos que estaría entretenido persiguiendo algún insecto. La alarma surgió cuando llegó la noche.

   b. A nuestros invitados de aquel día les gustaban los mangos, y cuando ya se iban, mi padre les ofreció algunos. —Beto y Lupita irán a cogérselos, ellos saben tirar los mejores— les dijo. Beto tendría unos once años por aquel entonces, y yo dos menos.

2. Lea el siguiente fragmento y busque la expresión que expresa conjetura en el pasado. No es la misma forma verbal que se usó en 1.a. y 1.b. Luego, cambie esta expresión por otra que también expresa conjetura en el pasado.

   Le pusimos Tedy. Se me ha olvidado completamente de dónde vino. Debió de habérnoslo regalado alguien, porque cuando yo era niña nadie compraba animales domésticos ni plantas. Hubiera sido absurdo pagar por ellos: los amigos eran fuente inagotable de plantas, perros y gatos.

Otra forma del imperfecto de subjuntivo

Hay dos terminaciones para las formas del imperfecto de subjuntivo: una que termina en **-ra**, etc., (**cantara, cantaras, cantara, cantáramos, cantarais, cantaran**) y otra que termina en **-se** (**cantase, cantases, cantase, cantásemos, cantaseis, cantasen**). Algunos libros de texto sólo presentan las formas que terminan en **-ra**, etc., tal vez porque estas formas se usan más frecuentemente. Pero en realidad las formas que terminan en **-se** se usan con frecuencia y se ven varias veces en este cuento. (Refiérase a los cuadros verbales en el Apéndice para ver otros verbos conjugados en este paradigma.)

12-9 Usos del subjuntivo. Examine los verbos en negrita en el siguiente fragmento del cuento y conteste las preguntas debajo del fragmento.

> Tenía mi madre un sentido sumamente utilitario de la vida. Le disgustaba que (1) **hubiese** en casa cualquier cosa inútil, ya (2) **fuese** animal, objeto o persona. Y un perrillo como Tedy era a las claras un trasto. Por eso un día —esto lo supe después— mi madre le pidió a Gerardo que (3) **se deshiciese** de Tedy. Gerardo era un peón desmañado, rayando en retrasado mental, que a mí me caía muy antipático. —Cuando dije «deshacerse»— nos explicó luego ella apenada—, no me pasó por la mente nada malo, simplemente quería que le (4) **encontrase** otros amos.

1. Si no conociera estas formas, ¿qué evidencia gramatical hay que indica que son formas del imperfecto de subjuntivo? En otras palabras, ¿por qué se ha usado el imperfecto de subjuntivo en estos ejemplos? (Si necesita ayuda, repase la sección número cinco del *Manual de gramática* [pp. 314–323].)
2. ¿Cómo traduciría estas oraciones al inglés?

Relea el cuento aplicando lo que ha aprendido y practicado en los ejercicios de la sección «**Lazos gramaticales**». Si lo hace, va a entender mejor el cuento y a fortalecer su comprensión de la gramática.

A ESCRIBIR

Estrategias de composición

Esta sección incluye una serie de pasos para ayudarlo/la a: (1) formular y desarrollar sus ideas y (2) organizar su composición para que sea cohesiva y coherente. También incluye instrucciones para buscar y corregir errores de gramática y de vocabulario. Estas sugerencias acompañan el primer tema porque son específicas para ese tema pero son útiles para todos los temas. Si opta por otro tema, lea las sugerencias incluidas para el Tema uno y adáptelas para el tema que elija.

Tema uno

Escriba un ensayo en el que narre un recuerdo emocionante de su niñez. Trate de imitar el estilo de Lago.

Al completar cada uno de los siguientes pasos, marque (✓) la casilla a la izquierda.

- ❑ a. Trate de recordar —o revivir— el episodio.
- ❑ b. Haga una lista de las personas involucradas en lo que pasó.
- ❑ c. Apunte los elementos principales del suceso.
- ❑ d. Describa la escena: ¿dónde ocurrió?, ¿cuándo ocurrió?, ¿qué tiempo hacía? Narre el episodio en tiempo pasado.
- ❑ e. Reescriba la introducción y escriba una conclusión.
- ❑ f. Cuando haya escrito su borrador, revíselo, asegurándose que todo siga un orden lógico y que sus ideas fluyan bien. Utilizando sus listas, asegúrese que haya incluido todos los elementos importantes. Haga las correcciones necesarias.
- ❑ g. Dele un título interesante a su ensayo.
- ❑ h. Antes de entregar su ensayo, revíselo asegurándose que:
    - ❑ haya usado vocabulario correcto y variado
    - ❑ no haya usado **ser**, **estar** y **haber** demasiado (es preferible usar verbos más expresivos)
    - ❑ haya concordancia entre todos los adjetivos y artículos y los sustantivos a que se refieren
    - ❑ haya concordancia entre los verbos y sus sujetos
    - ❑ **ser** y **estar** se usen correctamente
    - ❑ el subjuntivo se use cuando sea apropiado
    - ❑ el pretérito y el imperfecto se hayan usado correctamente
    - ❑ no haya errores de ortografía ni de acentuación

Otros temas de composición

2. Parece que Gerardo encerró a Tedy en un latón y lo puso en el pozo viejo porque malentendió lo que la madre intentaba comunicarle cuando le dijo que se deshiciera de Tedy. ¿Ha Ud. experimentado una situación donde un malentendido tuviera (o pudiera haber tenido) consecuencias trágicas o cómicas? Escriba una composición en la que describa lo que se dijo que causó el malentendido (o lo que pasó que fue malinterpretado). Incluya una descripción de cómo terminó este episodio.
3. ¿Tiene o tenía una mascota durante su niñez o juventud? Escriba una composición en el que describa a su mascota especial. Descríbala físicamente y describa su personalidad. Incluya una anécdota interesante que muestre su personalidad.

CAPÍTULO

13

El lenguado

Mariella Sala (1952–)

ANTES DE LEER

13-1 Reflexiones. Considere las siguientes preguntas antes de leer el cuento.

1. ¿Qué recuerdos tiene sobre los veranos de su niñez? ¿Por lo general son recuerdos positivos o negativos? ¿Cómo le gustaba pasar los veranos?
2. Cuando era niño/a, ¿pasaba mucho tiempo en la playa? ¿Qué le gustaba hacer en la playa? ¿Recuerda un día en particular?
3. ¿Tuvo un/a amigo/a muy especial cuando era joven? ¿Qué les gustaba hacer para entretenerse? ¿Recuerda un evento en particular? Escriba un párrafo describiendo lo que hicieron o, si no recuerda un evento en particular, describa lo que les gustaba hacer.
4. Lea el primer párrafo del cuento. ¿Dónde empieza la acción?
5. Ahora lea el pequeño diálogo que sigue al primer párrafo. ¿Cómo se llaman los personajes principales? ¿La narración da la perspectiva de cuál de ellas?

Enfoques léxicos

Cognados falsos

13-2 Examinación de cognados falsos en «El lenguado». Este cuento contiene varios cognados falsos, algunos se incluyen en los ejercicios a continuación. (Para más detalle sobre los cognados falsos, lea la sección número uno del *Manual de gramática* [pp. 285–290].)

1. La palabra **lonche** no significa *lunch*, lo cual se expresa en español con **almuerzo** o **comida.** Lea el siguiente fragmento del cuento y determine el significado de **lonche.**

   Se acercaba la hora del **lonche**. Lo notó por las sombras que bajaban de los cerros y un ligero frío en el estómago que la hizo imaginar los panes recién salidos del horno de la única panadería del balneario.

➔ Si ha determinado que **lonche** es una comida, tiene razón. Es un término peruano equivalente a **merienda,** una comida ligera que se come durante la tarde.

2. Probablemente ya sabe que **horno** no significa *horn*. Si no recuerda su significado, relea el fragmento que acaba de leer en la pregunta número uno:

   Se acercaba la hora del lonche. Lo notó por las sombras que bajaban de los cerros y un ligero frío en el estómago que la hizo imaginar los panes recién salidos del **horno** de la única panadería del balneario.

➔ Si ha determinado que **horno** significa *oven*, tiene razón.

3. **Crudo**, cuando es adjetivo, no se traduce a *crude*, lo cual puede expresarse con **grosero, ordinario** o **rudimentario. Crudo** tiene varios equivalentes en inglés, entre ellos *raw* cuando se habla de la comida, *unripe* cuando se refiere a la fruta o *harsh* o *severe* cuando se refiere al tiempo o al clima. (Se traduce a *crude* cuando es sustantivo —es un término que se refiere al petróleo.) Lea el fragmento a continuación para determinar cuál de estos significados tiene en este contexto.

   Además acampaban durante varios días en playas solitarias, cocinando sus propios pescados o comiéndoselos **crudos** con un poco de limón.

➔ Si ha determinado que **crudos** quiere decir **sin cocinar**, tiene razón.

4. **Molestar** no significa *to molest*. Cuando se usa con un complemento indirecto, se traduce a *to bother* o *annoy (someone)*. Cuando la estructura es reflexiva, significa *to get upset* o *annoyed*. Lea el siguiente fragmento examinando la estructura gramatical para determinar cuál de estos significados tiene en este contexto.

   —Bótalo —dijo Johanna desencantada, pero Margarita **se molestó** y le hizo recordar el pacto de llevar a tierra todo lo que pescaran.

➔ Si ha traducido **se molestó** a *got upset/annoyed*, tiene razón. (La estructura es reflexiva.)

5. Hemos visto **guardar** en otros capítulos y, aunque puede significar *to guard*, no ha tenido este significado en los otros cuentos y tampoco aquí. Si no recuerda su otro significado, lea el siguiente fragmento para determinar su significado en este contexto.

   En un instante había desaparecido de su mente la imagen que **había guardado** durante todo el día.

➔ Si ha determinado que **había guardado** quiere decir *had kept*, tiene razón.

Grupos léxicos

13-3 Palabras relacionadas. Complete las siguientes frases con la palabra adecuada. Las palabras agrupadas tienen la misma raíz y por lo tanto tienen un significado relacionado. Utilice su conocimiento de la gramática para escoger la palabra correcta. No será necesario cambiar las formas de las palabras. Usará algunas palabras más de una vez. Verifique sus respuestas buscando la oración en el cuento.

(Las oraciones de cada grupo se presentan en el orden en que aparecen en el cuento.)

juro - juramentar - júrame

1. —Adivina qué —dijo—, mañana me prestan el bote.

   —¡ (1) ___________ que es verdad! —exclamó Johanna, entusiasmada.

   —Lo (2) ___________ —enfatizó solemnemente Margarita, y ambas cruzaron las manos tocándose las muñecas. Habían decidido que ésa sería su forma de (3) ___________ y asegurar que las promesas se cumplieran.

remar - remando - remo - remos

2. —Nos vamos a demorar, porque un ___________ está roto —advirtió Margarita mientras subían al pueblo.
3. Cuando Johanna llegó al muelle al día siguiente, encontró a Margarita con los ___________ en ambos brazos.
4. Cuando los hombres las acompañaban querían ___________, colocarles la carnada; se hacían los que sabían todo y eso, a ellas, les daba mucha cólera.
5. Continuaron ___________ hasta dejar la bahía y ahí, en el mar abierto, comenzaron a apostar cuánto pescarían.
6. —Es cierto, y estoy cansada y con calor. ¿Qué tal si nos bañamos para después ___________ con más fuerza? —propuso. Johanna aceptó de inmediato.

pesca - pescador - pescadores - pescado - pescados - pescando - pescaron - pescaban - pescarían

7. Cuando Johanna llegó al muelle al día siguiente, encontró a Margarita con los remos en ambos brazos. Los encargaron a un (1) ___________ amigo y fueron a comprar carnada; luego gaseosas y chocolates, pues ése sería su almuerzo... Ya en el bote, respiraron profundamente dando inicio así a la aventura: el primer día de (2) ___________ de la temporada, la primera tarde que saldrían todo el día solas.
8. Continuaron remando hasta dejar la bahía y ahí, en el mar abierto, comenzaron a apostar cuánto ___________.
9. Parte del acuerdo entre ellas era dejar que todo el balneario viera lo que habían (1) ___________; fuera lo que fuera. Los llevarían todos colgados del cordel como habían visto hacer a algunos (2) ___________ de anzuelo y también a sus padres; aunque, claro, ellos (3) ___________ corvinas y lenguados enormes porque se iban mucho más lejos con *jeeps* que cruzaban los arenales y luego en botes de motor. Además acampaban durante varios días en playas solitarias, cocinando sus propios (4) ___________ o comiéndoselos crudos con un poco de limón.

10. Durante media hora no __________ nada: puro yuyo nomás.
11. Luego de darse un chapuzón, siguió __________ más entusiasmadamente que nunca sabiendo ya que era capaz de sacar más lenguados y hasta una corvina.

Palabras con múltiples significados

En cualquier idioma, muchas palabras tienen más de un significado. Por ejemplo, **gato** puede significar *cat* o *jack* (la herramienta que se usa para cambiar una llanta). En este ejercicio, vamos a practicar con palabras que tienen más de un significado. Algunas de las que se usan aquí tienen más significados, pero sólo vamos a hablar de los significados en el cuento y otros bastante comunes.

Palabra	Significado #1	Significado #2	Significado #3
balneario	*health spa*	*seaside resort*	
bañarse	*to bathe/take a bath*	*to go swimming*	
botar	*to throw away, discard*	*to bounce (a ball)*	*to launch (a boat)*
cólera	(masc.) *cholera*	(fem.) *anger*	
estrecho	(adj.) *narrow*	(adj.) *tight* (por ej., con ropa)	(sust.) *strait* (un paso de agua **estrecho** entre dos tierras)
estrellado	lleno de estrellas	*smashed* (de **estrellar**)	*crashed* (de **estrellar**)
hasta	*until*	aun (*even*)	
muñeca	*doll*	*wrist*	
padres	*parents*	*fathers*	
pescar	*to fish/go fishing*	*to catch* (cuando hay un complemento directo)	
propina	*tip*	*pocket money* (en Perú)	

13-4 ¿Cuál de los significados tiene aquí? Examine los siguientes fragmentos prestando atención a las palabras en negrita. Luego identifique cuál de los significados del cuadro tiene cada palabra en los contextos dados. (Las oraciones aparecen en orden alfabético según las palabras de interés.)

1. Como todas las tardes, calentaba su cuerpo bajo el sol, la espalda tibia mientras demoraba el momento de darse el último chapuzón en el mar. Se acercaba la hora del lonche. Lo notó por las sombras que bajaban de los cerros y un ligero frío en el estómago que la hizo imaginar los panes recién salidos del horno de la única panadería del **balneario**.
2. Ambas rieron a carcajadas y fueron a **bañarse** en el mar para luego salir corriendo a pedir permiso a las mamás.
3. —...Pero acuérdate que aunque pesquemos sólo anguilas, no podemos **botar** nada.
4. Cuando los hombres las acompañaban querían remar, colocarles la carnada; se hacían los que sabían todo y eso, a ellas, les daba mucha **cólera**.
5. Pasaron por la Casa Ballena y el Torreón con mucho cuidado de no golpear el «Delfín» contra las rocas en las partes más bajas del (1) **estrecho**. Continuaron remando (2) **hasta** dejar la bahía y ahí, en el mar abierto, comenzaron a apostar cuánto pescarían.
6. Se movieron todavía unos metros más allá, alejándose siempre de las rocas. Recordaban muchas historias de ahogados cuyas embarcaciones se habían **estrellado** contra ellas, al subir sorpresivamente la marea.
7. Luego de darse un chapuzón, siguió pescando más entusiasmadamente que nunca, sabiendo ya que era capaz de sacar más lenguados y **hasta** una corvina.
8. —Lo juro —enfatizó solemnemente Margarita, y ambas cruzaron las manos tocándose las **muñecas**. Habían decidido que ésa sería su forma de juramentar y asegurar que las promesas se cumplieran.
9. Parte del acuerdo entre ellas era dejar que todo el balneario viera lo que habían pescado; fuera lo que fuera. Los llevarían todos colgados del cordel como habían visto hacer a algunos pescadores de anzuelo y también a sus **padres**.
10. Efectivamente, allí empezaron a (1) **pescar** con bastante suerte. Margarita había (2) **pescado** ya una caballa y tres tramboyos, además de montones de borrachos. (Pista: **caballa, tramboyos** y **borrachos** son todos tipos de peces.)

11. Cuando Johanna llegó al muelle al día siguiente, encontró a Margarita con los remos en ambos brazos. Los encargaron a un pescador amigo y fueron a comprar carnada; luego gaseosas y chocolates, pues ése sería su almuerzo. Gastaron toda su **propina**, pero sintieron que almorzarían mejor que nunca.

Antónimos y sinónimos

13-5 Antónimos. Empareje las palabras de la columna A con su antónimo de la columna B. Luego escriba una frase para cada pareja de antónimos. (Las palabras aparecen en el cuento, aunque algunas con un cambio de forma.)

A	B
___ 1. acercarse	a. aburrido
___ 2. cocinado	b. alejarse
___ 3. encontrar	c. bajar
___ 4. enorme	d. cerca
___ 5. entusiasmado	e. chico
___ 6. inicio	f. crudo
___ 7. lejos	g. fin
___ 8. subir	h. perder

13-6 Sinónimos. Empareje las palabras de la columna A con su sinónimo de la columna B. Luego escriba una frase para una palabra de cada pareja. (Las palabras aparecen en el cuento, aunque algunas con un cambio de forma.)

A	B
___ 1. acordarse	a. blando
___ 2. acuerdo	b. de pronto
___ 3. cólera	c. enorme
___ 4. continuar	d. estómago
___ 5. de inmediato	e. extraño
___ 6. grande	f. jurar
___ 7. prometer	g. pacto
___ 8. raro	h. rabia
___ 9. responder	i. recordar
___ 10. suave	j. replicar
___ 11. vientre	k. seguir

A LEER

Estrategia de lectura: Anticipar vocabulario según el contexto del cuento (el escenario donde tiene lugar)

Al leer este cuento, se dará cuenta que la acción tiene lugar en la playa y en el mar y que las chicas que son las protagonistas van de pesca. Sabiendo esto, podemos anticipar los tipos de palabras que se van a usar y nos será más fácil entender el cuento. En los ejercicios siguientes vamos a practicar esta estrategia.

13-7 ¿Qué cosas y actividades se asocian con la playa, el mar y la pesca? Siga los siguientes pasos para ayudarlo/la a anticipar muchas de las palabras que se encuentran en el cuento.

1. En parejas, hagan una lista de todas la palabras que conozcan relacionadas con **la playa, el mar** y **la pesca.** Incluyan palabras para objetos y acciones.
2. Después de agotar su conocimiento léxico español de estos temas, hagan una lista de palabras inglesas (palabras que no saben en español).
3. Luego con su compañero/a túrnense y definan las palabras inglesas en español.

   Ejemplo

   La palabra *tide* significa la variación regular y cíclica del nivel del mar o del océano.

4. Escriba un breve párrafo utilizando por lo menos cinco de las palabras españolas.

13-8 «Pescado de buen comer, del mar ha de ser».[1] Las palabras **anguila, borracho, caballa, corvina, lenguado** y **tramboyo** son tipos de peces que se mencionan en el cuento. Para entender la trama del cuento, no es necesario saber su equivalente en inglés. Lo que sí importa es entender cuáles de estos peces tienen gran valor. Para determinar esto, vamos a examinar los contextos donde se usan estos términos.

1. ¿El hecho que **lenguado** se menciona en el título le sugiere que es un pez muy o poco valorado?
2. Lea el siguiente fragmento examinando con cuidado lo que se dice sobre los lenguados. ¿Esto confirma o niega su conjetura sobre los lenguados en la pregunta número uno? Explique.

   Parte del acuerdo entre ellas era dejar que todo el balneario viera lo que habían pescado; fuera lo que fuera. Los llevarían todos colgados

[1]Refrán que quiere decir "*A good fish must come from the sea.*"

del cordel como habían visto hacer a algunos pescadores de anzuelo y también a sus padres; aunque, claro, ellos pescaban corvinas y **lenguados** enormes porque se iban mucho más lejos con *jeeps* que cruzaban los arenales y luego en botes de motor.

3. Según el fragmento anterior, ¿cree usted que las corvinas son muy o poco valoradas? Explique.
4. Ahora lea los siguientes fragmentos para determinar si las palabras en negrita representan peces muy o poco valorados. Explique su conclusión en cada caso.
   1. Pero acuérdate que aunque pesquemos sólo **anguilas**, no podemos botar° nada.
   2. Margarita había pescado ya una caballa y tres tramboyos, además de montones de **borrachos**. Johanna tenía cuatro tramboyos; los **borrachos** no quería ni contarlos.
   3. ...miraba ... a Margarita exhibiendo orgullosa su **caballa**.

echar (aquí: devolver al mar)

En más detalle

El lenguado (*sole*) es un pez con un cuerpo oblongo, casi plano, que parece una lengua, y de ahí, el término **lenguado**. De manera parecida, el término *sole* en inglés sugiere la forma del pez, *sole* siendo la parte plana, inferior del pie o de un zapato. *Solea vulgaris* es su nombre en latín (*solea* significa *sandal* en latín, del cual viene el término en inglés). Otro término para **lenguado** en español es **suela** que, como su cognado inglés, se derivó de la palabra latina *solea.*

13-9 «Quien peces quiere el rabo se moja»[2] ¡Vamos a "pescar" definiciones! Empareje las palabras de la lista con su definición. Si no puede determinar algunas de las definiciones, busque las palabras en el glosario o en un diccionario. ¡Ojo! Muchas de las palabras tienen múltiples significados pero las definiciones dadas aquí son las que se usan en «El lenguado».

ancla	bahía	bucear	embarcación	marea	pescado	playa
arena	balneario	carnada	estrecho (sust.)	muelle	pescador	remar
arenal	bañarse	chapuzón	lancha	nadar	pescar	remo
anzuelo	bote	cordel	mar	pez	picar	zambullirse

[2]Refrán que quiere decir "*He who wants fish must get his tail wet.*"

1. sinónimo de **océano**
2. área arenosa en las orillas del agua
3. variación regular y cíclica del nivel del mar
4. sinónimo de **bote**
5. un pez sacado del agua que sirve de alimento
6. morder el pez la carnada en el anzuelo
7. paso angosto de agua entre dos tierras
8. sinónimo de **zambullida** (el acto de tirarse al agua)
9. avanzar/desplazarse sobre o en el agua moviendo los brazos y las piernas
10. sumergirse bruscamente debajo del agua
11. nadar bajo el agua
12. persona que captura y extrae peces usando una caña o red
13. bote grande de vela y remo/vapor/motor
14. impulsar un bote con remos
15. instrumento de madera que sirve para impulsar un bote
16. instrumento de hierro —pendiente de una cadena— que sirve para asegurar un bote
17. partículas finas que provienen de la desagregación de rocas cristalinas
18. terreno arenoso
19. sinónimo de **nadar**
20. centro turístico en la costa
21. barco pequeño sin cubierta que se rema
22. entrada del mar en la costa, cuerpo de agua como un golfo pero más pequeño
23. gancho de punta aguda que se usa para pesca
24. sinónimo de **cebo** (comida que se pone en un anzuelo para pescar peces)
25. animal vertebrado acuático cubierto de escamas
26. cuerda fina
27. capturar y extraer peces usando una caña o red
28. construcción junto al mar, lago o río donde se amarran las embarcaciones

En más detalle

Tanto **pez** como **pescado** se traducen a *fish* en inglés. Generalmente se usa **pescado** para referirse al **pez** ya afuera del agua para ser consumido.

Utilice esta estrategia de tomar en cuenta el contexto o el escenario para anticipar los tipos de palabras que encontrará mientras lee. Si hace esto, le será más fácil entender lo que lee.

Mariella Sala

Mariella Sala nació en Lima, Perú en 1952. Estudió periodismo en la Universidad Católica del Perú. Es periodista, editora, cuentista y activista para varias causas. Fundó la RELAT (Red de Escritoras Latinoamericanas). Sus cuentos —publicados en español y traducidos al inglés, francés y alemán— han sido publicados en numerosos libros y antologías. Publicó su primer libro de cuentos —*Desde el exilio*— en 1984 y, luego en 1988, lo publicó en una edición ampliada —con el título *Desde el exilio y otros cuentos*. «El lenguado» forma parte de esta colección. Como se verá en este cuento, Sala utiliza un lenguaje simple y directo para tratar temas emocionales e íntimos.

El lenguado

Mariella Sala

Como todas las tardes, calentaba su cuerpo bajo el sol, la espalda tibia mientras demoraba° el momento de darse el último chapuzón° en el mar. Se acercaba la hora del lonche. Lo notó por las sombras que bajaban de los cerros° y un ligero frío en el estómago que la hizo imaginar los panes recién salidos del horno de la única panadería del balneario. Jugó un rato más con la arena, mirando cómo los granitos se escurrían° entre los dedos y caían blandamente. Era el tiempo evocado en el cuaderno de sexto grado. Escuchó entonces la voz de Margarita al otro lado de la playa. Venía corriendo como un potro° desbocado.

—Adivina qué —dijo—, mañana me prestan° el bote.

—¡Júrame° que es verdad! —exclamó Johanna, entusiasmada.

—Lo juro —enfatizó solemnemente Margarita, y ambas cruzaron las manos tocándose las muñecas. Habían decidido que ésa sería su forma de juramentar° y asegurar que las promesas se cumplieran.

Ambas rieron a carcajadas y fueron a bañarse en el mar para luego salir corriendo a pedir permiso a las mamás. Toda la semana habían estado planeando el día de pesca y al fin les prestaban el «Delfín».

—Nos vamos a demorar, porque un remo está roto —advirtió Margarita mientras subían al pueblo.

demoraba: prolongaba / chapuzón: inmersión
cerros: *hills*
se escurrían: *slipped*
potro: *colt*
prestan: *lend*
Júrame: Prométeme, Asegúrame
juramentar: *swear*

20 —No importa —replicó rápidamente ella. Estaba tan contenta que ese detalle no tenía ninguna importancia. Más bien le propuso: Mañana nos levantamos tempranito y compramos cosas para comer.

—De acuerdo —dijo Margarita, y se despidieron hasta la noche.

Cuando Johanna llegó al muelle al día siguiente, encontró a Margarita 25 con los remos en ambos brazos. Los encargaron a un pescador amigo y fueron a comprar carnada; luego gaseosas y chocolates, pues ése sería su almuerzo. Gastaron toda su propina, pero sintieron que almorzarían mejor que nunca. Ya en el bote, respiraron profundamente dando inicio así a la aventura: el primer día de pesca de la temporada, la primera tarde que sal- 30 drían todo el día solas. El mar estaba brillante como todas las mañanas. Las gaviotas° sobrevolaban el «Delfín».

seagulls

—Esta vez no les damos nada, Marga —dijo Johanna mirando las gaviotas. Vamos a estar todo el día de pesca, y quién sabe si nos faltará. Se percibía una loca alegría en la entonación de su voz, y es que se sentía ¡tan 35 importante!

—Pero si hay un montón de carnada; nunca hemos tenido tanta —respondió Marga, eufórica.

—Mujer precavida vale por dos[3] —respondió con seriedad Johanna. Su madre siempre le decía esa frase y de pronto se sintió adulta.

40 Margarita se echó a reír y Johanna se contagió. Marga era su mejor amiga y no había nada que le gustara más que estar con ella. Además, eran las únicas chicas de doce años que todavía no querían tener enamorado, porque con ellos no podían hacer nada de lo que en verdad las divertía; por ejemplo, ir a pescar en bote. Cuando los hombres las acompañaban querían remar, 45 colocarles la carnada; se hacían los que sabían todo y eso, a ellas, les daba mucha cólera.

Pasaron por la Casa Ballena y el Torreón con mucho cuidado de no golpear el «Delfín» contra las rocas en las partes más bajas del estrecho. Continuaron remando hasta dejar la bahía y ahí, en el mar abierto, comenzaron a 50 apostar° cuánto pescarían.

to bet

—Cuatro caballas, seis tramboyos y... veinte borrachos —adivinó divertida Johanna.

—Puro borracho, nomás —rió Margarita. Pero acuérdate que aunque pesquemos sólo anguilas, no podemos botar° nada.

devolver al mar

55 Parte del acuerdo entre ellas era dejar que todo el balneario viera lo que habían pescado; fuera lo que fuera. Los llevarían todos colgados° del cordel° como habían visto hacer a algunos pescadores de anzuelo y también a sus padres; aunque, claro, ellos pescaban corvinas y lenguados enormes porque se iban mucho más lejos con *jeeps* que cruzaban los arenales y luego en botes

hanging/line

---

[3]Variación del refrán «Hombre precavido vale por dos», que se usa para indicar el valor de la preparación y de la anticipación de posibles problemas para estar preparado para evitarlos o tratar con ellos. Es parecido a "*Forewarned is forearmed*" en inglés.

60 de motor. Además acampaban durante varios días en playas solitarias, cocinando sus propios pescados o comiéndoselos crudos con un poco de limón.

—Yo voy a pescar un lenguado —sentenció Margarita. Te lo prometo.

—Para eso tendríamos que irnos más allá de Lobo Varado° —contestó Johanna. Mira, si acabamos de salir de la bahía. — un pueblo en la costa al sur de Lima

65 —Es cierto, y estoy cansada y con calor. ¿Qué tal si nos bañamos para después remar con más fuerza? —propuso. Johanna aceptó de inmediato.

Nadaron y bucearon un buen rato hasta que se percataron° de que el bote se había alejado. Tuvieron que nadar rápidamente para lograr subirse a él. Como el bote era grande y pesado, avanzaba lentamente. Diez metros más 70 allá, decidieron anclarlo° para tentar suerte.° Durante media hora no pescaron nada: puro yuyo° nomás. De pronto, Margarita gritó: «¡Es enorme, es enorme!». Tiraba° del cordel con tanta fuerza que el bote parecía a punto de voltearse.° Al fin salió. Era un borrachito pequeño que se movía con las justas,° pues había sido pescado por el vientre.° — se dieron cuenta; *anchor it/try their luck/seaweed*; *pulled*; *turn over*; *just barely*/abdomen

75 —Bótalo —dijo Johanna desencantada, pero Margarita se molestó y le hizo recordar el pacto de llevar a tierra todo lo que pescaran.

Se movieron todavía unos metros más allá, alejándose siempre de las rocas. Recordaban muchas historias de ahogados° cuyas embarcaciones se habían estrellado contra ellas, al subir sorpresivamente° la marea. Luego de 80 comer los chocolates y tomar un poco de agua gaseosa, intentaron nuevamente la pesca en un lugar que parecía más adecuado por el silencio que había, distante de las lanchas de motor que ahuyentaban° a los peces. — *drowning victims*; de repente; *scared away*

Efectivamente, allí empezaron a pescar con bastante suerte. Margarita había pescado ya una caballa y tres tramboyos, además de montones de 85 borrachos. Johanna tenía cuatro tramboyos; los borrachos no quería ni contarlos. Era la mejor hora del sol, y les provocó bañarse nuevamente; pero cuando Margarita se zambulló en el mar, Johanna —no supo por qué— echó su anzuelo una vez más. Casi inmediatamente sintió un leve tirón,° justo en el momento en que Margarita la llamaba para que se uniera a ella. Levantó el 90 anzuelo pensando que era un yuyo, porque no se movía mucho, y de pronto vio saliendo del mar, un lenguado chico. Lo subió cuidadosamente. Se le cortaba la respiración.° Sólo cuando lo tuvo bien seguro dentro del bote, pudo gritar. — *pull, tug*; *She could hardly breathe*

—¡Un lenguado, Marga! ¡He pescado un lenguado!

95 Ella subió con un gran salto y quiso agarrarlo,° pero Johanna no se lo permitió. Estaba muy nerviosa tratando de sacarle el anzuelo sin hacerle daño. Cuando lo liberó, lo miró con orgullo. Sentía que iba a estallar° de alegría; pocas veces en su vida se había sentido tan feliz. Luego de darse un chapuzón, siguió pescando más entusiasmadamente que nunca, sabiendo ya que 100 era capaz de sacar más lenguados y hasta una corvina. Margarita, por su parte, se había quedado° callada, como resentida. — *grab it*; *explode, burst*; se puso

Atardecía cuando Margarita se empezó a aburrir. Tomaba gaseosa y la escupía al mar imaginándose que los peces subirían a tomarla.

—Mira, mira —decía. Se distingue el color anaranjado. ¿Tú no crees 105 que los pescados sientan un olor diferente y suban a ver qué es?

110 —Los pescados no tienen olfato —respondió Johanna.

No sabía si era por la emoción del lenguado, pero ella no se cansaba de pescar, aunque sólo picaban borrachitos. Margarita se puso a contar los pescados. Ella tenía catorce y Johanna sólo doce, pero claro, ella tenía su lenguado. Marga se acercó para mirarlo.

115 —Es lindo —dijo—, pero está lleno de baba.° Voy a lavarlo. *slime*

—¡No! —replicó Johanna. Se te va a caer.

—Pero míralo, está horrible —contestó ella de inmediato.

—Cuando terminemos de pescar los amarramos° todos, y sólo entonces los lavamos —sentenció Johanna, porque sabía que la baba podía hacer 120 que el lenguado se le deslizara° de las manos. *(will) tie* *slip*

Minutos después, sin embargo, Margarita se puso a lavarlo. Johanna entonces vio su rostro diferente, como si se hubiera transformado en otra persona. Una chispa° extraña centelleaba en sus ojos y no se atrevió° a decirle nada. De pronto Marga dijo, con una voz suave y ronca,° extraña: se me res- 125 baló.° Johanna no podía creerlo. Sentía una sensación rara, desconocida hasta entonces. Algo como un derrumbamiento.° Estaba a punto de llorar. En un instante había desaparecido de su mente la imagen que había guardado durante todo el día. Se había visto ya bajando del muelle con el lenguado, los rostros de sorpresa de todos los chicos del grupo, recibiendo las felicitaciones° 130 de los pescadores viejos, sintiéndose más cerca de ellos. *spark/didn't dare* *hoarse* *it slipped out of my hands/collapse* *congratulations*

Por más que Margarita la consoló y prometió que pescaría otro igual para dárselo, no podía sacarse de encima esa horrible sensación. Sentía además que odiaba a su amiga. A pesar de ello, siguieron pescando en silencio hasta que se hizo de noche. En la playa las esperaban asustados, pensando 135 que les había ocurrido algo malo, preparando el rescate° con las anclas de los botes levantadas. Antes de bajar, Margarita quiso regalarle la caballa a Johanna, pero ella se negó con rabia. Sabía que no aceptarla significaba dejar de ser tan amigas como habían sido hasta entonces, pero ya nada le importaba. Cuando desembarcaron, Johanna quedó en silencio sin mostrar 140 nada de lo que había pescado, mientras miraba de reojo° a Margarita exhibiendo orgullosa su caballa. En ese instante Johanna comprendió que la dolorosa sensación que la embargaba,° no era sólo por haber perdido un lenguado. *rescue* *out of the corner of her eye* *overwhelmed*

DESPUÉS DE LEER

PREGUNTAS

En general

1. ¿Quiénes son los personajes principales?
2. Describa el lugar donde vivían Johanna y Margarita.
3. ¿Qué evidencia hay en el cuento que las chicas eran buenas amigas?

En detalle

1. ¿Qué hacía Johanna al principio del cuento?
2. ¿Qué tenían que hacer las chicas para prepararse para su aventura? ¿Qué compraron para su almuerzo?
3. ¿Qué hicieron las chicas para marcar el principio de su aventura? ¿Qué iban a hacer?
4. ¿Cuántos años tenían Johanna y Margarita? ¿Por qué no querían tener enamorados?
5. ¿Por qué no querían que los hombres las acompañaran cuando fueran a pescar?
6. ¿Cómo propulsaron el bote? ¿Adónde fueron a pescar?
7. ¿Cuál fue su acuerdo en cuanto a los peces que pescarían?
8. ¿Por qué sus padres y los otros pescadores podían pescar lenguados y corvinas y ellas probablemente no?
9. Además de pescar, ¿qué más hicieron durante la aventura?
10. ¿Qué peligros podrían confrontar durante su aventura si no tomaban precauciones?
11. ¿Qué tipos de peces pescaron al principio? ¿Eran de mucho valor?
12. ¿Qué hacía Margarita cuando Johanna pescó el lenguado?
13. ¿Cómo reaccionó Johanna cuando vio que había pescado un lenguado? ¿Por qué reaccionó así? ¿Cómo reaccionó Margarita cuando supo que Johanna había pescado el lenguado? ¿Por qué reaccionó así?
14. Después de que Johanna pescó el lenguado, ¿cómo diferían las actitudes de las dos chicas hacia continuar pescando? ¿Por qué?
15. Según Margarita, ¿por qué hacía falta lavar el lenguado? ¿Por qué Johanna no quería que lo lavara?
16. ¿Qué pasó cuando Margarita lavaba el lenguado? ¿Cómo reaccionó Johanna?
17. ¿Qué esperanza había tenido Johanna que desapareció con la pérdida del lenguado?
18. ¿Qué hicieron las chicas cuando volvieron a la playa?
19. ¿Por qué estaban preocupados los que las esperaban en la playa?

Discusión e interpretación

1. ¿Por qué era tan importante este día para las chicas?
2. ¿Qué emociones sintieron las chicas durante el transcurso de la aventura? ¿A usted le habría gustado participar en este tipo de aventura cuando era niño/a? ¿Por qué sí o no?

3. Las palabras de Margarita —«se me resbaló»— sugerían que se le había caído el lenguado por accidente. ¿Cree que fue un accidente? Explique, usando evidencia del cuento.
4. ¿Por qué Johanna reaccionó tan fuertemente a la pérdida de su lenguado?
5. Explique la última frase del cuento: «En ese instante Johanna comprendió que la dolorosa sensación que la abarcaba, no era sólo por haber perdido el lenguado.»
6. ¿Qué cree que pasará con la amistad entre las dos chicas? ¿Van a poder reconciliarse y ser tan amigas como antes?
7. ¿Ha sido usted decepcionado/a por un/a amigo/a o un miembro de su familia? ¿Qué pasó? ¿Cómo están sus relaciones ahora?

LAZOS GRAMATICALES

La estructura «se le» para acciones accidentales

La llamada «estructura para acciones accidentales» es realmente una estructura pasiva con **se** + un complemento indirecto. Dos ejemplos son: «Se le olvidó la tarea» y «Se me perdieron las llaves». Esta estructura puede usarse para acciones accidentales y para indicar que la persona involucrada no es responsable por la acción. Decir «Rompí el vaso» puede indicar que lo hice a propósito mientras que en «Se me rompió el vaso», el «**yo**» ya no es el actor principal en esta acción (ni es el responsable por ella). En esta estructura, la persona tiene un papel mínimo, siendo esencialmente un «receptor» de la acción, como muestra el uso del complemento indirecto. (En inglés los equivalentes serían "*I broke the glass*" versus "*The glass broke.*") Una persona utiliza esta estructura cuando quiere sugerir que no fue responsable por una acción, ya sea verdad o no.

Muchas veces, tanto en inglés, como en español, para minimizar el papel del actor se requiere un cambio léxico además de un cambio estructural. Por ejemplo, «Dejé caer el vaso» (*I dropped the glass*; lit. *I let the glass fall*) puede implicar que lo hice deliberadamente mientras que «Se me cayó el vaso» (*The glass fell*) o «Se me resbaló el vaso» (*The glass slipped [out of my hands]*) implica que la caída del vaso ocurrió accidentalmente, que yo no tengo la culpa.

Esta estructura es común en español y no siempre se usa para indicar acciones accidentales o para quitarle la responsabilidad a la persona involucrada. Por ejemplo, en este cuento la frase «Se le cortaba la respiración» tiene la misma estructura pero no presenta una acción accidental ni le quita la responsabilidad a nadie. Sin embargo, su uso para acciones accidentales o para quitar la responsabilidad en este cuento es muy interesante y digno de examinación. Se ha usado tres veces, cada vez después de que Johanna pescó el lenguado. Vamos a examinar estos tres casos en el ejercicio siguiente.

13-10 ¿Acciones accidentales o deliberadas? ¿Quién tiene la culpa? Lea el siguiente fragmento del cuento prestando atención a las frases en negrita. Luego conteste las preguntas que siguen.

> Margarita se puso a contar los pescados. Ella tenía catorce y Johanna sólo doce, pero claro, ella tenía su lenguado. Marga se acercó para mirarlo.
>
> Es lindo —dijo—, pero está lleno de baba. Voy a lavarlo.
>
> —¡No! —replicó Johanna. (1) **Se te va a caer**.
>
> —Pero míralo, está horrible —contestó ella de inmediato.
>
> —Cuando terminemos de pescar los amarramos todos, y sólo entonces los lavamos —sentenció Johanna, porque sabía que la baba podía hacer que (2) **el lenguado se le deslizara de las manos**.
>
> Minutos después, sin embargo, Margarita se puso a lavarlo. Johanna entonces vio su rostro diferente, como si se hubiera transformado en otra persona. Una chispa extraña centelleaba en sus ojos y no se atrevió a decirle nada. De pronto Marga dijo, con una voz suave y ronca, extraña: (3) **se me resbaló**.

1. Cuando Johanna dice que no quiere que Margarita lave el lenguado porque «se te va a caer», ¿qué implica esta estructura sobre su actitud sobre la amiga? ¿En este momento creía Johanna que su amiga dejaría caer deliberadamente el lenguado o sólo se preocupaba que se le pudiera caer accidentalmente?
2. Después, ya era obvio que Johanna estaba bastante preocupada que se le perdiera el lenguado. Esta vez la voz de la narradora presenta su perspectiva con la expresión **se le deslizara de las manos.** ¿Qué implica esta estructura en cuanto a la actitud de Johanna sobre la culpabilidad de su amiga si la hubiera dejado lavar el lenguado y si lo hubiera perdido mientras lo lavara? ¿Creía en este momento que su amiga dejaría caer deliberadamente el lenguado?
3. En contra de las protestas de Johanna, Margarita agarró el lenguado y empezó a lavarlo. Mientras lo lavaba, exclamó: «Se me resbaló».
   a. ¿Por qué cree usted que usó esta estructura en vez de «Lo dejé caer» o «Lo solté»°? *let go*
   b. En su opinión, ¿cuál de las estructuras habría sido más verídica° —la que usó o una de las que se presentaron en número 3a? Explique, usando evidencia del cuento. *truthful*
   c. ¿Le parece que Johanna creía que había sido un accidente? Explique.

Ser versus estar + adjetivos

Los verbos copulativos **ser** y **estar** se usan con los adjetivos pero comunican distintos tipos de información. En el siguiente ejercicio vamos a examinar usos interesantes de **ser/estar** con los adjetivos en «El lenguado». Si le es difícil contestar las preguntas, relea la sección número tres del *Manual de gramática* (pp. 298–306).

13-11 ¿Qué información se comunica aquí? Conteste las siguientes preguntas tomando en cuenta lo que **ser** y **estar** comunican cuando se usan con los adjetivos.

1. En el siguiente fragmento, Margarita describe el lenguado de Johanna usando adjetivos completamente opuestos —primero diciendo que «es lindo» y después diciendo que «está horrible». Lea el fragmento prestando atención a estas descripciones.

   Margarita se puso a contar los pescados. Ella tenía catorce y Johanna sólo doce, pero claro, ella tenía su lenguado. Marga se acercó para mirarlo.

   —**Es lindo** —dijo—, pero está lleno de baba. Voy a lavarlo.

   —¡No! —replicó Johanna. Se te va a caer.

   —Pero míralo, **está horrible** —contestó ella de inmediato.

   a. ¿Por qué describe el lenguado usando dos adjetivos con significados opuestos?
   b. ¿Qué tiene que ver el uso de **ser** con uno de los adjetivos y el uso de **estar** con el otro?
   c. Comente los motivos de Margarita cuando dice que el lenguado **está horrible.**

2. El fragmento a continuación se enfoca en el momento justo después de que Johanna pescó su lenguado. Léalo prestando atención a las frases en negrita. Luego conteste las preguntas.

   Ella subió con un gran salto y quiso agarrarlo, pero Johanna no se lo permitió. (1) **Estaba muy nerviosa** tratando de sacarle el anzuelo sin hacerle daño. Cuando lo liberó, lo miró con orgullo. Sentía que iba a estallar de alegría; pocas veces en su vida (2) se había **sentido tan feliz**. Luego de darse un chapuzón, siguió pescando más entusiasmadamente que nunca, sabiendo ya que (3) **era capaz** de sacar más lenguados y hasta una corvina. Margarita, por su parte, se había (4) **quedado callada, como resentida**.

   a. ¿Por qué se usó **estar** con el adjetivo **nerviosa** para describir a Johanna en la frase número uno pero **ser** con **capaz** para describirla en la número tres? ¿Cuál es la diferencia de significado que el uso de **estar** y el uso de **ser** comunican (aparte de las diferencias de significado de los adjetivos mismos)?

b. En las frases número dos y cuatro, se han usado otros dos verbos con los adjetivos. Examine estos dos ejemplos y determine si los verbos funcionan como **estar** o como **ser** cuando se usan con los adjetivos. (Pista: Para ayudarlo/a a determinar esto, sustituya **ser** y **estar** por los verbos originales. ¿Cuál de los verbos —**ser** o **estar**— comunica la misma información que el verbo original?) Explique su respuesta mencionando los usos de **ser/estar** con los adjetivos.

☞ Relea el cuento aplicando lo que ha aprendido y practicado en los ejercicios de la sección «**Lazos gramaticales**». Si lo hace, va a entender mejor el cuento y a fortalecer su comprensión de la gramática.

A ESCRIBIR

Estrategias de composición

Esta sección incluye una serie de pasos para ayudarlo/la a: (1) formular y desarrollar sus ideas y (2) organizar su composición para que sea cohesiva y coherente. También incluye instrucciones para buscar y corregir errores de gramática y de vocabulario. Estas sugerencias acompañan el primer tema porque son específicas para ese tema, pero son útiles para todos los temas. Si opta por otro tema, lea las sugerencias incluidas para el Tema uno y adáptelas para el tema que elija.

Tema uno

Johanna fue decepcionada° por lo que su mejor amiga Margarita le hizo. ¿Ha sido usted decepcionado/a por un/a amigo/a o un miembro de su familia? Escriba un ensayo en que narre el evento cuando esta persona lo/la decepcionó. Trate de imitar el estilo de Sala.

disappointed, let down

Al completar cada uno de los siguientes pasos, marque (✓) la casilla a la izquierda.

❑ a. Trate de recordar —o revivir— el episodio.

❑ b. Apunte los elementos principales del suceso cuando su amigo/a o familiar lo/la engañó. Organícelos en el orden en que ocurrieron.

❑ c. Incluya una indicación de la relación especial que ustedes tenían. Sería mejor mostrar esto claramente por medio de un diálogo o una descripción de un evento.

❑ d. Describa la escena: ¿Dónde y cuándo ocurrió? ¿Qué tiempo hacía? Trate de evocar las emociones que sentía ese día.

- ❑ e. ¿Cómo se sintió cuando la decepción ocurrió? Incluya sus emociones en su composición.
- ❑ f. Reescriba su introducción y escriba una conclusión.
- ❑ g. Cuando haya escrito su borrador, revíselo, asegurándose que todo siga un orden lógico y que sus ideas fluyan bien. Utilizando su lista y los elementos anteriores, asegúrese que haya incluido todos los elementos importantes. Haga las correcciones necesarias.
- ❑ h. Dele un título interesante a su ensayo.
- ❑ i. Antes de entregar su ensayo, revíselo asegurándose que:
  - ❑ haya usado vocabulario correcto y variado
  - ❑ no haya usado **ser, estar** y **haber** demasiado (es preferible usar verbos más expresivos)
  - ❑ haya concordancia entre todos los adjetivos y artículos y los sustantivos a que se refieren
  - ❑ haya concordancia entre los verbos y sus sujetos
  - ❑ **ser** y **estar** se usen correctamente
  - ❑ el subjuntivo se use cuando sea apropiado
  - ❑ el pretérito y el imperfecto se hayan usado correctamente
  - ❑ no haya errores de ortografía ni de acentuación

Otros temas de composición

2. Escriba una composición sobre una experiencia memorable de su niñez o juventud. Escríbala pensando en el/la lector/a de su composición para que pueda experimentar las emociones que usted experimentó.
3. Cuando era niño/a, ¿le gustaba jugar con los niños del sexo opuesto? Escriba un ensayo en que explique por qué le gustaba (o no le gustaba) jugar con ellos/ellas. Incluya al menos un ejemplo que apoye su opinión.

CAPÍTULO

14

No oyes ladrar los perros

Juan Rulfo (1917–1986)

ANTES DE LEER

14-1 Reflexiones. Considere las siguientes preguntas antes de leer el cuento.

1. Imagínese cómo sería cargar a alguien en los hombros/la espalda y caminar con él/ella durante una distancia larga. ¿Cómo se sentiría al llevarlo/la? ¿Qué partes del cuerpo le dolerían?
2. ¿Por qué sería necesario que un hombre llevara a otro en los hombros/ la espalda? ¿Tendría dificultad en cargarlo una gran distancia? Si el hombre cargado está en posición sentada en los hombros del otro hombre, ¿cuál de los cinco sentidos perdería el que lo lleva? ¿Por qué?
3. Lea las líneas 1–26. ¿Adónde van estos dos hombres? ¿Puede determinar su relación? ¿En qué parte del día tiene lugar el cuento? ¿Por qué los dos hombres proyectan sólo una sombra?

Enfoques léxicos

Cognados falsos

14-2 Examinación de cognados falsos en «No oyes ladrar los perros». Este cuento contiene varios cognados falsos, algunos se incluyen en los ejercicios a continuación. (Para más detalle sobre los cognados falsos, lea la sección número uno del *Manual de gramática* [pp. 285–290].)

1. Sabe que **largo** no significa *large*. ¿Recuerda lo que significa? Lea el fragmento del cuento a continuación para confirmar su recuerdo.

   La sombra **larga** y negra de los hombres siguió moviéndose de arriba abajo…

➔ Si ha recordado que **larga** quiere decir *long*, tiene razón.

2. La palabra **rato** no quiere decir *rat*, lo cual —cuando se refiere al animal— se expresa con **rata**. Lea el siguiente fragmento y determine su significado.

   —Quiero acostarme un **rato**.

➔ Si ha determinado que **rato** quiere decir un breve período de tiempo, tiene razón.

3. Aunque **colorado** puede traducirse a *colored*, casi siempre significa **rojo**, como en el fragmento que se presenta a continuación.

   Allí estaba la luna. Enfrente de ellos. Una luna grande y **colorada** que les llenaba de luz los ojos y que estiraba y oscurecía más su sombra sobre la tierra.

Grupos léxicos

14-3 Palabras relacionadas: definiciones. Defina las siguientes palabras utilizando la palabra relacionada entre paréntesis en su definición.

Subraye las palabras relacionadas. Puede cambiar las formas de las palabras. Recuerde que las palabras relacionadas comparten una raíz. Si no conoce la palabra que tiene que definir, búsquela en el glosario o en un diccionario. Siga el modelo. (¡Ojo! No es buena idea usar una palabra relacionada como parte de la definición, pero en esta actividad, el objetivo es enfatizar las relaciones entre las palabras.)

Modelo

Palabra	Definición
cargar (carga)	**Cargar** significa llevar una **carga** de un lugar a otro.

1. sacudidas (sacudir)
2. temblor (temblar)
3. herida (herir)
4. rabioso (rabia)
5. maldad (malo)
6. sudor (sudar)
7. sostén (sostener)

Palabras con múltiples significados

En cualquier idioma, muchas palabras tienen más de un significado. Por ejemplo, **tratar** puede significar *to treat* o *to try*. En este ejercicio, vamos a practicar con palabras que tienen más de un significado. Algunas de las que se usan aquí tienen muchos significados, pero sólo vamos a hablar de los significados en el cuento y otros bastante comunes.

Palabra	Significado #1	Significado #2	Significado #3
deber	*to owe*	(deber + infin.) *to have to/ought to/should/must* (expresando obligación)	*must* (o *must have* —en el pasado) (expresando suposición o conjetura)
dejar	*to leave*	(dejar + infin. [o **que**]) permitir	(dejar de + infin.) *to stop (doing something)*
monte	montaña	*scrubland/brushland*	*woodland, woods, forest*
pueblo	*town, village*	*people*	
puro (adj.)	*pure*	*simple/mere/sheer*	sólo/solamente
rabia	*rabies*	*anger*	
rabioso	*rabid*	*angry*	

14-4 ¿Cuál de los significados tiene aquí? Examine los siguientes fragmentos prestando atención a las palabras en negrita. Luego identifique cuál de los significados del cuadro tiene cada palabra en los contextos dados. (Las oraciones aparecen en orden alfabético según las palabras de interés.)

1. —Ya (1) **debemos** estar llegando a ese (2) **pueblo**, Ignacio. Tú que llevas las orejas de fuera, fíjate a ver si no oyes ladrar los perros. Acuérdate que nos dijeron que Tonaya estaba detrasito del (3) **monte**. Y desde qué horas que hemos (4) **dejado** el (5) **monte**.
2. Te he traído cargando desde hace horas y no te **dejaré** tirado aquí para que acaben contigo quienes sean.
3. Sintió que el hombre aquel que llevaba sobre sus hombros **dejó** de apretar las rodillas y comenzó a soltar los pies, balanceándolos de un lado para otro.
4. Comenzando porque a usted no le (1) **debo** más que (2) **puras** dificultades, **puras** mortificaciones, **puras** vergüenzas.
5. Y eras muy (1) **rabioso**. Nunca pensé que con el tiempo se te fuera a subir aquella (2) **rabia** a la cabeza...Pero así fue. Tu madre, que descanse en paz, quería que te criaras fuerte. Creía que cuando tú crecieras irías a ser su sostén.

En más detalle

La expresión **malos pasos** aparece en el cuento. Literalmente quiere decir *bad steps*, pero probablemente en inglés se diría algo como *bad ways*.

Antónimos y sinónimos

14-5 Antónimos. Empareje las palabras de la columna A con su antónimo de la columna B. Luego escriba una frase para cada pareja de antónimos. (Las palabras aparecen en el cuento, aunque algunas con un cambio de forma.)

A	B
___ 1. abajo	a. acá
___ 2. allá	b. arriba
___ 3. bajar	c. cerca
___ 4. despertarse	d. claro
___ 5. destrabar	e. crecer
___ 6. detrás de	f. dormirse
___ 7. disminuir	g. enderezar
___ 8. encoger	h. enfrente de

___ 9. lejos	i. iluminar
___ 10. muerto	j. levantar
___ 11. opaco	k. mojado
___ 12. oscurecer	l. trabar
___ 13. secado	m. vivo

14-6 Sinónimos. Empareje las palabras de la columna A con su sinónimo de la columna B. Luego escriba una frase para una palabra de cada pareja. (Las palabras aparecen en el cuento, aunque algunas con un cambio de forma.)

A	B
___ 1. callado	a. cuello
___ 2. pescuezo	b. destrabar
___ 3. sacudir	c. llorar (convulsivamente)
___ 4. sollozar	d. quedito (diminutivo de **quedo**)
___ 5. soltar	e. zarandear

A LEER

Estrategia de lectura: Apreciar el valor del diálogo en la ficción

Cuando leemos literatura, muchas veces tenemos la impresión que la única manera de avanzar la trama es por medio de la narración. La narración tiene un papel importante porque no sólo explica lo que está pasando, sino que también describe el trasfondo y nos informa de lo que los personajes están pensando y sintiendo. Cuando hay diálogo, puede ser que lo consideremos algo extra que complementa o «da color» a la narración. Pero, en realidad, el diálogo eficaz puede ser mucho más importante que eso. Los personajes pueden revelarse por medio de lo que dicen. Leyendo este cuento, pronto se ve que el diálogo tiene un papel muy importante. Hasta el título —«No oyes ladrar los perros»— es parte del diálogo. En el ejercicio siguiente, vamos a considerar lo que el diálogo revela en este cuento y así apreciar su función.

14-7 ¿Qué se revela en el diálogo en «No oyes ladrar los perros»? Conteste las siguientes preguntas que lo/la ayudarán a apreciar el diálogo mientras lea el cuento.

1. ¿Qué signos tipográficos se usan para señalar el diálogo en este cuento? Usando estos signos como guía, dele un vistazo al cuento. ¿Aproximadamente cuánto del cuento se presenta en forma de diálogo?

2. Lea las líneas 1–19, que son —con la excepción de unas cuantas líneas— puro diálogo. Luego, conteste las siguientes preguntas.
   a. ¿Qué tipo de lenguaje utilizan los dos personajes —complicado o simple?
   b. ¿Qué forma de tratamiento (de tú o Ud.) usan entre sí? ¿Qué implica esto sobre la relación?
   c. ¿Quiénes son estos personajes? ¿Cuál es la relación entre ellos?
   d. ¿Cuál de los dos habla más? ¿Por qué el otro no habla mucho?
   e. El título es una cita del diálogo. ¿Quién lo dice?
   f. Uno de los personajes va a hablar cada vez menos durante la progresión del cuento. ¿Puede Ud. predecir cuál? ¿Por qué hablará menos?
   g. ¿Le parece realista y natural este diálogo? Explique.
   h. ¿Qué aprendemos en esta parte? ¿Qué está pasando? ¿Adónde van? ¿Cómo viajan? ¿Dónde viajan, en un área poblada o despoblada?
3. De todas las preguntas en la pregunta número dos, ¿notó que pudo contestar casi todas usando el diálogo? ¿Qué tipo de información se presenta en la narración?
4. No sabemos definitivamente hasta la segunda parte narrativa (líneas 20–24) que los dos hombres son padre e hijo y que el padre está cargando a su hijo en sus hombros. Pero, si leyó con cuidado, ya pudo sospechar que uno de los hombres cargaba al otro. Revise el diálogo anterior para identificar las partes del diálogo que sugieren esto.
5. En su opinión, ¿cuál es el valor del diálogo en este cuento? ¿Qué se puede hacer mejor en un diálogo que en una narración?

Juan Rulfo

Juan Rulfo nació en Apulco, un pueblo en el estado de Jalisco, México en 1917.[1] Aunque su nacimiento fue registrado en el pueblo de Sayula, Jalisco, Rulfo insistió que nació en Apulco, en la casa familiar. Vivió sus años tempranos en San Gabriel. Desde muy joven, personalmente experimentó eventos muy trágicos: su padre y otros parientes fueron asesinados cuando era niño y su madre murió de un infarto en 1927. Después de la muerte de su madre, Rulfo y dos hermanos se fueron

[1] o en 1918 —las referencias biográficas difieren en cuanto a la fecha de su nacimiento

a vivir con una abuela, pero pronto tuvieron que vivir en un orfelinato en Guadalajara. Asistió a la escuela primaria y secundaria en Guadalajara. Se mudó a México en los años treinta. Trabajó durante una década en la Oficina de Migración y durante esa época empezó a escribir y pulir sus técnicas. Fue cuentista, novelista, guionista y fotógrafo. Se publicó su primer libro, una colección de cuentos —*El llano en llamas*— en 1953 (incluyendo «No oyes ladrar los perros») y en 1955 se publicó su única novela, *Pedro Páramo*. Desgraciadamente, sus obras no son numerosas, pero lo que publicó le ha dado una gran fama de escritor mexicano y latinoamericano. Recibió el prestigioso Premio Nacional de letras en 1970. Rulfo falleció en México, D. F., en 1986. Sus obras contienen muestras de los eventos trágicos que experimentó y de las historias de crímenes y de guerra que había oído cuando niño. Muchos de los cuentos de la colección relatan la dura vida de los campesinos en regiones rurales de Jalisco. Sus protagonistas sufren daños no sólo físicos sino psicológicos también. Otro aspecto destacado de sus obras es el lenguaje directo y escueto,° lo cual se ve reflejado en «No oyes ladrar los perros».

simple, sin adornos

No oyes ladrar los perros

Juan Rulfo

—Tú que vas allá arriba, Ignacio, dime si no oyes alguna señal de algo o si ves alguna luz en alguna parte.

—No se ve nada.

—Ya debemos estar cerca.

5 —Sí, pero no se oye nada.

—Mira bien.

—No se ve nada.

—Pobre de ti, Ignacio.

La sombra larga y negra de los hombres siguió moviéndose de arriba 10 abajo, trepándose° a las piedras, disminuyendo y creciendo según avanzaba por la orilla del arroyo.° Era una sola sombra, tambaleante.°

La luna venía saliendo de la tierra, como una llamarada° redonda.

—Ya debemos estar llegando a ese pueblo, Ignacio. Tú que llevas las orejas de fuera, fíjate a ver si no oyes ladrar los perros. Acuérdate que nos 15 dijeron que Tonaya estaba detrasito° del monte. Y desde qué horas que hemos dejado el monte. Acuérdate, Ignacio.

—Sí, pero no veo rastro de nada.

—Me estoy cansando.

—Bájame.

20 El viejo se fue reculando° hasta encontrarse con el paredón y se recargó° allí, sin soltar° la carga de sus hombros. Aunque se le doblaban las piernas, no quería sentarse, porque después no hubiera podido levantar el

climbing
stream/staggering
sudden blaze
just behind (diminutivo de **detrás**)
moviendo hacia atrás
readjusted/freeing

cuerpo de su hijo, al que allá atrás, horas antes, le habían ayudado a echárselo a la espalda. Y así lo había traído desde entonces.

25 —¿Cómo te sientes?

—Mal.

Hablaba poco. Cada vez menos. En ratos parecía dormir. En ratos parecía tener frío. Temblaba. Sabía cuando le agarraba° a su hijo el temblor por las sacudidas° que le daba, y porque los pies se le encajaban en los ijares[2] como 30 espuelas.° Luego las manos del hijo, que traía trabadas en su pescuezo,° le zarandeaban° la cabeza como si fuera una sonaja.°

held
shaking
spurs/clasped around his neck/shook/rattle

Él apretaba° los dientes para no morderse la lengua y cuando acababa aquello le preguntaba:

clenched

—¿Te duele mucho?

35 —Algo —contestaba él.

Primero le había dicho: «Apéame° aquí... Déjame aquí... Vete tú solo. Yo te alcanzaré mañana o en cuanto me reponga° un poco». Se lo había dicho como cincuenta veces. Ahora ni siquiera eso decía.

Help me down
me mejore

Allí estaba la luna. Enfrente de ellos. Una luna grande y colorada que les 40 llenaba de luz los ojos y que estiraba° y oscurecía más su sombra sobre la tierra.

extendía

—No veo ya por dónde voy —decía él.

Pero nadie le contestaba.

El otro iba allá arriba, todo iluminado por la luna, con su cara descolorida, sin sangre, reflejando una luz opaca. Y él acá abajo.

45 —¿Me oíste, Ignacio? Te digo que no veo bien.

Y el otro se quedaba callado.

Siguió caminando, a tropezones.° Encogía° el cuerpo y luego se enderezaba° para volver a tropezar de nuevo.

stumbling/hunched
straightened up

—Este no es ningún camino. Nos dijeron que detrás del cerro° estaba 50 Tonaya. Ya hemos pasado el cerro. Y Tonaya no se ve, ni se oye ningún ruido que nos diga que está cerca. ¿Por qué no quieres decirme qué ves, tú que vas allá arriba, Ignacio?

hill

—Bájame, padre.

—¿Te sientes mal?

55 —Sí.

—Te llevaré a Tonaya a como dé lugar. Allí encontraré quien te cuide. Dicen que allí hay un doctor. Yo te llevaré con él. Te he traído cargando desde hace horas y no te dejaré tirado° aquí para que acaben contigo quienes sean.

lying

Se tambaleó un poco. Dio dos o tres pasos de lado y volvió a enderezarse.

60 —Te llevaré a Tonaya.

—Bájame.

Su voz se hizo quedita,° apenas murmurada:

muy quieta (diminutivo de quedo)

—Quiero acostarme un rato.

—Duérmete allí arriba. Al cabo te llevo bien agarrado.

65 La luna iba subiendo, casi azul, sobre un cielo claro. La cara del viejo, mojada en sudor, se llenó de luz. Escondió los ojos para no mirar de

---

[2]stuck/dug into his sides/flanks

frente, ya que no podía agachar° la cabeza agarrotada° entre las manos de su hijo.

lower/squeezed tightly

—Todo esto que hago, no lo hago por usted. Lo hago por su difunta
70 madre. Porque usted fue su hijo. Por eso lo hago. Ella me reconvendría° si yo lo hubiera dejado tirado allí, donde lo encontré, y no lo hubiera recogido para llevarlo a que lo curen, como estoy haciéndolo. Es ella la que me da ánimos, no usted. Comenzando porque a usted no le debo más que puras dificultades, puras mortificaciones, puras vergüenzas.

would have reprimanded me

75 Sudaba al hablar. Pero el viento de la noche le secaba el sudor. Y sobre el sudor seco, volvía a sudar.

—Me derrengaré,° pero llegaré con usted a Tonaya, para que le alivien esas heridas que le han hecho. Y estoy seguro de que, en cuanto se sienta usted bien, volverá a sus malos pasos. Eso ya no me importa. Con tal que se
80 vaya lejos, donde yo no vuelva a saber de usted. Con tal de eso... Porque para mí usted ya no es mi hijo. He maldecido la sangre que usted tiene de mí. La parte que a mí me tocaba la he maldecido. He dicho: «¡Que se le pudra° en los riñones° la sangre que yo le di!» Lo dije desde que supe que usted andaba trajinando° por los caminos, viviendo del robo y matando gente...
85 Y gente buena. Y si no, allí está mi compadre Tranquilino. El que lo bautizó a usted. El que le dio su nombre. A él también le tocó la mala suerte de encontrarse con usted. Desde entonces dije: «Ese no puede ser mi hijo».

I'll break my back, collapse

rot

kidneys

ocupado y de prisa

—Mira a ver si ya ves algo. O si oyes algo. Tú que puedes hacerlo desde allá arriba, porque yo me siento sordo.

90 —No veo nada.

—Peor para ti, Ignacio.

—Tengo sed.

—¡Aguántate!° Ya debemos estar cerca. Lo que pasa es que ya es muy noche y han de haber apagado la luz en el pueblo. Pero al menos debías de
95 oír si ladran los perros. Haz por oír.

Hang on (Bear it a while longer)

—Dame agua.

—Aquí no hay agua. No hay más que piedras. Aguántate. Y aunque la hubiera, no te bajaría a tomar agua. Nadie me ayudaría a subirte otra vez y yo solo no puedo.

100 —Tengo mucha sed y mucho sueño.

—Me acuerdo cuando naciste. Así eras entonces. Despertabas con hambre y comías para volver a dormirte. Y tu madre te daba agua, porque ya te habías acabado la leche de ella. No tenías llenadero. Y eras muy rabioso. Nunca pensé que con el tiempo se te fuera a subir aquella rabia a la cabeza...
105 Pero así fue. Tu madre, que descanse en paz, quería que te criaras fuerte. Creía que cuando tú crecieras irías a ser su sostén.° No te tuvo más que a ti. El otro hijo que iba a tener la mató. Y tú la hubieras matado otra vez si ella estuviera viva a estas alturas.

apoyo, amparo

Sintió que el hombre aquel que llevaba sobre sus hombros dejó de
110 apretar las rodillas y comenzó a soltar° los pies, balanceándolos de un lado para otro. Y le pareció que la cabeza, allá arriba, se sacudía como si sollozara.°

loosen

llorara convulsivamente

Sobre su cabello sintió que caían gruesas° gotas, como de lágrimas. *thick*

—¿Lloras, Ignacio? Lo hace llorar a usted el recuerdo de su madre, ¿verdad? Pero nunca hizo usted nada por ella. Nos pagó siempre mal. Parece que en lugar de cariño, le hubiéramos retacado° el cuerpo de maldad. ¿Y ya ve? Ahora lo han herido. ¿Qué pasó con sus amigos? Los mataron a todos. Pero ellos no tenían a nadie. Ellos bien hubieran podido decir: «No tenemos a quién darle nuestra lástima». ¿Pero usted, Ignacio? *filled*

115

Allí estaba ya el pueblo. Vio brillar los tejados° bajo la luz de la luna. Tuvo la impresión de que lo aplastaba° el peso de su hijo al sentir que las corvas° se le doblaban en el último esfuerzo. Al llegar al primer tejabán, se recostó° sobre el pretil de la acera y soltó el cuerpo, flojo,° como si lo hubieran descoyuntado.°

120

roofs
was crushing
backs of his knees
leaned/limp
as if his joints had been dislocated

Destrabó difícilmente los dedos con que su hijo había venido sosteniéndose de su cuello y, al quedar libre, oyó cómo por todas partes ladraban los perros.

125

—¿Y tú no los oías, Ignacio? —dijo—. No me ayudaste ni siquiera con esta esperanza.

DESPUÉS DE LEER

PREGUNTAS

En general

1. ¿Quiénes son los personajes principales y cuál es la relación entre ellos?
2. Describa el viaje de estos dos hombres.
3. ¿Por qué quieren oír ladrar los perros?

En detalle

1. ¿Cuál es el destino de estos hombres? ¿Por qué van allí? ¿Qué evidencia hay en el cuento que tardan mucho en llegar?
2. ¿Por qué lleva el padre a su hijo? ¿Qué indicios hay que es muy difícil cargarlo? ¿Por qué no para el padre para descansar un rato?
3. ¿Por qué el padre no puede oír ni ver bien?
4. ¿Cómo es la parte de la conversación que viene de Ignacio? ¿Cómo cambia la naturaleza de su conversación a través del cuento? ¿Por qué cambia?
5. ¿Qué continúa pidiendo Ignacio durante el cuento? ¿Por qué el padre no complace al hijo?
6. ¿Qué revela el padre sobre el carácter de Ignacio cuando habla de su temprana infancia?
7. Según el padre, ¿qué deseo tenía la madre para Ignacio?
8. ¿Qué pasó con la madre?

9. ¿Qué hicieron Ignacio y sus amigos?
10. ¿Qué le hizo Ignacio a Tranquilino, el amigo de su padre?
11. Durante el cuento, ¿en qué maneras comunica el padre su enojo con y su desilusión para su hijo?
12. ¿Qué evidencia hay en el cuento que Ignacio está muy mal herido? ¿Qué indicaciones hay que se empeora durante el viaje al pueblo?
13. ¿Por qué el padre pensaba que Ignacio estaba llorando? ¿Cree que estaba llorando? Explique.
14. Cuando el padre finalmente pudo desmontar a su hijo, se oían los ladridos de los perros por todas partes. ¿Por qué Ignacio no anunció que habían llegado al pueblo?

Discusión e interpretación

1. El padre de Ignacio ha hecho un increíble esfuerzo en cargar a su hijo una distancia tan larga, especialmente dado que él es un señor mayor y su hijo es un adulto. ¿Qué indicaciones hay en el cuento que muestran lo difícil que fue hacer esto?
2. El padre dice que «Todo esto que hago, no lo hago por usted. Lo hago por su difunta madre». ¿Es verdad esto? ¿Se ve evidencia que tenga otros motivos también?
3. ¿Por qué cree que el padre hablaba tanto?
4. Según el padre, ¿por qué es peor que Ignacio —en vez de sus amigos— anduviera en malos pasos?
5. ¿Por qué cree que se sacudía Ignacio hacia el final del cuento? ¿Qué eran las gotas gruesas que caían sobre el cabello del padre?
6. Al final del cuento, el cuerpo del hijo está completamente flojo, flácido, inánime.° ¿Cree que ha muerto o que solamente se ha desmayado?° ¿Por qué? ¿Se sabe definitivamente?
7. ¿Qué quería decir el padre al final cuando le dijo a Ignacio, «No me ayudaste ni siquiera con esta esperanza»?
8. Si Rulfo hubiera escrito una narración con poco diálogo y hubiera presentado los pensamientos del padre en vez de sus palabras, ¿cree Ud. que el cuento hubiera sido más o menos interesante? Explique.

sin señal de vida
fainted

LAZOS GRAMATICALES

Contrastando el uso del artículo definido y el adjetivo posesivo para indicar posesión

Los adjetivos posesivos (**mi**, **tus**, **su**, etc.) se usan mucho menos en español que en inglés, especialmente para referirse a partes del cuerpo, ropa y con algunas posesiones personales. En vez del adjetivo posesivo, se suele usar el artículo definido si está claro quién es el poseedor. Por ejemplo, cuando en inglés se dice "*Raise your hand*" en español se dice «Levante la mano». Dos usos regulares del artículo definido para indicar posesión se ven en el siguiente fragmento del cuento. Aquí, no hay posibilidad de ambigüedad porque sólo se habla de una persona —el padre— así que los dientes y la lengua son del padre.

> Él apretaba **los** dientes para no morderse **la** lengua...

En el fragmento a continuación, aunque se menciona tanto al padre como al hijo, otra vez el contexto hace claro de quién son las piernas y la espalda así que se han usado los artículos definidos. ¿De quién son las piernas y la espalda?

> Aunque se le doblaban **las** piernas, no quería sentarse, porque después no hubiera podido levantar el cuerpo de su hijo, al que allá atrás, horas antes, le habían ayudado a echárselo a **la** espalda.

→ Si ha determinado que las piernas y la espalda son del padre, tiene razón.

Hay ocasiones cuando se usa el adjetivo posesivo o para evitar confusión (porque el artículo sería ambiguo) o para dar énfasis. Un ejemplo sería «Abrió tu bolsa» en vez de «Abrió la bolsa» porque con el artículo probablemente se interpretaría como "*She opened her (own) purse.*"

En el próximo ejemplo, se ha usado **su** en vez de **la**, aunque se podría haber usado **la** sin crear confusión (porque claramente se refiere a la cara del hijo). Léalo tratando de determinar por qué se ha usado **su** en vez de **la**.

> El otro iba allá arriba, todo iluminado por la luna, con **su** cara descolorida, sin sangre, reflejando una luz opaca. Y él acá abajo.

→ En este caso, el uso de **su** enfatiza la apariencia de su cara. Si Rulfo hubiera escrito «**la** cara», el artículo definido podría haber implicado que la apariencia de su cara (descolorida y sin sangre) era normal, lo cual no es el caso. El uso de **su** enfatiza que esto está fuera de lo normal.

Aunque la decisión de usar un artículo definido o un adjetivo posesivo cuando se refiere a partes del cuerpo no es una ciencia fija, la tendencia general y normal es optar por el artículo. Por esto, cuando se ve el adjetivo posesivo en vez del artículo, es razonable sospechar que se ha usado para clarificar una situación ambigua o para enfatizar la posesión por alguna razón. En el siguiente ejercicio, vamos a examinar algunos casos donde el artículo y el adjetivo posesivo se han usado para señalar posesión y determinaremos por qué se han usado en cada caso.

14-8 ¿A quién se refiere? Los fragmentos que se examinarán en este ejercicio usan una mezcla de artículos definidos y adjetivos posesivos para referirse a las partes del cuerpo. Después de leer cada fragmento, conteste las preguntas que le siguen. Recuerde que (1) si se ha usado un artículo definido para indicar posesión, el contexto hace muy claro a quién se refiere y que (2) si se ha usado un adjetivo posesivo es probablemente para clarificar o para enfatizar algo.

1. Hablaba poco. Cada vez menos. En ratos parecía dormir. En ratos parecía tener frío. Temblaba. Sabía cuando le agarraba a su hijo el temblor por las sacudidas que le daba, y porque (1) **los** pies se le encajaban en (2) **los** ijares como espuelas. Luego las manos del hijo, que traía trabadas en (3) **su** pescuezo, le zarandeaban (4) **la** cabeza como si fuera una sonaja.

a. ¿De quién son los pies?
b. ¿De quién son los ijares?
c. ¿De quién es el pescuezo? ¿Por qué cree usted que Rulfo usó **su** aquí en vez de **el** —para clarificar o para enfatizar algo?
d. ¿De quién es la cabeza?

2. Sintió que el hombre aquel que llevaba sobre (1) **sus** hombros dejó de apretar (2) **las** rodillas y comenzó a soltar (3) **los** pies, balanceándolos de un lado para otro. Y le pareció que (4) **la** cabeza, allá arriba, se sacudía como si sollozara.

a. ¿De quién son los hombros? ¿Por qué cree usted que Rulfo usó **sus** aquí en vez de **los**?
b. ¿De quién son las rodillas?
c. ¿De quién son los pies?
d. ¿De quién es la cabeza?

3. Destrabó difícilmente (1) **los** dedos con que su hijo había venido sosteniéndose de (2) **su** cuello y, al quedar libre, oyó cómo por todas partes ladraban los perros.

a. ¿De quién son los dedos?
b. ¿De quién es el cuello? ¿Por qué cree usted que Rulfo usó **su** aquí en vez de **el**?

Formas de tratamiento

Como hemos visto en otros capítulos, la forma de tratamiento (por ejemplo, **tú** versus **Ud.**) que las personas usan entre sí muestra mucho sobre la relación entre ellas. El tratamiento que se ve en este cuento tiene particular importancia. Vamos a examinarlo en el siguiente ejercicio.

14-9 ¿Qué comunica la forma de tratamiento? Conteste las siguientes preguntas concentrándose en la forma de tratamiento entre el padre y su hijo.

1. Hojee la primera parte del diálogo.
   a. ¿Qué forma de tratamiento usan entre sí aquí?
   b. ¿Qué dice este tratamiento sobre su relación?
2. Lea el párrafo que empieza con la línea 69: «Todo esto que hago...» y el que empieza con la línea 77: «—Me derrengaré...».
   a. ¿Qué forma de tratamiento utiliza el padre con su hijo ahora?
   b. ¿Por qué cree que ha cambiado la forma de tratamiento?
   c. ¿Cuál es el tema de discusión en el primer párrafo? ¿Y en el segundo? ¿Tiene esto que ver con el cambio de tratamiento?
3. Ahora lea el próximo párrafo (empieza con la línea 88: «—Mira a ver si...»).
   a. ¿Qué forma de tratamiento usa el padre ahora?
   b. ¿Por qué cree que ha vuelto al tratamiento anterior?
4. Lea el párrafo que empieza con la línea 114: «—¿Lloras, Ignacio?».
   a. ¿Qué forma de tratamiento utiliza ahora?
   b. ¿Por qué cree que empezó usando una forma pero que la cambió?
5. En resumen, ¿qué aspectos de su relación muestra el padre cuando lo tutea y cuando le habla más formalmente?
6. ¿Cree que sería posible indicar estos cambios de tratamiento si se tradujera este cuento al inglés? Explique.

Relea el cuento ahora aplicando lo que ha aprendido y practicado en los ejercicios de la sección «**Lazos gramaticales**». Si lo hace, va a entender mejor el cuento y a fortalecer su comprensión de la gramática.

A ESCRIBIR

Estrategias de composición

Esta sección incluye una serie de pasos para ayudarlo/la a: (1) formular y desarrollar sus ideas y (2) organizar su composición para que sea cohesiva y coherente. También incluye instrucciones para buscar y corregir errores de gramática y de vocabulario. Estas sugerencias acompañan el primer tema porque son específicas para ese tema, pero son útiles para todos los temas. Si opta por otro tema, lea las sugerencias incluidas para el Tema uno y adáptelas para el tema que elija.

Tema uno

En este cuento la actitud del padre hacia su hijo es ambivalente. Escriba un ensayo en el que destaque y discuta esta ambivalencia. Dé razones por las cuales el padre se siente así. Trate de mostrar la complejidad de las emociones conflictivas. Incluya evidencia del cuento.

Al completar cada uno de los siguientes pasos, marque (✓) la casilla a la izquierda.

- ❑ a. Revise el cuento buscando indicaciones de las distintas actitudes del padre hacia su hijo. Haga dos listas: una con indicaciones positivas de su actitud (cariño, preocupación, etc.) y otra con las negativas (desilusión, ira hacia su hijo, etc.).
- ❑ b. Al lado de cada actitud en las listas, añada sus reacciones, sentimientos y razones.
- ❑ c. Haga otra lista de lo que usted sabe sobre la vida de Ignacio.
- ❑ d. Organice la información en las tres listas de manera lógica.
- ❑ e. Escriba un ensayo comparativo incorporando elementos relevantes de sus listas. Organice los elementos comparativos y contrastivos como le parezca mejor: una posibilidad sería empezar con lo positivo, siguiendo con lo negativo y luego comparándolos; otra posibilidad sería mencionar una serie de aspectos positivos contrastando cada uno con un aspecto negativo y luego haciendo un resumen. Incluya —donde le parezca apropiado— las razones.
- ❑ f. Reescriba su introducción y escriba una conclusión.
- ❑ g. Cuando haya escrito su borrador, revíselo, asegurándose que todo siga un orden lógico y que sus ideas fluyan bien. Utilice sus listas y los elementos indicados arriba y asegúrese que haya incluido todos los elementos importantes. Haga las correcciones necesarias.
- ❑ h. Dele un título interesante a su ensayo.
- ❑ i. Antes de entregar su ensayo, revíselo asegurándose que:
  - ❑ haya usado vocabulario correcto (y variado)
  - ❑ no haya usado **ser**, **estar** y **haber** demasiado (es preferible usar verbos más expresivos)
  - ❑ haya concordancia entre los adjetivos y artículos y los sustantivos a que se refieren
  - ❑ haya concordancia entre los verbos y sus sujetos
  - ❑ **ser** y **estar** se usen correctamente
  - ❑ el subjuntivo se use cuando sea apropiado
  - ❑ el pretérito y el imperfecto se hayan usado correctamente
  - ❑ no haya errores de ortografía ni de acentuación

Otros temas de composición

2. Ignacio, por estar seriamente herido, no ha podido dar su perspectiva sobre los hechos y no ha podido responderle a su padre. ¿Qué cree usted que Ignacio habría dicho si hubiera podido responderle? ¿Cree que aprecia lo que su padre está haciendo? ¿Cree que siente remordimiento por lo que ha hecho? ¿Se habría defendido o disculpado? Para contestar estas preguntas y dar la perspectiva de Ignacio, escriba su propio cuento en el estilo de Rulfo. Incluya diálogos de ser posible.
3. ¿Hay alguien importante en su vida que haya tomado el rumbo equivocado? Escriba una composición en la que describa lo que pasó y las razones por las cuales llegó a esta situación. ¿Ha podido mejorar el rumbo de su vida? ¿Cómo lo logró? Si no, ¿cree que pueda cambiar su vida y tomar un rumbo más positivo? Cómo pudiera lograrlo? (Si prefiere no revelar la identidad de esta persona y/o su relación con usted, puede cambiar detalles para proteger su identidad.)

CAPÍTULO

15

Dos palabras

Isabel Allende (1942–   )

ANTES DE LEER

15-1 Reflexiones. Considere las siguientes preguntas antes de leer el cuento.

1. Si una persona es muy pobre, ¿cómo es su vida? ¿Qué cosas tiene y no tiene?
2. Piense en el valor de las palabras. ¿Qué poderes tienen las palabras? ¿En qué circunstancias es importante utilizar bien las palabras?
3. Lea el título del cuento. Si quisiera expresar algo importante con sólo dos palabras, ¿qué dos palabras usaría? ¿Usaría distintas palabras o las mismas para diferentes personas? Explique.
4. Lea las dos primeras oraciones del cuento y conteste las siguientes preguntas.
   a. ¿Quién es la persona mencionada?
   b. ¿Cómo recibió su nombre y qué sugiere esto sobre su carácter?
   c. ¿Qué querrá decir «su oficio era vender palabras»?
   d. ¿Por qué la gente querría comprar palabras?

Enfoques léxicos

Cognados falsos

15-2 Examinación de cognados falsos en «Dos palabras». Este cuento contiene varios cognados falsos, algunos se incluyen en los ejercicios a continuación. (Para más detalle sobre los cognados falsos, lea la sección número uno del *Manual de gramática* [pp. 285–290].)

1. **Parientes** no se traduce a *parents*, lo cual se expresa con **padres**. Lea la siguiente oración del cuento y trate de determinar su significado si no lo sabe ya.

   En cada lugar se juntaba una pequeña multitud a su alrededor para oírla cuando comenzaba a hablar y así se enteraban de las vidas de otros, de los **parientes** lejanos, de los pormenores de la Guerra Civil.

→ Si ha determinado que **parientes** significa **familiares**, tiene razón.

2. Vimos en el capítulo 14 que **rato** no significa *rat*, lo cual se expresa con el cognado **rata.** Si no recuerda el significado, lea el siguiente fragmento del cuento y determine su significado.

   Ella tomó aquel papel amarillo y quebradizo y estuvo largo **rato** observándolo sin adivinar su uso…

→ Si ha determinado que **rato** quiere decir **período de tiempo** —*while*—, tiene razón.

3. Aunque **revisar** puede significar *to revise* (como **revisar o editar un texto**) muchas veces tiene otro significado, como **examinar** o **ver con atención y cuidado.** Éste es su significado en este cuento. Lea el siguiente fragmento y recuerde este significado cuando lea el cuento.

   ... **revisó** [el diccionario] desde la A hasta la Z y luego lo lanzó al mar, porque no era su intención estafar a los clientes con palabras envasadas.

4. Como hemos visto en otros capítulos, **criatura** generalmente no se traduce a *creature* (aunque en ciertas expresiones tiene esta traducción). Suele tener otro significado. Si no recuerda su significado típico, lea el siguiente fragmento y determine su significado.

   Deseaba entrar a los pueblos bajo arcos de triunfo, entre banderas de colores y flores, que lo aplaudieran y le dieran de regalo huevos frescos y pan recién horneado. Estaba harto de comprobar cómo a su paso huían los hombres, abortaban de susto las mujeres y temblaban las **criaturas**; por eso había decidido ser presidente.

→ Si ha determinado que **criaturas** significa **niños pequeños** o **bebés,** tiene razón.

5. **Éxito** nunca quiere decir *exit*, lo cual se expresa con **salida.** Lea la siguiente oración del cuento para determinar su significado.

   —Vamos bien, Coronel —dijo el Mulato al cumplirse doce semanas de **éxitos**.

→ Aunque el contexto aislado de esta oración no está completamente claro, si se enfoca en el comentario positivo del Mulato, puede determinar que **éxitos** significa *successes*. El contexto más amplio donde aparece esta palabra en el cuento hará aun más claro que éste es su significado.

Grupos léxicos

15-3 Palabras relacionadas. Complete las siguientes frases con la palabra adecuada. Las palabras agrupadas tienen la misma raíz y por lo tanto tienen un significado relacionado. Utilice su conocimiento de la gramática para escoger la palabra correcta. No será necesario cambiar las formas de las palabras. Usará algunas palabras más de una vez. Verifique sus respuestas buscando la oración en el cuento. (Las oraciones de cada grupo se presentan en el orden en que aparecen en el cuento.)

mercado - mercados - mercadería - mercader

1. Recorría el país, desde las regiones más altas y frías hasta las costas calientes, instalándose en las ferias y en los (1) __________, donde montaba cuatro palos con un toldo de lienzo, bajo el cual se

protegía del sol y de la lluvia para atender a su clientela. No necesitaba pregonar su (2) ___________, porque de tanto caminar por aquí y por allá, todos la conocían.

2. Era día de ___________ y había mucho bullicio a su alrededor.
3. Mientras [el Coronel] hablaba sobre una tarima al centro de la plaza, el Mulato y sus hombres repartían caramelos y pintaban su nombre con escarcha dorada en las paredes, pero nadie prestaba atención a esos recursos de ___________, porque estaban deslumbrados por la claridad de sus proposiciones y la lucidez poética de sus argumentos, contagiados de su deseo tremendo de corregir los errores de la historia y alegres por primera vez en sus vidas.

cliente - clientes - clientela

4. Recorría el país, desde las regiones más altas y frías hasta las costas calientes, instalándose en las ferias y en los mercados, donde montaba cuatro palos con un toldo de lienzo, bajo el cual se protegía del sol y de la lluvia para atender a su ___________.
5. Lo revisó desde la A hasta la Z y luego lo lanzó al mar, porque no era su intención estafar a los ___________ con palabras envasadas.
6. Ella leyó en alta voz el discurso. Lo leyó tres veces, para que su ___________ pudiera grabárselo en la memoria.

siguen - siguió - siguiendo - siguiente - seguidores

7. De vez en cuando tropezaba con familias que, como ella, iban hacia el sur ___________ el espejismo del agua.
8. Toda la noche y buena parte del día ___________ estuvo Belisa Crepusculario buscando en su repertorio las palabras apropiadas para un discurso presidencial...
9. —Si después de oírlo tres veces los muchachos ___________ con la boca abierta, es que esta vaina sirve, Coronel —aprobó el Mulato.
10. Viajaron de lejos los periodistas para entrevistarlo y repetir sus frases, y así creció el número de sus ___________ y de sus enemigos.
11. Cansado de ver a su jefe deteriorarse como un condenado a muerte, el Mulato se echó el fusil al hombro y partió en busca de Belisa Crepusculario. ___________ sus huellas por toda esa vasta geografía hasta encontrarla en un pueblo del sur, instalada bajo el toldo de su oficio, contando su rosario de noticias.

apoderarse - apoderárselas - poder - poderoso - poderosas

12. Ese día Belisa Crepusculario se enteró que las palabras andan sueltas sin dueño y cualquiera con un poco de maña puede ___________ para comerciar con ellas.

13. Horas más tarde, cuando Belisa Crepusculario estaba a punto de morir con el corazón convertido en arena por las sacudidas del caballo, sintió que se detenían y cuatro manos __________ la depositaban en tierra.

14. El Mulato le sugirió que fueran a la capital y entraran galopando al Palacio para __________ del gobierno, tal como tomaron tantas otras cosas sin pedir permiso...

15. Por otra parte, sintió el impulso de ayudarlo, porque percibió un palpitante calor en su piel, un deseo __________ de tocar a ese hombre...

16. —Dímelas, a ver si pierden su __________ —le pidió su fiel ayudante.

Palabras con múltiples significados

En cualquier idioma, muchas palabras tienen más de un significado. Por ejemplo, **medio** puede significar *means* o *half*. En este ejercicio, vamos a practicar con palabras del cuento que tienen más de un significado. Algunas de estas palabras tienen aun más significados. Aquí sólo vamos a hablar de los significados en el cuento y otros bastante comunes.

Palabra	Significado #1	Significado #2	Significado #3
cometa	(m.) *comet*	(f.) *kite*	
cura	(m.) sacerdote (*priest*)	(f.) *cure*	(f.) *treatment, remedy*
extrañar	*to seem strange, to surprise*	*to miss (feel the lack of/long for)*	
gastar	*to spend* (e.g. *time, money*)	*to consume/use up*	*to waste*
montar	*to mount/get on*	*to ride* (por ej., *a bike, motorcycle)*	*to assemble, to set up/erect*
nueva(s)	(adj.) *new*	(sust.) noticia(s)	
partir	dividir (*to split/divide up*)	*to split (open), to crack*	ponerse en camino (*to depart*)
seno	pecho (*bosom, bust, breast*)	*cavity, hollow area*	*womb*

En más detalle

Tanto **noticias** como **nuevas** pueden significar *news*; tanto **noticia** como **nueva** pueden significar *piece of news*.

Cuando **extrañar** quiere decir *to seem strange/to surprise*, generalmente es seguido de una cláusula con **que** y el verbo en esta cláusula va en subjuntivo. Por ejemplo: «Le extraña **que** yo no **hable** mucho» o «Me extrañó **que** él no **quisiera** ir a la fiesta». Busque esta pista gramatical para ayudarlo/la a determinar su significado cuando encuentre esta palabra.

La expresión **a partir de** significa *starting from*. En el cuento, se usa en la frase «A partir de ese momento... » y se traduciría a "*From that moment on*... ".

15-4 ¿Cuál de los significados tiene aquí? Examine los siguientes fragmentos del cuento prestando atención a las palabras en negrita. Luego identifique cuál de los significados del cuadro tiene cada palabra en los contextos dados. (Observe que las oraciones aparecen en orden alfabético según las palabras de interés; no siguen el orden en que aparecen en el cuento.)

1. Al terminar la arenga del Candidato, la tropa lanzaba pistoletazos al aire y encendía petardos y cuando por fin se retiraban, quedaba atrás una estela de esperanza que perduraba muchos días en el aire, como el recuerdo magnífico de un **cometa**.
2. Cuando lo supo calculó las infinitas proyecciones de su negocio, con sus ahorros le pagó veinte pesos a un **cura** para que le enseñara a leer y escribir y con los tres que le sobraron se compró un diccionario.
3. Salieron volando las gallinas, dispararon a perderse los perros, corrieron las mujeres con sus hijos y no quedó en el sitio del mercado otra alma viviente que Belisa Crepusculario, quien no había visto jamás al Mulato y por lo mismo le **extrañó** que se dirigiera a ella.
4. Se arrastraban penosamente, con la piel convertida en cuero de lagarto y los ojos quemados por la reverberación de la luz. Belisa los saludaba con un gesto al pasar, pero no se detenía, porque no podía **gastar** sus fuerzas en ejercicios de compasión.
5. Su oficio era vender palabras. Recorría el país, desde las regiones más altas y frías hasta las costas calientes, instalándose en las ferias y en los mercados, donde **montaba** cuatro palos con un toldo de lienzo, bajo el cual se protegía del sol y de la lluvia para atender a su clientela.
6. También vendía cuentos, pero no eran cuentos de fantasía, sino largas historias verdaderas que recitaba de corrido, sin saltarse nada. Así llevaba las **nuevas** de un pueblo a otro.

7. La tierra estaba erosionada, **partida** en profundas grietas, sembrada de piedras, fósiles de árboles y de arbustos espinudos, esqueletos de animales blanqueados por el calor.
8. Cansado de ver a su jefe deteriorarse como un condenado a muerte, el Mulato se echó el fusil al hombro y **partió** en busca de Belisa Crepusculario.
9. Toda la noche y buena parte del día siguiente estuvo Belisa Crepusculario buscando en su repertorio las palabras apropiadas para un discurso presidencial, vigilada de cerca por el Mulato, quien no apartaba los ojos de sus firmes piernas de caminante y sus **senos** virginales.

Antónimos y sinónimos

15-5 Antónimos. Empareje las palabras de la columna A con su antónimo de la columna B. Luego escriba una frase para cada pareja de antónimos. (Las palabras aparecen en el cuento, aunque algunas con un cambio de forma.)

A	B
___ 1. amarrar	a. caliente
___ 2. buscar	b. comprar
___ 3. cerca	c. desatar
___ 4. fiero	d. encontrar
___ 5. frío	e. lejos
___ 6. hombre	f. manso
___ 7. morir	g. morir
___ 8. muerte	h. mujer
___ 9. nacer	i. silencio
___ 10. ruido	j. vida
___ 11. vender	k. vivir

15-6 Sinónimos. Empareje las palabras de la columna A con su sinónimo de la columna B. Luego escriba una frase para una palabra de cada pareja. (Las palabras aparecen en el cuento, aunque algunas con un cambio de forma.)

A	B
___ 1. atar	a. amarrar
___ 2. cara	b. arenga
___ 3. claridad	c. catedrático
___ 4. discurso	d. conseguir
___ 5. empezar	e. espanto

___ 6. lograr f. iniciar
___ 7. lugar g. lucidez
___ 8. ocupación h. profesión
___ 9. profesor i. rostro
___ 10. terror j. sitio

A LEER

Estrategia de lectura: Reconocer y apreciar elementos del realismo mágico

El realismo mágico es un género o estilo literario muy popular en Latinoamérica, particularmente durante la segunda mitad del siglo XX. En este estilo literario, el autor mezcla elementos mágicos o irreales con los reales. Una característica es que lo irreal es tan válido como lo real y el lector lo deduce porque los personajes toman los sucesos irreales como si fueran ordinarios. Cada autor tiene su propio estilo y puede variarlo de una obra a otra. El grado de irrealidad también varía en las obras. Lo irreal puede manifestarse en diversas maneras. Por ejemplo, puede haber sucesos completamente sobrenaturales e imposibles hasta sucesos posibles pero extremamente exagerados. Aunque otras obras de Allende escritas en el estilo del realismo mágico tienen elementos mágicos y sobrenaturales, en «Dos palabras», la mayoría de los elementos irreales no son realmente mágicos sino situaciones o descripciones que van de exageradas a imposibles.

15-7 Reconocer ejemplos del realismo mágico en «Dos palabras». Lea los siguientes fragmentos buscando y subrayando elementos tan exagerados que llegan a ser irreales.

1. Belisa Crepusculario había nacido en una familia tan mísera, que ni siquiera poseía nombres para llamar a sus hijos. Vino al mundo y creció en la región más inhóspita, donde algunos años las lluvias se convierten en avalanchas de agua que se llevan todo, y en otros no cae ni una gota del cielo, el sol se agranda hasta ocupar el horizonte entero y el mundo se convierte en un desierto. Hasta que cumplió doce años no tuvo otra ocupación ni virtud que sobrevivir al hambre y la fatiga de siglos.
2. Horas más tarde, cuando Belisa Crepusculario estaba a punto de morir con el corazón convertido en arena por las sacudidas del caballo, sintió que se detenían y cuatro manos poderosas la depositaban en tierra.
3. [El Coronel] deseaba entrar a los pueblos bajo arcos de triunfo, entre banderas de colores y flores, que lo aplaudieran y le dieran de regalo

> huevos frescos y pan recién horneado. Estaba harto de comprobar cómo a su paso huían los hombres, abortaban de susto las mujeres y temblaban las criaturas; por eso había decidido ser presidente.

Mientras lea el cuento, siga buscando elementos tan exagerados que resultan irreales.

Isabel Allende

Isabel Allende, aunque chilena, nació en Lima, Perú en 1942 porque su padre era embajador de Chile en Perú. Su padre abandonó a la familia cuando Isabel tenía tres años y su madre regresó a Chile con sus tres hijos a vivir con sus padres hasta 1953. Su madre se casó de nuevo, con un diplomático, y la familia vivió en Bolivia y en el Líbano. En 1958, Allende volvió a Chile y en 1962 se casó y la pareja tuvo dos hijos. Desde 1959 hasta 1965 ella trabajó en la Organización de las Naciones Unidas en Santiago de Chile. Vivieron en Bruselas y Suiza (1964–1965) y luego regresaron a Chile. Su tío fue Salvador Allende, presidente de Chile desde 1970 hasta 1973, cuando fue asesinado en un violento golpe de estado realizado por las fuerzas del General Augusto Pinochet, apoyado por la CIA (Agencia Central de Inteligencia). Inicialmente se quedaron en Chile esperando que la dictadura no durara mucho tiempo, pero después de dos años, por el peligro, se auto-exiliaron en Venezuela donde Allende trabajó como periodista y maestra de secundaria.

Allende ha escrito obras de diversos géneros: novelas, memorias, cuentos, libros para niños y jóvenes y comedias. Sus libros se han traducido a más de 25 lenguas y ella ha recibido más de 20 premios por sus libros. Entre sus numerosos libros destacan: *Eva Luna* (1987); *Cuentos de Eva Luna* (1989); *El plan infinito* (1993); *Paula* (1994), una triste memoria que entrelaza su propia vida con la vida, enfermedad y muerte de su hija; *Hija de la fortuna* (1999); *Retrato en sepia* (2001); *Mi país inventado* (2003); *Zorro* (2005); *Inés del alma mía* (2006). Actualmente vive en California con su segundo esposo. Se hizo ciudadana de los Estados Unidos en 2003.

Allende se asocia con el realismo mágico, probablemente porque su primera obra exitosa (*La casa de los espíritus*, 1982) se escribió en este estilo. «Dos palabras» proviene de *Cuentos de Eva Luna*. Es la primera de una serie de narrativas «orales» que la protagonista —Eva Luna— de su novela del mismo nombre, le contaba a su amante. Cuando lea este cuento, imagine que se narra oralmente y que la narrativa fue escrita para ser escuchada.

Dos palabras

Isabel Allende

Tenía el nombre de Belisa Crepusculario, pero no por fe° de bautismo o acierto de su madre, sino porque ella misma lo buscó hasta encontrarlo y se vistió con él. Su oficio era vender palabras. Recorría el país, desde las regiones más altas y frías hasta las costas calientes, instalándose en las ferias y en los 5 mercados, donde montaba cuatro palos con un toldo de lienzo,° bajo el cual se protegía del sol y de la lluvia para atender a su clientela. No necesitaba pregonar° su mercadería, porque de tanto caminar por aquí y por allá, todos la conocían. Había quienes la aguardaban° de un año para otro y cuando aparecía por la aldea con su atado° bajo el brazo, hacían cola frente a su tende- 10 rete.° Vendía a precios justos. Por cinco centavos entregaba versos de memoria, por siete mejoraba la calidad de los sueños, por nueve escribía cartas de enamorados, por doce inventaba insultos para enemigos irreconciliables. También vendía cuentos, pero no eran cuentos de fantasía, sino largas historias verdaderas que recitaba de corrido,° sin saltarse° nada. Así llevaba las 15 nuevas de un pueblo a otro. La gente le pagaba por agregar una o dos líneas: nació un niño, murió fulano, se casaron nuestros hijos, se quemaron las cosechas. En cada lugar se juntaba una pequeña multitud a su alrededor para oírla cuando comenzaba a hablar y así se enteraban° de las vidas de otros, de los parientes lejanos, de los pormenores° de la Guerra Civil. A quien le comprara 20 cincuenta centavos, ella le regalaba una palabra secreta para espantar° la melancolía. No era la misma para todos, por supuesto, porque eso habría sido un engaño° colectivo. Cada uno recibía la suya con la certeza de que nadie más la empleaba para ese fin en el universo y más allá.

Belisa Crepusculario había nacido en una familia tan mísera, que ni 25 siquiera poseía nombres para llamar a sus hijos. Vino al mundo y creció en la región más inhóspita, donde algunos años las lluvias se convierten en avalanchas de agua que se llevan todo, y en otros no cae ni una gota del cielo, el sol se agranda hasta ocupar el horizonte entero y el mundo se convierte en un desierto. Hasta que cumplió doce años no tuvo otra ocupación ni virtud que 30 sobrevivir al hambre y la fatiga de siglos. Durante una interminable sequía le tocó enterrar a cuatro hermanos menores y cuando comprendió que llegaba su turno, decidió echar a andar por las llanuras° en dirección al mar, a ver si en el viaje lograba burlar° a la muerte. La tierra estaba erosionada, partida en profundas grietas,° sembrada de piedras, fósiles de árboles y de arbustos espi- 35 nudos, esqueletos de animales blanqueados por el calor. De vez en cuando tropezaba con familias que, como ella, iban hacia el sur siguiendo el espejismo° del agua. Algunos habían iniciado la marcha llevando sus pertenencias al hombro o en carretillas, pero apenas podían mover sus propios huesos y a poco andar debían abandonar sus cosas. Se arrastraban° penosamente, con 40 la piel convertida en cuero de lagarto° y los ojos quemados por la reverberación de la luz. Belisa los saludaba con un gesto al pasar, pero no se detenía,

fe: certificado
lienzo: *canvas or linen canopy*
pregonar: anunciar
aguardaban: esperaban
atado: paquete, fardo
tenderete: puesto
de corrido/saltarse: de memoria/omitirse
enteraban: aprendían
pormenores: detalles
espantar: asustar
engaño: mentira
llanuras: *plains*
burlar: *to trick, outsmart*
grietas: aberturas
espejismo: ilusión (aquí: esperanza)
arrastraban: *dragged themselves*
lagarto: *alligator skin*

porque no podía gastar sus fuerzas en ejercicios de compasión. Muchos cayeron por el camino pero ella era tan tozuda° que consiguió atravesar el infierno y arribó por fin a los primeros manantiales,° finos hilos de agua, casi invisibles, que alimentaban una vegetación raquítica,° y que más adelante se convertían en riachuelos y esteros.°

obstinada
fuentes
débil y pequeña
ríos pequeños

Belisa Crepusculario salvó la vida y además descubrió por casualidad la escritura. Al llegar a una aldea en las proximidades de la costa, el viento colocó a sus pies una hoja de periódico. Ella tomó aquel papel amarillo y quebradizo° y estuvo largo rato observándolo sin adivinar su uso, hasta que la curiosidad pudo más que° su timidez. Se acercó a un hombre que lavaba un caballo en el mismo charco turbio° donde ella saciara su sed.

brittle
venció
murky pool

—¿Qué es esto? —preguntó.

—La página deportiva del periódico —replicó el hombre sin dar muestras de asombro ante su ignorancia.

La respuesta dejó atónita° a la muchacha, pero no quiso parecer descarada° y se limitó a inquerir el significado de las patitas de mosca dibujadas sobre el papel.

sorprendida
insolente

—Son palabras, niña. Allí dice que Fulgencio Barba noqueó al Negro Tiznao en el tercer round.

Ese día Belisa Crepusculario se enteró que las palabras andan sueltas° sin dueño y cualquiera con un poco de maña° puede apoderárselas para comerciar° con ellas. Consideró su situación y concluyó que aparte de prostituirse o emplearse como sirvienta en las cocinas de los ricos, eran pocas las ocupaciones que podía desempeñar. Vender palabras le pareció una alternativa decente. A partir de ese momento ejerció esa profesión y nunca le interesó otra. Al principio ofrecía su mercancía sin sospechar que las palabras podían también escribirse fuera de los periódicos. Cuando lo supo calculó las infinitas proyecciones de su negocio, con sus ahorros le pagó veinte pesos a un cura para que le enseñara a leer y escribir y con los tres que le sobraron se compró un diccionario. Lo revisó desde la A hasta la Z y luego lo lanzó al mar, porque no era su intención estafar° a los clientes con palabras envasadas.°

loose
destreza, habilidad
negociar

defraudar/*canned* (preparadas de antemano)

* * * *

Varios años después, en una mañana de agosto, se encontraba Belisa Crepusculario al centro de una plaza, sentada bajo su toldo vendiendo argumentos de justicia a un viejo que solicitaba su pensión desde hacía diecisiete años. Era día de mercado y había mucho bullicio° a su alrededor. Se escucharon de pronto galopes y gritos, ella levantó los ojos de la escritura y vio primero una nube de polvo y enseguida un grupo de jinetes° que irrumpió° en el lugar. Se trataba de los hombres del Coronel, que venían al mando del Mulato, un gigante conocido en toda la zona por la rapidez de su cuchillo y la lealtad hacia su jefe. Ambos, el Coronel y el Mulato, habían pasado sus vidas ocupados en la Guerra Civil y sus nombres estaban irremisiblemente unidos al estropicio° y la calamidad. Los guerreros entraron al pueblo como un rebaño° en estampida, envueltos en ruido, bañados de sudor y dejando a su paso un espanto° de huracán. Salieron volando las gallinas, dispararon a perderse los

ruido y acción
hombres a caballo/ entraron violentamente
damage/herd
terror

perros, corrieron las mujeres con sus hijos y no quedó en el sitio del mercado otra alma viviente que Belisa Crepusculario, quien no había visto jamás al Mulato y por lo mismo le extrañó que se dirigiera a ella.

—A ti te busco —le gritó señalándola con su látigo° enrollado y antes que terminara de decirlo, dos hombres cayeron encima de la mujer atropellando° el toldo y rompiendo el tintero, la ataron de pies y manos y la colocaron atravesada° como un bulto de marinero sobre la grupa° de la bestia del Mulato. Emprendieron galope en dirección a las colinas.

Horas más tarde, cuando Belisa Crepusculario estaba a punto de morir con el corazón convertido en arena por las sacudidas° del caballo, sintió que se detenían y cuatro manos poderosas la depositaban en tierra. Intentó ponerse de pie° y levantar la cabeza con dignidad, pero le fallaron las fuerzas y se desplomó° con un suspiro, hundiéndose en un sueño ofuscado. Despertó varias horas después con el murmullo de la noche en el campo, pero no tuvo tiempo de descifrar esos sonidos, porque al abrir los ojos se encontró ante la mirada impaciente del Mulato, arrodillado a su lado.

—Por fin despiertas, mujer —dijo alcanzándole su cantimplora para que bebiera un sorbo de aguardiente con pólvora y acabara de recuperar la vida.

Ella quiso saber la causa de tanto maltrato y él le explicó que el Coronel necesitaba sus servicios. Le permitió mojarse la cara y enseguida la llevó a un extremo del campamento, donde el hombre más temido del país reposaba en una hamaca colgada entre dos árboles. Ella no pudo verle el rostro, porque tenía encima la sombra incierta del follaje y la sombra imborrable de muchos años viviendo como un bandido, pero imaginó que debía ser de expresión perdularia° si su gigantesco ayudante se dirigía a él con tanta humildad. Le sorprendió su voz, suave y bien modulada como la de un profesor.

—¿Eres la que vende palabras? —preguntó.

—Para servirte —balbuceó ella oteando° en la penumbra para verlo mejor.

El Coronel se puso de pie y la luz de la antorcha que llevaba el Mulato le dio de frente.[1] La mujer vio su piel oscura y sus fieros ojos de puma y supo al punto° que estaba frente al hombre más solo de este mundo.

—Quiero ser presidente —dijo él.

Estaba cansado de recorrer esa tierra maldita en guerras inútiles y derrotas° que ningún subterfugio podía transformar en victorias. Llevaba muchos años durmiendo a la intemperie, picado de mosquitos, alimentándose de iguanas y sopa de culebra, pero esos inconvenientes menores no constituían razón suficiente para cambiar su destino. Lo que en verdad le fastidiaba° era el terror en los ojos ajenos.° Deseaba entrar a los pueblos bajo arcos de triunfo, entre banderas de colores y flores, que lo aplaudieran y le dieran de regalo huevos frescos y pan recién horneado. Estaba harto de comprobar cómo a su paso huían° los hombres, abortaban de susto las mujeres y temblaban las criaturas; por eso había decidido ser presidente. El Mulato le sugirió que fueran a la capital y entraran galopando al Palacio para apoderarse del gobierno, tal como tomaron tantas otras cosas sin pedir permiso, pero al

látigo: *whip*
atropellando: *trampling*
atravesada/grupa: *across/rump*
sacudidas: movimientos violentos
ponerse de pie: pararse
se desplomó: cayó
perdularia: viciosa
oteando: mirando con cuidado
al punto: inmediatamente
derrotas: *defeats*
fastidiaba: molestaba
ajenos: de otra gente
huían: se escapaban

[1] lit. *hit him directly in the face (revealed his face)*

Coronel no le interesaba convertirse en otro tirano, de ésos ya habían tenido bastantes por allí y, además, de ese modo no obtendría el afecto de las gentes. Su idea consistía en ser elegido por votación popular en los comicios de diciembre.

—Para eso necesito hablar como un candidato. ¿Puedes venderme las palabras para un discurso? —preguntó el Coronel a Belisa Crepusculario.

Ella había aceptado muchos encargos, pero ninguno como ése, sin embargo no pudo negarse, temiendo que el Mulato le metiera un tiro° entre los ojos, o peor aún, que el Coronel se echara a llorar. Por otra parte, sintió el impulso de ayudarlo, porque percibió un palpitante calor en su piel, un deseo poderoso de tocar a ese hombre, de recorrerlo con sus manos, de estrecharlo° entre sus brazos.

- tiro: *would shoot her*
- estrecharlo: abrazarlo

Toda la noche y buena parte del día siguiente estuvo Belisa Crepusculario buscando en su repertorio las palabras apropiadas para un discurso presidencial, vigilada de cerca por el Mulato, quien no apartaba los ojos de sus firmes piernas de caminante y sus senos virginales. Descartó las palabras ásperas y secas, las demasiado floridas, las que estaban desteñidas° por el abuso, las que ofrecían promesas improbables, las carentes de° verdad y las confusas, para quedarse sólo con aquéllas capaces de tocar con certeza el pensamiento de los hombres y la intuición de las mujeres. Haciendo uso de los conocimientos comprados al cura por veinte pesos, escribió el discurso en una hoja de papel y luego hizo señas° al Mulato para que desatara la cuerda con la cual la había amarrado por los tobillos a un árbol. La condujeron nuevamente donde el Coronel y al verlo ella volvió a sentir la misma palpitante ansiedad del primer encuentro. Le pasó el papel y aguardó,° mientras él lo miraba sujetándolo con la punta de los dedos.

- desteñidas: descoloridas
- carentes de: que no tenían
- hizo señas: *signaled*
- aguardó: esperó

—¿Qué carajo° dice aquí? —preguntó por último.

- carajo: *What the hell*

—¿No sabes leer?

—Lo que yo sé hacer es la guerra —replicó él.

Ella leyó en alta voz el discurso. Lo leyó tres veces, para que su cliente pudiera grabárselo en la memoria. Cuando terminó vio la emoción en los rostros de los hombres de la tropa que se juntaron para escucharla y notó que los ojos amarillos del Coronel brillaban de entusiasmo, seguro de que con esas palabras el sillón presidencial sería suyo.

—Si después de oírlo tres veces los muchachos siguen con la boca abierta, es que esta vaina sirve, Coronel —aprobó el Mulato.

—¿Cuánto te debo por tu trabajo, mujer? —preguntó el jefe.

—Un peso, Coronel.

—No es caro —dijo él abriendo la bolsa que llevaba colgaba del cinturón con los restos del último botín.°

- botín: *booty, loot*

—Además tienes derecho a una ñapa.° Te corresponden dos palabras secretas —dijo Belisa Crepusculario.

- ñapa: premio, cosa extra

—¿Cómo es eso?

Ella procedió a explicarle que por cada cincuenta centavos que pagaba un cliente, le obsequiaba° una palabra de uso exclusivo. El jefe se encogió de

- obsequiaba: regalaba

hombros,° pues no tenía ni el menor interés en la oferta, pero no quiso ser descortés con quien lo había servido tan bien. Ella se aproximó sin prisa al taburete de suela° donde él estaba sentado y se inclinó para entregarle su regalo. Entonces el hombre sintió el olor de animal montuno que se desprendía de° esa mujer, el calor de incendio que irradiaban sus caderas, el roce terrible de sus cabellos, el aliento de yerbabuena° susurrando en su oreja las dos palabras secretas a las cuales tenía derecho.

shrugged his shoulders / *leather stool* / *being emitted from*/menta

—Son tuyas, Coronel —dijo ella al retirarse—. Puedes emplearlas cuanto quieras.

El Mulato acompañó a Belisa hasta el borde del camino, sin dejar de mirarla con ojos suplicantes de perro perdido, pero cuando estiró la mano para tocarla, ella lo detuvo con un chorro de palabras inventadas que tuvieron la virtud de espantarle el deseo, porque creyó que se trataba de alguna maldición° irrevocable.

curse

* * * *

En los meses de septiembre, octubre y noviembre el Coronel pronunció su discurso tantas veces, que de no haber sido hecho con palabras refulgentes° y durables, el uso lo habría vuelto ceniza.° Recorrió el país en todas direcciones, entrando a las ciudades con aire triunfal y deteniéndose también en los pueblos más olvidados, allá donde sólo el rastro de basura indicaba la presencia humana, para convencer a los electores que votaran por él. Mientras hablaba sobre una tarima° al centro de la plaza, el Mulato y sus hombres repartían caramelos y pintaban su nombre con escarcha dorada° en las paredes, pero nadie prestaba atención a esos recursos de mercader, porque estaban deslumbrados° por la claridad de sus proposiciones y la lucidez poética de sus argumentos, contagiados de su deseo tremendo de corregir los errores de la historia y alegres por primera vez en sus vidas. Al terminar la arenga° del Candidato, la tropa lanzaba pistoletazos al aire y encendía petardos° y cuando por fin se retiraban, quedaba atrás una estela° de esperanza que perduraba muchos días en el aire, como el recuerdo magnífico de un cometa. Pronto el Coronel se convirtió en el político más popular. Era un fenómeno nunca visto, aquel hombre surgido de la guerra civil, lleno de cicatrices y hablando como un catedrático,° cuyo prestigio se regaba por el territorio nacional conmoviendo el corazón de la patria. La prensa se ocupó de él. Viajaron de lejos los periodistas para entrevistarlo y repetir sus frases, y así creció el número de sus seguidores y de sus enemigos.

brillantes / *delivering it would have turned it into ash* / plataforma / *gold frost* / maravillados, impresionados / discurso / *firecrackers* / *wake, trail* / profesor universitario

—Vamos bien, Coronel —dijo el Mulato al cumplirse doce semanas de éxitos.

Pero el candidato no lo escuchó. Estaba repitiendo sus dos palabras secretas, como hacía cada vez con mayor frecuencia. Las decía cuando lo ablandaba° la nostalgia, las murmuraba dormido, las llevaba consigo sobre su caballo, las pensaba antes de pronunciar su célebre discurso y se sorprendía saboreándolas° en sus descuidos.° Y en toda ocasión en que esas dos palabras venían a su mente, evocaba la presencia de Belisa Crepusculario y se le

suavizaba / *savoring them*/ tiempos libres

alborotaban° los sentidos con el recuerdo del olor montuno, el calor de incen- | excitaban
220 dio, el roce terrible y el aliento de yerbabuena, hasta que empezó a andar como un sonámbulo y sus propios hombres comprendieron que se le terminaría la vida antes de alcanzar el sillón de los presidentes.

—¿Qué es lo que te pasa, Coronel? —le preguntó muchas veces el Mulato, hasta que por fin un día el jefe no pudo más° y le confesó que la
225 culpa de su ánimo eran sus dos palabras que llevaba clavadas en el vientre.° | *couldn't stand it any more/stuck in his belly*

—Dímelas, a ver si pierden su poder —le pidió su fiel ayudante.

—No te las diré, son sólo mías —replicó el Coronel.

Cansado de ver a su jefe deteriorarse como un condenado a muerte, el Mulato se echó el fusil° al hombro y partió en busca de Belisa Crepusculario. | rifle
230 Siguió sus huellas° por toda esa vasta geografía hasta encontrarla en un pueblo del sur, instalada bajo el toldo de su oficio, contando su rosario de noticias. Se le plantó delante con las piernas abiertas y el arma empuñada.° | señales que dejan los pies | *brandished, clutched*

—Tú te vienes conmigo —ordenó.

Ella lo estaba esperando. Recogió su tintero, plegó° el lienzo de su ten- | dobló
235 derete, se echó el chal sobre los hombros y en silencio trepó° al anca del caballo. No cruzaron ni un gesto en todo el camino, porque al Mulato el deseo por ella se le había convertido en rabia y sólo el miedo que le inspiraba su lengua le impedía destrozarla a latigazos. Tampoco estaba dispuesto a comentarle que el Coronel andaba alelado,° y que lo que no habían logrado tantos años | subió | confundido
240 de batallas, lo había conseguido un encantamiento° susurrado al oído. Tres días después llegaron al campamento y de inmediato condujo a su prisionera hasta el candidato, delante de toda la tropa. | *enchantment*

—Te traje a esta bruja° para que le devuelvas sus palabras, Coronel, y para que ella te devuelva la hombría° —dijo apuntando el cañón de su fusil a
245 la nuca° de la mujer. | *witch, sorceress* | masculinidad | *back of the neck*

El Coronel y Belisa Crepusculario se miraron largamente, midiéndose° desde la distancia. Los hombres comprendieron entonces que ya su jefe no podría deshacerse del hechizo° de esas dos palabras endemoniadas,[2] porque todos pudieron ver los ojos carnívoros del puma tornarse° mansos cuando ella
250 avanzó y le tomó la mano. | *sizing each other up* | encantamiento | hacerse

DESPUÉS DE LEER

PREGUNTAS

En general

1. ¿Cómo era el ambiente en que nació Belisa?
2. ¿Qué tipo de mujer era Belisa? Apoye su respuesta con evidencia del cuento.
3. ¿Qué tipo de hombre era el Coronel? ¿Y el Mulato? Apoye sus respuestas con evidencia del cuento.

---

[2]*cursed*— lit. poseídas por el demonio

En detalle

1. ¿Cómo llegó Belisa a tener el nombre Belisa Crepusculario?
2. Cuando Belisa vio por primera vez la palabra escrita, ¿qué expresión usó la narradora para describir las letras que vio en el papel? ¿Por qué cree que usó esa expresión?
3. ¿Cómo aprendió a leer y a escribir Belisa?
4. Después de comprar el diccionario, ¿cuándo y por qué lo lanzó al mar?
5. El oficio de Belisa era vender palabras. Mencione específicamente los tipos de palabras que vendía y las formas en que se las presentaba a su clientela.
6. ¿Por qué eligió Belisa la profesión de vender palabras? ¿Qué otras opciones tenía?
7. Cuando los hombres del Coronel vinieron a capturar a Belisa, ¿cómo entraron en el pueblo? ¿Cómo reaccionó la gente? ¿Por qué capturaron a Belisa?
8. ¿Por qué el Coronel decidió abandonar su profesión de guerrero y ejercer la de político?
9. ¿Qué efecto tuvo la presencia del Coronel en Belisa cuando lo vio por primera vez?
10. Cuando Belisa escribió el discurso para el Coronel, ¿qué tipos de palabras usó y qué tipos descartó?
11. ¿Por qué la tenían prisionera cuando escribía el discurso para el Coronel? ¿Cree que fue necesario amarrarla? Explique.
12. ¿Cómo reaccionó el Coronel cuando Belisa le dio su discurso en forma escrita? ¿Por qué?
13. ¿Qué efecto tuvo el discurso del Coronel sobre la gente que lo escuchó?
14. ¿Qué es una ñapa? ¿Qué importancia tiene para la trama?
15. Después de doce semanas de éxitos, ¿qué ocupaba los pensamientos del Coronel?
16. ¿Qué tipo de interés tenía el Mulato en Belisa?

Discusión e interpretación

1. ¿Cuáles cree que fueron las dos palabras secretas que Belisa le «dio» al Coronel? Explique, usando evidencia del cuento.
2. ¿Por qué cree Ud. que Belisa le susurró al Coronel sus dos palabras secretas en vez de decírselas en voz alta? ¿Por qué cree que el Coronel no se las dijo al Mulato?
3. A través del cuento, se ven indicaciones del poder de las palabras. ¿Cómo se manifiesta este poder? Mencione varias maneras.

4. ¿Qué efecto han tenido las palabras en la vida de Belisa?
5. ¿Por qué cree que la narradora usó palabras como **bruja** para describir a Belisa y **maldición, encantamiento, hechizo, palabras endiabladas**, etc. para describir el efecto de sus palabras sobre el Mulato y el Coronel?
6. ¿Qué cualidades de la personalidad de Belisa se destacan en el cuento? Señale evidencia del cuento.
7. Belisa se interesó en el Coronel casi inmediatamente, pero el Coronel no le correspondió inmediatamente. ¿Por qué? ¿Por qué cree que eventualmente se interesó en ella?
8. Para los personajes principales de este cuento, ¿cree que son más poderosas las palabras escritas o las palabras orales? Explique.
9. Varias personas han observado que el nombre **Belisa** es un anagrama de **Isabel**, el nombre de la autora. ¿Cree que Allende escogiera este nombre a propósito, para referirse indirectamente a sí misma? Explique.
10. **Crepúsculo** significa *twilight* o *dusk*. Una definición en español es «claridad o luz que precede a la salida del sol en la mañana o la que sigue a la puesta del sol hasta que anochece». Sabiendo esto, ¿cree que haya una conexión entre el apellido (**Crepusculario**) que Belisa se autonombró y el significado de esta palabra? Explique.
11. Cuando Belisa conoció al Coronel y estaba en su presencia —pero antes de ver su cara—, la narradora lo describió como «el hombre más temido del país» (línea 106). Luego, poco después, cuando Belisa pudo verle la cara, la narradora usó la expresión «hombre más solo de este mundo» (línea 116) para describirlo. ¿Por qué cree que la narradora usó estas expresiones muy similares en estructura, pero completamente opuestas en significado para describirlo?
12. ¿Por qué cree que Allende ha escrito un cuento donde uno de los temas principales es el poder de las palabras? ¿Qué opina Ud. sobre el valor y el poder de las palabras en el mundo actual?

LAZOS GRAMATICALES

Adjetivos descriptivos que «cambian de significado» según su posición

Como ya sabe, ciertos adjetivos pueden tener distintas traducciones inglesas según su posición antes o después del sustantivo que modifican. En el siguiente ejercicio, vamos a examinar algunos casos de este tipo.

15-8 ¿Qué información se comunica aquí? Lea los fragmento del cuento prestando atención a los adjetivos en negrita. Tomando en cuenta su posición relativa al sustantivo (antes o después), indique su traducción en inglés. Si no recuerda su significado, trate de determinarlo según el contexto. Si no está seguro/a, relea la sección número dos del *Manual de gramática* (pp. 290–298).

mismo

1. Tenía el nombre de Belisa Crepusculario, pero no por fe de bautismo o acierto de su madre, sino porque **ella misma**[3] lo buscó hasta encontrarlo y se vistió con él.
2. Se acercó a un hombre que lavaba un caballo en **el mismo charco turbio** donde ella saciara su sed.
3. La condujeron nuevamente donde el Coronel y al verlo ella volvió a sentir **la misma palpitante ansiedad** del primer encuentro.

propio

4. Algunos habían iniciado la marcha llevando sus pertenencias al hombro o en carretillas, pero apenas podían mover **sus propios huesos** y a poco andar debían abandonar sus cosas.
5. Y en toda ocasión en que esas dos palabras venían a su mente, evocaba la presencia de Belisa Crepusculario y se le alborotaban los sentidos con el recuerdo del olor montuno, el calor de incendio, el roce terrible y el aliento de yerbabuena, hasta que empezó a andar como un sonámbulo y **sus propios hombres** comprendieron que se le terminaría la vida antes de alcanzar el sillón de los presidentes.

varios

6. **Varios años** después, en una mañana de agosto, se encontraba Belisa Crepusculario al centro de una plaza, sentada bajo su toldo vendiendo argumentos de justicia a un viejo que solicitaba su pensión desde hacía diecisiete años.
7. Despertó **varias horas** después con el murmullo de la noche en el campo, pero no tuvo tiempo de descifrar esos sonidos, porque al abrir los ojos se encontró ante la mirada impaciente del Mulato, arrodillado a su lado.

---

[3]Aunque **ella** no es un sustantivo (es un pronombre), el adjetivo **misma** tiene el mismo significado que tendría si **ella** fuera un sustantivo.

Un análisis en contexto de pretéritos que «cambian de significado»

Muchos libros de texto explican que ciertos verbos en el pretérito «cambian de significado». Pero usted ha aprendido en este libro que los verbos en el pretérito no siempre se traducen con los significados «especiales» y que a veces se puede usar la traducción que se asocia con el imperfecto. Esto se verá en el siguiente ejercicio.

15-9 Trabajo de traductor. Imagínese que es traductor/a profesional y tiene que traducir «Dos palabras» al inglés. Lea los siguientes fragmentos del cuento y, refiriéndose al cuadro, decida cuál de las traducciones sería mejor para el verbo en pretérito en negrita. (O tal vez aún otra traducción sería mejor en algunos casos.) No tiene que traducir el resto del fragmento.

Infinitivo	Significado en el imperfecto (generalmente es el significado del infinitivo)	Significado (típico) en el pretérito
querer	*wanted*	*tried*
no querer	*didn't want/did not want*	*refused*
saber	*knew*	*found out, discovered, learned*
tener	*had, possessed*	*got, received*
no poder	*couldn't/could not, wasn't (was not) able to*	*failed to (couldn't and didn't)*

1. —¿Qué es esto? —preguntó.

   —La página deportiva del periódico —replicó el hombre sin dar muestras de asombro ante su ignorancia.

   La respuesta dejó atónita a la muchacha, pero **no quiso** parecer descarada y se limitó a inquerir el significado de las patitas de mosca dibujadas sobre el papel.
2. A partir de ese momento ejerció esa profesión y nunca le interesó otra. Al principio ofrecía su mercancía sin sospechar que las palabras podían también escribirse fuera de los periódicos. Cuando lo **supo**

calculó las infinitas proyecciones de su negocio, con sus ahorros le pagó veinte pesos a un cura para que le enseñara a leer y escribir y con los tres que le sobraron se compró un diccionario.

(El siguiente fragmento aparece después de que el Mulato y los otros hombres del Coronel habían secuestrado° a Belisa.) *kidnapped*

3. —Por fin despiertas, mujer —dijo alcanzándole su cantimplora para que bebiera un sorbo de aguardiente con pólvora y acabara de recuperar la vida.

Ella **quiso** saber la causa de tanto maltrato y él le explicó que el Coronel necesitaba sus servicios.

4. El Coronel se puso de pie y la luz de la antorcha que llevaba el Mulato le dio de frente. La mujer vio su piel oscura y sus fieros ojos de puma y **supo** al punto que estaba frente al hombre más solo de este mundo.

5. Ella había aceptado muchos encargos, pero ninguno como ése, sin embargo **no pudo** negarse, temiendo que el Mulato le metiera un tiro entre los ojos, o peor aún, que el Coronel se echara a llorar.

6. El Mulato acompañó a Belisa hasta el borde del camino, sin dejar de mirarla con ojos suplicantes de perro perdido, pero cuando estiró la mano para tocarla, ella lo detuvo con un chorro de palabras inventadas que **tuvieron** la virtud de espantarle el deseo, porque creyó que se trataba de alguna maldición irrevocable.

Como ha descubierto en este ejercicio de traducción, los verbos con significados «especiales» en el pretérito no siempre se traducen con significados distintos en inglés. Como regla general, primero se debe considerar estos significados, pero si no se pueden usar en el contexto, se debe usar el significado que se asocia con el imperfecto (o con el infinitivo). En ciertos contextos, a veces otra expresión completamente distinta capta mejor la idea. En todo caso es importante recordar que, no importa la traducción, el pretérito de cualquier verbo se usa para:

- enfocarse en el principio de la acción
- enfocarse en el fin de la acción
- considerar la acción en su totalidad

Si todavía tiene dudas sobre los usos del pretérito y del imperfecto, relea la sección número cuatro del *Manual de gramática* (pp. 307–314).

☞ Relea el cuento aplicando lo que ha aprendido y practicado en los ejercicios de la sección «**Lazos gramaticales**». Si lo hace, va a entender mejor el cuento y a fortalecer su comprensión de la gramática.

A ESCRIBIR

Estrategias de composición

Esta sección incluye una serie de pasos para ayudarlo/la a: (1) formular y desarrollar sus ideas y (2) organizar su composición para que sea cohesiva y coherente. También incluye instrucciones para buscar y corregir errores de gramática y de vocabulario. Estas sugerencias acompañan el primer tema porque son específicas para ese tema, pero son útiles para todos los temas. Si opta por otro tema, lea las sugerencias incluidas para el Tema uno y adáptelas para el tema que elija.

Tema uno

Escriba un ensayo en que explore las múltiples maneras en que el poder de las palabras se manifiesta en «Dos palabras».

Al completar cada uno de los siguientes pasos, marque (✓) la casilla a la izquierda.

- ❑ a. Revise el cuento buscando indicaciones del poder de las palabras. Considere las siguientes preguntas pero no es necesario limitarse a éstas: ¿Cuáles de los personajes sienten el poder de las palabras en su vida? ¿Qué impacto han tenido las palabras en la vida de cada uno de ellos? ¿En qué maneras controlan ciertos personajes las palabras y en qué maneras las palabras controlan a los personajes? ¿Qué funciones o para qué fines las usan? ¿Hay diferencias entre las palabras cuando están escritas y las palabras orales?
- ❑ b. Organice la información de manera lógica.
- ❑ c. Apoye sus observaciones y argumentos citando evidencia del cuento.
- ❑ d. Reescriba su introducción y escriba una conclusión.
- ❑ e. Cuando haya escrito su borrador, revíselo, asegurándose que todo siga un orden lógico y que sus ideas fluyan bien. Repase el cuento otra vez asegurándose que haya incluido todos los elementos importantes. Haga las correcciones necesarias.
- ❑ f. Dele un título interesante a su ensayo.
- ❑ g. Antes de entregar su ensayo, revíselo asegurándose que:
    - ❑ haya usado vocabulario correcto y variado
    - ❑ no haya usado **ser, estar** y **haber** demasiado (es preferible usar verbos más expresivos)
    - ❑ haya concordancia entre todos los adjetivos y artículos y los sustantivos a que se refieren
    - ❑ haya concordancia entre los verbos y sus sujetos

- ❑ **ser** y **estar** se usen correctamente
- ❑ el subjuntivo se use cuando sea apropiado
- ❑ el pretérito y el imperfecto se hayan usado correctamente
- ❑ no haya errores de ortografía ni de acentuación

Otros temas de composición

2. En muchas de las obras de Allende —tanto en sus cuentos como en sus novelas— se presenta a protagonistas femeninas fuertes que manifiestan atributos sumamente positivos como: confianza, integridad, independencia, etc. Claramente, Belisa Crepusculario es una de estas mujeres. Escriba un ensayo en el que explore las diversas maneras en que ella muestra estas características. Incluya citas del cuento para apoyar sus ideas. Recuerde que estas características pueden verse no sólo en su comportamiento y en sus palabras, sino también por las actitudes de los otros personajes hacia ella.
3. Belisa se interesó personalmente en el Coronel casi inmediatamente mientras que él no se interesó en ella hasta más tarde. Escriba un ensayo en el que explore el cambio de actitud del Coronel hacia Belisa. Puede considerar las siguientes preguntas, pero no tiene que limitar su ensayo a éstas. ¿Por qué inicialmente el Coronel no estaba interesado en ella? ¿Por qué se interesó en ella eventualmente? ¿Su cambio de actitud fue abrupto o gradual? Apoye sus argumentos con evidencia del cuento.

Manual de gramática

Índice

1. Cognados falsos

Cognados

Usted probablemente ha observado la gran cantidad de cognados entre el español y el inglés. Los **cognados** (*cognates*, en inglés) son palabras ortográficamente idénticas o muy parecidas y que comparten uno o más significados en las dos lenguas. Tres ejemplos de cognados en inglés y español son *person*/**persona**, *interesting*/**interesante** y *radio*/**radio.**

Los cognados suelen tener más de un significado. Aunque la mayoría tiene un significado más o menos igual en las dos lenguas, (con la excepción de palabras científicas y técnicas) no son iguales en todos los sentidos. Un ejemplo es la palabra *radio*/**radio:** aunque tanto **radio** en español como *radio* en inglés se usan para el aparato receptor de radiodifusión (el que emite las noticias y música), sus significados no son idénticos. Por ejemplo, **radio** en español también quiere decir *radius* y *radium* en inglés. Así que, la mayoría de los llamados «cognados» podrían ser **cognados falsos**[1] si se consideran todos sus significados. (Cognados falsos son palabras ortográficamente idénticas o muy parecidas en dos lenguas que tienen significados distintos.) Por eso, la razón por la cual se clasifican *radio*/**radio** como cognados mientras que *to realize*/**realizar** se clasifican como cognados falsos es algo difícil de justificar. Puede ser que la decisión de usar el término **cognado** o el término **cognado falso** en cada caso se basa en el significado principal y en la frecuencia de su uso.

Cognados falsos

Los libros de texto y profesores le han advertido que hay que tener cuidado con los cognados falsos. Pero, ¿sabía Ud. que hay dos tipos de cognados falsos? Por ejemplo, *lecture*/**lectura** y *to realize*/**realizar** son cognados falsos que representan los dos tipos.

Dos categorías de cognados falsos

Los cognados falsos pueden clasificarse en dos grupos: los que nunca comparten un significado con la palabra a la que se parecen en la otra lengua —como *lecture*/**lectura**— y los que a veces comparten uno o más significados, como *to realize*/**realizar.** Aunque muchos libros de texto señalan que *to realize*/**realizar** son cognados falsos, no siempre son falsos. Es verdad que **realizar** no se usaría como equivalente de *to realize* en la oración a continuación (donde se usaría **darse cuenta**).

When we saw the policeman at the door, ***we realized*** *that something terrible had happened.*

[1] Otros términos que se usan para estas palabras son: «falsos amigos» y «cognados deceptivos», entre otros.

Pero *to realize*/**realizar** comparten un significado también, como se ve en el siguiente par de oraciones.

> *Charles never managed **to realize** his dream of climbing a mountain.*
>
> Carlos nunca pudo **realizar** su sueño de escalar una montaña.

En los siguientes cuadros, se presentan ejemplos de las dos categorías de cognados falsos. El primer cuadro muestra los cognados falsos «siempre falsos» —los que nunca comparten un significado. El segundo presenta ejemplos de cognados falsos «variables» —los que a veces son cognados falsos y a veces cognados verdaderos. Los ejemplos en estos cuadros son representativos —no deben considerarse listas completas. Hay muchísimos más ejemplos de ambos tipos y se verán algunos en los cuentos en esta colección y en los ejercicios que los acompañan. La mayoría de los llamados «cognados falsos» son del tipo variable. Estudie la información en los dos cuadros.

EJEMPLOS DE COGNADOS FALSOS «SIEMPRE FALSOS» **Nota: Los cognados falsos «siempre falsos» nunca comparten un significado en el inglés/el español estándares.**	
Palabra en español	**Significado/s en inglés**
actual	*present, present-day*
avisar	*to warn, to inform, to notify*
aviso	*warning, notice, newspaper ad*
carpeta	*folder, file, briefcase, portfolio*
delito	*crime*
éxito	*success*
fábrica	*factory*
faltar	*to be lacking*
largo	*long*
lectura	*reading, reading matter*
librería	*bookstore*
pariente	*relative*
rato	*while* (breve período de tiempo)
receta	*recipe, prescription*

(continúa)

Palabra en español	Significado/s en inglés
ropa	*clothing*
sano	*healthy, fit*
suceso	*event*

EJEMPLOS DE COGNADOS FALSOS VARIABLES Nota: Los cognados falsos «variables» a veces son cognados verdaderos.		
Palabra (significado más común en inglés)	**Explicación**	**Sentido/s compartido/s**
aplicación*	No es *application* en el sentido de *job application.* ➔ Se usaría **solicitud.**	aplicación de una sustancia a una superficie (por ej., pintura o ungüento (*ointment*) **aplicación** como se usa en la informática (= programa) o en las matemáticas (= operación)
aplicar*	No es *to apply* en el sentido de *to apply for a job.* ➔ Se usaría **solicitar** o **presentarse a/para un puesto.**	aplicar una sustancia a una superficie (por ej. pintura o ungüento) **aplicarse:** *to apply to* como en *to be applicable to* o *to apply oneself*
argumento* (*plot; storyline*)	No es *argument* en el sentido de *quarrel.* ➔ Se usaría **discusión, disputa, debate.**	*argument* en el sentido de *line of reasoning*
carácter*	No es *character* en el sentido de *theater or literary character.* ➔ Se usaría **personaje.**	*character* en el sentido de **rasgo distintivo de una persona/cosa** *character* en el sentido de **letra** o **signo de escritura**
colegio (*school*)	No es *college* en el sentido de *university.* ➔ Se usaría **universidad.**	en expresiones específicas: **colegio electoral:** *electoral college* **Colegio de Cardenales:** *College of Cardinals*

*En algunos países latinoamericanos, estas palabras son cognados verdaderos aun en los sentidos ingleses dados en la segunda columna.

(continúa)

Palabra (significado más común en inglés)	**Explicación**	**Sentido/s compartido/s**
cuestión	No es *question* en el sentido de *inquiry*. ➔ Se usaría **pregunta.**	*question* en el sentido de *issue* o *matter*
discusión (*argument*)		*discussion*
discutir (*to argue*)		*to discuss*
facultad (*school/ division in a university*)	No es *faculty* en el sentido de **grupo de maestros/ profesores.** ➔ Se usaría **profesorado.**	*faculty* en el sentido de *ability* o *strength* (por ej., **facultades mentales**)
grado (*step; degree*)	No es *grade* en el sentido de *a grade for course work.* ➔ Se usaría **nota** o **calificación.**	*grade* en el sentido de *class level in school* *grade* en el sentido de *quality* (buen grado — *high quality*)
ignorar (*to be unaware/ ignorant of*)		*to ignore*
introducir	No es *to introduce* en el sentido de *to introduce a person to someone else.* ➔ Se usaría **presentar.**	*to introduce* en el sentido de *to bring up a topic for discussion*
realizar	No es *to realize* en el sentido de *to comprehend.* ➔ Se usaría **darse cuenta** o **comprender.**	*to realize* en el sentido de *to fulfill* o *to carry out*
sentencia	No es *sentence* en el sentido de *a grammatically self-contained speech unit.* ➔ Se usaría **frase** u **oración.**	*sentence* en el sentido de *decision* (por ej., la sentencia de un juez en la corte)

(continúa)

Palabra (significado más común en inglés)	**Explicación**	**Sentido/s compartido/s**
suceder (*to happen*)	No es *to succeed* en el sentido de *to have success*. ➔ Se usaría **tener éxito.**	*to succeed* en el sentido de *to follow* (por ej., Calderón sucedió a Fox como presidente de México.)
sujeto	No es *subject* en el sentido de *school subject*. ➔ Se usaría **materia** o **asignatura.** No es *subject* en el sentido de *topic*. ➔ Se usaría **tema** o **asunto.**	*grammatical subject* (por ej., *subject of a sentence*) **sujeto a:** *subject to*

Variación dialectal

La variación dialectal es un fenómeno común en cualquier lengua. Se ve principalmente en los campos del vocabulario y de la pronunciación (aunque la variabilidad en la gramática ocurre también). Por ejemplo, **patata** se usa en España para *potato* pero en México se usa **papa,** y una **tortilla española** es un alimento muy distinto de una **tortilla** en México.

Se observa variación con los cognados falsos también. Para algunos dialectos del español, lo que es un cognado falso en un dialecto es un cognado verdadero en otro. Por ejemplo, **rentar** no quiere decir *to rent* en España, sino *to yield* o *to produce* (por ej., *income*). (*To rent* en España es **alquilar.**) Pero en México y en otros países latinoamericanos, **rentar** quiere decir *to rent*. Otro ejemplo es la palabra **aplicar**. En muchos dialectos, esta palabra no se usa para decir *to apply for a job*, lo cual se expresaría con **solicitar un puesto** o **presentarse a un puesto**. Sin embargo, **aplicar** se usa en este sentido en Colombia y en Venezuela y se oye en muchas de las regiones hispánicas en los EE.UU.

La proximidad del país a los EE.UU. explica en parte la conversión de un cognado falso a un cognado verdadero, pero ésta es una explicación simplista porque hay muchos otros factores que influencian en este fenómeno.

Consejos sobre el uso de los cognados falsos

1. Es importante recordar que la mayoría de los cognados falsos entre el español y el inglés también tiene un significado cognado con la otra lengua (*to realize*/realizar/darse cuenta); *to introduce*/introducir/presentar).
2. Es mejor ser conservador/a —hablando lingüísticamente— cuando uno emplea los cognados falsos que son cognados verdaderos en algunos dialectos (como **aplicar a un puesto**) porque no se aceptan en todos los lugares. Se recomienda que utilice la expresión «más aceptable» en vez del cognado (por ej., **solicitar un puesto** en vez de **aplicar a un puesto**). Ésta es una táctica recomendable porque:
   a. en la mayoría de los países donde estas expresiones no son cognados falsos, también utilizan —o al menos entienden— el otro término. (Por ejemplo, se entiende **solicitar un puesto** o **presentarse a un puesto** aun si usan **aplicar** en este sentido.)
   b. aunque un hispanohablante nativo puede decir y escribir ciertas expresiones sin crítica —porque otro hispanohablante que le escuche probablemente va a suponer que es un caso de variación dialectal—, un estudiante anglohablante generalmente no tiene este «permiso». Si un anglohablante usa estos anglicismos, probablemente se consideran errores y no simplemente un caso de variación dialectal.

2. La colocación de los adjetivos descriptivos

Esta sección se concentra en los adjetivos descriptivos, pero antes, presentaremos una breve explicación de los adjetivos determinativos para destacar la diferencia entre los dos tipos de adjetivos.

Adjetivos determinativos

Los adjetivos determinativos casi siempre se colocan antes del sustantivo que describen. Por eso, no suelen causarles muchas dificultades a los anglohablantes. (En inglés estos adjetivos se llaman *limiting adjectives* o *determiners.*) Ejemplos de adjetivos determinativos incluyen: los de cantidad y de número, los adjetivos demostrativos, los posesivos cortos y los adjetivos interrogativos.

Ejemplos

Tengo **mucha** tarea.

Hay **pocas** cosas que le molestan más que el ruido del tráfico.

Su hijito tiene **tanta** energía.

No quieren pagar **demasiado** dinero por un carro de esa marca.

Nuestros parientes van a visitarnos este fin de semana.

Esta casa está muy sucia. Vamos a limpiarla.

Aquellos edificios parecen muy pequeños desde aquí.

¿**Cuántos** libros vas a comprar?

Adjetivos descriptivos

En inglés, los adjetivos de cualquier tipo casi siempre preceden a su sustantivo: *the tall boys, a magnificent novel, a restless spirit*, etc. Las pocas excepciones ocurren en ciertas frases formales como: *court martial, attorney general* (plurales: *courts martial* y *attorneys general*). En español, los adjetivos descriptivos pueden colocarse antes o después del sustantivo que describen, pero no siempre es posible optar por las dos posiciones.

Se colocan después

Si se quiere **distinguir** o **diferenciar** un sustantivo de otros, el adjetivo se coloca después, como en los siguientes ejemplos.

Voy a comprar un carro **barato** (en vez de un carro **caro**).

Vivimos en una casa **pequeña** (en vez de en una casa **grande**).

Las personas **ricas** suelen tener más oportunidades que las pobres.

Dado que la función principal de los adjetivos en general es restringir el significado del sustantivo y así presentar más información sobre el sustantivo que describen, los adjetivos descriptivos siguen a su sustantivo más que lo preceden. Aunque estadísticamente esto es verdad, hay muchísimos casos cuando el adjetivo va antes del sustantivo.

Se colocan antes

Un adjetivo descriptivo puede preceder a su sustantivo por varias razones, las cuales se van a considerar en esta sección.

1. Si la persona que habla/escribe quiere indicar que el atributo expresado por el adjetivo es una parte **íntegra** o **inherente** de la entidad que describe, va a colocarlo antes. Esto ocurre particularmente cuando el sustantivo es único, como en los siguientes ejemplos.

   La **linda** actriz, Julia Roberts...

   La **magnífica** novela, *Don Quijote de la Mancha...*

   Los **impresionantes** Andes...

   La **inconstante** luna...

   Su **fiel** amigo...

Estos ejemplos suponen que si la mayoría de la gente comparte la opinión, y el objetivo no es distinguir este sustantivo de otro, el adjetivo se pondrá antes.

En casos como los que acabamos de considerar, donde el adjetivo describe un atributo asociado con el sustantivo, muchas veces éste contiene información esencialmente superflua, o extra. En esta posición, el adjetivo a veces tiene el papel de un **epíteto**. (Un epíteto es un adjetivo que enfatiza las cualidades que ya se asocian con el sustantivo.) Unos ejemplos son: la oscura noche, la blanca nieve, las altas montañas, las mansas ovejas, los feroces leones. Unos ejemplos de epítetos en inglés son: *the legendary Babe Ruth, the burning sun, laughing hyenas.*

Ciertos adjetivos en esta posición forman una unidad con su sustantivo; en estos casos, la posición del adjetivo nunca cambia. He aquí algunos ejemplos.

La Bella Durmiente	*Sleeping Beauty*
mala (buena) suerte	*bad (good) luck*
las Bellas Artes	*the Fine Arts*
el Santo Padre	*the Holy Father*
a corto (largo) plazo	*short (long) term*

2. Si el que habla/escribe quiere mostrar **una reacción personal y subjetiva** o quiere **destacar el atributo**, también pondría el adjetivo antes del sustantivo, como en los siguientes ejemplos.

Unos **preciosos** niños pasaron por mi casa gritando y riéndose a todo volumen. ¡Qué lindos!

Mi **paciente** mujer me lo ha recordado muchas veces, pero nunca se ha enojado conmigo.

Su **difícil** situación nos entristece.

➔ Recuerde que en todos los casos de esta sección, el adjetivo no sirve para distinguir o diferenciar el sustantivo de otro.

En más detalle

Ciertos adjetivos, por su naturaleza, casi siempre se usan para contrastar y diferenciar. Por eso, casi nunca preceden a su sustantivo. Los adjetivos de nacionalidad y de color son ejemplos de este tipo. Pero, hasta estos adjetivos podrían verse antes del sustantivo, dentro de un contexto sumamente limitado. Ya hemos considerado un caso con un adjetivo de color: **la blanca nieve, el amarillo sol.** En cuanto a los adjetivos de nacionalidad, si alguien o algo es conocido por su nacionalidad o esa nacionalidad forma parte de su carácter y queremos destacarlo, sería posible colocarlo antes del sustantivo y decir algo como **el muy cubano plato** «moros y cristianos»[2] o **la muy española expresión** «no vale un higo». Éste es otro ejemplo de un adjetivo usado como un epíteto.

Se ve por estos últimos ejemplos que las oportunidades de poder utilizar tales expresiones serían bastante raras. Se ha incluido una discusión de estos casos para recordarle lo siguiente: aunque las reglas gramaticales son muy útiles —porque indican patrones sistemáticos en una lengua—, hay pocas reglas completamente fidedignas. Tome esto en cuenta cuando lea y escuche español, especialmente cuando encuentre usos que parecen violar las reglas que ha aprendido.

Adjetivos cuyos equivalentes ingleses varían según su posición

Ciertos adjetivos tienen significados distintos según si se colocan antes o después del sustantivo. Es decir, generalmente requieren distintas palabras en inglés para expresar la idea del adjetivo si la posición cambia. Un ejemplo es el adjetivo **triste**, que generalmente se traduce a *sad* cuando se coloca después pero significa *wretched*, *meager*, *sorry* o *paltry* si se coloca antes.

Ejemplos

Para una persona **triste** es difícil cumplir con sus deberes diarios.

Ese **triste** hombre ha tenido muy mala suerte.

Esta **triste** porción de carne no satisfaría a un pájaro.

El cuadro a continuación presenta una lista de los adjetivos más frecuentes de este tipo.

ADJETIVOS CUYO EQUIVALENTE INGLÉS PUEDE CAMBIAR SEGÚN SU POSICIÓN		
Adjetivo	**Antes (Significado cuando precede al sustantivo)**	**Después (Significado cuando sigue al sustantivo)**
antiguo	*former* (también *old* y *ancient*)	*old, ancient, old-fashioned*

[2]un plato muy común en Cuba que consiste en arroz con frijoles negros

(continúa)

Adjetivo	**Antes** **(Significado cuando precede al sustantivo)**	**Después** **(Significado cuando sigue al sustantivo)**
cierto	*certain* (= *one/some of several*)	*certain, sure, true*
diferente	*several, various, different* (= *several, various*)	*different* (= *unlike*)
cualquier/a*	*any*	*any* (= [*just*] *any old*), *any* (= *ordinary*)
gran(de)**	*great*	*large, big*
medio	*half*	*average*
mismo	*same, self-same, very own, -self*	*-self* (*himself, herself, ourselves*, etc.)
nuevo	*new* (*different, latest*)	(*brand*) *new*
pobre	*poor* (= *unfortunate, pitiful, pitiable*)	*poor* (= *impoverished*)
propio	*own, self-same, very*	*characteristic, suitable, appropriate, right* (a veces *own*)
puro	*sheer, just* (= *only*), *pure* (= *sheer, only*)	*pure* (= *uncontaminated*)
raro	*infrequent, few, rare* (en estos sentidos)	*rare, strange*
semejante	*such (a)*	*similar*
simple	*mere, just* (= *only*)	*simple, simple-minded*
triste	*meager, wretched, sorry, paltry, insignificant, sad*	*sad, unhappy*

*__Cualquiera__ se acorta a **cualquier** cuando es singular y precede al sustantivo: **cualquier libro, cualquier persona.** La forma plural (masculina o femenina) es **cualesquiera** en ambas posiciones. La forma plural no se usa mucho —se ve principalmente con los sustantivos que sólo ocurren en forma plural, como: **gafas** *glasses*, **lentes** *lenses*, **tijeras** *scissors*, **alicates** *pliers*, **tenazas** *pliers*, **pinzas** *tweezers*, **bruselas** *tweezers*.

__Grande__ se acorta a **gran cuando es singular (masculino o femenino) y precede al sustantivo: **un gran hombre/una gran mujer.** (Pero en el plural es normal: **grandes hombres/grandes mujeres; hombres grandes/mujeres grandes**).

(continúa)

Adjetivo	Antes (Significado cuando precede al sustantivo)	Después (Significado cuando sigue al sustantivo)
único	*only, sole*	*unique*
varios	*several*	*various, assorted, miscellaneous*
viejo	*long-standing, long-time, long-lasting, former*, (también *old*)	*old, aged, elderly*

Unos ejemplos contrastivos muestran las diferencias de significado:

Cualquier niño que llegue para las nueve recibirá un premio. Y no es un premio **cualquiera.**

*Any child who arrives by nine o'clock will receive a prize. And it's not **just any old** prize.*

Usted tiene **diferentes** opciones aquí, así que seguramente estará contento con nuestros servicios. Verá que nuestra compañía es una empresa **diferente.**

*You have **several** options here so you will surely be happy with our services. You will see that our firm is a **different** company.*

Es un joven **medio.**[3] Puede comer **medio** sándwich con sólo dos bocados.

*He's an **average** youth. He can eat **half a** sandwich in just two bites.*

Este **triste** apartamento sólo tiene una ventana y de allí sólo se ve una fábrica.

*This **wretched** apartment only has one window and from it you only see a factory.*

Aunque Andrés es una persona **triste**, por su comportamiento y expresiones, lo tomaría por una persona muy feliz.

*Although Andrew is a **sad** person, by his manner and expressions, you'd take him for a very happy person.*

Su **viejo** amigo parece un hombre **viejo.**

*Her **long-time** friend looks like an **old** man.*

[3]Algunos hispanohablantes prefieren **promedio** para este significado.

Ejemplos donde no se usarían las traducciones típicas

¡Ojo! Tome en cuenta que las definiciones del cuadro no son fijas —a veces hay «excepciones» de las definiciones presentadas allí. Por ejemplo, aunque **único** suele traducirse a *unique* cuando sigue al sustantivo, en la oración «Los padres con un hijo **único** tienen que asegurarse que no llegue a ser consentido», la frase **un hijo único** probablemente se traduciría a "*an **only** child*" y no a "***a unique** child*" la cual es la definición indicada en el cuadro. Puesto que hay muchas «excepciones», use las definiciones como guía, no como una regla fija. Vamos a considerar otras excepciones aparentes.

Ciertos adjetivos del cuadro pueden llevar el significado asociado con la posposición aun cuando preceden a su sustantivo. Esto ocurre cuando los atributos del adjetivo se asocian con el sustantivo. Considere los siguientes ejemplos.

«Las **antiguas** ruinas de los maya» no podría significar *the **former** Mayan ruins* porque esto no tiene sentido. La traducción correcta en este caso sería *ancient*, o tal vez *old*. Las ruinas se asocian con su antigüedad y por eso **antiguas** precede al sustantivo **ruinas**.

Otro ejemplo con la palabra **antiguo** se ve en la frase «**Antiguo** Testamento» (*Old Testament*).

«**Viejo** Testamento» (*Old Testament*) y «**Viejo** Mundo» (*Old World*) son parecidos al ejemplo anterior.

«Los **pobres** habitantes de Apalachia» podría significar o *the **unfortunate/pitiful** inhabitants of Appalachia* —el significado que la regla predice— pero, puesto que esta región de los EE. UU. se asocia con la pobreza, también podría significar *the **impoverished** inhabitants of Appalachia.*

Algunos de los adjetivos del cuadro, cuando preceden al sustantivo, realmente funcionan como adjetivos determinativos por su referencia a cantidad o número: **cierto, varios, raro, diferentes** y **medio.** Esto explica en parte por qué se colocan antes cuando tienen estos significados: porque, como vimos en el segundo párrafo de esta sección (p. 290), los determinativos casi siempre preceden al sustantivo. Considere los siguientes ejemplos.

Este lugar es muy solitario porque la gente **raras veces** (*infrequently, rarely*) pasa por aquí.

Esa tienda sirve **diferentes/varios** (*several*) sabores de helado. ¿Quieres probar algunos?

Sólo **ciertas** (*certain*—[*some of several*]) personas tienen acceso a esta información.

Voy a comprar **media** (*half*) docena de huevos si me permiten.

Como indica el cuadro de las páginas 293–295, con algunos de estos adjetivos, es posible usar la misma palabra en inglés cuando aparece antes o después del sustantivo. Por ejemplo, **el pobre niño** y **el niño pobre** podrían traducirse a *the poor child.* En estos casos, si se coloca después, adopta el significado literal de la palabra en inglés (literalmente *poor*, sin dinero) y el significado figurativo cuando se coloca antes (figurativamente *poor* [*unfortunate, pitiful*]). (A veces el significado no es figurativo sino secundario o derivado.) Examine los siguientes ejemplos.

CASOS DONDE ES POSIBLE USAR LA MISMA TRADUCCIÓN INGLESA EN AMBAS POSICIONES

Antes (significado figurativo)	Después (significado literal)
El **pobre** niño tiene mucho miedo porque no sabe dónde está su mamá.	El niño **pobre** no tiene bastante dinero para comprarse unos dulces.
Su **nueva** novia es más comprensiva que su vieja* novia.	Su sillón **nuevo** es más cómodo que su sillón viejo.
Sólo hay **raras** oportunidades para ver una representación de tan buena cualidad.	Éste es un libro **raro**: sólo se publicaron cien ejemplares.
Nunca esperábamos una reacción tan fuerte a una **simple** petición.	Esto es un juego **simple**: hasta un niño puede jugarlo sin dificultad.

*Muchos hispanohablantes prefieren **antigua** aquí.

Es importante recordar que la mayoría de los adjetivos del cuadro anterior siguen las reglas de los adjetivos «regulares» que consideramos en la primera parte de esta sección: cuando siguen al sustantivo, sirven para distinguir el sustantivo de otros y cuando lo preceden, suelen contener información más subjetiva o figurativa, a veces información extra.

En resumen

En la práctica, hay variación en la colocación de los adjetivos descriptivos. En la literatura, donde los autores emplean diferentes técnicas para expresar sus ideas, se ve mucha variación en la posición de los adjetivos descriptivos, algo que se ve en los cuentos de esta antología. Recuerde que:

1. Si un adjetivo se usa para distinguir o diferenciar un sustantivo de otros de su clase, se coloca después; éste es el uso más frecuente.
2. Si la información contenida en el adjetivo es subjetiva, superflua o extra, probablemente se coloca antes.
3. Ciertos adjetivos pueden tener traducciones distintas en inglés, según su posición relativa al sustantivo. Sin embargo, estos adjetivos siguen las reglas de uso números uno y dos.

---

3. Ser/Estar + adjetivos

Los principios fundamentales

Tanto **ser** como **estar** (*to be* en inglés) se usan con adjetivos pero comunican información distinta sobre el sustantivo que describen. (**Ser/estar/***to be* se llaman «cópulas»). Las reglas de uso para las dos cópulas, que se presentan a continuación, van a referirse a **los principios fundamentales** para la presente discusión.

1. **Ser** se usa con adjetivos para describir características que generalmente se asocian con el sustantivo. Pueden considerarse «características normales».
2. **Estar** se usa con adjetivos para:
   a. indicar el estado o la condición del sustantivo.
   b. mostrar un cambio de una norma que se ha establecido para un sustantivo.
   c. dar un comentario o una reacción subjetiva sobre el sustantivo.

   Considere los siguientes ejemplos.

Ser	
Características normales:	Tomás **es** alto y guapo.
	Ana **es** generosa e inteligente.
	Nuestra casa **es** blanca y moderna.
	Esos libros de texto **son** interesantes.

Estar	
Condición/Estado:	Andrés **está** triste porque no recibió una bicicleta para su cumpleaños.
Estado/Cambio de la norma:	Jaime **está** muy delgado. Debe de haber perdido diez kilos.
Comentario/Reacción subjetiva:	Anita, ¡qué alta **estás**! ¡Has crecido tanto desde la última vez que te vi!
Comentario/Reacción subjetiva o condición/estado:	Eduardo **está** muy guapo en su traje nuevo.

La mayoría de los adjetivos en español puede usarse tanto con **ser** como con **estar**, pero cuando la cópula cambia, las diferencias básicas ya mencionadas se mantienen. Por ejemplo, el adjetivo **nervioso** puede usarse con ambas cópulas pero el significado expresado por la selección de **ser** o **estar** varía según los principios fundamentales. Aunque tanto «Juan **es** nervioso» como «Juan **está** nervioso» pueden traducirse en inglés a *John is nervous*, el uso de **ser** indica que Juan es nervioso por naturaleza (es una característica normal de su personalidad) mientras que el uso de **estar** dice que por alguna razón está nervioso —algo le está poniendo nervioso. Asimismo, tanto «Carlos **es** delgado» como «Carlos **está** delgado» podrían traducirse a *Carlos is thin*, pero en el primer caso, su delgadez es una característica que se asocia con Carlos; en el segundo, la frase comunica que Carlos ha perdido peso y está en un estado de delgadez.

Es interesante observar que la frase inglesa es ambigua mientras que la frase española no lo es. La alternancia entre **es** y **está** en estas frases comunica más información de la que *is* comunica en la traducción inglesa. Esto quiere decir que para entender cuál es la interpretación correcta de *Carlos is thin*, es necesario tener más información o contexto, lo cual no es necesario en español porque la cópula misma indica claramente si se habla de una característica o de un estado o condición.

A continuación, se presentan más ejemplos contrastivos para mostrar cómo el significado cambia (característica vs. condición/estado) según el uso de **ser** o **estar**.

Mi hermano **es** alegre y callado.
My brother is happy and quiet (taciturn).

Andrea **está** alegre porque su novio va a vistarla este fin de semana.

Andrea is happy because her boyfriend is going to visit her this weekend.

Juan **es** hablador pero hoy **está** callado. ¿Sabes si **está** preocupado por algo?

Juan is (normally) talkative but today he is quiet. Do you know if he's worried about something?

Como los ejemplos anteriores indican, si se usa el verbo **estar** con un adjetivo que generalmente se usa con el verbo **ser**, podemos enfatizar cómo algo se ve ahora (o en el momento indicado por el tiempo del verbo), en vez de cómo es por lo general. De esta manera, **estar + adjetivo** puede enfatizar algo fuera de lo normal.

Cuando **estar** se usa con un adjetivo, para su traducción inglesa, en vez de *to be*, muchas veces es posible usar otro verbo como *to seem* o *to look*, *to behave, to act* (o, en el caso de comidas y bebidas, *to taste*), como en los siguientes ejemplos.

Ana **está** muy guapa en su vestido nuevo.

Ana **looks** *very pretty in her new dress.*

David **está** preocupado. ¿Qué tendrá?

David **seems** *worried. I wonder what's the matter?*

Tomás **está** muy raro hoy.

Tomás **is acting** *strangely today.*

→ En las tres oraciones anteriores, observe que:

1. en lugar de **está**, también se podrían usar los equivalentes exactos (**se ve, parece, se porta**).
2. *is* también podría expresarse en las variantes en inglés.

→ Observe que en estos casos el adjetivo describe una condición o un estado —no una característica que generalmente se asocia con la persona. Las expresiones *to look, to seem, to behave*, etc. (y sus equivalentes en español) destacan la condición o estado del sujeto.

Tome en cuenta que los atributos representados por un adjetivo no necesariamente representan una verdad objetiva. Muchas veces es la perspectiva de la persona que habla/escribe la que va a determinar su elección de **ser** o **estar**. En los ejemplos anteriores con Carlos (p. 299), si conozco a Carlos por primera vez después de que ha perdido diez kilos, y no sé que ha perdido peso recientemente, voy a pensar que Carlos **es** delgado porque —de mi perspectiva y la información que tengo— su delgadez parece una característica normal para Carlos.

Problemas con la explicación tradicional de atributos permanentes y temporales

En el pasado, muchos libros de texto de español para anglohablantes decían que **ser** con un adjetivo indica una característica permanente y que **estar** con un adjetivo indica una característica o condición temporal/pasajera (*temporary*). Esta explicación ha recibido mucha crítica porque es engañosa y puede inducir errores. Es problemática porque hay tantas excepciones que la contradicen. Por ejemplo, la expresión correcta para decir *to be dead* es **estar muerto**, una situación que no es temporal; del mismo modo, **ser joven** no es una característica permanente. Pero, a pesar de las críticas, todavía se ve esta explicación en algunos libros de texto. Recuerde que la duración de tiempo del atributo en cuestión no es lo que importa sino la naturaleza del atributo. Es mejor contar con las diferencias básicas de los principios fundamentales que se han explicado en esta sección que pensar en conceptos como permanencia y temporalidad.

Ciertos adjetivos sólo se usan con ser o estar

Aunque la mayoría de los adjetivos puede usarse con **ser** o con **estar**, algunos suelen usarse solamente con una de las cópulas. Es decir que si un adjetivo sólo describe una condición o estado, es lógico que sólo se utilice con **estar**. Asimismo, si un adjetivo no puede indicar una característica, sólo se emplea con **ser**. Por ejemplo, adjetivos como **ausente**, **presente**, **contento** sólo se usan con **estar** porque describen una condición o un estado y no una característica. Los adjetivos de nacionalidad se usan con **ser** porque señalan un atributo inherente de una persona u objeto, y no una condición. (Aunque una persona puede cambiar su nacionalidad, cuando esto ocurre, no indica una condición sino una nueva característica que se asocia con la persona.)

Ser/Estar + el participio pasado

Cuando un participio pasado (forma verbal que termina en **-ado**, **-ido**, etc.) se usa con **estar**, siempre indica un estado/una condición. Examine los siguientes ejemplos:

La puerta ya **estaba abierta** cuando llegué. Al parecer, los otros habían llegado antes que yo.

Ahora que los niños **están sentados**, la presentación puede empezar.

La carta **está escrita**. ¿Puedo mandarla ahora?

➔ **Ser** se usa con un participio pasado para formar la voz pasiva, como en el siguiente ejemplo:

La casa **fue construida** por la mejor empresa constructora en esta región del estado.

Como vimos en el ejemplo anterior, en la voz pasiva, el participio forma parte del **verbo** (**ser** + el participio) y aunque concuerda con el sustantivo al que se refiere, no indica una característica del sustantivo, sino que identifica la acción que se realizó sobre el sustantivo (la casa fue construida).

No asuma que la estructura «**ser** + participio pasado» siempre indica la voz pasiva. Muchos participios pasados han llegado a ser «verdaderos adjetivos» que se usan para describir una característica (como **aburrido, callado, cansado, abierto, despierto, dispuesto, divertido, interesado, preparado,** etc.). En estos casos, los participios pasados funcionan como adjetivos «normales», lo cual quiere decir que siguen los principios fundamentales: **ser** muestra una característica y **estar** muestra un estado/condición.

Adjetivos que «cambian de traducción»: Variación léxica en inglés que acompaña la alternancia entre *ser* y *estar*

Recuerde que anteriormente se ha explicado que **ser** y **estar** pueden usarse con adjetivos para comunicar distintos tipos de información. Cuando los adjetivos alternan entre **ser** o **estar** —aunque la traducción inglesa no cambie— al nivel básico, los significados de las oraciones son distintos, según los principios fundamentales. Como hemos visto, en casos ambiguos del inglés (por ejemplo, *Carlos is thin* se traduce a «Carlos es delgado» o «Carlos está delgado»), un contexto tiene que entenderse para comprender cuál de los significados es correcto.

Algunos adjetivos, cuando se usan con **ser** o **estar**, suelen requerir distintas palabras en inglés para comunicar las diferencias subyacentes° de significado. **Listo** es un ejemplo de este tipo: Cuando se usa con el verbo **ser**, su traducción inglesa es *clever* o *smart* y cuando se usa con **estar**, su traducción inglesa generalmente es *ready* o *prepared*, como se ve en las siguientes oraciones.

underlying

Puesto que Pilar **es lista**, siempre recibe buenas notas.

Roberto **está listo** para salir.

Se debe notar que lo que la alternancia entre **ser/estar** expresa en español se realiza en inglés por alternancia léxica (en la selección de adjetivos). Vea los ejemplos a continuación.

ADJETIVOS CUYAS TRADUCCIONES INGLESAS PUEDEN VARIAR SEGÚN EL USO DE SER O ESTAR

Adjetivo	**con ser***	**con estar***
aburrido	*boring*	*bored*
atento	*courteous, considerate, helpful*	*paying attention, attentive* (*in the moment*)
borracho	*a drunk(ard)* (sust.)	*drunk*
cansado	*tiresome, tiring*	*tired*
completo	*exhaustive, total, thorough*	*complete* (*not lacking anything*)
consciente	*conscientious*	*conscious, aware*
crudo	*coarse, crude*	*raw*
decente	*decent, honest*	*dressed appropriately, presentable*
despierto	*sharp, bright* (astuto)	*awake*
dispuesto	*handy*	*willing*
distraído	*absent-minded*	*distracted*
divertido	*funny, amusing*	*amused*
enfermo	*sickly, an invalid* (sust.)	*ill, sick*
entretenido	*entertaining*	*occupied* (*involved*)
interesado	*self-serving, selfish, mercenary, self-interested*	*interested*
listo	*clever, intelligent, smart, bright, witty*	*ready, prepared*
maduro	*mature*	*ripe*
molesto	*bothersome, annoying*	*bothered, uncomfortable*
nuevo	*brand new, newly made*	*like new, unused*

*Observe que siguen los principios fundamentales. En este sentido no difieren de los adjetivos que no tienen distintas traducciones cuando alternan entre **ser** y **estar**.

(continúa)

Adjetivo	con ser*	con estar*
preparado	*cultivated, learned*	*prepared, ready*
rico	*rich, wealthy*	*tasty*
torpe	*slow-witted*	*clumsy, awkward*
verde	*green, smutty*	*unripe, immature*
vivo	*smart, lively, sharp, bright, vivacious, clever, witty, keen*	*alive*
*Observe que siguen los principios fundamentales. En este sentido no difieren de los adjetivos que no tienen distintas traducciones cuando alternan entre **ser** y **estar**.		

Ejemplos contrastivos que muestran las diferencias de significado presentadas en el cuadro:

Ese asunto **es** muy **cansado**. **Estamos** tan **cansados** de él. ¿Podemos cambiar de tema?

*That topic **is** very **tiresome**. We **are** so **tired** of it. Can we change the subject?*

La investigación **fue completa**. Examinaron todas las pistas y lograron identificar al criminal.

*The investigation **was thorough**. They examined all leads and managed to identify the criminal.*

Cuando compramos el juego de herramientas, llegamos a casa y descubrimos que el juego **no estaba completo** —le faltaba un destornillador y un martillo.

*When we bought the tool set, we got home and discovered that the set **was not complete** —a screwdriver and a hammer were missing.*

Reynaldo **es** muy **despierto**... cuando **está despierto**. Se duerme en clase casi todos los días.

*Reynaldo **is** very **bright**... when he's **awake**. He falls asleep in class almost every day.*

Su abuelo **es** muy **vivo** para su edad. No parece una persona de noventa años.

*Her grandfather **is** very **lively** for his age. He doesn't seem like a ninety year old.*

Cuando los salvadores llegaron a los mineros atrapados, afortunadamente todavía **estaban vivos**.

*When the rescuers got to the trapped miners, fortunately they **were** still **alive**.*

Usando estar con el significado del adjetivo asociado con el uso de ser

Los adjetivos del tipo «cambio de significado» a veces pueden tener el significado asociado con **ser** cuando se usan con **estar.** (Ocurre cuando la persona que habla/escribe expresa la idea atribuida al adjetivo con **ser** pero también quiere enfatizar un estado o condición.) Por ejemplo, **divertido**, cuando se usa con **ser**, se traduce a *funny* o *amusing* y con **estar**, generalmente se traduce a *amused.* Sin embargo, en «David, estás tan divertido esta noche. ¿Dónde aprendiste todos tus chistes?», **divertido** se traduce a *funny* en vez de *amused.* Abajo se presentan otros ejemplos de este tipo. Compare el uso de **ser** y de **estar** en los grupos de oraciones.

➔ En los ejemplos del cuadro a continuación, la expresión «Significados esperados» (*expected meanings*) indica que tiene los significados que generalmente se asocian con **ser** o **estar.** La expresión «significados inesperados» (*unexpected meanings*) señala los ejemplos donde **estar** se usa con el significado asociado con **ser** en vez del significado asociado con **estar.**

Significados esperados	Significados inesperados
Marcos **está listo** para salir. *Marcos **is ready** to leave.*	Isabel, ¡qué **lista estás** hoy! *Isabel, how **clever you are** today!*
Roberto **es** tan **listo** —siempre tiene algo cómico que decir. *Roberto **is** so **clever** —he always has something funny to say.*	
Los estudiantes **están aburridos** porque la profesora **es aburrida.** *The students are **bored** because the professor is **boring.***	¡No pude aguantar la clase de álgebra ayer porque el profesor **estuvo** tan **aburrido!** *I couldn't stand algebra class yesterday because the professor **was** so **boring!***

(continúa)

Significados esperados	Significados inesperados
Papá no **está despierto** todavía. Se durmió muy tarde. Dad *is not **awake** yet. He went to sleep very late.*	**Estás** muy **despierto** hoy, Manuel. ¿Acaso has leído la tarea? *You **are/seem** very **bright** today, Manuel. Have you perhaps read your homework?*
Los niños en esta escuela **son** muy **despiertos.** *The children in this school **are** very **bright.***	

Los adjetivos que «cambian de traducción» no son excepciones a las reglas que gobiernan el uso de **ser/estar** + adjetivos. Al contrario: siguen los principios fundamentales como todos los adjetivos. Pero sí son «especiales» o un poco diferentes porque con éstos es necesario usar distintas palabras en inglés para expresar los atributos representados por un solo adjetivo en español.

En resumen

Lo más importante de recordar de esta sección es:

1. **Ser** se usa con un adjetivo para indicar una característica o cualidad que se asocia con el sustantivo.
2. **Estar** se usa con un adjetivo para indicar:
    a. una condición o un estado.
    b. un cambio de norma.
    c. una reacción subjetiva.
3. Aunque las traducciones cambien, siempre hay un cambio de significado subyacente (bajo la superficie). Los adjetivos que «cambian de significado», aunque en cierto sentido pueden considerarse casos especiales —porque utilizan dos traducciones diferentes en inglés para comunicar la idea— al nivel fundamental, todos los adjetivos «cambian de significado» cuando alternan entre el uso con **ser** y el con **estar**.

4. Pretérito/Imperfecto: Dos aspectos del tiempo pasado

El pretérito y el imperfecto no son distintos tiempos verbales sino distintos **aspectos** del pasado. «Aspecto» es un término lingüístico que se refiere a la manera en que la acción/el estado se realiza. Señala la «parte» de la acción/estado bajo consideración en un determinado contexto. El aspecto se refiere a la duración, el desarrollo, el inicio o la conclusión del proceso expresado por el verbo. Tiene que ver con la naturaleza de la acción y con la perspectiva que la persona que habla o escribe adopta hacia la acción. Por ejemplo, ¿le interesa hablar del principio de la acción o del fin de ella? ¿O quiere enfocarse en la acción en progreso? Tal vez quiere considerar acciones que no sólo ocurren una vez sino las que se repiten. Estas características tienen relevancia para cualquier tiempo del verbo, pero para los estudiantes del español, el concepto del aspecto se considera principalmente con respecto al tiempo pasado, y en particular, con respecto al pretérito y al imperfecto. Para una acción o estado, se puede enfocarse en los siguientes aspectos: (1) **iniciativo** (principio), (2) **terminativo** (fin), (3) **durativo** (en progreso o planeado) o (4) **reiterativo** (habitual o repetitivo).

Los principios de uso del imperfecto y del pretérito

El imperfecto se usa para:

1. acciones y estados **en progreso/proceso** o **en desarrollo** en cierto momento.

    Servíamos la cena cuando sonó el teléfono.

    Mientras el profesor **escribía** la información en la pizarra, los estudiantes la **copiaban** en su cuaderno.

2. acciones **habituales**.

    De niña Andrea **visitaba** a sus abuelos cada verano. Durante sus visitas le **gustaba** subir al desván y mirar las cosas antiguas que **guardaban** allí.

3. acciones **repetitivas**.

    Anoche cada vez que **me sentaba** el teléfono **sonaba**.

    Cuando cada estudiante **entraba** en la sala de clase, la profesora lo **saludaba**.

Ayer siempre que un cliente **entraba** en su tienda y le **preguntaba** por el papagayo en la vitrina, el propietario le **contaba** la interesante historia del maravilloso pájaro.

En más detalle

Pistas

Observe que en los ejemplos anteriores, no se ha mencionado el número de repeticiones. Si se menciona cierto número de veces, se usa el pretérito porque el enfoque está en la realización de la acción: el hecho de que la acción tuvo lugar es lo que importa. El uso del imperfecto en los ejemplos en la sección anterior destaca la repetición de las acciones. Estas acciones no son habituales sino repetitivas porque no ocurren tras un largo período de tiempo sino durante una ocasión limitada de tiempo. (Compárelos con los ejemplos en la número dos.)

4. acciones planeadas o anticipadas en el pasado.

Pensábamos llamarte mañana pero decidimos llamarte hoy.

Les dije a mis compañeras de trabajo que **salía** pronto de vacaciones por dos semanas. Me dijeron que **iban** a terminar nuestro proyecto durante mi ausencia y que yo lo **podía** revisar cuando regresara.

El pretérito se usa para:

1. enfocarse en el **fin** de una acción o estado.

Cuando el teléfono **sonó**, Rebeca lo **contestó**.

El sábado pasado pasé todo el día con los deberes domésticos: **Limpié** la casa, **lavé** la ropa, **fui** de compras y **preparé** una cena muy sabrosa. Después de todo eso, **dormí** muy bien esa noche.

➔ Revisando las tres reglas de uso para el pretérito (páginas 308–309), ¿puede Ud. identificar la regla que explica el uso de **pasé** en el ejemplo anterior?

➔ Si usted ha escogido la regla número tres, tiene razón.

2. enfocarse en el **principio** de una acción o estado.

Empezamos a pintar la casa un sábado y para el próximo ya habíamos terminado.

A la madre de Manolito, le gusta decir que su hijo **habló** a los diez meses y no ha parado desde entonces.

Fidel Castro, conocido por sus largos discursos, **habló** desde las dos a las cuatro de la tarde.

Llovió cuando salimos de la tienda y paró cuando llegamos al coche.

Fernando **conoció** a su futuro suegro un mes antes de la boda.

---

3. considerar una acción o estado (de cualquier duración) en su **totalidad**.

La sequía **duró** dos meses y cuando por fin **llovió**, era demasiado tarde porque todas las cosechas estaban arruinadas.

Los Gómez **vivieron** en Los Ángeles por diez años antes de mudarse a San Diego.

Megan **pasó** un semestre en Sevilla durante su tercer año universitario.

Frases en inglés que pueden señalar uso del imperfecto

Ciertas frases en inglés pueden señalar el uso del imperfecto en español. Pero tenga cuidado porque las expresiones en inglés no siempre se traducen con formas del imperfecto —es sólo cuando estas expresiones señalan acciones habituales, repetitivas, en progreso y planeadas que el imperfecto se usa.

1. *Would* puede señalar el uso del imperfecto, pero sólo cuando se usa para acciones habituales o repetitivas, como en los siguientes ejemplos.

When I was a child ***I would go*** *to the movies every Saturday.*

Cuando era niño, **iba** al cine todos los sábados.

Yesterday, every time I stood up ***(would stand up)****, I* ***would get dizzy****.*

Ayer cada vez que **me levantaba, me mareaba.**

*At the conference, every time a speaker started speaking (****would start*** *to speak), a cell phone* ***would ring****. It was so annoying!*

En el congreso cada vez que un conferenciante **empezaba** a hablar, un celular **sonaba.** ¡Fue un fastidio!

En las siguientes dos oraciones, *would* no señala el uso del imperfecto, sino el uso del condicional o del imperfecto de subjuntivo, porque no se refieren a acciones habituales o repetitivas.

If I were you, I would not mention it.

Si fuera tú, no lo mencionaría/mencionara.

Would you help your sister with the dishes?

¿Ayudarías/Ayudaras a tu hermana a lavar los platos?

---

2. *Used to* señala el uso del imperfecto si se refiere a acciones habituales.

***She used to attend** class every day, but now she misses class almost every day.*

Asistía a clase todos los días, pero ahora falta a clase casi todos los días.

Si *used to* quiere decir *accustomed to*, se puede usar el pretérito o el imperfecto, según el sentido de la oración.

I became used to his strange mannerisms after a couple of weeks.

Me acostumbré a sus peculiaridades después de algunas semanas.

Ana and Juan were just getting used to the house when he was transferred.

Ana y Juan se acostumbraban a la casa cuando lo trasladaron a otra ciudad.

→ En el ejemplo anterior, se ha usado el imperfecto porque es un estado en progreso.

3. Cuando «*was/were* + el gerundio (verbo-*ing*)» señala una acción en progreso (lo cual casi siempre es el caso con esta estructura) se usa el imperfecto o el imperfecto progresivo.

***We were reading** when the phone rang.*

Leíamos/Estábamos leyendo cuando el teléfono sonó.

En más detalle

Si una expresión con «*was/were* + el gerundio» menciona una duración de tiempo específica (por dos minutos, durante tres horas, etc.), se usa **el pretérito progresivo** porque el enfoque está en el fin de la acción. Considere el siguiente ejemplo.

¡**Estuve llamándote** durante dos horas! ¿Por qué no contestaste el teléfono?

Como el término sugiere, el pretérito progresivo contiene elementos tanto del pretérito como del progresivo: El uso del progresivo indica que la acción duró un período de tiempo y enfatiza esa duración; el pretérito indica que ese período ha terminado. Si se usa el pretérito simple, la oración que resulta —«Te llamé durante dos horas»— no es tan enfática como la otra oración con el pretérito progresivo.

4. Cuando la frase verbal «*was/were going to* + infinitivo» se usa para acciones planeadas, se puede usar el imperfecto del verbo o «**ir** (en el imperfecto) + a + infinitivo».

*They **were going to leave** soon so we had to say good-bye quickly.*

Salían/Iban a salir pronto así que tuvimos que despedirnos rápidamente.

*He said he **was going to visit** Machu Picchu when he went to Peru.*

Dijo que **iba a visitar** Machu Picchu cuando fuera al Perú.

5. «*Was/were* + el gerundio» en inglés también puede usarse para acciones planeadas. Para este uso también se puede usar el imperfecto.

*They were running because the plane **was leaving** in ten minutes.*

Corrían porque el avión **salía** en diez minutos.

Was leaving en el ejemplo anterior, también puede expresarse con el condicional con **saldría** o con **iba a salir.** Todas estas estructuras pueden usarse para acciones planeadas/anticipadas en el pasado.

Verbos en el pretérito que pueden tener distintas traducciones inglesas de las que tienen en el imperfecto

Algunos verbos —cuando se usan en el pretérito— pueden tener una traducción distinta en inglés de la que tienen en el imperfecto. Los más citados en los libros de texto aparecen en el cuadro a continuación.

Infinitivo	Traducción típica del imperfecto	Traducción típica del pretérito
conocer	*knew, was/were acquainted with*	*met*
saber	*knew*	*found out, discovered, realized*

(continúa)

Infinitivo	Traducción típica del imperfecto	Traducción típica del pretérito
querer	*wanted*	*tried*
no querer	*didn't want*	*refused (to)*
poder	*could/was able*	*managed ("could and did")*
no poder	*couldn't/wasn't able*	*failed ("couldn't and didn't")*
tener	*had*	*received, got*
tener que	*was/were supposed to*	*had to (and did)*

Ejemplos contrastivos donde el pretérito y el imperfecto tienen distintas traducciones inglesas:

Tuve una carta de Ernesto ayer. En efecto, la **tenía** conmigo cuando te vi esta mañana pero se me olvidó dejarte leerla. ¡Discúlpame!

*I **received/got** a letter from Ernesto yesterday. In fact, **I had** it with me when I saw you this morning but I forgot to let you read it. Sorry!*

El cuadro incluye más ejemplos.

Imperfecto	Pretérito
Ya **conocía** a la profesora antes de tomar su clase porque había sido mi consejera académica.	**Conocí** al profesor el primer día de clase.
*I already **knew** the professor before taking her class because she had been my academic advisor.*	*I **met** the professor the first day of class.*
Quería terminarlo pero **no podía** porque todo el mundo estaba molestándome.	**Quise** terminarlo pero **no pude.**
I wanted to finish it but wasn't able to because everyone was bothering me.	*I **tried** to finish it but **failed** (couldn't and didn't).*

(continúa)

Imperfecto	Pretérito
No queríamos ir a su fiesta porque nos invitó al último momento, pero decidimos ir de todos modos. *We **didn't want** to go to her party because she invited us at the last minute, but we decided to go anyway.*	**No quisimos** ir a su fiesta porque nos invitó al último momento. *We **refused** to go to her party because she invited us at the last minute.*
Teníamos la impresión, después de muchos años de conocerlo, de que Ramón sólo nos llamaba cuando quería pedirnos un favor. *We **had** the impression, after many years of knowing him, that Ramón only called us when he wanted to ask us a favor.*	**Tuvimos** la impresión —por su curiosa sonrisa— de que iba a revelarnos un gran secreto, pero sólo nos anunció algo ordinario. *We **got** the impression —by his strange smile— that he was going to reveal a big secret, but he only announced something ordinary.*

¡Ojo! Avisos importantes sobre los pretéritos que pueden tener una distinta traducción inglesa:

1. Aun cuando es necesario utilizar distintas traducciones para el pretérito de estos verbos, siguen las reglas del pretérito en general: se usan para señalar el **principio** o el **fin** de una acción/estado o la acción/estado se considera **en su totalidad**.
2. No siempre es necesario usar las traducciones distintas para las formas del pretérito de estos verbos. Aunque el pretérito de **saber** muchas veces se traduce a *found out*, también es posible traducirlo a *knew* en ciertos contextos. En los siguientes ejemplos los pretéritos podrían traducirse con la expresión inglesa que se asocia con el imperfecto en vez de la del pretérito:

Siempre **supimos** que regresarías.
*We always **knew** you would return.*
No quise lastimarte.
*I didn't **want** to/didn't mean to hurt you.*
Siempre **quiso** ser médico.
*He always **wanted** to be a doctor.*
Tuve mucha tarea ayer.
*I **had** a lot of homework yesterday.*

En los ejemplos anteriores, *found out*, *refused*, *tried* y *received*, respectivamente, —las traducciones «esperadas»— no tendrían sentido.

3. Muchos libros de texto explican que estos verbos son «especiales» porque «cambian de significado» en el pretérito. Esto no es verdad. No son «especiales» porque en realidad —en el nivel fundamental y subyacente°— siempre hay una diferencia de significado entre el pretérito y el imperfecto, no importa cómo se expresan en inglés. Esto es porque señalan distintos aspectos de los verbos en cuestión.

underlying

Resumen

Se debe recordar que los principios de uso del pretérito y del imperfecto rigen todos los verbos: un verbo en el pretérito siempre «se porta» como un verbo en el pretérito y un verbo en el imperfecto siempre «se porta» como un verbo en el imperfecto.

5. El uso del subjuntivo y del indicativo en las cláusulas subordinadas[4]

Cómo reconocer los diferentes tipos de cláusulas subordinadas

¿Qué es una cláusula?

Una cláusula, por definición, tiene un verbo conjugado. Puede ser una oración completa (una cláusula independiente [principal]) o puede formar parte de una oración (una cláusula subordinada [dependiente]). Una cláusula independiente está completa en sí y puede ocurrir sola. Una cláusula subordinada tiene una conjunción o pronombre relativo y requiere el resto de la oración para expresar una idea completa. Por ejemplo, la oración «Tengo un profesor que ha vivido en Cuba» contiene una cláusula independiente —«Tengo un profesor»— y una cláusula subordinada —«que ha vivido en Cuba». Mientras que «Tengo un profesor» puede ocurrir sola, «que ha vivido en Cuba» no puede ocurrir sola.

Una conjunción o un pronombre relativo se usa para introducir una cláusula subordinada. Unos ejemplos de conjunciones son: **que**, **cuando**, **aunque**, **para que**, **a menos que**, **hasta que**, **tan pronto como**, **en cuanto**, **mientras (que)** y **hasta que**. Unos ejemplos de pronombres relativos son: **que**, **donde/en que** y **lo que** (*what, that which*). Las conjunciones y los

[4]La expresión "oraciones subordinadas" es muy común también, pero se ha decidido emplear aquí "cláusulas subordinadas" por su similitud con la expresión inglesa.

pronombres relativos introducen varios tipos de cláusulas: cláusulas nominales (sustantivas), adjetivas (relativas) y adverbiales. En las siguientes secciones, veremos ejemplos de cada una.

Tipos de cláusulas

Con un poco de entrenamiento y práctica, es fácil identificar los varios tipos de cláusulas:

a. Una cláusula nominal o sustantiva (*noun clause*) funciona como un nombre/sustantivo (*noun*) o pronombre.
b. Una cláusula adjetiva (relativa) funciona como un adjetivo.
c. Una cláusula adverbial funciona como un adverbio.

Es importante que reconozca la función de cada tipo de cláusula porque cada una tiene sus propias reglas que determinan si se debe usar un verbo en el subjuntivo o indicativo en la cláusula subordinada.

Cláusulas nominales

Una cláusula nominal funciona como un nombre o pronombre. Generalmente funciona como un complemento directo, el cual también tiene una función nominal. Por ejemplo, en la oración «Tomás quiere un carro nuevo», el complemento directo es «carro nuevo». La frase «carro nuevo» contesta la pregunta, «¿Qué quiere Tomás?» Es posible cambiar esta oración para que incluya una cláusula nominal en vez de la frase nominal con el complemento directo: «Tomás sabe que sus padres van a regalarle un carro nuevo». En esta oración, la cláusula «que sus padres van a regalarle un carro nuevo» funciona como un complemento directo; contesta la pregunta, «¿Qué sabe Tomás?»

Una cláusula nominal puede funcionar como sujeto también, como en la siguiente oración: «Que (El que) tú tengas mucho dinero no implica que puedas humillarme».

La conjunción que casi siempre introduce una cláusula nominal es **que**. Sin embargo, tenga cuidado porque **que** también puede introducir una cláusula adjetiva y puede formar parte de muchas conjunciones adverbiales (**hasta que**, **para que**, **después de que**, etc.).

Cláusulas adjetivas (relativas)

Una cláusula adjetiva funciona como un adjetivo —modifica o describe al sustantivo a que se refiere. Este tipo de cláusula también se llama «cláusula relativa», pero para ayudarlo/a a recordar su función gramatical, se va a usar la expresión **adjetiva**. En la oración «Tengo una casa grande», el adjetivo es «grande». El adjetivo contesta la pregunta, «¿Qué tipo de casa?» Es posible convertir esta oración en una que tenga una cláusula adjetiva: «Tengo una casa que es grande». En esta oración, la cláusula «que es grande» funciona como un adjetivo; contesta la pregunta que acabamos de considerar: «¿Qué tipo de casa?»

Varios pronombres relativos pueden introducir una cláusula adjetiva, pero el más común es **que**, como en el ejemplo anterior. Recuerde que **que** puede referirse a cosas, personas, animales, eventos o ideas. Por ejemplo, «Vamos a ver a ese cantante que canta corridos» (*We're going to see that singer who sings ballads*). Otros pronombres relativos que se ven con cierta frecuencia son: **en que/donde, lo que, los cuales, las que,** etc. Considere los siguientes ejemplos.

Vivo en una ciudad donde viven menos de 100.000 personas.
I live in a city where fewer than 100,000 people live.

No entendemos lo que acabas de decir.
We don't understand what you just said.

Todos los ejemplos en esta sección contienen un verbo indicativo en la cláusula adjetiva. Más adelante veremos que también es posible usar un verbo subjuntivo en una cláusula adjetiva.

Cláusulas adverbiales

Una cláusula adverbial funciona como adverbio, o sea, modifica al verbo. En la oración «Visito a mi amigo diariamente», el adverbio es **diariamente. Diariamente** modifica la acción; en este caso, contesta la pregunta, «¿Cuándo/¿Con qué frecuencia visita a su amigo?» En la oración «Visito a mi amigo cuando está en casa/cuando tengo tiempo», «cuando está en casa» y «cuando tengo tiempo» son cláusulas que funcionan como un adverbio. Nos dicen cuándo o bajo qué circunstancias ocurre la acción.

Hay muchas conjunciones adverbiales que pueden usarse para introducir una cláusula adverbial. Algunas comunes son: **cuando, tan pronto como, hasta que, después de que, con tal de que, antes de que, a menos que, puesto que, ya que** y **por lo tanto.** La palabra **que** por sí sola nunca introduce una cláusula adverbial, aunque frecuentemente forma parte de la conjunción adverbial.

Las cláusulas con **si** son un tipo de cláusula adverbial. Puesto que las reglas de uso son bastante diferentes, éstas se tratarán en una sección aparte (en la sección número seis de este *Manual de gramática*).

Reglas sintácticas y semánticas para usar el subjuntivo

Para usar el subjuntivo —con pocas excepciones— hay requisitos tanto sintácticos como semánticos. La palabra **sintácticos** se refiere a la estructura u organización de la oración; la palabra **semánticos** se refiere al significado expresado en la oración.

Reglas sintácticas

Generalmente, hay dos cláusulas: una cláusula independiente (principal) y una subordinada (dependiente). Aunque en unos pocos casos es posible usar el subjuntivo en una cláusula independiente —«Tal vez venga Miguel/ Quizás Susana me entienda»—, generalmente se usa en una cláusula subordinada.

Reglas semánticas

Las reglas semánticas que determinan si se usa el subjuntivo o el indicativo varían según el tipo de cláusula. Se discutirán las específicas reglas de uso en las siguientes secciones que tratarán: las cláusulas nominales, las cláusulas adjetivas y las cláusulas adverbiales.

Reglas de uso del subjuntivo y del indicativo según el tipo de cláusula

Cláusulas nominales

En una cláusula nominal:

a. Se usa el subjuntivo si el verbo de la cláusula principal expresa un **deseo** —explícito o implícito— como un consejo, mandato, permiso, preferencia, petición, etc. Esta categoría puede clasificarse como **influencia**.

No quiero que **entren**.	*I don't want them to enter.*
Te ruegan que **vengas**.	*They beg you to come.*
Ella prefiere que no **digan** nada.	*She prefers that they not say anything.*

b. Se usa el subjuntivo si el verbo de la cláusula principal expresa una **emoción**, como temor (*fear*), júbilo (*joy*), tristeza, remordimiento (*remorse* o *regret*), sorpresa, gusto, disgusto, irritación, etc.

Él teme que ella no le **devuelva** su dinero.	*He fears that she won't return his money to him.*
Sentimos que no **podáis** venir.	*We regret that you can't come.*
Me irrita que él no se **calle**.	*It irritates me that he won't be quiet.*

c. Se usa el subjuntivo si el verbo de la cláusula principal expresa **duda, negación** (*denial*) o **incredulidad** (*disbelief*).

Dudamos que lo **sepan.**	*We doubt that they know it.*
Pero: No dudamos que lo **saben** (indicativo).	*We don't doubt that they know it.*
Niegan que **tenga** el dinero.	*They deny that she has the money.*
Pero: No niegan que lo **tiene** (indicativo).	*They don't deny that she has it.*
No creo que Ud. **entienda.**	*I don't believe that you understand.*
Pero: Creo que Ud. **entiende** (indicativo).	*I believe that you understand.*

d. Se usa el subjuntivo si el verbo de la cláusula principal contiene una **frase impersonal que *no* exprese certeza o verdad.**

Es importante que lo **veamos.**	*It's important that we see him/it.*
Es mejor que no **vayan.**	*It's better that they don't go.*
No es bueno que **pueda** oírnos.	*It's not good that he can hear us.*
Es posible que la **ayuden.**	*It's possible that they (will) help her.*
Pero: Es seguro/cierto/verdad/obvio/que **podemos** (indicativo) hacerlo.	*It's sure/certain/true/obvious that we can do it.*

Cláusulas adjetivas (relativas): ¿Existe o no existe?

La decisión de usar un verbo indicativo o subjuntivo en una cláusula adjetiva es muy fácil, porque sólo hay dos reglas que considerar:

Indicativo: Si la cosa, persona, evento, etc., que se menciona en la cláusula adjetiva describe a alguien/algo que existe (o que la persona que habla/escribe cree que existe) o algo/alguien concreto, se usa el indicativo.

Subjuntivo: Si la cosa, persona, evento, etc., que se menciona en la cláusula adjetiva describe a alguien/algo que no existe (o que la persona que habla/escribe cree que no existe, o no sabe si existe), se usa el subjuntivo.

Considere los siguientes ejemplos.

Indicativo	Subjuntivo
Tengo un profesor que no es muy paciente.	Quiero un profesor que sea más paciente.
Conocemos a una mujer que habla portugués.	No conocemos a nadie que hable portugués.
Carlos compró un bolígrafo que ya no funciona.	Andrés no tiene ningún bolígrafo que pueda prestarle a Carlos.
En esa tienda hay varios dependientes que son atentos (*helpful*).	—¿Hay algún dependiente en esta tienda que pueda ayudarme? —No, no hay ningún dependiente que pueda ayudarlo ahora, porque todos están ocupados con otros clientes.

Cláusulas adverbiales: Experiencia vs. anticipación

La decisión de usar un verbo indicativo o subjuntivo en una cláusula adverbial es casi como la situación que acabamos de considerar con las cláusulas adjetivas: Si la situación ha sido experimentada —hay experiencia—, se usa el indicativo; si la situación no ha ocurrido todavía —hay anticipación—, se usa el subjuntivo. La diferencia es que estamos hablando de eventos, no de objetos/personas como en el caso de las cláusulas adjetivas.

Hay tres tipos de conjunciones adverbiales:

1. las que siempre requieren el subjuntivo (porque indican anticipación)
2. las que siempre requieren el indicativo (porque indican experiencia)
3. las que varían:
   - si hay anticipación, requieren el subjuntivo
   - si hay experiencia, requieren el indicativo.

Los tres tipos de conjunciones adverbiales se presentan a continuación.

Conjunciones adverbiales que siempre requieren el **subjuntivo**	
a condición de que (*on condition that*)	con tal (de) que (*provided that*)
a fin de que (*so that*)	en caso de que (*in case*)
a menos que (*unless*)	para que (*so that*)
a no ser que (*unless*)	sin que (*without*)
antes (de) que (*before*)	suponiendo que (*supposing that*)

Conjunciones adverbiales que siempre requieren el **indicativo**	
ahora que (*now that*)	por lo tanto (*therefore*)
dado que (*given that*)	porque (*because*)
desde que (*since*)	puesto que (*since*)
en vista de que (*in view of the fact that*)	ya que (*since*)

Conjunciones adverbiales que requieren el **subjuntivo/indicativo** según **anticipación/experiencia**	
cuando (*when*)	luego que (*as soon as*)
después (de) que (*after*)	mientras (que) (*while, as long as*)
en cuanto (*as soon as*)	tan pronto como (*as soon as*)
hasta que (*until*)	

Observe que con la estructura «No porque...» se usa el **subjuntivo.** Compare los siguientes ejemplos:

(Indicativo) Recibí el puesto porque el jefe de la compañía **es** mi amigo.

(Subjuntivo) No porque el jefe de la compañía **sea** mi amigo recibí el puesto: lo recibí porque lo merezco.

La decisión de usar el subjuntivo o el indicativo después de las conjunciones anteriores es fácil si se recuerda que se usa el indicativo para situaciones experimentadas y se usa el subjuntivo para situaciones anticipadas/no experimentadas. Si encuentra dificultad en determinar si una situación es experimentada o anticipada, el siguiente esquema con los tiempos verbales puede ser serle útil.

En más detalle

Cuando los siguientes tiempos verbales se usan en la cláusula independiente, es necesario usar el subjuntivo en la cláusula con la conjunción adverbial (porque señalan el futuro —anticipación): el futuro, el futuro perfecto, la construcción «**ir + a + infinitivo**» (en el presente o en el pasado), el condicional o un mandato. Vea los siguientes ejemplos al lado del tiempo verbal.

Situaciones anticipadas

(el futuro)	Te prepararé la cena cuando vuelvas.
(el futuro perfecto)	Te habré preparado la cena para cuando vuelvas.
(**ir** + **a** + infinitivo)	No te voy a preparar la cena hasta que vuelvas. No te iba a preparar la cena hasta que volvieras.
(el condicional)	Dije que leería el libro tan pronto como tuviera tiempo. (*I said I would read the book as soon as I had time.*)
(mandato)	Dime tus noticias después que regreses a casa.

Situaciones experimentadas

Si el pretérito o el presente perfecto se usa en la cláusula independiente, es necesario usar el indicativo en la cláusula con la conjunción adverbial porque indican que algo ha pasado —hay experiencia:

(el pretérito)	Te preparé la cena cuando volviste.
(el presente perfecto)	Siempre te he ayudado cuando me has necesitado.

Tanto el presente de indicativo como el imperfecto de indicativo se usan para: acciones habituales, acciones en progreso y acciones anticipadas/futuras. En los dos primeros casos —cuando el presente o el imperfecto se usa en la cláusula principal para acciones habituales o acciones en progreso— hay experiencia; por lo tanto, se va a usar indicativo. En el tercer caso —cuando el presente o el imperfecto se usa para acciones anticipadas/futuras— se va a usar el subjuntivo. Examine los siguientes ejemplos. Además de la selección de modo (subjuntivo/indicativo), recuerde que también hay que usar el tiempo apropiado.

Si en la cláusula principal se usa...	**Ejemplos**
el presente para acciones habituales, se usa el **indicativo** en la cláusula subordinada (porque hay experiencia).	Carlos limpia las ventanas cuando están sucias. *Carlos cleans the windows when they are dirty.*
el imperfecto para acciones habituales, se usa el **indicativo** en la cláusula subordinada (porque hay experiencia).	Carlos limpiaba las ventanas cuando estaban sucias. *Carlos would clean/used to clean the windows when they were dirty.*
el presente para acciones en progreso, se usa el **indicativo** en la cláusula subordinada (porque hay anticipación).	Miro (Estoy mirando) la televisión mientras lees (estás leyendo) el periódico. *I'm watching TV while you're reading the newspaper.*
el imperfecto para acciones en progreso, se usa el **indicativo** en la cláusula subordinada (porque hay experiencia).	Miraba (Estaba mirando) la televisión mientras leías (estabas leyendo) el periódico. *I was watching TV while you were reading the newspaper.*
el presente para indicar el futuro, se usa el **subjuntivo** en la cláusula subordinada (porque hay anticipación).	Salgo mañana tan pronto como reciba mis órdenes. *I leave/I'm leaving tomorrow as soon as I receive my orders.*
el imperfecto para indicar el futuro, se usa el **subjuntivo** en la cláusula subordinada (porque hay anticipación).	Salía el próximo día, tan pronto como recibiera mis órdenes. *I was leaving the next day, as soon as I received my orders.*

Algunas conjunciones adverbiales tienen más de un significado y por lo tanto requieren el subjuntivo o el indicativo según su significado.

Examine el siguiente cuadro.

Conjunción adverbial	Significado	¿Subjuntivo o Indicativo?
así que	*so that*	subjuntivo (es como **para que**)
así que	*therefore*	indicativo (es como **por lo tanto**)
así que	*as soon as*	subjuntivo/indicativo (es como **tan pronto como**)
salvo que	*unless*	subjuntivo (es como **a menos que** o **a no ser que**)
salvo que	*except that*	indicativo
siempre que	*provided that*	subjuntivo (es como **con tal que**)
siempre que	*every time that*	indicativo

Cuando **de modo que** y **de manera que** (*so that*) señalan el resultado esperado o deseado, requieren el subjuntivo; cuando señalan un resultado realizado, requieren el indicativo.

Compare los siguientes ejemplos.

(subjuntivo)	Habló lentamente de modo que (de manera que) lo entendieran. *He spoke slowly so that they would understand him.* (el resultado deseado o esperado)
(indicativo)	Habló lentamente de modo que (de manera que) lo entendieron. *He spoke slowly so that [the result was that] they understood him.* o *He spoke slowly; therefore, they understood him.*

6. Cláusulas con «si»

Las cláusulas con **si** son un tipo de cláusula adverbial (ya que **si** es una conjunción adverbial). Sin embargo, puesto que las cláusulas con **si** no siguen las mismas reglas que siguen las otras cláusulas adverbiales para la selección de subjuntivo/indicativo, vamos a tratarlas en esta sección.

Probabilidad

Cuando se usa **si**, siempre hay un poco de duda, así que no debe pensar que la idea de duda determina si se usa subjuntivo o indicativo en estas cláusulas. Es mejor pensar en la probabilidad de la situación: como regla general, si la situación es posible o probable, se va a usar el indicativo en la cláusula con **si**. Si es improbable o imposible (situaciones contrarias a la verdad), se va a usar el pasado de subjuntivo o el pluscuamperfecto de subjuntivo. (No se puede usar el presente de subjuntivo —salvo en un caso muy específico que se va a discutir más adelante. Por el momento, recuerde que no se va a usar el presente de subjuntivo en una cláusula con **si**.)

Orientación de tiempo

Después de determinar el nivel de probabilidad, también es necesario tomar en cuenta si la situación orienta hacia el presente/futuro o hacia el pasado. Un resumen de las posibilidades de tiempos y modos aceptables más comunes para cada situación se ve en las fórmulas presentadas a continuación.

Fórmulas

Situaciones orientadas hacia el **presente** o el **futuro**:

Probabilidad	**Cláusula con «si»**	**Cláusula principal**
Situación A: posible/probable	Indicativo: presente (futuro, infrecuentemente)	Indicativo: presente, futuro, presente perfecto
Situación B: imposible/improbable	Pasado de subjuntivo	Condicional (o pasado de subjuntivo)

Ejemplos

Situación A: posible/probable (en el presente/futuro)

Si estudias, sacas/sacarás buenas notas.

If you study, you get/will get good grades.

Si has estudiado, sacarás una buena nota.

If you have studied, you will get a good grade.

Situación B: imposible/improbable (en el presente/futuro)

Si estudiaras, sacarías (sacaras) buenas notas.

If you studied, you would get good grades.

Situaciones orientadas hacia el **pasado:**

Probabilidad	**Cláusula con «si»**	**Cláusula principal**
Situación C: posible/ probable	Indicativo: Pasado (cualquier tiempo pasado que tenga sentido —excepto el condicional)	Indicativo: Pasado (cualquier tiempo pasado que tenga sentido —excepto el condicional; presente a veces —si esta acción está en el presente [vea los ejemplos 3 y 4 abajo])
Situación D: imposible/ improbable	Pluscuamperfecto de subjuntivo	Condicional perfecto (o pluscuamperfecto de subjuntivo)

Ejemplos

Situación C: posible/probable (**en el pasado**)

Si estudiaste duro, sacaste una buena nota.
If you studied hard, you got a good grade.

Si estabas en casa cuando te llamé, no contestaste el teléfono.
If you were at home when I called, you didn't answer the phone.

Si estuviste en clase hoy, sabes lo que dijo el profesor.
If you were in class today, you know what the professor said.

Si fue de compras ayer, hay pan en la cocina.
If he went shopping yesterday, there is bread in the kitchen.

Situación D: improbable/imposible (**en el pasado**)

Si hubieras estudiado, habrías/hubieras sacado buenas notas.
If you had studied, you would have gotten good grades.

En todos los ejemplos, se ha presentado la cláusula con **si** primero y la cláusula principal después, pero es posible invertir el orden de las cláusulas. Las reglas para cada cláusula todavía se aplican. Considere algunos de los ejemplos anteriores con el orden cambiado.

Sacarás una buena nota si has estudiado.	*You will get a good grade if you have studied.*
Sacarías/Sacaras buenas notas si estudiaras.	*You would get good grades if you studied.*
Sacaste una buena nota si estudiaste duro.	*You got a good grade if you studied hard.*
Sabes lo que dijo el profesor si estuviste en clase hoy.	*You know what the professor said if you were in class today.*
Hay pan en la cocina si fue de compras ayer.	*There is bread in the kitchen if he went shopping yesterday.*

En más detalle

La excepción: cuando sí se permite el presente de subjuntivo en una cláusula con **si**

En una rara excepción, el presente de subjuntivo puede ocurrir en una cláusula con **si:** después de «No (saber) si», como en «No sé si **estés/estás** libre el sábado, pero me gustaría invitarte a mi fiesta» o «No sabemos si **vaya/va** a creernos, pero vamos a decirle lo que vimos». Como se ha indicado, también es posible utilizar el indicativo; la única diferencia es que el uso del presente de subjuntivo implica más duda. La traducción inglesa puede ser *if* o *whether*, (más comúnmente *whether*). (Si no hay un cambio de sujeto, generalmente se usaría el infinitivo después de **si** en estos casos, como en el ejemplo que sigue: «No sé si acompañarlos o no pero les llamaré en cuanto decida». En este caso, la mejor traducción sería *whether*.)

¡Ojo! Este uso se ve sólo en ciertas regiones del mundo hispanohablante (por ejemplo en México). No todos los hispanohablantes consideran aceptable este uso del presente de subjuntivo en una clausula con **si**, así que es mejor utilizar el presente de indicativo en estos casos.

Apéndice: Verbos

Índice

A. Verbos regulares: Tiempos simples

	Indicativo					Subjuntivo		
Infinitivo Gerundio Participio pasado	Presente	Imperfecto	Pretérito	Futuro	Condicional	Presente	Imperfecto	Imperativo
hablar hablando hablado	hablo hablas habla hablamos habláis hablan	hablaba hablabas hablaba hablábamos hablabais hablaban	hablé hablaste habló hablamos hablasteis hablaron	hablaré hablarás hablará hablaremos hablaréis hablarán	hablaría hablarías hablaría hablaríamos hablaríais hablarían	hable hables hable hablemos habléis hablen	hablara/hablase hablaras/hablases hablara/hablase habláramos/hablásemos hablarais/hablaseis hablaran/hablasen	habla tú, no hables hable usted hablemos hablad vosotros, no habléis hablen ustedes
comer comiendo comido	como comes come comemos coméis comen	comía comías comía comíamos comíais comían	comí comiste comió comimos comisteis comieron	comeré comerás comerá comeremos comeréis comerán	comería comerías comería comeríamos comeríais comerían	coma comas coma comamos comáis coman	comiera/comiese comieras/comieses comiera/comiese comiéramos/comiésemos comierais/comieseis comieran/comiesen	come tú, no comas coma usted comamos comed vosotros, no comáis coman ustedes
vivir viviendo vivido	vivo vives vive vivimos vivís viven	vivía vivías vivía vivíamos vivíais vivían	viví viviste vivió vivimos vivisteis vivieron	viviré vivirás vivirá viviremos viviréis vivirán	viviría vivirías viviría viviríamos viviríais vivirían	viva vivas viva vivamos viváis vivan	viviera/viviese vivieras/vivieses viviera/viviese viviéramos/viviésemos vivierais/vivieseis vivieran/viviesen	vive tú, no vivas viva usted vivamos vivid vosotros, no viváis vivan ustedes

B. Verbos regulares: Tiempos perfectos

Indicativo										Subjuntivo			
Presente perfecto		Pluscuamperfecto		Pretérito perfecto		Futuro perfecto		Condicional perfecto		Presente perfecto		Pluscuamperfecto	
he		había		hube		habré		habría		haya		hubiera/hubiese	
has		habías		hubiste		habrás		habrías		hayas		hubieras/hubieses	
ha	hablado	había	hablado	hubo	hablado	habrá	hablado	habría	hablado	haya	hablado	hubiera/hubiese	hablado
hemos	comido	habíamos	comido	hubimos	comido	habremos	comido	habríamos	comido	hayamos	comido	hubiéramos/ hubiésemos	comido
habéis	vivido	habíais	vivido	hubisteis	vivido	habréis	vivido	habríais	vivido	hayáis	vivido	hubierais/hubieseis	vivido
han		habían		hubieron		habrán		habrían		hayan		hubieran/hubiesen	

C. Participios pasados irregulares

abrir (abierto)	cubrir (cubierto)	describir (descrito)	descubrir (descubierto)
escribir (escrito)	morir (muerto)	romper (roto)	satisfacer (satisfecho)

(Ver también los participios pasados irregulares en los cuadros de verbos irregulares.)

D. Verbos irregulares

	Indicativo					Subjuntivo		
Infinitivo Gerundio Participio pasado	Presente	Imperfecto	Pretérito	Futuro	Condicional	Presente	Imperfecto	Imperativo
andar andando andado	ando andas anda andamos andáis andan	andaba andabas andaba andábamos andabais andaban	anduve anduviste anduvo anduvimos anduvisteis anduvieron	andaré andarás andará andaremos andaréis andarán	andaría andarías andaría andaríamos andaríais andarían	ande andes ande andemos andéis anden	anduviera/anduviese anduvieras/anduvieses anduviera/anduviese anduviéramos/anduviésemos anduvierais/anduvieseis anduvieran/anduviesen	anda tú, no andes ande usted andemos andad vosotros, no andéis anden ustedes

	Indicativo					Subjuntivo		
Infinitivo Gerundio Participio pasado	Presente	Imperfecto	Pretérito	Futuro	Condicional	Presente	Imperfecto	Imperativo
caber cabiendo cabido	quepo cabes cabe cabemos cabéis caben	cabía cabías cabía cabíamos cabíais cabían	cupe cupiste cupo cupimos cupisteis cupieron	cabré cabrás cabrá cabremos cabréis cabrán	cabría cabrías cabría cabríamos cabríais cabrían	quepa quepas quepa quepamos quepáis quepan	cupiera/cupiese cupieras/cupieses cupiera/cupiese cupiéramos/cupiésemos cupierais/cupieseis cupieran/cupiesen	cabe tú, no quepas quepa usted quepamos cabed vosotros, no quepáis quepan ustedes
caer cayendo caído	caigo caes cae caemos caéis caen	caía caías caía caíamos caíais caían	caí caíste cayó caímos caísteis cayeron	caeré caerás caerá caeremos caeréis caerán	caería caerías caería caeríamos caeríais caerían	caiga caigas caiga caigamos caigáis caigan	cayera/cayese cayeras/cayeses cayera/cayese cayéramos/cayésemos cayerais/cayeseis cayeran/cayesen	cae tú, no caigas caiga usted caigamos caed vosotros, no caigáis caigan ustedes
conocer conociendo conocido	conozco conoces conoce conocemos conocéis conocen	conocía conocías conocía conocíamos conocíais conocían	conocí conociste conoció conocimos conocisteis conocieron	conoceré conocerás conocerá conoceremos conoceréis conocerán	conocería conocerías conocería conoceríamos conoceríais conocerían	conozca conozcas conozca conozcamos conozcáis conozcan	conociera/conociese conocieras/conocieses conociera/conociese conociéramos/conociésemos conocierais/conocieseis conocieran/conociesen	conoce tú, no conozcas conozca usted conozcamos conoced vosotros, no conozcáis conozcan ustedes
creer (ver **leer**)								
dar dando dado	doy das da damos dais dan	daba dabas daba dábamos dabais daban	di diste dio dimos disteis dieron	daré darás dará daremos daréis darán	daría darías daría daríamos daríais darían	dé des dé demos deis den	diera/diese dieras/dieses diera/diese diéramos/diésemos dierais/dieseis dieran/diesen	da tú, no des dé usted demos dad vosotros, no deis den ustedes

	Indicativo					Subjuntivo		
Infinitivo Gerundio Participio pasado	Presente	Imperfecto	Pretérito	Futuro	Condicional	Presente	Imperfecto	Imperativo
decir diciendo dicho	digo dices dice decimos decís dicen	decía decías decía decíamos decíais decían	dije dijiste dijo dijimos dijisteis dijeron	diré dirás dirá diremos diréis dirán	diría dirías diría diríamos diríais dirían	diga digas diga digamos digáis digan	dijera/dijese dijeras/dijeses dijera/dijese dijéramos/dijésemos dijerais/dijeseis dijeran/dijesen	di tú, no digas diga usted digamos decid vosotros, no digáis digan ustedes
estar estando estado	estoy estás está estamos estáis están	estaba estabas estaba estábamos estabais estaban	estuve estuviste estuvo estuvimos estuvisteis estuvieron	estaré estarás estará estaremos estaréis estarán	estaría estarías estaría estaríamos estaríais estarían	esté estés esté estemos estéis estén	estuviera/estuviese estuvieras/estuvieses estuviera/estuviese estuviéramos/estuviésemos estuvierais/estuvieseis estuvieran/estuviesen	está tú, no estés esté usted estemos estad vosotros, no estéis estén ustedes
haber habiendo habido	he has ha hemos habéis han	había habías había habíamos habíais habían	hube hubiste hubo hubimos hubisteis hubieron	habré habrás habrá habremos habréis habrán	habría habrías habría habríamos habríais habrían	haya hayas haya hayamos hayáis hayan	hubiera/hubiese hubieras/hubieses hubiera/hubiese hubiéramos/hubiésemos hubierais/hubieseis hubieran/hubiesen	
hacer haciendo hecho	hago haces hace hacemos hacéis hacen	hacía hacías hacía hacíamos hacíais hacían	hice hiciste hizo hicimos hicisteis hicieron	haré harás hará haremos haréis harán	haría harías haría haríamos haríais harían	haga hagas haga hagamos hagáis hagan	hiciera/hiciese hicieras/hicieses hiciera/hiciese hiciéramos/hiciésemos hicierais/hicieseis hicieran/hiciesen	haz tú, no hagas haga usted hagamos haced vosotros, no hagáis hagan ustedes

	Indicativo					Subjuntivo		
Infinitivo Gerundio Participio pasado	Presente	Imperfecto	Pretérito	Futuro	Condicional	Presente	Imperfecto	Imperativo
ir yendo ido	voy vas va vamos vais van	iba ibas iba íbamos ibais iban	fui fuiste fue fuimos fuisteis fueron	iré irás irá iremos iréis irán	iría irías iría iríamos iríais irían	vaya vayas vaya vayamos vayáis vayan	fuera/fuese fueras/fueses fuera/fuese fuéramos/fuésemos fuerais/fueseis fueran/fuesen	ve tú, no vayas vaya usted vayamos (vamos) no vayamos id vosotros, no vayáis vayan ustedes
leer leyendo leído	leo lees lee leemos leéis leen	leía leías leía leíamos leíais leían	leí leíste leyó leímos leísteis leyeron	leeré leerás leerá leeremos leeréis leerán	leería leerías leería leeríamos leeríais leerían	lea leas lea leamos leáis lean	leyera/leyese leyeras/leyeses leyera/leyese leyéramos/leyésemos leyerais/leyeseis leyeran/leyesen	lee tú, no leas lea usted leamos leed vosotros, no leáis lean ustedes
oír oyendo oído	oigo oyes oye oímos oís oyen	oía oías oía oíamos oíais oían	oí oíste oyó oímos oísteis oyeron	oiré oirás oirá oiremos oiréis oirán	oiría oirías oiría oiríamos oiríais oirían	oiga oigas oiga oigamos oigáis oigan	oyera/oyese oyeras/oyeses oyera/oyese oyéramos/oyésemos oyerais/oyeseis oyeran/oyesen	oye tú, no oigas oiga usted oigamos oíd vosotros, no oigáis oigan ustedes
poder (ue, u) pudiendo podido	puedo puedes puede podemos podéis pueden	podía podías podía podíamos podíais podían	pude pudiste pudo pudimos pudisteis pudieron	podré podrás podrá podremos podréis podrán	podría podrías podría podríamos podríais podrían	pueda puedas pueda podamos podáis puedan	pudiera/pudiese pudieras/pudieses pudiera/pudiese pudiéramos/pudiésemos pudierais/pudieseis pudieran/pudiesen	

	Indicativo					Subjuntivo		
Infinitivo Gerundio Participio pasado	Presente	Imperfecto	Pretérito	Futuro	Condicional	Presente	Imperfecto	Imperativo
poner poniendo puesto	pongo pones pone ponemos ponéis ponen	ponía ponías ponía poníamos poníais ponían	puse pusiste puso pusimos pusisteis pusieron	pondré pondrás pondrá pondremos pondréis pondrán	pondría pondrías pondría pondríamos pondríais pondrían	ponga pongas ponga pongamos pongáis pongan	pusiera/pusiese pusieras/pusieses pusiera/pusiese pusiéramos/pusiésemos pusierais/pusieseis pusieran/pusiesen	pon tú no pongas ponga usted pongamos poned vosotros, no pongáis pongan ustedes
producir produciendo producido	produzco produces produce producimos producís producen	producía producías producía producíamos producíais producían	produje produjiste produjo produjimos produjisteis produjeron	produciré producirás producirá producirem os produciréis producirán	produciría producirías produciría produciríamos produciríais producirían	produzca produzcas produzca produzcam os produzcáis produzcan	produjera/produjese produjeras/produjeses produjera/produjese produjéramos/produjésemos produjerais/produjeseis produjeran/produjesen	produce tú, no produzcas produzca usted produzcamos producid vosotros, no produzcáis produzcan ustedes
querer (ie, i) queriendo querido	quiero quieres quiere queremos queréis quieren	quería querías quería queríamos queríais querían	quise quisiste quiso quisimos quisisteis quisieron	querré querrás querrá querremos querréis querrán	querría querrías querría querríamos querríais querrían	quiera quieras quiera queramos queráis quieran	quisiera/quisiese quisieras/quisieses quisiera/quisiese quisiéramos/quisiésemos quisierais/quisieseis quisieran/quisiesen	quiere tú, no quieras quiera usted queramos quered vosotros, no queráis quieran ustedes
saber sabiendo sabido	sé sabes sabe sabemos sabéis saben	sabía sabías sabía sabíamos sabíais sabían	supe supiste supo supimos supisteis supieron	sabré sabrás sabrá sabremos sabréis sabrán	sabría sabrías sabría sabríamos sabríais sabrían	sepa sepas sepa sepamos sepáis sepan	supiera/supiese supieras/supieses supiera/supiese supiéramos/supiésemos supierais/supieseis supieran/supiesen	sé tú no sepas sepa usted sepamos sabed vosotros, no sepáis sepan ustedes

	Indicativo					Subjuntivo		
Infinitivo **Gerundio** **Participio pasado**	**Presente**	**Imperfecto**	**Pretérito**	**Futuro**	**Condicional**	**Presente**	**Imperfecto**	**Imperativo**
salir saliendo salido	salgo sales sale salimos salís salen	salía salías salía salíamos salíais salían	salí saliste salió salimos salisteis salieron	saldré saldrás saldrá saldremos saldréis saldrán	saldría saldrías saldría saldríamos saldríais saldrían	salga salgas salga salgamos salgáis salgan	saliera/saliese salieras/salieses saliera/saliese saliéramos/saliésemos salierais/salieseis salieran/saliesen	sal tú, no salgas salga usted salgamos salid vosotros, no salgáis salgan ustedes
ser siendo sido	soy eres es somos sois son	era eras era éramos erais eran	fui fuiste fue fuimos fuisteis fueron	seré serás será seremos seréis serán	sería serías sería seríamos seríais serían	sea seas sea seamos seáis sean	fuera/fuese fueras/fueses fuera/fuese fuéramos/fuésemos fuerais/fueseis fueran/fuesen	sé tú, no seas sea usted seamos sed vosotros, no seáis sean ustedes
tener (ie) teniendo tenido	tengo tienes tiene tenemos tenéis tienen	tenía tenías tenía teníamos teníais tenían	tuve tuviste tuvo tuvimos tuvisteis tuvieron	tendré tendrás tendrá tendremos tendréis tendrán	tendría tendrías tendría tendríamos tendríais tendrían	tenga tengas tenga tengamos tengáis tengan	tuviera/tuviese tuvieras/tuvieses tuviera/tuviese tuviéramos/tuviésemos tuvierais/tuvieseis tuvieran/tuviesen	ten tú, no tengas tenga usted tengamos tened vosotros, no tengáis tengan ustedes
traducir (ver **producir**)								
traer trayendo traído	traigo traes trae traemos traéis traen	traía traías traía traíamos traíais traían	traje trajiste trajo trajimos trajisteis trajeron	traeré traerás traerá traeremos traeréis traerán	traería traerías traería traeríamos traeríais traerían	traiga traigas traiga traigamos traigáis traigan	trajera/trajese trajeras/trajeses trajera/trajese trajéramos/trajésemos trajerais/trajeseis trajeran/trajesen	trae tú, no traigas traiga usted traigamos traed vosotros, no traigáis traigan ustedes

	Indicativo					Subjuntivo		
Infinitivo Gerundio Participio pasado	Presente	Imperfecto	Pretérito	Futuro	Condicional	Presente	Imperfecto	Imperativo
valer valiendo valido	valgo vales vale valemos valéis valen	valía valías valía valíamos valíais valían	valí valiste valió valimos valisteis valieron	valdré valdrás valdrá valdremos valdréis valdrán	valdría valdrías valdría valdríamos valdríais valdrían	valga valgas valga valgamos valgáis valgan	valiera/valiese valieras/valieses valiera/valiese valiéramos/valiésemos valierais/valieseis valieran/valiesen	vale tú, no valgas valga usted valgamos valed vosotros, no valgáis valgan ustedes
venir (ie) viniendo venido	vengo vienes viene venimos venís vienen	venía venías venía veníamos veníais venían	vine viniste vino vinimos vinisteis vinieron	vendré vendrás vendrá vendremos vendréis vendrán	vendría vendrías vendría vendríamos vendríais vendrían	venga vengas venga vengamos vengáis vengan	viniera/viniese vinieras/vinieses viniera/viniese viniéramos/viniésemos vinierais/vinieseis vinieran/viniesen	ven tú, no vengas venga usted vengamos venid vosotros, no vengáis vengan ustedes
ver viendo visto	veo ves ve vemos veis ven	veía veías veía veíamos veíais veían	vi viste vio vimos visteis vieron	veré verás verá veremos veréis verán	vería verías vería veríamos veríais verían	vea veas vea veamos veáis vean	viera/viese vieras/vieses viera/viese viéramos/viésemos vierais/vieseis vieran/viesen	ve tú, no veas vea usted veamos ved vosotros, no veáis vean ustedes

E. Verbos con cambios radicales y/o cambios ortográficos

	Indicativo					Subjuntivo		
Infinitivo Gerundio Participio pasado	Presente	Imperfecto	Pretérito	Futuro	Condicional	Presente	Imperfecto	Imperativo
buscar buscando buscado	busco buscas busca buscamos buscáis buscan	buscaba buscabas buscaba buscábamos buscabais buscaban	busqué buscaste buscó buscamos buscasteis buscaron	buscaré buscarás buscará buscaremos buscaréis buscarán	buscaría buscarías buscaría buscaríamos buscaríais buscarían	busque busques busque busquemos busquéis busquen	buscara/buscase buscaras/buscases buscara/buscase buscáramos/buscásemos buscarais/buscaseis buscaran/buscasen	busca tú, no busques busque usted busquemos buscad vosotros, no busquéis busquen ustedes
cerrar (ie) (ver **pensar**)								
contar contando contado	cuento cuentas cuenta contamos contáis cuentan	contaba contabas contaba contábamos contabais contaban	conté contaste contó contamos contasteis contaron	contaré contarás contará contaremos contaréis contarán	contaría contarías contaría contaríamos contaríais contarían	cuente cuentes cuente contemos contéis cuenten	contara/contase contaras/contases contara/contase contáramos/contásemos contarais/contaseis contaran/contasen	cuenta tú, no cuentes cuente usted contemos contad vosotros, no contéis cuenten ustedes
dormir (ue, u) durmiendo dormido	duermo duermes duerme dormimos dormís duermen	dormía dormías dormía dormíamos dormíais dormían	dormí dormiste durmió dormimos dormisteis durmieron	dormiré dormirás dormirá dormiremos dormiréis dormirán	dormiría dormirías dormiría dormiríamos dormiríais dormirían	duerma duermas duerma durmamos durmáis duerman	durmiera/durmiese durmieras/durmieses durmiera/durmiese durmiéramos/durmiésemos durmierais/durmieseis durmieran/durmiesen	duerme tú, no duermas duerma usted durmamos dormid vosotros, no durmáis duerman ustedes

	Indicativo					Subjuntivo		
Infinitivo **Gerundio** **Participio pasado**	**Presente**	**Imperfecto**	**Pretérito**	**Futuro**	**Condicional**	**Presente**	**Imperfecto**	**Imperativo**
huir huyendo huido	huyo huyes huye huimos huís huyen	huía huías huía huíamos huíais huían	huí huiste huyó huimos huisteis huyeron	huiré huirás huirá huiremos huiréis huirán	huiría huirías huiría huiríamos huiríais huirían	huya huyas huya huyamos huyáis huyan	huyera/huyese huyeras/huyeses huyera/huyese huyéramos/huyésemos huyerais/huyeseis huyeran/huyesen	huye tú, no huyas huya usted huyamos huid vosotros, no huyáis huyan ustedes
incluir incluyendo incluido	incluyo incluyes incluye incluimos incluís incluyen	incluía incluías incluía incluíamos incluíais incluían	incluí incluiste incluyó incluimos incluisteis incluyeron	incluiré incluirás incluirá incluiremos incluiréis incluirán	incluiría incluirías incluiría incluiríamos incluiríais incluirían	incluya incluyas incluya incluyamos incluyáis incluyan	incluyera/incluyese incluyeras/incluyeses incluyera/incluyese incluyéramos/incluyésemos incluyerais/incluyeseis incluyeran/incluyesen	incluye tú, no incluyas incluya usted incluyamos incluid vosotros, no incluyáis incluyan ustedes
jugar (ue) jugando jugado	juego juegas juega jugamos jugáis juegan	jugaba jugabas jugaba jugábamos jugabais jugaban	jugué jugaste jugó jugamos jugasteis jugaron	jugaré jugarás jugará jugaremos jugaréis jugarán	jugaría jugarías jugaría jugaríamos jugaríais jugarían	juegue juegues juegue juguemos juguéis jueguen	jugara/jugase jugaras/jugases jugara/jugase jugáramos/jugásemos jugarais/jugaseis jugaran/jugasen	juega tú, no juegues juegue usted juguemos jugad vosotros, no juguéis jueguen ustedes
oler (ue) oliendo olido	huelo hueles huele olemos oléis huelen	olía olías olía olíamos olíais olían	olí oliste olió olimos olisteis olieron	oleré olerás olerá oleremos oleréis olerán	olería olerías olería oleríamos oleríais olerían	huela huelas huela olamos oláis huelan	oliera/oliese olieras/olieses oliera/oliese oliéramos/oliésemos olierais/olieseis olieran/oliesen	huele tú, no huelas huela usted olamos oled vosotros, no oláis huelan ustedes

	Indicativo					Subjuntivo		
Infinitivo Gerundio Participio pasado	Presente	Imperfecto	Pretérito	Futuro	Condicional	Presente	Imperfecto	Imperativo
pagar pagando pagado	pago pagas paga pagamos pagáis pagan	pagaba pagabas pagaba pagábamos pagabais pagaban	pagué pagaste pagó pagamos pagasteis pagaron	pagaré pagarás pagará pagaremos pagaréis pagarán	pagaría pagarías pagaría pagaríamos pagaríais pagarían	pague pagues pague paguemos paguéis paguen	pagara/pagase pagaras/pagases pagara/pagase pagáramos/pagásemos pagarais/pagaseis pagaran/pagasen	paga tú, no pagues pague usted paguemos pagad vosotros, no paguéis paguen ustedes
pedir (i, i) pidiendo pedido	pido pides pide pedimos pedís piden	pedía pedías pedía pedíamos pedíais pedían	pedí pediste pidió pedimos pedisteis pidieron	pediré pedirás pedirá pediremos pediréis pedirán	pediría pedirías pediría pediríamos pediríais pedirían	pida pidas pida pidamos pidáis pidan	pidiera/pidiese pidieras/pidieses pidiera/pidiese pidiéramos/pidiésemos pidierais/pidieseis pidieran/pidiesen	pide tú, no pidas pida usted pidamos pedid vosotros, no pidáis pidan ustedes
pensar (ie) pensando pensado	pienso piensas piensa pensamos pensáis piensan	pensaba pensabas pensaba pensábamos pensabais pensaban	pensé pensaste pensó pensamos pensasteis pensaron	pensaré pensarás pensará pensaremos pensaréis pensarán	pensaría pensarías pensaría pensaríamos pensaríais pensarían	piense pienses piense pensemos penséis piensen	pensara/pensase pensaras/pensases pensara/pensase pensáramos/pensásemos pensarais/pensaseis pensaran/pensasen	piensa tú, no pienses piense usted pensemos pensad vosotros, no penséis piensen ustedes
perder (ie) perdiendo perdido	pierdo pierdes pierde perdemos perdéis pierden	perdía perdías perdía perdíamos perdíais perdían	perdí perdiste perdió perdimos perdisteis perdieron	perderé perderás perderá perderemos perderéis perderán	perdería perderías perdería perderíamos perderíais perderían	pierda pierdas pierda perdamos perdáis pierdan	perdiera/perdiese perdieras/perdieses perdiera/perdiese perdiéramos/perdiésemos perdierais/perdieseis perdieran/perdiesen	pierde tú, no pierdas pierda usted perdamos perded vosotros, no perdáis pierdan ustedes

	Indicativo					Subjuntivo		
Infinitivo Gerundio Participio pasado	Presente	Imperfecto	Pretérito	Futuro	Condicional	Presente	Imperfecto	Imperativo
reír (i, i) riendo reído	río ríes ríe reímos reís ríen	reía reías reía reíamos reíais reían	reí reíste rio reímos reísteis rieron	reiré reirás reirá reiremos reiréis reirán	reiría reirías reiría reiríamos reiríais reirían	ría rías ría riamos riáis rían	riera/riese rieras/rieses riera/riese riéramos/ riésemos rierais/rieseis rieran/riesen	ríe tú, no rías ría usted riamos reíd vosotros, no riáis rían ustedes
seguir (i, i) siguiendo seguido	sigo sigues sigue seguimos seguís siguen	seguía seguías seguía seguíamos seguíais seguían	seguí seguiste siguió seguimos seguisteis siguieron	seguiré seguirás seguirá seguiremos seguiréis seguirán	seguiría seguirías seguiría seguiríamos seguiríais seguirían	siga sigas siga sigamos sigáis sigan	siguiera/siguiese siguieras/siguieses siguiera/siguiese siguiéramos/siguiésemos siguierais/siguieseis siguieran/siguiesen	sigue tú, no sigas siga usted sigamos seguid vosotros, no sigáis sigan ustedes
sentar (ie) (ver **pensar**)								
sentir (ie, i) sintiendo sentido	siento sientes siente sentimos sentís sienten	sentía sentías sentía sentíamos sentíais sentían	sentí sentiste sintió sentimos sentisteis sintieron	sentiré sentirás sentirá sentiremos sentiréis sentirán	sentiría sentirías sentiría sentiríamos sentiríais sentirían	sienta sientas sienta sintamos sintáis sientan	sintiera/sintiese sintieras/sintieses sintiera/sintiese sintiéramos/sintiésemos sintierais/sintieseis sintieran/sintiesen	siente tú, no sientas sienta usted sintamos sentid vosotros, no sintáis sientan ustedes
servir (ie, i) (ver **sentir**)								
volver (ue) volviendo vuelto	vuelvo vuelves vuelve volvemos volvéis vuelven	volvía volvías volvía volvíamos volvíais volvían	volví volviste volvió volvimos volvisteis volvieron	volveré volverás volverá volveremos volveréis volverán	volvería volverías volvería volveríamos volveríais volverían	vuelva vuelvas vuelva volvamos volváis vuelvan	volviera/volviese volvieras/volvieses volviera/volviese volviéramos/volviésemos volvierais/volvieseis volvieran/volviesen	vuelve tú, no vuelvas vuelva usted volvamos volved vosotros, no volváis vuelvan ustedes

Glosario: Español/inglés

Nota: Las definiciones provistas en este glosario son las que se usan en los cuentos y ejercicios de *Lazos*. La mayoría de estas palabras tiene otros significados también.

A

abarcar to embrace, to cover
abrasar to burn
acabar to end
acabar de (+ *infinitivo*) to have just (done something)
acera sidewalk
acierto sensible choice, good "shot"
acongojado distressed, anxious, anguished
acontecimiento event
acordarse to remember
acreedor creditor
actual current, present, present-day
adiestrado trained
adivinanza guess
adivinar to guess
aflojarse to loosen
afueras outskirts
agarrar to grasp, to grab, to seize
agregar to add
agrio bitter
aguantarse to endure, to bear/put up with
aguardiente alcohol ("firewater")
aislamiento isolation
ala wing
alambre wire
alcanzar to reach
aleta fin
alfiler pin
alfombra rug, carpet
aliento breath
alimento food
alma soul
almohada pillow, cushion
alojamiento lodging
alzar to lift, to raise up
amanecer to dawn, to become daybreak
amante lover
amargar to embitter, to make bitter
amargo bitter
amarrar to fasten, to hitch, to tie up
ámbito area, environment
amenguar to lessen
ameno pleasant, agreeable, charming
amical friendly
amo owner
amortiguar to dim
amparo protection
amplio wide, extensive
ancho wide
ancla anchor
angosto narrow
anguila eel
antipático unlikeable
antorcha torch
anzuelo fishhook
añadidura (en '**por añadidura**') besides, in addition
añadir to add
apagar to turn off
apelotonarse to well up, to accumulate
apenas scarcely, hardly
apostar to bet, to wager
apoyar to support
apretado tightened, clamped, squeezed
apretar to tighten, to squeeze
aprovechar to take advantage of
arboleda grove
arder to burn
arena sand
arenga speech
armario wardrobe (closet); cupboard
arrancar to pull out, to wrench, to eradicate
arrastrar to drag
arrepentimiento repentance; regret
arrimarse to move close to
arrobado entranced, enraptured, fascinated
arrobamiento ecstasy, rapture
arrodillar to kneel
arrojar to throw
arruga wrinkle
arrullar to coo, to lull
asco disgust

asegurado secured, fastened
asegurar(se) to make sure, to assure
asir to grasp, to seize, to take hold of
asomar to appear, to come out
asomarse to lean
asombro astonishment, surprise
aspecto appearance
asqueroso disgusting, repugnant
astro sun; heavenly body; star
asustado frightened
asustar to frighten
atar to tie
atrasarse to run late, to be late
atravesar to cross
atreverse to dare
aullido howl
aumentar to increase
averiguar to find out, to ascertain
azar chance

B

bahía bay
bajar to descend, to go down; to get off/out of (a bus/a taxi)
balbucear to stutter, to stammer
balneario seaside resort
bañarse to bathe, to swim
barba beard
belleza beauty
blando soft
bocanada puff (e.g., of smoke); mouthful
bochorno heat; sultry, muggy weather
borrachera drunkenness, drinking spree
borracho drunk
borrador draft (e.g., of a composition)
borrar to erase
bosque forest, woods
botar to throw away; to throw back (e.g., a fish)
bote boat
branquia gill
brillante (*sust.*) diamond (brilliant)
brillar to shine, to glisten
bucear to dive, to swim under water
buey ox
bulto bulk, form, object
bullicio din, racket, hubbub
búsqueda search

C

cabello hair
cacería hunting
cacharros earthenware, pots
cachorro baby animal, cub, puppy
cadera hip
cajón drawer (e.g., in a dresser)
caldero cauldron, boiler, pot
callado quiet, silent
campanada ring or toll of a bell or clock
carcajada (**reír a carcajadas**) guffaw (to roar with laughter)
cárcel jail, prison
cargar to carry, to bear (a burden)
cariño affection
carnada bait
carretilla cart
cascajo gravel
cauteloso cautious
caza hunting
cazar to hunt
celoso jealous
ceño fruncido knitted brow (i.e., a frown)
cerca (*sust.*) fence
cerro hill
certeza certainty
chaleco vest
chapuzón (**darse un chapuzón**) dip (to take a dip)
chispa spark
chupar to suck
cicatriz scar
ciego blind
cielo sky
ciudadano citizen
clítico pronoun (the type that cannot stand alone: reflexive, direct, indirect)
cobrar to charge
codiciado coveted
codo elbow
cola tail
colegio school
cólera anger
colgado hung, hanging
colgar to hang
colilla cigarette butt
colocación position, location
colorado red
comicios elections
comillas quotation marks
compadecer(se) to sympathize
compartido shared
compartir to share
comportamiento behavior
concordancia agreement (grammatical)
concordar to agree (grammatically)
condenado condemned
confitería cake shop, sweetshop (a bakery)
confundir to confuse
congestionado flushed (one's face)
congoja anguish, grief, sorrow
conjetura conjecture, guess

conjeturar to conjecture, to guess
conmover to move (emotionally)
conocimiento knowledge
consagrar to consecrate; to dedicate one's life to
consejos advice
consolar to comfort, to console
consuelo solace, consolation, comfort
conveniente suitable, advisable
coquetería coquetry, flirtatiousness
cordel cord, rope
corpiño bra, brassière; bodice
corporal (*adj.*) body (*adj.*) (**lenguaje corporal:** body language)
corregir to correct
corroído corroded, worn away
cosecha crop
costura scar
costurón large scar
cría young; baby animal
criar to raise (e.g., children)
cristal glass; glass surface
crítica criticism
crudo raw
cuadrado square
cuadro chart
cualquier(a) any
cuarto quarter; room
cubierta cover
cuchillada stab
cuello neck; collar
cuidado care
cuidar(se) to take care of
cura (*m.*) priest

D

daño harm
dar vergüenza to embarrass
darse cuenta to realize
darse la mano to shake hands
dársena dock
dato piece of information
decepción disappointment
delgadez thinness
delgado thin, slender
demorar to delay
dependienta store clerk (*fem.*)
derecho law
desafío challenge
desarrollar(se) to develop
desarrollo development
desatar to untie
descarado brazen
descartar to discard
desengañar to disappoint, to disillusion
desengaño disappointment, disillusionment
deshacerse to get rid of
deslizarse to slide, to slip
desmañado clumsy, awkward
desparpajo self-confidence, impudence
despedida good-bye
despeinado unkempt, disheveled (a reference to the state of one's hair)
despoblado depopulated, unpopulated
destacado prominent
destacar(se) to stand out; to point out; to highlight
destinatario addressee
destrabar to loosen, to detach
desventaja disadvantage
desvergonzado impudent, insolent, shameless
detallado detailed
detalle detail
detenimiento care, thoroughness
devolver to return
dibujar to draw
dicho saying
difunto deceased
dirigir(se) to direct; to address (a letter or person)
disculpar to pardon, to forgive
disgustar to displease
doblar to bend; to fold; to collapse
dorado golden
dueño owner
dulce sweet

E

edad age
elegir to choose, to elect
embrutecer to brutalize, to make brutal; to stupefy, to dull the mind
empavonado greased
encaminarse to head toward
encantador charming, delightful, enchanting
encender to burn; to turn on (e.g., a light)
encerrar to enclose, to lock inside
encoger to shrink, to contract
encogerse de hombros to shrug
encogido shrunk
endemoniado possessed
enderezar(se) to straighten up
enfermizo sick, unhealthy
enfocarse to focus on
enfoque focus
engañar to deceive
engaño deception
engañoso deceptive
enredado entangled
enredar to entangle, to complicate, to confuse
ensueño dream; fantasy
entender to understand
enterado aware, informed
enterarse (de) to find out (about)
enterrado buried
entrada entry (in a dictionary); entrance
entregar to turn in

entrenamiento training
envasado canned
escacez scarcity
escalera staircase, stairs
escarcha hoarfrost
escoger to choose
esconder to hide
escopeta shotgun, rifle
escueto succinct, precise
escupir to spit
espalda back
espantajos scarecrow
espantapájaros scarecrow
espantar to frighten (away)
espantoso frightening, terrifying
espejo mirror
esperanza hope
esperar to hope; to expect
espeso thick
estadía stay
estallido explosion
estampido explosion, bang
estante shelf
estirar to stretch (out), to extend
estirpe lineage
estrechar to squeeze
estrecho (*sust.*) strait
estrecho (*adj.*) narrow; tight
estrella star
estrellado crashed
estremecer(se) to shudder, tremble
estufa stove
etapa stage (period of time)
evadir to avoid
éxito success
exitoso successful
experimentar to experience
extraño strange

F

factura bill
fallecer to die
falta lack
faltar to lack, to be missing
familiar (*sust.*) family member
faro headlight
fe faith
fealdad ugliness
fiable reliable
fiel faithful, loyal, reliable
fiera wild animal
fijarse to notice
fijo fixed, firm
fila row, line (queue)
fingir to pretend
flaco skinny
fluir to flow
fofo soft; spongy; flabby
fonda boarding house
fondo bottom
forastero stranger; outsider
fortalecer to strengthen, to fortify
fósforo match
fracaso failure
fragmento excerpt, piece, fragment
frasco jar, bottle
frase phrase, sentence
frase hecha set phrase
fresno ash tree
frondoso leafy
frotar to rub
fruncir el ceño to frown
fuego fire
fuera outside
fusil gun, rifle

G

ganar to earn
gancho hook
garganta throat
gastar to spend
gemelo twin
gemido moan, groan
gesto gesture
girar to spin
girasol sunflower
golpe de estado coup d'état
gota drop
gozar to enjoy
grabar to engrave; to record
gracioso amusing, funny, witty, graceful, pleasing, elegant, cute
grieta crack
grueso thick
guagua bus (Cuban usage)
guante glove
guerra war
guerrero warrior
guía guide
guionista scriptwriter

H

hada fairy
hallar to find
harto tired, "fed up"
hastiado tired (of); disgusted
hendedura crevice, crack, slit
herida wound
herir to hurt, to injure, to wound
hermosura beauty
herrumbroso rusty
hierro iron
hígado liver
hilo thread
hiriente wounding, offensive
hocico snout
hogar home
hojarasca fallen leaves
hojear to skim, to glance through
holgado well-off (financially)
hombro shoulder
horneado baked
hornear to bake
hospicio lodging
huerto garden
hueso bone
huésped guest
huir to flee
húmedo wet, moist
humor humor; mood

I

inagotable inexhaustible
índice index; index finger
indicio indication, sign
índole nature (type)
indolente insensitive
infierno hell, inferno
ingenioso clever, ingenious
ingenuidad naïveté; simplicity
insensibilidad insensitivity
insensible insensitive
institutriz governess
interlocutor interlocutor (person spoken to/speaking with another)
intruso intruder
involucrado involved
isla island

J

jabón soap
jadeante panting
jadear to pant, to gasp (breathe hard and deep)
jamás never
joya jewel, gem
joyería jewelry store
jubilarse to retire
juego game
juego de palabras play on words
juez judge
juguetón playful
junto together
juramentar to swear, to give a solemn oath
jurar to swear
juventud youth
juzgar to judge

L

ladrar to bark
ladrido bark (of a dog)
lagarto alligator, lizard
lágrima tear, teardrop
lanzar to throw, to fling
largo long
latón barrel, large metal drum
lazo tie, bond, link, knot, lasso, trap, snare, ribbon
lector reader
lectura reading
lejano distant, far-off
lenguado sole (type of fish)
licenciatura degree; bachelor's degree
lienzo linen, canvas
ligero (*adj.*) light
linde edge, border
liso smooth
lobanillo wen, cyst (wart-like growth)
lograr to achieve, to attain; (with infinitive: to manage to)
luchar to fight
lugar place
lúgubre lugubrious, dismal
lujo luxury
lujoso luxurious
lumbre fire

LL

llamado so-called; called
llanto crying, weeping
llegar to arrive
llevar to carry

M

madera wood
madrugada early morning
madrugador early-riser
maldecir to curse
malentender to misunderstand
malentendido misunderstanding
malvado evil, wicked
mamífero mammal
manga sleeve
mangal mango grove
manoplas mittens
manso tame, gentle
marea tide
margarita daisy
mascota pet
mascullear (**mascullar**) to chew
matiz shade, hue, tint, nuance
matrimonio marriage; married couple
mayoría majority
mejilla cheek
mentira lie
menudo minute (tiny); **a menudo** frequently, often
mercancía merchandise
mezcla mixture, blend
mezquino miserable
mitad half
mojado wet
molestar to bother
molestarse to get upset, to get annoyed
mono (*adj.*) cute
mono (*sust.*) monkey
mosca fly
moscón large fly
mostrador counter (e.g., in a store or bar)
mostrar to show
mudarse to move (from one house to another)
muelle wharf, pier
muellemente smoothly, softly
muestrario collection of samples
mugre filth
muñeca wrist; doll
muro wall
musgo moss

N

nacer to be born
nacimiento birth, beginning
naranjal orange grove
negar to deny

negrita (**en negrita**) boldface (in boldfaced type)
nevera refrigerator
nexo link
niebla mist, fog
niñez childhood
nivel level
nublado cloudy
nudillo knuckle

Ñ

ñapa bonus, extra

O

ocultarse to hide, to disappear
odiar to hate
oficio trade, profession, occupation
ojeada glance
olfato sense of smell
olor smell, odor
oloroso smelly
opuesto opposite
oración sentence
oreja ear
orfelinato orphanage
orgullarse to be proud
orgullo proud
orilla edge
ortografía writing (orthography)
o(b)scuridad darkness
oscurecer to darken, to dim
oscuro dark
oso bear
otorgar to give, to award
oyente listener

P

padecer to suffer
palmera palm tree
palo stick, pole
palpitar to beat, to pound
pantalla screen
pantanoso marshy, swampy
panzudo potbellied, big-bellied
papagayo parrot
papel role, rôle
parada bus stop
parar to stop, to stand up
parecer to seem
parecerse a to resemble, to look like
parecido similar
pared wall
pareja pair; married couple; partner
pariente relative
párpado eyelid
parroquiano customer
partir to depart; to split
paseo walk, stroll
pasillo corridor, passageway
paso step, path
pata foot (of an animal), paw
patria native country (fatherland)
patrón pattern
pavor fear, terror, panic
pavoroso terrifying
pecado sin
pegar to glue
pelea fight, quarrel
peligro danger
pellejo skin
peón farm worker
percatarse to realize, to notice
peregrino pilgrim, traveler
perito expert
perseguir to follow
pertenecer to belong
pertenencias belongings
pescado fish (one that's been caught)
pescar to fish, to catch
pescuezo neck (of an animal)
pez fish
picar to nibble
picardía craftiness, cunning
piedad piety
piedra rock, stone
pisadas footsteps
piso floor
pista path; clue
placer pleasure
planchar to iron
plantas feet
plata money (slang)
plática chat
poblado populated
poda cutting, cropping (of an animal's ears)
poder power
pollo chick
polvoriento dusty
pómulo cheekbone, cheek
porquería filth; nastiness (indecency), disgusting behavior
portarse to behave
pozo well, deep hole
pregonar to hawk/advertise (merchandise)
premio prize, award
pretil railing, parapet
principio principle
prisa hurry
probar to prove
propietario owner
prueba proof
pudor modesty, decency
pueril childish, puerile
puntiagudo pointed

Q

quebradizo fragile, brittle, delicate
quebrantado broken
quebrar to break
quedarse to remain, to stay
quedo quiet, still
quehacer chore, task, duty
queja complaint
quejido moan, groan
quemadura burn

quemar to burn
querella quarrel
quinta country estate
quizás perhaps, maybe

R

rabia anger
rabioso angry
rabo tail
raíz root
ramaje branches
rancio ancient, long-established
rasgar to tear, to rip
rasgo characteristic
rastro track; trace
rato while, short period of time
realzar to enhance, to highlight
recámara bedroom
recatado modest, decent
rechazar to reject
rechino squeaking, creaking
reclamar to clamor
recompensa reward
recontrafranco very frank
recordatorio reminder
recorrer to travel
recorrido trip
recostado leaning
recular to go back, to retreat
refrán proverb, saying
registrar to check
regla rule
reina queen
reja railing; iron fence; grille (on a window); bar
relámpago lightning bolt
relatar to tell, to narrate
relato story, narration
remar to row
remo row
rendija crack
repartir to distribute
repentino sudden
reponerse to recover
resaltar to stand out, to highlight
resplandor brilliance, brightness
restringir to restrict
resumen summary
retrasado mental mentally retarded person
revisar to check, to review
risa laugh, laughter
risueño smiling, cheerful, bright
roce rubbing, friction
rodar to roll, to go round
rodeado surrounded
rodear to surround, to enclose, to encircle
rodilla knee
rogar to beg
ronquido snore
rosa pink-colored
rosado pink
rostro face
ruborizarse to turn red, to blush
ruido noise

S

saco (a cuadros) (checkered) jacket
sacudidas shaking
sacudir to shake
sangre blood
sano healthy
secar(se) to dry
seco dry
semejante similar
semejanza similarity
semejarse to resemble, to look like
senda path
seno bosom, breast
sensible sensitive
sentido sense, meaning
sentimiento feeling
seña sign, gesture
señal sign, signal, indication
señalar to signal, to point out
sepulcro grave, tomb
sepultura grave, tomb
sequía drought
sien temple (at the sides of the forehead)
significado meaning
simpatía liking, affection, mutual understanding
soler (+ **infinitivo**) to be accustomed to, to be in the habit of
sollozar to sob
soltar to release, to let loose
sombra shade, shadow
sonrojar to blush
soñador dreamer
soplar to blow
soplo blow; gust of wind
sopor sleepiness, drowsiness
sorbo sip, gulp
sordo deaf
sortija ring
sostén support
sostener(se) to sustain, to support
suavizar to soften
subir to go up; to get on/in (a bus, a taxi)
subrayar to underline; to underscore; to emphasize
subyacente underlying
suceso event
sudar to sweat
sudor sweat
suelto free, loose, untied, unattached
sueño dream; sleep
suerte luck
sugerencia suggestion
sumamente extremely
surco crevice, groove
surgir to arise, to emerge
suspirar to sigh

sustantivo noun
susto fright
susurrar to whisper
sutileza subtlety

T

tacto touch
tal vez perhaps, maybe
taller workshop
tamaño size
tambalearse to stagger
tapa lid
tapia wall (usually of mud or adobe)
tarima platform
tela piece of cloth
temblar to tremble
temer to fear
temor fear
temporal temporary
tenderete stall, market booth
tenderse to lie down
tener sentido to make sense
tentador tempting
ternura tenderness
tesoro treasure
testigo witness
tierno tender
timbre bell
tina bathtub
tinieblas darkness
tintero inkwell
tirapiedras slingshot
todavía still, yet
toldo canopy, awning
tontería foolishness
torpe awkward, clumsy, slow-witted
tos cough
toser to cough
trabado clasped, linked
trabar to grasp, to seize
traducción translation
traducir to translate
tragar to swallow
trago swig, swallow, mouthful
trama plot (e.g., in a story or novel)
transeúnte passer-by
trapo rag
trasfondo background
trasladarse to move, relocate
trasnochador (*sust.*) night owl; one who stays up late
trasto useless object, junk
tratamiento treatment; form of address
travesura mischief, playfulness
trenzas braids
trepar to climb
turnarse to take turns
tutear use informal address (**tú**)

V

vacío vacuum, void, space
valor value
vara stick, pole
vecino neighbor
vejez old age
velar to watch over; to stay awake
velludo hairy
veneno poison
venganza vengeance, revenge
venta sale
ventaja advantage
vera edge
verdadero real
vergüenza shame, embarrassment
verídico truthful
vértigo dizziness (vertigo)
vidrio glass
vientre belly
vinculado linked, connected
vínculo tie, bond, link
vislumbrar to glimpse
víspera eve; day before
vistazo glance
vitrina store window
vulgar common, ordinary

Y

yacer to lie (to be in a lying position)

Z

zambullirse to dive
zarandear to shake vigorously

Créditos

Art Credits

Chapter opener illustrations by Accurate Art, Inc.

Photo Credits

p. 7 EFE News Services; p. 28 NewsCom; p. 50 Prentice Hall School Division; p. 65 Columbus Memorial Library; p. 80 NewsCom; p. 93 Carmen R. Padró; p. 109 Getty Images, Inc.-Hulton Archive Photos; p. 124 NewsCom; p. 139 Getty Images/Time Life Pictures; p. 163 AP Wide World Photos; p. 195 Library of Congress; p. 216 Pearson Education/PH College; p. 236 Pearson Education/PH College; p. 251 AP Wide World Photos; p. 270 Getty Images, Inc.-Liaison

Text Credits

p. 8 Carmen Laforet "Al colegio" from *La niña y otros relatos*. © Herederos de Carmen Laforet, 2007; p. 28 Mario Benedetti "Una carta de amor" from *Mejor es meneallo*. Reprinted by permission of Guillermo Schavelzon & Asociados, S. L.; p. 50 Ana María Matute "El ausente" from *Historias de la Artámila*. © Ana María Matute, 1961; p. 65 Horacio Quiroga "El hijo" from *El más allá*. Reprinted by permission of Editorial Losada, S.A.; p. 80 Silvia Molina "La casa nueva" from *Dicen que me case yo*. Reprinted by permission of Antonia Kerrigan Agencia Literaria; p. 93 Humberto Padró "Una sortija para mi novia" from *Diez cuentos*. Reprinted by permission of Carmen M. Ramos Vda. Padró; p. 124 Mario Benedetti "La noche de los feos" from *La muerte y otras sorpresas*. Reprinted by permission of Guillermo Schavelzon & Asociados, S. L.; p. 140 Julio Cortázar "Axolotl" from *Final del juego*. © Herederos de Julio Cortázar, 2007; p. 164 Gabriel García Márquez "La mujer que llegaba a las seis" from *Ojos de perro azul*. © Gabriel García Márquez, 1947; p. 216 "Tedy" by Lupita Lago (Pseudonym of María Canteli Dominicis). Reprinted by permission of the author; p. 236 Mariella Sala "El lenguado" from *Desde el exilio*. Reprinted by permission of the author; p. 252 Juan Rulfo "¿No oyes ladrar los perros?" from *El llano en llamas*. © Herederos de Juan Rulfo, 2007; p. 271 Isabel Allende "Dos palabras" from *Cuentos de Eva Luna*. © Isabel Allende, 1989.

Índice

Taken from *Spanish Grammar in Review*, Third Edition
by James S. Holton, Roger L. Hadlich,
and Norhma Gómez-Estrada

CONTENTS

UNIT 3

Review of Verb Forms: Future, Conditional, Compound Tenses, and Gerund

UNIT 4

Ser, Estar, and *Haber (Hay)*

UNIT 11

The Articles: Use and Non-Use

UNIT 12

Verb-Object Pronouns

UNIT 13

Substitutes for Nouns: Nominalization

UNIT 14

Passives and Their Equivalents

UNIT 15

Time Expressions with *Hacer* and *Llevar*

UNIT 16

Por and *Para*

UNIT 17

Personal *a*

UNIT 18

Prepositions: Use and Non-Use

UNIT 19

Comparisons

UNIT 20

Relatives

UNIT 21

The Position of Descriptive Adjectives

UNIT 22

Problems in English-Spanish Word Association

PREFACE

The Third Edition of *Spanish Grammar in Review* provides the grammar component of intermediate and post-intermediate level courses in such a way as to be maximally flexible in its application. We have been gratified by the success of this book and by comments from instructors and students using previous editions of the text. Many of the changes in this new edition result from these comments. We have tightened or expanded some of the grammar explanations and examples, and we have added a unit on the use of articles and expanded the unit on English-Spanish word associations. We have retained the key ingredients from our first and second editions.

The book contains grammatical analyses of the structure of Spanish, in addition to a wide range of practice exercises. In order to facilitate individual practice, we have made an *Answer Key* available. Instructors may, if they wish, assign this *Answer Key* for student purchase.

Since explanatory and exercise material in the text has been written with the greatest flexibility in mind, we recommend that instructors combine *Spanish Grammar in Review* with whatever listening, speaking, reading, and writing material has worked at the level(s) where this review grammar is used.

Grammatical units are grouped in a manner which places similar topics together. Units, or topics within units, may be taken up as individual or class needs dictate, in the order of preference chosen by instructor or student. Within each unit, material is presented in order of difficulty and progresses from the most basic concepts forward.

In addition, *Spanish Grammar in Review* can be accompanied by *Spanish on the Internet: A Prentice Hall Guide.* This guide provides a brief introduction to navigating the Internet, along with complete references related specifically to the Spanish language, and describes how to use the companion web sites available for many Prentice Hall textbooks. This supplementary book is free to students when shrinkwrapped as a package with any Spanish title.

ACKNOWLEDGMENTS

We would like to thank the many instructors and students who have used *Spanish Grammar in Review* over the years and who have contributed their thoughts and ideas to the new edition. We would like to offer special thanks to the following persons for their advice and suggestions:

Linda Burdell, Macalester College

Isolde Jordan, University of Colorado at Boulder

Bruce S. Gartner, The Ohio State University, Columbus

Gene DuBois, University of North Dakota

Patricia Pogal, Morehouse College

For any errors and inadequacies which survive, only we are responsible.

J. S. H.
R. L. H.
N. G. E.

SPANISH GRAMMAR

in Review

UNIT 1

Review of Verb Forms:

Present, Imperfect, and Preterit Indicative

Adiós, Blas, ya comiste ya te vas.

I. Present Indicative

A. Regular Verbs

Regular verbs have forms like these:

	tomar	**aprender**	**vivir**
yo	tomo	aprendo	vivo
tú	tomas	aprendes	vives
él, ella, Ud.	toma	aprende	vive
nosotros	tomamos	aprendemos	vivimos
vosotros	tomáis	aprendéis	vivís
ellos, ellas, Uds.	toman	aprenden	viven

Practice 1

Vary the sentence by making the verb agree with the new subjects given, but do not repeat the subject. Answers are given for the first set. Repeat the practice until you can do it without hesitation.

1. Cantamos pero no tocamos la guitarra.

   (yo, él, tú, los niños, mis hermanas y yo, usted)

   Canto pero no toco la guitarra.

   Canta pero no toca la guitarra.

   Cantas pero no tocas la guitarra.

   Cantan pero no tocan la guitarra.

   Cantamos pero no tocamos la guitarra.

   Canta pero no toca la guitarra.

2. Rosa nunca mete el dinero en el banco.

   (mis tíos, mi familia y yo, tú, mi padre, yo, usted, ustedes)

3. No permiten que hable en alta voz.

   (yo, ustedes, mis padres, tú y yo, tú, nosotros)

B. Stem-Changing Verbs

Many verbs that have **o** or **e** as the last vowel of the stem (e.g., **recordar)** have a regular pattern of change of this vowel. The **-ar** and **-er** verbs change the vowel as follows, having a diphthong in forms where the syllable in question is stressed:

recordar		perder	
recuerdo	recordamos	pierdo	perdemos
recuerdas	recordáis	pierdes	perdéis
recuerda	recuerdan	pierde	pierden

mover		pensar	
muevo	movemos	pienso	pensamos
mueves	movéis	piensas	pensáis
mueve	mueven	piensa	piensan

-ir verbs which are stem-changing fall into two categories in the present indicative. Most (e.g., **morir, sentir)** change as do the **-ar** and **-er** verbs above. A few, however (e.g., **pedir),** change **e** to **i** rather than **ie:**

morir		sentir	
muero	morimos	siento	sentimos
mueres	morís	sientes	sentís
muere	mueren	siente	sienten

pedir	
pido	pedimos
pides	pedís
pide	piden

Practice 2

Vary the subjects as before.

1. Rosa siempre pierde las llaves.

   (yo, nosotros, usted, David y yo, tú, ustedes)

2. Duermo muy poco.
   (nosotros, tú, ustedes, yo, mi compañero y yo, usted)
3. Pido más dinero.
   (los obreros, yo, ustedes, tú, usted, tú y yo, los huelguistas)
4. Seguimos practicando tenis.
   (Gabriela Sabatini, yo, nosotros, tú)
5. Mamá siempre llora cuando se despide.
   (nosotros, ustedes, tú)
6. Elegimos al presidente cada cuatro años.
   (ellos, usted, nosotros)
7. El accidente impide el paso de los coches.
   (nosotros, el policía y yo, los bomberos, la ambulancia)
8. Siempre repetimos los ejercicios dos veces.
   (el profesor, yo, nosotros)
9. Los franceses no sirven leche.
   (yo, nosotros, ese vegetariano)
10. Si conseguimos la beca, vamos a España.
    (ustedes, yo, él)
11. Los estudiantes no siempre se visten con elegancia.
    (nosotros, yo, tú)

Practice 3

This drill contains the most common stem-changing verbs, as well as some verbs which do not change. Answer the question saying that you don't do anything, but Sancho does do it. Notice that the verb **ir** is not used in the answers.

MODEL: ¿Ustedes van a contar las páginas?
Nosotros no las contamos pero Sancho sí las cuenta.

1. ¿Ustedes van a cerrar las puertas?
2. ¿Ustedes van a dormir aquí?
3. ¿Ustedes van a despertarse temprano ?

4. ¿Ustedes van a empezar clases mañana?
5. ¿Ustedes van a querer estudiar?
6. ¿Ustedes van a entender los problemas?
7. ¿Ustedes van a entregar las soluciones de los problemas?
8. ¿Ustedes van a perder el tiempo?
9. ¿Ustedes van a morirse de aburrimiento?
10. ¿Ustedes van a pensar en los planes para la fiesta?
11. ¿Ustedes van a colgar las decoraciones?
12. ¿Ustedes van a mover esa mesa para la fiesta?
13. ¿Ustedes van a poder ir a esa fiesta?
14. ¿Ustedes van a atender a los invitados?
15. ¿Ustedes van a vestirse en casa para la fiesta?
16. ¿Ustedes van a conseguir ayuda para la fiesta?
17. ¿Ustedes van a probar estos vinos franceses?
18. ¿Ustedes van a servir platos vegetarianos?
19. ¿Ustedes van a pedir otra cerveza?
20. ¿Ustedes van a seguir comiendo?
21. ¿Ustedes van a despedirse ahora?
22. ¿Ustedes van a volver a casa después del almuerzo?
23. ¿Ustedes van a rogar que los dejen en paz?
24. ¿Ustedes van a recordar todos estos verbos?
25. ¿Ustedes van a negar la verdad?

Practice 4

Rephrase as in the model.

MODELS: ¿Cuánto va a costar ese aparato?
¿Cuánto cuesta ese aparato?

No mucho. El club va a prestar el dinero.
No mucho. El club presta el dinero.

1. Estos cables no van a servir para ese aparato.
2. Otro aparato mejor va a costar mucho.
3. El club no va a extenderse en su presupuesto.
4. El tesorero va a referirse a su presupuesto.
5. Ya va a sonar la señal para empezar.

C. Irregular Verbs

Most irregularities follow some kind of pattern and, consequently, it is useful to group them instead of learning them one by one.

1. Verbs with a **g** in the first person singular only:

poner:	pongo, pones...	(plus compounds like **disponer, oponer, componer, proponer)**
salir:	salgo, sales...	
valer:	valgo, vales...	
hacer:	hago, haces...	(plus compounds like **deshacer** and **rehacer)**
traer:	traigo, traes...	(plus compounds like **distraer** and **atraer)**
caer:	caigo, caes...	(plus compounds like **decaer)**

2. Verbs like the first group which also have stem changes in their other forms:

venir:	vengo	venimos	(plus compounds like **convenir)**
	vienes	venís	
	viene	vienen	
tener:	tengo	tenemos	(plus compounds like **detener, contener, obtener, sostener)**
	tienes	tenéis	
	tiene	tienen	
decir:	digo	decimos	(plus compounds like **predecir, contradecir)**
	dices	decís	
	dice	dicen	

Practice 5

After looking carefully at the verb forms listed above, do the following drill to practice using these irregular verbs. Follow the models and be sure to think about what you are saying.

MODELS: (decir) ¿Ustedes __________ la verdad?
¿Ustedes dicen la verdad?
No, nunca la decimos.
Yo sí digo la verdad.

(salir) ¿Ustedes __________ solas de noche?
¿Ustedes salen solas de noche?
No, nunca salimos solas de noche.
Yo sí salgo sola de noche.

1. (tener) ¿Ustedes __________ tiempo para dormir?
2. (traer) ¿__________ ustedes mucho dinero hoy al banco?
3. (venir) ¿__________ ustedes aquí después de las clases?
4. (hallar) ¿Ustedes __________ monedas en los teléfonos públicos?
5. (poner) ¿Ustedes __________ los zapatos debajo de la cama?
6. (caerse) ¿Ustedes __________ al subir las escaleras?
7. (pedir) ¿__________ ustedes otra porción de ensalada?
8. (valer) ¿__________ ustedes más muertos que vivos?
9. (decir) ¿Ustedes __________ cosas tontas a veces?
10. (hacer) ¿__________ ustedes todo este trabajo sin parar?
11. (oponerse) ¿__________ ustedes a la energía nuclear?
12. (contradecir) ¿__________ ustedes a sus profesores?
13. (obtener) ¿Ustedes __________ la información correcta?

D. Other Groups of Present-Tense Irregulars

1. Verbs ending with a vowel plus **-cer** or **-cir** end in **-zco** in the first person singular form:

conocer: conozco, conoces, conoce...
merecer: merezco, mereces, merece...

Other verbs of this type are **nacer, ofrecer, perecer, agradecer, permanecer, lucir, producir** (but not **mecer** or **cocer**).

2. Four important verbs end in **-y** in the first person singular. Two of these have other irregularities also.

dar:	doy	damos	**ir:**	voy	vamos
	das	dais		vas	vais
	da	dan		va	van
ser:	soy	somos	**estar:**	estoy	estamos
	eres	sois		estás	estáis
	es	son		está	están

3. A few verbs carry accent marks on four forms to show that **i** or **u** does not form a diphthong with the following vowels. (Compare **María** and **Mario,** where the **io** of Mario forms a single syllable, while the **ía** of María forms two syllables. So also in **continúo** and **continuo.** Two vowels forming a single syllable are a diphthong.)

enviar:	envío	enviamos	(**confiar** also)
	envías	enviáis	
	envía	envían	
continuar:	continúo	continuamos	
	continúas	continuáis	
	continúa	continúan	

4. A few cannot be readily grouped with others:

oír:	oigo	oímos	**reír:**	río	reímos
	oyes	oís		ríes	reís
	oye	oyen		ríe	ríen
huir:	huyo	huimos	(**sonreír** is like **reír**)		
	huyes	huís			
	huye	huyen			

Construir, destruir, influir, and others like them behave in the same way.

5. **Jugar** and **adquirir** have irregular stems. They act like other stem-changing verbs but they have **u** and **i** instead of **o** and **e** in the stem:

jugar:	juego, juegas, juega, jugamos, jugáis, juegan
adquirir:	adquiero, adquieres, adquiere, adquirimos, adquirís, adquieren

Practice 6

Follow the same procedure as in the previous drill. Try to think in Spanish, not in English, but be sure you know what you're saying or the practice will be ineffective.

MODEL: (conocer) ¿Ustedes __________ las obras de García Márquez?
¿Ustedes conocen las obras de García Márquez?
No, no las conocemos.
Yo sí las conozco.

1. (continuar) ¿Ustedes __________ con los ejercicios?
2. (dar) ¿Les __________ ustedes ropa a los pobres?
3. (oír) ¿__________ ustedes esa sirena?
4. (huir) ¿Ustedes __________ al campo los fines de semana?
5. (producir) ¿__________ ustedes frases cómicas?
6. (ir) ¿__________ ustedes al laboratorio en este curso?
7. (adquirir) ¿__________ ustedes objetos de arte?
8. (parecer) ¿__________ ustedes estudiantes típicos?
9. (reírse) ¿__________ ustedes de Carlitos Brown?
10. (estar) ¿__________ ustedes en casa ahora?
11. (merecer) ¿__________ ustedes un premio por su patriotismo?
12. (crecer) ¿__________ ustedes más cada día?
13. (confiar) ¿__________ ustedes en el gobierno?
14. (jugar) ¿__________ ustedes a las cartas en el café?
15. (despertarse) ¿__________ ustedes cuando termina la clase?
16. (componer) ¿__________ ustedes sinfonías pastorales?
17. (conocer) ¿__________ ustedes el Museo del Prado?
18. (ser) ¿Ustedes __________ latinoamericanos?

19. (sonreír) ¿__________ ustedes al leer las historietas cómicas?
20. (negar) ¿__________ ustedes haber aprendido algo?
21. (meter) ¿__________ ustedes papeles en sus libros?
22. (agradecer) ¿__________ ustedes los favores recibidos?
23. (contradecir) ¿Ustedes __________ a los ancianos?
24. (sostener) ¿__________ ustedes sus derechos de ciudadanos?
25. (oír) ¿__________ ustedes la lluvia afuera?
26. (vestirse) ¿__________ ustedes en el cuarto de baño?
27. (conseguir) ¿__________ ustedes sacar buenas notas en todas las clases?
28. (alegrarse) ¿__________ ustedes en tiempo de Navidad?
29. (permanecer) ¿__________ ustedes en la biblioteca hasta tarde?

E. Verbs with Spelling Changes in the Present Indicative

In the present indicative, there are two types of verbs which require variations in spelling. Because different vowels follow the stem, it is necessary to modify the spelling in order to represent correctly the sound of the stem. Thus, since **g** before **a**, **o**, or **u** represents one sound, and before **e** and **i** a different sound, it is necessary to use **g** sometimes and **j** sometimes in verbs like **dirigir** in order to represent the same consonant sound.

Pronunciation

ge = [he] or [xe]   ga = [ga]
gi = [hi] or [xi]   go = [go]
gu = [gu]

Types of -ir Verbs

1. In verbs such as **dirigir, escoger, coger,** and **exigir,** the letter **g** becomes **j** when an **o** follows, since **"dirigo"** would sound wrong.

dirijo	dirigimos
diriges	dirigís
dirige	dirigen

2. **Distinguir, perseguir,** and other verbs which end in **-guir** remove the **u** when **o** follows, because the **u** preceded by **g** has no sound before **e** or **i** but does before **a** or **o.** (Compare the sound of **gu** in **guerra** and **Guatemala**).

distingo	distinguimos
distingues	distinguís
distingue	distinguen

Practice 7

On scratch paper, write the form which corresponds to the subject provided, then check the spelling of your responses. Some forms will have spelling changes; some will not.

1. dirigir él __________
2. dirigir yo __________
3. dirigir nosotros __________
4. pagar ellos __________
5. pagar yo __________
6. escoger nosotros __________
7. escoger yo __________
8. escoger ustedes __________
9. explicar yo __________
10. explicar tú __________
11. distinguir usted __________
12. distinguir nosotros __________
13. distinguir yo __________
14. exigir yo __________

15. exigir ustedes __________
16. exigir nosotros __________

F. *Vosotros* Forms

If you are learning Peninsular Spanish, you will be using a verb form not used in American Spanish. In Spain, the plural of **tú** is **vosotros**, whereas in Spanish America, **ustedes** is used.

Because this book uses American Spanish, the vosotros forms were not practiced in the previous drills. However, they are easy to learn:

hablar:	vosotros habláis	**servir:**	vosotros servís
sentarse:	vosotros os sentáis	**haber:**	vosotros habéis
aprender:	vosotros aprendéis	**ser:**	vosotros sois

Practice 8

Change the sentence to the plural, using the **vosotros** form.

MODEL: Tienes que aprender esto.
Tenéis que aprender esto.

1. Estás estudiando mucho.
2. Te despiertas fácilmente.
3. ¿Te mueres de hambre?
4. Conoces a mucha gente aquí.
5. ¿Oyes esa música?
6. ¿Te ríes de mí?
7. ¿Piensas en español?
8. Besas con entusiasmo.
9. Sigues practicando.
10. Puedes entenderlo todo.
11. Te acuestas muy tarde.
12. Eres inteligente pero perezoso.

13. ¿Traes dinero?
14. ¿Sales ahora?
15. ¿Vives cerca?
16. ¿Vas a comer?
17. ¿Prefieres vino o cerveza?
18. ¿Te diviertes en esta clase?
19. ¿Por qué huyes cuando llega la profesora?

II. Imperfect Indicative

A. Regular Verbs

Regular verbs in the imperfect have forms like these:

hablar	comer	escribir
hablaba	comía	escribía
hablabas	comías	escribías
hablaba	comía	escribía
hablábamos	comíamos	escribíamos
hablabais	comíais	escribíais
hablaban	comían	escribían

Practice 9

Talk about what people used to do. Vary the sentence by making it agree with the new subject provided.

1. José hablaba español pero no comía tacos.

   (tú, mi amigo y yo, yo, ustedes)

2. En ese tiempo vivía en Los Ángeles.

   (nosotros, yo, mis padres, tú, ustedes)

B. Irregular Verbs

Stem-changing verbs have no changes in the imperfect and there are only three irregular verbs:

ser:		ir:		ver:	
era	éramos	iba	íbamos	veía	veíamos
eras	erais	ibas	ibais	veías	veíais
era	eran	iba	iban	veía	veían

Practice 10

Talk about what people used to do or were doing. Use the proper imperfect form of the verb in parentheses.

1. No me (gustar) estudiar en esos días.
2. Yo (ser) muy perezoso.
3. Mis padres (ir) a México cada año.
4. ¿Qué (hacer) usted cuando llamaron a la puerta?
5. Cuando eran niños, ¿(ver) ustedes mucha televisión?
6. ¿Cuántos años (tener) usted cuando entró a la universidad?
7. ¿Dónde (estar) ustedes cuando llamé?
8. Nosotros no (saber) que (venir) ustedes hoy.
9. ¿Dices que tú me (ver) pasar todos los días?
10. Miguel y Luisa no (tener) mucho dinero cuando se casaron.
11. Sancho Panza no (ser) caballero sino campesino.
12. Él y Don Quijote (hacer) cosas muy raras a veces.
13. Los dos (ir) combatiendo a los malos y defendiendo a los buenos.
14. Pero Don Quijote (ser) loco en el sentido de que no (ver) el mundo como los demás.
15. Él no (pensar) que sus acciones fueran anacronismos.

Practice 11

Change the sentence from the present to the imperfect so that it states what used to happen.

1. No voy a clases todos los días.
2. ¿Qué piensas del presidente?
3. Prefiero no hablar de política.
4. Mi novia y yo somos estudiantes.
5. ¿Qué dicen ustedes?
6. Nunca nos acordamos de los verbos irregulares.
7. Los perros en esos países se mueren de hambre.
8. ¿Ven ustedes la explicación de eso?
9. Claro. Donde hay gente hambrienta, es lógico.
10. Pero no puedo menos de tenerles lástima.
11. Vamos a El Salvador el año siguiente.
12. Este año tengo que trabajar.
13. ¿Duermen ustedes en la playa?

Practice 12

Vosotros forms in the imperfect. You are talking to some Spanish students. Change the **ustedes** form to the **vosotros** form in each of the following sentences (if you are learning Peninsular Spanish). Omit **ustedes** but do not include **vosotros.**

1. ¿Eran ustedes estudiantes?
2. ¿Iban ustedes a la Universidad de Salamanca?
3. ¿Vivían ustedes en casa?
4. ¿Comían ustedes en la universidad?
5. ¿Viajaban ustedes durante las vacaciones?

III. Preterit

A. Regular Verbs

Regular verbs in the preterit have the following forms:

cantar	entender	vivir
canté	entendí	viví
cantaste	entendiste	viviste
cantó	entendió	vivió
cantamos	entendimos	vivimos
cantasteis	entendisteis	vivisteis
cantaron	entendieron	vivieron

Note that both **-er** and **-ir** verbs end in **-imos** in the first person plural. Only in **-er** verbs is this ending different from the present indicative ending: **comemos** (present), **comimos** (preterit).

Practice 13

Vary the sentence to agree with the new subject provided. Talk about what people did in the past.

1. Los chicos guardaron el dinero para otro momento.
   (yo, el ladrón, tú, mi papá y yo, los mendigos)
2. Anoche Lisa y tú conocisteis al nuevo vecino.
   (tú, yo, nosotros, mis padres, mi hermana)
3. Ya compró Luis otro paquete de maní.
   (tú, los niños, el policía, nosotros, yo)
4. Sufrí un ataque al corazón.
   (el paciente, los mellizos, yo, tú, ella)

B. Verbs with Spelling Changes in the Preterit

Certain types of verbs have spelling changes in the preterit, needed to keep the orthography and the sound (which is regular) in agreement.

1. **g** becomes **gu** before **e:**

   Pagar has the form **pagué** because **page* would represent the wrong sound. (The star before **pagé* means that this form does not occur.) Other verbs in the same category are **negar, jugar, rogar, pegar**, etc.

2. **c** becomes **qu** before **e:**

   Explicar has the form **expliqué** because **explicé* would represent the wrong sound. Other verbs in this category are **buscar, destacar, mascar, sacar**, etc.

3. **z** becomes **c** before **e:**

   Rezar has the form **recé.** This change is not a logical one, since **rezé* would sound the same. However, by tradition, the Spanish orthographic system avoids **z** before **e.** Other verbs in the same category are **alzar, calzar, cazar**, etc.

4. **gu** becomes **gü** before **e:**

   Averiguar has the form **averigüé** since **averigué* would represent the wrong sound. Other verbs in this category are **desaguar, apaciguar, santiguar, aguar**, etc.

5. Unaccented **i** becomes **y** between two vowels:

   Creer becomes **creyó** and **creyeron.** **Creió* and **creieron* have vowel combinations unacceptable in Spanish orthography. Notice that the other forms of such verbs have an accented **í.**

creer	caer	oír
creí	caí	oí
creíste	caíste	oíste
creyó	cayó	oyó
creímos	caímos	oímos
creísteis	caísteis	oísteis
creyeron	cayeron	oyeron

This happens with otherwise regular **-er** and **-ir** verbs whose stem ends in a vowel, such as **leer.**

6. The preterit forms of **ver** (and the other monosyllabic preterit forms, e.g., **di, dio, fui, fue**, etc.) take no accent marks on the first and third person singular endings.

Practice 14

Write the correct form of the preterit on scratch paper, then read over your responses. Some will show spelling changes; some will not. The second time, write your answers in the following spaces.

1. entregar él __________
2. entregar yo __________
3. aplicar yo __________
4. construir yo __________
5. construir él __________
6. construir ellos __________
7. creer nosotros __________
8. creer ellos __________
9. avanzar yo __________
10. averiguar yo __________
11. averiguar ellos __________
12. dirigir yo __________
13. masticar yo __________
14. masticar tú __________
15. ofrecer nosotros __________
16. caer nosotros __________
17. caer tú __________
18. caer ellos __________
19. acercar yo __________
20. seguir yo __________
21. cargar yo __________
22. ver él __________
23. ver yo __________
24. leer ellos __________
25. leer tú __________
26. incluir él __________
27. incluir yo __________

28. apagar yo __________
29. tocar yo __________
30. destruir nosotros __________
31. destruir ellos __________
32. empezar yo __________
33. crear él __________

C. Stem-Changing Verbs in the Preterit

Of the verbs whose stem vowels change in the present, only the **-ir** verbs also have a change in the preterit. Notice that the change occurs only in the third person forms.

dormir	**sentir**	**pedir**
dormí	sentí	pedí
dormiste	sentiste	pediste
durmió	**sintió**	**pidió**
dormimos	sentimos	pedimos
dormisteis	sentisteis	pedisteis
durmieron	**sintieron**	**pidieron**

Practice 15

Change the sentence from present to preterit so as to talk about what happened in the past. Orthographic and stem-changing verbs are mixed with regular verbs.

1. Se divierten leyendo y charlando.
2. Leen poemas románticos.
3. El problema no se resuelve fácilmente.
4. ¿A qué se refiere esta pregunta?
5. Ataco el problema con lógica.
6. Averiguo la respuesta después de contestar.
7. ¿Repites el ejercicio?
8. El alcalde sigue la política del gobernador.

9. Jamás duermo en esa clase.
10. No duermes bastante.
11. Cuelgo los cuadros en la sala.
12. Elijo ropa sencilla pero elegante.
13. La mona se viste de seda pero mona se queda.
14. No sirven pescado crudo.
15. Pido otra cerveza.
16. ¿Cuándo te despides de tu familia?
17. Me despido hoy por la tarde.
18. El perro ya no se mueve.
19. El perro muere de pulmonía.
20. Lo siento mucho.

D. Irregular Verbs

1. Certain very common verbs (and their compounds) exhibit two types of irregularities in the preterit: a variant stem and a variant set of endings.

Example:	**venir**	vin - **e**
		vin - **iste**
		vin - **o**
		vin - **imos**
		vin - **isteis**
		vin - **ieron**

These endings are also found in the following verbs:

poder:	pud - **e**	**estar:**	estuv - **e**	**producir:**	produj - **e**
poner:	pus - **e**	**tener:**	tuv - **e**	**traer:**	traj - **e**
saber:	sup - **e**	**querer:**	quis - **e**		
andar:	anduv - **e**	**haber:**	hub - **e**		
caber:	cup - **e**	**decir:**	dij - **e**		

If the irregular stem ends in **j**, as in verbs such as **traer, decir, producir,** its compounds (**reproducir, contraproducir,** etc.), and other verbs which end in **-ducir,** the third person plural ending has no **i: dijeron, produjeron, trajeron.**

The preterit verb form of **hacer** takes the endings indicated above, and in the third person singular, there is also a spelling change.

hacer:	hic - ***e***	hic - ***imos***
	hic - ***iste***	hic - ***isteis***
	hiz - ***o***	hic - ***ieron***

2. **Ser** and **ir** have the same forms in the preterit: **fui, fuiste, fue, fuimos, fuisteis, fueron.**
3. The preterite forms of **dar: di, diste, dio, dimos, disteis, dieron.**

Practice 16

Repeat the sentence, changing the verb form to the preterit. Tell what happened in the past.

1. Pablo no trae dinero.
2. El negocio no produce mucho.
3. ¿Cómo sabe eso?
4. Deducen el dinero de mi cuenta.
5. ¿Vienes hoy?
6. No tengo tiempo.
7. ¿Tienes que terminar pronto?
8. No me dan tiempo de contestar.
9. Yo hago lo que hace mi padre.
10. Nunca le contradigo.
11. No pones atención.
12. Por fin puedo expresar mi idea.
13. Traduces mal esta frase.
14. ¿Qué haces allí?
15. Hay un incendio atroz en *Chinatown.*

16. ¿Qué dicen ustedes?
17. Sostienen opiniones heterodoxas.
18. Doy poco tiempo para contestar.
19. ¿No quieres oír el concierto?
20. Siempre traemos amigos.
21. No saben nada.
22. Pablo anda muy rápido.
23. Ya voy al laboratorio.
24. Mi abuelo es el director.
25. Mi gran danés no cabe en el *Volkswagen*.
26. No caben todos en el *Volkswagen*.
27. ¿Cuándo vienes?
28. Se van temprano de la fiesta.
29. Nunca están en el laboratorio.
30. ¿Dónde pongo mis cosas?

Practice 17

Regular and irregular verbs of all types are mixed. Continue to talk about the past.

1. Mis padres no me dan mucho dinero.
2. ¿Creen Uds. ese cuento imposible?
3. Pido más libertad.
4. El chico huye del control de sus padres.
5. No puedes negar la verdad.
6. Le explico el problema en detalle.
7. ¿Dónde pones la llave?
8. Soy independiente en mi trabajo.
9. Hay poca gente en la fiesta.
10. Ofrecemos gangas fantásticas.
11. La tecnología crea un mundo nuevo.

12. Introducen nuevas técnicas cada día.
13. Nacen nuevos negocios industriales.
14. Deslizo en el hielo.
15. Traemos ropa nueva.
16. Hoy vamos a ver la otra isla.
17. Coloco los libros en los anaqueles.
18. Hacemos muchos errores por estar nerviosos.
19. ¿Lees revistas de política?
20. Sé que conoces a Ramón.
21. Ella dice que el gobierno no miente.
22. No creo en supersticiones.
23. ¿Oyen la sirena de la policía?
24. Quieren preparar las cuentas.
25. Hoy averiguo la verdad.
26. Veo que aprenden mucho.
27. Llueve esta mañana.
28. Venimos a ayudarte para la fiesta.
29. ¿Te vistes de pirata o de bohemio?
30. Me visto de hombre de negocios.
31. ¿Dónde está Ud. todo el día?
32. Ando buscando casa.
33. ¿Pueden ustedes aguantar ese frío?
34. Sí pero nos ponemos toda la ropa posible.
35. A la mañana siguiente se sienten mejor.
36. ¿Te despides de los tíos ?
37. No, no hay tiempo.
38. ¿Qué construyen?
39. Hacen un parque público.
40. Es imposible usarlo.

Practice 18

(If you are learning Peninsular Spanish.) Change the verbs in the following sentences to the **vosotros** form. Remember, you are talking to more than one person.

1. ¿Fuiste a la playa?
2. ¿Te divertiste mucho?
3. ¿Llamaste anoche?
4. ¿A qué hora te levantaste?
5. ¿Comiste en casa?
6. ¿Te pusiste rojo como un tomate?
7. ¿Quisiste otra copita?
8. Pagaste las cuentas siempre.
9. ¿Leíste o dormiste?
10. Saludaste al vecino.

UNIT 2

Review of Verb Forms:

The Subjunctive and Command Forms

Huyendo del fuego dio en las brasas.

I. Present Subjunctive

A. Regular Forms

The stem of present subjunctive verb forms is the same as that of the **yo** form of the indicative for almost all verbs:

tener:	***(teng*** - o)	teng - ***a***	teng - ***amos***
		teng - ***as***	teng - ***áis***
		teng - ***a***	teng - ***an***
tomar:	***(tom*** - o)	tom - ***e***	tom - ***emos***
		tom - ***es***	tom - ***éis***
		tom - ***e***	tom - ***en***
pedir:	***(pid*** - o)	pid - ***a***	pid - ***amos***
		pid - ***as***	pid - ***áis***
		pid - ***a***	pid - ***an***

The present subjunctive forms have **e** as the theme vowel for verbs of the **-ar** type, while the **-er** and **-ir** type take **a.**

B. Irregular Forms

Exceptions to this pattern are those whose indicative **yo** form does not end in **-o.**

dar:	(doy)	dé, des, dé, demos, deis, den
estar:	(estoy)	esté, estés, esté, estemos, estéis, estén
saber:	(sé)	sepa, sepas, sepa, sepamos, sepáis, sepan
ser:	(soy)	sea, seas, sea, seamos, seáis, sean
ir:	(voy)	vaya, vayas, vaya, vayamos, vayáis, vayan
haber:	(he)	haya, hayas, haya, hayamos, hayáis, hayan

Practice 1

Change the indicative construction to a subjunctive one by prefixing **Espero que...** to the sentence given. Talk about what you hope will happen.

MODELS: Van a la conferencia esta noche.
Espero que vayan a la conferencia esta noche.

No lo saben los profesores.
Espero que no lo sepan los profesores.

1. Julio no se queja mucho.
2. Le gusta esta cerveza.
3. No deben mucho dinero.
4. Conoces a montones de chicas bonitas.
5. No les dicen nada a mis padres.
6. No nos caemos del árbol.
7. Es mi jefe.
8. Están en casa.
9. Puedo convencer a mis amigos.
10. Esa tierra produce café.
11. Hay tiempo.
12. No ríen demasiado.
13. Dan muchos premios.
14. No nos ponemos mal después de comer los tacos.

C. Stem Changes in the Present Subjunctive

Stem-changing verbs have the same changes in the present subjunctive as in the indicative:

cerrar:	**cierr** - *e*	**cerr** - *emos*
	cierr - *es*	**cerr** - *éis*
	cierr - *e*	**cierr** - *en*

-ir verbs with a stem change have an additional change in the **nosotros** and **vosotros** forms which they do not have in the indicative, but the theme vowel **a** and the person markers remain constant, as explained in Section A.

dormir:	duerma	**durmamos**	**sentir:**	sienta	**sintamos**
	duermas	**durmáis**		sientas	**sintáis**
	duerma	duerman		sienta	sientan
pedir:	pida	**pidamos**			
	pidas	**pidáis**			
	pida	pidan			

Notice that the **pedir** type, which changes **e** > **i**, has the same stem vowel in all six forms in this tense.

Practice 2

Change the sentence to agree with the new subjects given.

1. Es posible que Pablo muera pronto.

   (nosotros, tú, yo, vosotros, tú y yo)
2. Es dudoso que ellos sientan calor aquí.

   (yo, tú y tu papá, tú y yo, usted, vosotros)
3. Dudan que ustedes sirvan comida africana.

   (yo, nosotros, este restaurante, vosotros, tú)

Practice 3

Repeat the sentence in the **nosotros** form.

MODEL: Es difícil que duerma aquí.
Es difícil que durmamos aquí.

1. Basta con que cierren la puerta exterior.
2. Es necesario que se vista con elegancia.
3. No creen que pueda terminar eso.
4. Esperan que no sigas ese ejemplo.
5. Parece raro que vuelva a tal hora.
6. Quieren que consiga un buen empleo.

D. Spelling Changes in the Present Subjunctive

Because the Spanish letters **c** and **g** represent one sound before **a, o,** and **u** and another before **i** and **e,** verbs whose stem ends in these letters must change their spelling in certain verb forms in order to reflect correctly their consistent pronunciation. Note the following spelling changes in the present subjunctive.

pagar:	***pague*** (not *page)	**vencer:**	***venza*** (not *venca)
explicar:	***explique*** (not *explice)	**rezar:**	***rece*** (not *reze [in this case, pronunciation is not affected])
dirigir:	***dirija*** (not *diriga)	**averiguar:**	***averigüe*** (not *averigue)
seguir:	***siga*** (not *sigua)		

Practice 4

Write the appropriate form on scratch paper. Then, read it to see how it would sound. Remember to think (in Spanish) about what your sentence is saying.

1. Espero que no se (negar) a contestar.
2. Le pido que se (acercar) más al profesor.
3. Es imposible que nadie (vencer) en tal guerra.
4. Es necesario que la policía (averiguar) la verdad.
5. Es costumbre que se (rezar) por los difuntos.
6. Prefieren que tú y yo (buscar) otro empleo.
7. El profesor pide que tú (entregar) tus exámenes.
8. Es dudoso que David (seguir) toda la carrera.
9. A mi amigo no le gusta que los hombres lo (abrazar).
10. Es mejor que Ud. (colgar) las plantas en el patio.
11. Prefiero que los chicos no (tocar) los platos.
12. Ojalá que ustedes (conseguir) otro apartamento.
13. Es mejor que el grupo te (exigir) tu cooperación.

Practice 5

Verbs with spelling changes are mixed with stem-changing and irregular verbs in this exercise. Write the appropriate form on scratch paper. Then, read it to see how it would sound. Remember to think (in Spanish) about what your sentence is saying.

1. Espero que tu mamá (sentirse) mejor hoy.
2. Cuando nosotros (morirse), ¿a dónde iremos?
3. ¡Por favor, señorita, no (moverse)!
4. No creo que los muchachos te (oír).
5. Es necesario que ustedes (empezar) en seguida.
6. Es mejor que ellos (pagar) en persona.
7. Dudo que (haber) otro hombre como tú.
8. Ojalá que el niño no (caerse).
9. El policía le manda que (detenerse).
10. Nos lleva al aeropuerto para que (despedirse).
11. No (negar) usted eso.
12. ¿Es posible que la economía (avanzar) tanto como la técnica?
13. Antes de que (dormirse), tú debes limpiar la cocina.
14. El ladrón entra sin que nadie lo (saber).
15. Aunque no lo (parecer), Julio es de familia china.
16. ¿Dónde me dice Ud. que (poner) estos paquetes?
17. En cuanto (llegar) Juana, todos irán a saludarla.
18. Quiero que Ud. me (explicar) la moraleja de este cuento.
19. Espero que no te (ir) tan pronto.
20. Al juez no le parece que Judas (merecer) esa sentencia.
21. Piden que nosotros (vestirse) de payasos.
22. No (tocar) usted esos alambres eléctricos.
23. ¿Crees que el anillo (valer) mil dólares?
24. Quiero que ustedes (entregar) sus temas mañana.
25. No (ser) Ud. tan tímido.
26. Ojalá que Inés y yo (conseguir) el contrato.
27. Será mejor que ustedes (dirigirse) a la comisaría.

II. Imperfect Subjunctive

The forms of this tense can be learned most conveniently by relating them to the preterit. Any irregularity found in the preterit is also found in the imperfect subjunctive. The third person plural is the form to be used as a referent.

tener	3rd pl. pret.	= **tuvier-on**
	Imperfect subj.	= **tuvier-a, tuvier-as, tuvier-a, tuviér-amos, tuvier-ais, tuvier-an**
dormir	3rd pl. pret.	= **durmier-on**
	Imperfect subj.	= **durmier-a, durmier-as, durmier-a, durmiér-amos, durmier-ais, durmier-an**
pasar	3rd pl. pret.	= **pasar-on**
	Imperfect subj.	= **pasar-a, pasar-as, pasar-a, pasár-amos, pasar-ais, pasaran**

For the alternative imperfect subjunctive form, the endings have the syllable **se** instead of **ra: tuviese, tuvieses, tuviese, durmiese, durmieses, durmiésemos, pasase, pasásemos**, etc.

Practice 6

Repeat the following sentences using the imperfect subjunctive of the verb given in parentheses. Think about what you are saying.

MODEL: Pedían que ustedes no (dormir) en la biblioteca.
Pedían que ustedes no durmieran en la biblioteca.

1. Parecía probable que todos nosotros (caerse).
2. No creía que esa clase me (convenir).
3. No convenía que tú (negar) haber ido.
4. Te ayudé para que tu trabajo (ser) menos penoso.
5. Si (estar) presente tu papá, no hablarías así.
6. Si ustedes no (proponer) buenos candidatos, ganaría el otro partido.

7. Si (caber), mil personas vendrían a ver el juego.
8. Antes que los ladrones (conseguir) abrir la puerta, llegó la policía.
9. Si no me (sentir) tan mal, los acompañaría.
10. Parecía imposible que Romeo (vivir) sin Julieta.
11. Si no (haber) tantos verbos irregulares, yo no sufriría tanto con ellos.
12. Para que la audiencia (reírse) el cómico hacía payasadas.
13. Me sorprendió que Pedro (andar) con tales gentes.
14. Por mucho que nosotros (querer) engañar al viejo, él era más listo.

Practice 7

Change the **tú** form to the **vosotros** form in the following sentences. Imagine that you are talking to a couple of Spanish friends.

1. Si tuvieras tiempo, nos quedaríamos para charlar.
2. El vecino pidió que bajes el volumen a la música.
3. Debieras pensar más en el futuro.
4. Sería mejor que no comieras tanto.
5. Quisiera que vinieras más temprano.

Practice 8

Change the **ustedes** forms to **vosotros** forms. Again, you are talking to your Spanish friends.

1. Quiero que se levanten temprano.
2. Es bueno que se vistan con calma.
3. Pido que vayan directamente a la cafetería.
4. Prefiero que coman bien.
5. Es bueno que lean el periódico mientras comen.
6. Espero que no se duerman en sus clases.
7. Deseo que se sientan bien.
8. Espero que no se mueran de calor.
9. Prefiero que vuelvan a casa a buena hora.
10. Confío que piensen en lo que digo.

III. Command Forms

A. *Usted* Commands

Tenga usted cuidado con esto. Es para su padre.

Lléveselo hoy sin falta pero **no le diga** quién se lo dio.

The verb forms used for commands with **usted** or **ustedes** as subjects are present subjunctives. There is no distinction in form between negative and affirmative commands except for the placement of the object pronouns, which go after and are attached to affirmative commands.

Practice 9

Order people to do the opposite of what they are reported to be doing. Follow the example.

MODELS: Los niños caminan por la calle.
Niños, no caminen por la calle.

Las chicas llegan tarde a casa.
Chicas, no lleguen tarde a casa.

1. El profesor olvida el libro.
2. El profesor no corrige los ejercicios.
3. El profesor comete muchos errores.
4. El profesor no nos dice qué vamos a hacer.
5. El profesor nos da muchas tareas.
6. El profesor no termina la clase a tiempo.
7. El profesor prefiere a los estudiantes más inteligentes.
8. El profesor habla mucho en clase.
9. El profesor no deja hablar a los estudiantes.
10. El profesor dice "muy bien, muy bien" todo el tiempo.

Practice 10

Use **usted** commands in answering these questions. Use object pronouns. Follow the models.

MODELS: ¿Compro el vino? (No)
No, no lo compre.

¿Tomo esta medicina? (Sí)
Sí, tómela (usted).

1. ¿Doctor, cierro la puerta? (No)
2. ¿Doctor, traigo el termómetro? (Sí)
3. ¿Doctor, le tomo la temperatura al enfermo? (Sí)
4. ¿Le quito los zapatos al enfermo? (Sí)
5. ¿Acuesto al enfermo? (No)
6. ¿Le doy la pastilla al enfermo? (No)
7. ¿Le sacamos una radiografía? (No)
8. ¿Le aplicamos la inyección? (No)
9. ¿Llamo a la otra enfermera? (Sí)
10. ¿Dejamos solo al enfermo? (Sí) Commands

B. *Tú* Commands

Ten cuidado con esto. Es para tu padre.

Llévaselo hoy sin falta pero **no le digas** quién te lo dio.

The verb forms used for commands with **tú** as subject are not the same for affirmative and negative commands. Negative commands are present subjunctive forms. Affirmative commands are a special set of forms called the imperative. They are identical with the third person singular of the present indicative, with the exception of eight shortened forms.

IMPERATIVES

tomar:	toma	Toma este dinero.
comer:	come	Cómete las espinacas.
pedir:	pide	Pide permiso a tus padres.

Shortened Forms

decir:	di	Dime lo que quieres.
hacer:	haz	Hazme un favor.
ir:	ve	Ve a casa.
poner:	pon	Ponte los zapatos.
salir:	sal	Sal de aquí.
ser:	sé	Sé bueno.
tener:	ten	Ten cuidado.
venir:	ven	Ven acá.

Practice 11

Using the **tú** command forms tell the person referred to in the sentence to do what he is said not to be doing.

MODELS: Ramón no se levanta temprano.
Ramón, levántate temprano.

Rosita no toma su leche.
Rosita, toma tu leche.

1. Ramón no irá a la escuela.
2. Rosita no lava los platos.
3. Ramón no dice la verdad.
4. Rosita no hace su cama.
5. Ramón no juega con Pedro.
6. Rosita no sigue tus consejos.
7. Ramón no tiene paciencia.
8. Ramón no pone los libros en la mesa.
9. Rosita no se pone los zapatos.
10. Ramón no se lava las orejas.
11. Rosita no es paciente con su hermano.
12. Rosita no se sienta derecha.

13. Ramón no viene a visitarte.
14. Rosita no sale de su cuarto.
15. Ramón no se peina.

Practice 12

Using the **tú** command forms, tell Pedro not to do what he is said to be doing.

MODELS: Pedro habla todo el tiempo.
Pedro, no hables todo el tiempo.

Pedro se pone esa chaqueta vieja.
Pedro, no te pongas esa chaqueta vieja.

1. Pedro se come todo el pastel.
2. Pedro me hace perder la paciencia.
3. Pedro deja su cuarto en desorden.
4. Pedro sale a la calle sin camisa.
5. Pedro dice mentiras.
6. Pedro va a la escuela sin prepararse.
7. Pedro nos hace esperar.
8. Pedro toma más cerveza de la que debe.
9. Pedro va a visitar a su abuela.
10. Pedro viene a clase todos los días.

Practice 13

Respond to the following questions with a **tú** command according to the clue given in parentheses. Use pronouns when possible.

MODELS: ¿Compro el periódico? (Sí)
Sí, cómpralo (por favor).

¿Puedo ir de compras hoy? (No)
No, no vayas hoy.

1. ¿Pongo las noticias en el radio? (Sí)
2. ¿Debo levantarme temprano? (No)

3. ¿Tengo que terminar este ejercicio ahora? (No, más tarde)
4. ¿Preparo el desayuno? (Sí)
5. ¿Quieres que te sirva el café? (Sí)
6. ¿Te traigo el periódico? (Sí)
7. ¿Le doy de comer al perro ahora? (Ahora no, esta noche sí)
8. ¿Contesto el teléfono? (Sí)
9. Es tu amigo José. ¿Qué le digo? (Nada).
10. ¿Quieres que vaya al centro contigo hoy? (Sí... Answer using venir.)
11. ¿Pago las cuentas hoy? (No, mañana)
12. ¿Voy contigo o voy con José? (con José)
13. ¿Hago este trabajo aquí? (No)
14. ¿Traduzco estas frases? (No)
15. ¿Pongo el libro en el estante? (Sí)

Practice 14

Answer the question with a command followed by **tú.** Study the models.

MODELS: ¿Quién va a comprar las cervezas?
Cómpralas tú.

¿Quiéres que él sirva las cervezas?
No, sírvelas tú.

1. ¿Quién va a mandar las invitaciones?
2. ¿Quién va a invitar a tu padre?
3. ¿Quieres que él pida la cuenta?
4. ¿Quién va a usar el coche?
5. ¿Quieres que yo siga a Ramón?
6. ¿Quieres que Ramón comience el partido?
7. ¿Quién va a escribirles la carta a los invitados?
8. ¿Quieres que mamá te compre la camisa?
9. ¿Quién va a darles la noticia?
10. ¿Quieres que Ramón salga primero?

11. ¿Quieres que Ramón haga la cama?
12. ¿Quieres que Ramón les explique la lección a Uds.?
13. ¿Quién va a traer todos los paquetes?
14. ¿Quieres que yo organice la reunión?
15. ¿Quieres que yo conduzca la reunión?

C. Indirect Commands

1. —Don Luis, hay un señor aquí que quiere hablarle.
   Don Luis, there is a man here who wants to speak to you.

   —Pues, que vuelva dentro de una hora. Estoy muy ocupado ahora.
   Well, have him come back in an hour. I'm too busy now.
2. —Mira, hijo, que no te vea otra vez fumando o se lo digo a tu papá.
   Look, son, don't let me see you smoking again or I'll tell your dad.

Sentences beginning with **que** and with the verb in the present subjunctive are used as indirect commands. They are called indirect commands because typically they are given to one person but are to be carried out by someone else.

Practice 15

Practice shirking responsibility. Get Felipe to do things instead of you. Follow the models.

MODELS: ¿Quién va a esperar a las chicas, tú o Felipe?
Que las espere Felipe.

¿Quién compra la cerveza, tú o Felipe?
Que la compre Felipe.

1. ¿Quién les dará la noticia de la fiesta, tú o Felipe?
2. ¿Quién va a traer a las chicas, tú o Felipe?
3. ¿Quién manejará el coche, tú o Felipe?
4. ¿Quién va a pagar la gasolina, tú o Felipe?
5. ¿Quién va a sacar el dinero del banco, tú o Felipe?
6. ¿Quién va a tocar la guitarra, tú o Felipe?

7. ¿Quién le dirá a mamá lo de la fiesta, tú o Felipe?
8. ¿Quién va a servir las bebidas, tú o Felipe?
9. ¿Quién va a limpiar después de la fiesta, tú o Felipe?
10. ¿Quién va a hacer todo el trabajo, tú o Felipe?

D. *Nosotros* Commands or Let's + Verb

1. —Hablemos de otra cosa.
   Let's talk about something else.
2. —Vamos a hablar de otra cosa.
   Let's talk about something else, or, We're going to talk about something else.
3. —Sentémonos aqui en la última fila.
   Let's sit here in the last row.
4. —No nos quedemos aquí.
   Let's not stay here.
5. —No vamos a quedarnos aquí.
   We aren't going to stay here.
6. —Vámonos. Vamos al cine.
   Let's go. Let's go to the movies.
7. —Digámoselo = Digamos + se + lo.
   Let's tell him so.

The meaning of English "Let's do something" is expressed in Spanish either by **vamos a** plus an infinitive, or by the **nosotros** form of the present subjunctive. The context is normally sufficient to show whether **Vamos a hablar** means "Let's talk," or, "We are going to talk." In the negative, only the subjunctive (not the **vamos a** variant) is used.

Vamos and **vámonos** are the forms of **ir**, and **vayamos** is not used in this meaning. (**Vamos** was a subjunctive form in Old Spanish.)

Object pronouns are placed as with other commands. However, before **nos** or **se**, the final **s** is dropped (examples 3 and 7).

Practice 16

Practice the "Let's + verb" construction following the models given. Be a leader and decide what we should do.

MODELS: ¿Hacemos los ejercicios? (Sí, No)
Sí, hagámoslos.
No, no los hagamos.

Hagamos los ejercicios ahora. (Está bién)
Está bién, hagámoslos.

Hagamos los ejercicios ahora. (No)
No, no los hagamos.
Vamos a hacer los ejercicios. (Sí/No)
Sí, hagámoslos.
No, no los hagamos.

1. ¿Entramos? (Sí)
2. ¿Subimos a pie al tercer piso? (No)
3. ¿Les prestamos el dinero? (Sí)
4. Vamos a comer. (Está bién)
5. Terminemos esta lección. (Está bien)
6. Vamos a sentarnos aquí. (No)
7. ¿Nos sentamos allá? (Sí)
8. Dejemos a los novios solos. (Sí)
9. Contestemos estas preguntas. (No)
10. Vámonos ya. (No)
11. ¿Salimos de aquí? (Está bien)
12. Entremos a ese bar. (No)
13. ¿Los convencemos de su error? (Sí)
14. ¿Nos levantamos mañana temprano? (Sí)
15. Almorcemos aquí, ¿quieres? (Sí)

Practice 17

Translate the following expressions. Give two versions for the affirmative ones.

1. Let's talk to the girls.
2. Let's buy some ice cream.

3. Let's eat.
4. Let's not go yet.
5. Let's see.
6. Let's give it to them (it = la carta).
7. Let's not sit down.
8. Let's not give it to them (it = el dinero).
9. Let's not do it now.
10. Let's get up early tomorrow.

E. *Vosotros* Commands

1. —No digáis más.
   Don't say anymore.
2. —Decid siempre la verdad (o casi siempre).
   Always tell the truth (or almost always).
3. —Sentaos aquí a mi lado.
   Sit here by my side.
4. —No os levantéis tan tarde.
   Don't get up so late.
5. —Idos y no volváis más.
   Go away and don't come back again.

In the standard Castilian dialect, the plural of **tú** is vosotros. The corresponding negative commands are the **vosotros** forms of the present subjunctive. The affirmative command or imperative is formed by replacing the **-r** of the infinitive with a **d.**

comer	>	comed
hablar	>	hablad
ir	>	id

When **os** is added, in reflexive verbs, this **-d** is dropped, except in the verb **id** (< **ir**).

Practice 18

Change these **ustedes** commands to **vosotros** forms. Follow the models and talk to your Spanish teenagers.

MODELS: Terminen a las seis.
Terminad a las seis.

No vuelvan tan tarde.
No volváis tan tarde.

Acuéstense temprano.
Acostaos temprano.

1. No caminen por la carretera.
2. Traigan esos cassetes.
3. Limpien la grabadora.
4. No derramen vino en la alfombra.
5. Bailen con todas las chicas.
6. No manejen si han tomado.
7. Apaguen las luces al salir.
8. No se olviden de dar las gracias.
9. Pongan todas las botellas vacías en la basura.
10. Traten de no hacer tanto ruido.
11. Tengan cuidado con el dinero.
12. Sean bondadosos con sus hermanos.
13. Salgan por la puerta principal.
14. Lávense las manos.

UNIT 3

Review of Verb Forms:

Future, Conditional, Compound Tenses, and Gerund

Júntate con los buenos y serás uno de ellos.

I. Future Tense

A. Regular Verbs

Regular future verbs are formed in all conjugations by adding a set of endings to the infinitive:

(yo)	(tú)	(él, ella, Ud.)
hablar- / comer- / subir- } **-é**	hablar- / comer- / subir- } **-ás**	hablar- / comer- / subir- } **-á**
(nosotros)	(vosotros)	(ellos, ellas, Uds.)
hablar- / comer- / subir- } **-emos**	hablar- / comer- / subir- } **-éis**	hablar- / comer- / subir- } **-án**

Practice 1

Modify the sentence to correspond with the new subject provided.

1. Mañana comeremos pollo frito.

   (yo, ustedes, tú, La Pachacha, David y yo)

2. No empezarás a trabajar hasta el verano.

   (yo, nosotros, mis hijos, el director, tú)

B. Irregular Verbs

A number of verbs have shortened or otherwise modified stems in the future:

tener:	tendr-***é, ás, á, emos, éis, án***
saber:	sabr-***é***
venir:	vendr-***é***
caber:	cabr-***é***
poner:	pondr-***é***
poder:	podr-é
valer:	valdr-***é***
salir:	saldr-***é***
haber:	habr-***é***
decir:	dir-***é***
hacer:	har-***é***
querer:	querr-***é***

Practice 2

Reply in the future, as in the models. Everything will happen tomorrow. Use a **tú** form to reply to first person questions. Use other persons when they are appropriate.

MODELS: ¿Voy a verte esta tarde?
No, pero me verás mañana.

¿Vas a saber estos verbos hoy?
No, pero los sabré mañana.

1. ¿Me lo vas a decir ahora?
2. ¿Van ustedes a detener el tren esta noche?
3. ¿Va a haber mucha gente hoy?
4. ¿Vamos a ser perezosos hoy tú y yo?
5. ¿Va a venir hoy tu compañero?
6. ¿Vas a perder todo tu dinero hoy?
7. ¿Vale mucho dinero tu casa hoy?
8. ¿Vamos a hacer el trabajo hoy ?
9. ¿Voy a tener tiempo para todo?
10. ¿Vas a salir esta noche?
11. ¿Van a concedernos el permiso hoy?
12. ¿Vamos a querer estudiar esta noche tú y yo?
13. ¿Van a oponerse tus padres a que salgamos hoy?

14. ¿Deben ustedes devolver esas cosas ahora?
15. ¿Vamos a saber hoy tu respuesta?
16. ¿Me conviene callarme ahora?
17. ¿Hay tiempo de terminar hoy?
18. ¿Te pones hoy el traje nuevo?
19. ¿Podemos salir juntos tú y yo?

Practice 3

Talk to your Spanish friends. Change from **ustedes** forms to **vosotros** forms.

1. ¿Cuándo terminarán ustedes esta sección?
2. ¿Aprenderán algo de valor?
3. ¿Tendrán ganas de hacer otra cosa?
4. ¿Cabrán todos ustedes en mi Toyota?
5. ¿Recordarán estas formas con tan poca práctica?

II. The Conditional

The stem in the conditional is the same as that in the future tense.

escribir	tener
escribir-***ía***	tendr-***ía***
escribir-***ías***	tendr-***ías***
escribir-***ía***	tendr-***ía***
escribir-***íamos***	tendr-***íamos***
escribir-***íais***	tendr-***íais***
escribir-***ían***	tendr-***ían***

Practice 4

Transform the following sentences to express contrary-to-fact conditions by changing the first verb to the conditional and the second to the imperfect subjunctive. You are going to talk about what would happen if the conditions were right.

MODELS: Vamos a la playa hoy si podemos.
Iríamos a la playa hoy si pudiéramos.

Salen de noche si les permiten.
Saldrían de noche si les permitieran.

1. No puedo trabajar este año si quiero graduarme en junio.
2. Caben tres sillas aquí si sacamos esa mesa.
3. Digo la verdad si la sé.
4. Se oponen a nuestros planes si no les pedimos permiso.
5. Hay más tiempo para estudiar si uno no vive lejos de la universidad.
6. Vale más esta tierra si hay agua cerca.
7. No riego las plantas si llueve.
8. No podemos estudiar si escuchamos música popular.
9. Quieres ver esa película si la pasan de día.
10. No me gusta bañarme si hay muchos chicos en el agua.
11. Hace mucho calor si no hace viento.

III. The Past Participle

Regular past participles are formed by adding **-ado** to **-ar** verbs and **-ido** to **-er** and **-ir** verbs:

tomar: tomado; comer: comido; salir: salido.

The following have irregular forms:

abrir:	abierto	**morir:**	muerto
cubrir:	cubierto	**poner:**	puesto
decir:	dicho	**romper:**	roto
escribir:	escrito	**ver:**	visto
freír:	frito (freído)	**volver:**	vuelto
hacer:	hecho		

Practice 5

Answer the question by saying that the action asked about is already done. Remember to make the participle agree with the subject.

MODELS: ¿Cuándo se terminarán los ejercicios?
Ya están terminados.

¿Piensas abrir el regalo ahora?
Ya está abierto.

1. ¿Van a sacar las fotografías?
2. ¿Se descubrirá alguna técnica para convertir en electricidad la energía del sol?
3. ¿Piensas freír las papas?
4. ¿Morirán los abuelos sin ver a sus bisnietos?
5. ¿Te acordarás de cerrar la puerta con llave?
6. ¿Compondrá la clase de música una sinfonía pastoral?
7. ¿Sabes contestar la pregunta número 6?
8. ¿Pusiste en la pared el nuevo mapa del mundo?
9. ¿Se dormirán pronto los niños?
10. ¿Sabrá el presidente prever el desastre del SIDA en su país?

11. ¿Podremos pedir los platos que queremos?
12. ¿Piensas devolver los libros que sacaste?
13. ¿Hay que cubrir los muebles?
14. ¿No vas a vestir a la niña?

IV. Compound Tenses

A. Present Perfect

The past participle is used with forms of the verb **haber** in the various compound tenses. Notice that in these constructions the participle always ends in **-o.**

he tomado	hemos tomado
has tomado	habéis tomado
ha tomado	han tomado

Practice 6

Change the sentence to the present perfect. Think about things which have happened.

MODEL: Tienes que matar las cucarachas.
Has tenido que matar las cucarachas.

1. Nos invitan a cenar el sábado.
2. Abro una cuenta en el banco.
3. No hacemos nada hoy.
4. Julio nunca oye música clásica.
5. Les escribo cartas a todos mis amigos.
6. Siempre sirven alimentos exóticos.
7. No seguimos sus indicaciones.

8. Rompes todos los platos nuevos.
9. Los soldados no vuelven del extranjero.

B. Pluperfect

había cubierto	habíamos cubierto
habías cubierto	habíais cubierto
había cubierto	habían cubierto

Practice 7

Change the sentence to the pluperfect. Talk about things which had happened already before a particular moment in the past.

MODEL: A las dos terminó el proyecto.
A las dos había terminado el proyecto.

1. Antes de los diez años yo vi mucho del mundo.
2. Antes de mi regreso se puso el sol.
3. Me dieron papas que no se frieron bien.
4. En realidad se descubrió el Nuevo Mundo antes de 1492.
5. Las palmeras crecieron mucho desde mi infancia.
6. Nos morimos pero no fuimos al cielo.
7. Pecaste mucho, ¿verdad?
8. No, jamás rompí un mandamiento.
9. Pues algo muy malo hicieron ustedes.

C. Future Perfect

me habré cansado	nos habremos cansado
te habrás cansado	os habréis cansado
se habrá cansado	se habrán cansado

In addition to its literal meaning, the future perfect is commonly used to express what probably occurred in the past.

Practice 8

Change the sentences to express probability in the past using the future perfect. Talk about things which probably happened or must have happened. Eliminate the word **probablemente**.

MODELS: Probablemente hubo varios accidentes.
Habrá habido varios accidentes.

Probablemente te dijeron un montón de mentiras.
Te habrán dicho un montón de mentiras.

1. Probablemente no les gustó la idea.
2. Probablemente leímos eso antes.
3. Probablemente dejé mis libros en casa de mi novia.
4. Cristóbal Colón probablemente fue un niño descontento.
5. Ustedes probablemente oyeron ese disco ya.
6. Probablemente te moriste de risa.
7. Charlie Chaplin probablemente hizo veinte películas o más.
8. Probablemente dije algo ofensivo sin darme cuenta.

D. Conditional Perfect

habría vuelto	habríamos vuelto
habrías vuelto	habríais vuelto
habría vuelto	habrían vuelto

These forms talk about what would have happened under certain conditions.

Practice 9

Finish the second sentence by saying that the person would have done the action asked about. See the models.

MODELS: ¿Devolvieron ustedes esos libros? (No, pero si hubiéramos tenido tiempo...)
No, pero si hubieramos tenido tiempo los habríamos devuelto.

¿Se quejó tu papá? (No, pero si hubiera sabido la verdad...)
No, pero si hubiera sabido la verdad se habría quejado.

1. ¿Escribiste al presidente? (No, pero si hubiera tenido tiempo...)
2. ¿Hizo frío ayer? (No, pero si no hubiera llovido...)
3. ¿Fueron ustedes a la tertulia? (No, pero si no hubiéramos tenido examen hoy...)
4. ¿El relojero te compuso el reloj? (No, pero si le hubiera pagado...)
5. ¿Fue difícil el ejercicio? (No, pero si no me hubieran ayudado...)

E. Present Perfect Subjunctive

haya sabido	hayamos sabido
hayas sabido	hayáis sabido
haya sabido	hayan sabido

Use this tense in dependent clauses as equivalent to the preterit or present perfect indicative after a main clause in the present: **Es probable que haya llegado ayer.** *(It is probable that he got in yesterday.)*

Practice 10

Answer the question by completing the incomplete answer provided. See the model.

MODEL: ¿Fueron tus padres al concierto de anoche?
No, no creo... No, no creo que hayan ido.

1. ¿Hemos establecido una paz permanente? No, no es posible...
2. ¿Comenzó Alejandro por fin la construcción de su casa? No sé. Espero que...

3. ¿Murió en el accidente el otro hermano también? Ojalá que no...
4. ¿Se rompió la ventanilla en el choque? No, no creo que...
5. ¿Hemos dicho algo para disgustar al jefe? Es posible que... algo así.
6. ¿Crees que el culpable fui yo? No, no creo que... tú.
7. ¿Qué hicieron los chicos fuera de ver televisión? No me parece que... nada.
8. ¿Leyó el profesor tu composición? No, no es posible que la...
9. ¿Crees que ya llegaron todos los invitados? Sí, espero que...
10. ¿Temes que se despierten los niños con el ruido? Sí, pero espero que no se...

F. Pluperfect Subjunctive

hubiera acabado	hubiéramos acabado
hubieras acabado	hubierais acabado
hubiera acabado	hubieran acabado

Use this tense as the subjunctive equivalent of the pluperfect indicative or conditional perfect.

Practice 11

Use the pluperfect with **ojalá** to wish that the thing referred to had not happened.

MODEL: El presidente fue asesinado en Dallas.
Ojalá que no hubiera sido asesinado.

1. Llovió el día del Rose Bowl.
2. Se acabó el vino.
3. Volvieron anoche tus padres.
4. Tu abuela se puso un bikini mínimo.
5. Freímos el arroz en lugar de hervirlo.
6. Cubrimos la mesa con resina.

7. ¡Anoche hizo tanto viento!
8. Decidí no estudiar latín.
9. No le dijimos la verdad.
10. No acabé el ejercicio.

General Practice on Compound Tenses

(To be done with books open.)

Complete the sentence by changing the infinitive to the form needed to express the idea given in English.

MODEL: Nosotros apenas (empezar).
We have just started.
Nosotros apenas hemos empezado.

1. Ustedes podrán descansar después de que (terminar).

   You will be able to relax after you have finished.
2. ¿Dónde (tú form of vivir) antes de venir aquí?

   Where had you lived before coming here?
3. Si John Kennedy no (ser) asesinado habría ganado otra elección.

   If John Kennedy had not been assasinated, he would have won another election.
4. Yo nunca (manejar) un Cadillac.

   I have never driven a Cadillac.
5. (future perfect of llover) mucho anoche, según parece.

   It must have rained a lot last night from the looks of things.
6. ¿(tú form of quejarse) si te hubieran pagado a tiempo?

   Would you have complained if they had paid you on time ?
7. (haber) muy pocas fiestas este año.

   There have been very few parties this year.
8. Nosotros (plantar) varios papayos pero sólo creció uno.

   We had planted several papaya trees, but only one grew.
9. Parece imposible que esos muchachos nunca (pres. perf. subj. of ver) una vaca.

   It seems impossible that these boys have never seen a cow.

10. Es que ellos jamás (salir) de la ciudad.

    It is because they never had gone out of the city.

11. Antes de regresar todos (ver) muchas cosas nuevas.

    Before they return they all will have seen many new things.

Practice 12

Vosotros forms in the compound tenses. Change the sentence from the **ustedes** to the **vosotros** form. Talk to your Spanish friends.

1. ¿Qué han hecho ustedes?
2. Si hubieran estado aquí, habrían conocido a la nueva esposa de José.
3. ¿Habían ido a la biblioteca?
4. Espero que no hayan perdido la tarde.
5. Habrán pasado la noche charlando.
6. ¿Han visto ustedes la película *Lo que el viento se llevó?*
7. La habrán visto hace años.

V. Gerund (*–ndo* Form)

A. Regular forms: **tomando, comiendo, viviendo**

B. Stem-changing forms—No change in **-ar** and **-er** verbs, only in the **-ir** group: **sentir:** sintiendo; **morir:** muriendo; **pedir:** pidiendo

C. Irregulars and orthographic changes: **destruir:** destruyendo; **huir:** huyendo; **oír:** oyendo; **ir:** yendo; **leer:** leyendo; **decir:** diciendo; **poder:** pudiendo; **reir:** riendo; **venir:** viniendo

Practice 13

Change the verb to a progressive form as in the model.

MODEL: El árbol se muere poco a poco.
El árbol se está muriendo poco a poco.

1. Mamá no te dice una mentira.
2. Ahora los obreros piden más sueldo y menos trabajo.
3. Leo un ejercicio interesantísimo.
4. Llueve mucho este año.
5. Los niños duermen como unos santos.
6. Busco la perfección.
7. ¿No me oyen?
8. ¿Por qué se ríen?

Practice 14

The idea *by doing something* is expressed in Spanish with the **-ndo** form, not with the preposition **por**. Answer the following questions about how you do something by using that form of the verb provided in parentheses, as in the model.

MODELS: ¿Cómo se expresa la idea *by using?* (usar el gerundio)
Se expresa usando el gerundio.

¿Cómo se prepara este plato? (seguir la receta)
Se prepara siguiendo la receta.

1. ¿Cómo se reacciona al oír un buen chiste? (reír)
2. ¿Cómo se aprende a tocar la guitarra? (practicar)
3. ¿Cómo pasan el tiempo los adolescentes? (oír música popular o ver televisión)
4. ¿Cómo se puede comprar un billete? (venir muy temprano)
5. ¿Cómo se forma una sociedad enteramente nueva? (destruir la vieja)
6. ¿Cómo celebran la Navidad en los EE.UU.? (darse regalos)
7. ¿Cómo recobra uno sus fuerzas? (dormir)
8. ¿Cómo evitas que tu papá se enoje? (pedir permiso y volver temprano a casa)
9. ¿Cómo se aprende español? (estudiar, pensar y hablar en español)
10. ¿Cómo procura mantener la paz la ONU? (servir de canal de comunicación entre los países)
11. ¿Cómo llaman la atención algunas personas? (vestirse con ropa rara)

UNIT 4

Ser, Estar, and *Haber (Hay)*

No es oro todo lo que reluce.

I. With *–ndo* Forms

Of these three verbs (**ser**, **estar**, and **haber**), only **estar** is used with **-ndo** forms:

Estoy estudiando español.

Practice 1

Answer the question by using an **-ndo** form to say that the action is going on now.

MODEL: ¿Llueve mucho en Seattle?
Sí, está lloviendo ahora.

1. ¿Habla usted español?
2. ¿Toma vodka el profesor ruso?
3. ¿Practica usted mucho el español?
4. ¿Se fija usted en los usos de estar?

II. Location of Entities vs. Location of Events

Estar is used in telling where something is located:

Honolulu está en Hawai.

However, sentences telling where some kind of event (a concert, a class, a dance, a game, etc.) is being held or taking place use **ser**:

¿Dónde es el baile?

Practice 2

Use the present tense of **ser** or **estar** appropriately in the blank.

1. Yo __________ leyendo un ejercicio sobre ser y estar.
2. Usted no __________ conmigo.
3. El salón de actos __________ en el otro edificio.
4. El partido con Stanford __________ en el estadio municipal.
5. ¿Y dónde __________ el baile después?
6. Mis padres no __________ aquí.
7. ¿Dónde __________ los Juegos Olímpicos la próxima vez?
8. El Mar Muerto __________ en Israel.
9. __________ haciendo mucho viento.
10. ¿El concierto de música flamenca __________ aquí?
11. Pues, ¿dónde __________ los guitarristas?
12. Todos __________ en el baile del club español.
13. __________ charlando con las chicas.

III. *Haber* for Existence

The use of **haber** in the third person singular (**hay** in the present indicative) to speak of the existence of something should not be confused with the use of **estar** to speak of location explained above:

Hay tres hoteles en esta ciudad. Todos ***están*** en esta calle.

Practice 3

Select **hay** or a form of **estar** to use in the following sentences.

1. ¿Dónde __________ un buen hotel?
2. ¿En qué calle __________?
3. No __________ nadie aquí.

4. __________ olas grandes en el norte durante el invierno.
5. __________ tres botellas en la mesa.
6. ¿Dónde __________ la otra botella?
7. __________ en mi mano.
8. Pero no __________ nada adentro.
9. ¿Dónde __________ el vino?
10. __________ dentro de mi barriga.
11. Ahora no __________ más que aire en la botella.
12. El aire __________ en la botella.
13. __________ aire también en su barriga?

IV. *Estar* with Certain Adjectives

Certain adjectives and phrases are used only with **estar**, not with **ser**. The next exercise constitutes a list of some of the most common ones.

Practice 4

Answer as in the model using **estar**. Be sure you think of the meaning by picturing the situation in your mind.

MODEL: ¿Hallaste vacío el restaurante nuevo? (Estar vacío...)
Sí, está vacío.

1. ¿La botella mágica siempre está llena de vino? (Estar llena de...)
2. ¿Está harta de comer la niña? (Estar harto de...)
3. ¿Y los chicos se encuentran contentos en la playa? (Estar contento...)
4. ¿Las monjas se pusieron de rodillas en la iglesia? (Estar de rodillas...)
5. ¿Parece que la mesera trabaja de pie todo el día? (Estar de pie...)

6. ¿Después que el viejo perdió su trabajo se encuentra de vacaciones siempre? (Estar de vacaciones...)
7. ¿Tú y tu papá se encuentran de acuerdo en las cuestiones políticas? (Estar de acuerdo...)
8. ¿El hermano que se fue a la guerra ya está de vuelta? (Estar de vuelta...)
9. ¿Salieron de huelga los obreros de la industria petrolera? (Estar de huelga...)
10. ¿Y los activistas que estuvieron en las manifestaciones en Washington están de regreso ahora? (Estar de regreso...)
11. ¿Se vistió de luto la madre del que murió? (Estar de luto...)
12. ¿El jefe se fue de viaje? (Estar de viaje...)
13. ¿Los abuelos se encuentran en Honolulu de visita? (Estar de visita...)
14. ¿La mayoría de ellos se pronuncian a favor de la paz? (Estar a favor de...)
15. Entonces, ¿están en contra de la guerra? (Estar en contra de ...)

Practice 5

Answer the questions negatively this time, using **estar** and the appropriate adjective or phrase from the previous exercise.

MODELS: ¿Ese glotón no ha comido suficiente todavía?
No, no está harto todavía.

¿Usted y la vieja generación piensan igual?
No, no estamos de acuerdo.

1. ¿Le satisface a Ud. la política del presidente?
2. ¿Regresó el equipo de los Juegos Panamericanos?
3. ¿Tiene gasolina el tanque?
4. ¿Abandonaron su trabajo los obreros?
5. ¿La viuda todavía lleva ropa negra?
6. ¿Ustedes tienen clases entre Navidad y Año Nuevo?
7. ¿Están sentados los pasajeros?
8. ¿El cura se ha puesto de pie ya?
9. ¿Sus padres están a favor de la legalización de las drogas?

V. Using *ser* for Material, Ownership, Origin, and Purpose

The material an object is made of, its ownership, origin and purpose or destination are expressed with **ser.**

material:	La estatua ***es*** de madera no de yeso.
ownership:	Estas cosas no ***son*** tuyas, son de tu hermano.
origin:	El barco ***es*** de Chile.
destination:	Esta máquina ***es*** para tu mamá.

Practice 6

Select **hay** or the appropriate present tense form of **ser** or **estar** to complete the sentence.

1. ¿De dónde __________ ustedes?
2. ¿Dónde __________ Julio?
3. Todos estos juguetes __________ de plástico.
4. La Navidad __________ para los niños.
5. ¿De quién __________ la Casa Blanca?
6. Yo __________ escuchando música clásica hoy.
7. ¿De veras __________ una vida después de la muerte?
8. Las medias de las señoras ya no __________ de seda sino de nilón.
9. En Italia y en España parece que todas las viejas __________ de luto.
10. Estos zapatos __________ de España.
11. ¿Dónde __________ el baile?
12. No __________ baile hoy sino mañana.
13. ¿__________ tuyo este libro, jovencito?
14. No. __________ para un amigo.
15. ¿__________ usted de pie en este momento?

VI. *Ser* with Nouns as Complements

When a noun follows, **ser** is used:

> Méndez ***es*** un ***profesor*** de primera categoría.
> Esto no ***es*** más que ***agua*** sucia.

Practice 7

Continue as before.

1. Ese joven __________ Julio López.
2. Julio __________ de Chile pero __________ en Michigan este año.
3. __________ estudiando ingeniería en la universidad.
4. __________ el único chileno de la escuela de ingeniería.
5. No __________ otro chileno aunque __________ otros latinos.
6. Cuando __________ con sus padres, habla español.
7. __________ harto de hablar inglés y descansa hablando español.
8. La ingeniería no __________ para mí.
9. Las ciencias __________ materias difíciles que no me gustan.
10. El inglés no __________ la lengua materna de Julio.
11. Cuando __________ en Chile no necesita hablar inglés.

VII. With Past Participles (*-do* Forms)

With past participles, both **ser** and **estar** are used. When **ser** is used, a passive action is expressed; when **estar** is used, the state of affairs or condition resulting from the action is expressed. Compare:

Los traidores ***son fusilados*** sin piedad.	(action)
Los traidores ***están muertos.***	(resultant condition)
El ladrón ***fue herido*** por la policía.	
El ladrón ***está*** gravemente herido.	

Practice 8

The first sentence of each item describes an action or situation. The second sentence rephrases the thought in a construction like those above. Repeat the second sentence, completing it with **fue(ron)** or **estaba(n).**

1. Encontré abierta la puerta. La puerta __________ abierta a las 7:00.
2. El portero la abrió a las 7:00. __________ abierta a las 7:00.
3. ¿Cuándo escribió Cervantes el segundo tomo del *Quijote*? ¿Cuándo __________ escrito?
4. Hallé la lámpara desconectada. La lámpara __________ desconectada.
5. Tardaron mucho en la construcción de Roma. No __________ construida en un día.
6. ¿Encontraron encendida la luz cuando vieron el cadáver? ¿__________ encendida la luz?
7. Poco a poco olvidaron los aspectos desagradables del asunto. Poco a poco __________ olvidados esos aspectos.
8. Vi jardines alrededor del palacio del rey. El palacio __________ rodeado de jardines.
9. Era un refugiado haitiano que había perdido toda su familia. Toda su familia __________ muerta.
10. No me habían convencido todavía del mérito del vegetarianismo. No __________ convencido todavía.
11. ¿Ustedes se encontraban acostumbrados a vivir sin calefacción? ¿Ustedes __________ acostumbrados a eso?

VIII. With Adjectives

Both **ser** and **estar** are used with adjectives. The fundamental distinction is between a characteristic that is normally associated with the subject (even though it may change someday) and one that is abnormal, something new, or by its nature constantly changing. Compare the following in this sense:

NORMAL

1. El cálculo no ***es difícil.***
2. Mis estudiantes ***son*** muy ***jóvenes.***
3. La música indígena ***es triste*** y ***melancólica.***
4. Bill Gates ***es riquísimo.***
5. Las aguas del lago Tahoe ***son frías.***
6. El hijo menor siempre ***ha sido enfermizo.*** *(...has been sickly)*
7. La materia en sí ***es aburrida*** pero el profesor ***es entusiasta*** y la presenta bien. *(Basically, the subject is boring...)*

ABNORMAL, NEW, OR FLUCTUATING

1. ¡Cuidado! ¡La marea ***está alta!***
2. ***Estás*** muy ***delgado.*** ¿Cómo perdiste tanto peso?
3. ***Estás*** muy ***triste*** hoy. ¿Por qué? *(You're not usually that way.)*
4. Murió el padre, la madre no supo llevar el negocio y ahora ***están más pobres*** que las ratas. *(new situation)*
5. Esta sopa ***está fría.*** *(It was hot before—changeable type of situation.)*
6. ¡Otro resfriado! Parece que siempre ***estás enfermo.*** *(fluctuating situation)*
7. ¡Qué ***aburrido estoy*** con todo esto! *(Resultant condition—adjectives and past participles share characteristics.)*

Notice that with **estar** we frequently express a personal reaction to something. Hence, any comment about a particular item of food or drink is made with **estar:**

La carne ***está sabrosa,*** el café ***está riquísimo*** pero la ensalada ***no está muy buena.***

This does not apply to generalizations applicable to a class of foods:

El café colombiano ***es excelente.***

Practice 9

Choose a present tense form of **ser** or **estar.**

1. Esta casa no __________ muy grande pero me gusta.
2. Todos los superestrellas del fútbol americano __________ ricos.
3. ¡No te quemes! El plato __________ muy caliente.
4. No me gusta este pastel porque __________ muy dulce.
5. Yo siempre __________ gordo después de las fiestas de Navidad y Año Nuevo.
6. En general, las hijas __________ más altas que las madres.
7. ¿Cómo __________ la música de Chile?
8. ¿Cómo __________ tu mamá hoy?
9. El problema no __________ muy complejo.
10. No __________ pobre el tipo. Gana unos cuatro mil dólares mensuales.
11. No me gusta esta cerveza pero los sandwiches __________ ricos.
12. La palabra Parangaricutirimícuaro __________ muy larga.
13. La carne __________ barata en Argentina.
14. Ya se acabó el vino y todo el mundo __________ muy alegre. Algunos __________ enfermos.
15. Ya no tengo tos pero todavía __________ ronco.
16. La voz de Louis Armstrong __________ ronca pero él sabe cantar con arte.

IX. Contrastive Drills

Practice 10

All the various usages of **ser, estar,** and **hay** discussed above are mixed in the following items. Use **hay** or the present tense of **ser** or **estar.** The pertinent section of explanation is indicated at the right.

1. En el norte de México, muchas casas __________ de adobe. (V)
2. Monterrey __________ en el norte. (II)
3. En Monterrey __________ un Instituto Técnico. (III)
4. Esa __________ una universidad muy moderna. (VI)
5. El norte de México __________ muy árido. (VIII)
6. __________ como Nuevo México y Arizona. (VIII)
7. __________ pocos árboles y muchos cactos. (III)
8. El maguey __________ un cacto cuyo jugo fermentado __________ el pulque. (VI)
9. El pulque no __________ muy fuerte. __________ como el vino. (VIII)
10. Que yo sepa, no __________ pulque en los Estados Unidos. (III)
11. Este pulque que me trajiste __________ sabroso. (VIII)
12. Después de tomar tres vasos, mi hermana __________ borracha. (VIII)
13. Ella __________ ahora con mi mamá. (II)
14. Mi mamá se enojó. Dice que el pulque __________ una bebida rústica propia de campesinos. (VI)
15. Los campesinos dicen que __________ muy nutritivo. (VIII)
16. Dicen que __________ muchas vitaminas en el pulque. (III)
17. ¿Qué __________ usted leyendo? (I)
18. __________ una revista chilena. (VI)
19. Parece que en Santiago los maestros __________ de huelga. (IV)
20. ¿Dónde __________ Santiago? (II)
21. __________ la capital de Chile y __________ en el valle central. (VI, II)
22. ¿Por qué no __________ contentos los maestros? (IV)
23. Dicen que sus sueldos __________ bajos y __________ muchos alumnos en las clases. (VIII, III)
24. Pero los alumnos no __________ enojados con la huelga, supongo. (VII)
25. Claro, porque ellos __________ de vacaciones. (IV)

26. Todas las escuelas __________ vacías. No __________ nadie en las aulas. (IV, III)
27. Sí, pero afuera __________ mucha gente porque las escuelas __________ rodeadas de huelguistas. (III, VII)
28. Esta __________ una revista barata. (VI)
29. __________ de un papel de baja calidad. Además, __________ vieja. (V, VII)
30. Cambiando de tema, ¿qué tal el bistec? ¿__________ rico?
31. __________ un poco crudo pero __________ sabroso y tierno. (VIII)
32. __________ muy buena carne. (VI)
33. __________ de Nueva Zelandia. (V)
34. Ayer vi a tu hermanito, y ¡qué sorpresa! ¡__________ casi tan alto como tú! (VIII)
35. Es cierto. Pero hoy el pobrecito __________ en el hospital. (II)
36. ¿Cómo? ¿__________ enfermo? (VIII)
37. Gracias a Dios que no __________ muerto. (VII)
38. Tuvo un accidente anoche y su coche __________ destrozado. (VII)
39. Los médicos lo __________ observando pero creo que __________ fuera de peligro. (I, VIII)

Practice 11

Conversational practice. Answer the following questions using **ser** or **estar** in your answers. Tell the truth based on your own reality.

1. ¿Le pertenece a usted la casa en que vive?
2. ¿En qué calle se encuentra la casa?
3. ¿De qué material está construida?
4. ¿Se halla usted de vacaciones ahora?
5. ¿Qué estudia usted?
6. ¿Dónde se encuentra usted, en la biblioteca?
7. ¿Tiene usted los ojos cafés?
8. Cuando usted contesta bien, ¿queda contento(a)?

9. ¿El café, té o leche que usted tomó esta mañana le pareció frío?
10. ¿El café le parece malo para la salud?
11. ¿Se encuentra usted muy cansado(a) ahora?
12. ¿Le parece aburrido el español, en general?
13. ¿Tiene usted un radio portátil?
14. ¿Se encuentra este edificio rodeado de jardines?
15. ¿Este libro se publicó el año pasado?
16. Cuando usted quiso entrar a este edificio, ¿encontró cerrada la puerta?
17. ¿En qué postura se halla usted?
18. ¿Dónde nació usted?
19. ¿Este libro se preparó para aprender chino?
20. ¿Ya terminó usted este ejercicio?

UNIT 5

Expressions of Probability

En lunes, ni las gallinas ponen.

I. Future and Conditional Tenses

Spanish, like English, sometimes uses the future tense to express the probability that an action is taking place or that a condition exists:

Ya estará en casa. Llámalo allí.
He'll already be at home. Call him there.

This usage is extended in Spanish to include the future perfect, the conditional, and the conditional perfect:

Ya habrá llegado al teatro.
She must have arrived at the theater by now.
Serían las once cuando partió.
It must have been around 11:00 o'clock when she left.
Se habría sentido un poco enferma.
She had probably felt a little sick.

The correspondence between the probability usages and their regular tense equivalents may be summarized as follows:

Probablemente son las ocho. = Serán las ocho.
Probablemente eran las ocho. = Serían las ocho.
Probablemente terminaron a las ocho. = Habrán terminado.
Terminarían a las ocho.
Probablemente han terminado ya. = Habrán terminado ya.
Probablemente habían terminado antes. = Habrían terminado antes.

II. The Verb *deber*

Spanish frequently uses **deber** followed by an infinitive (with or without **de** intervening) to express probability. (Note the similarity of usage to English probability expressions with *must*, as in *He must be studying*). Compare the following equivalents:

Deben (de) ser las ocho. = Probablemente son las ocho.
Debían (de) ser las ocho. = Probablemente eran las ocho.
Debieron (de) terminar a las ocho. = Probablemente terminaron a las ocho.
Deben (de) haber terminado ya. = Probablemente han terminado ya.

The fifth expression of probability (equivalent to **Probablemente habían terminado antes**) is not used very often and has several possible equivalents with **deber.** Here are two:

Debieron (de) haber terminado antes. Debieron (de) terminar antes.	Probablemente habían terminado antes.

In fact, one finds that most of the probability expressions with **deber** have considerable variation in usage from one area to another and from person to person. The first four of these expressions given in the above list of examples represent a usage which is widely understood and accepted. It is suggested that you learn to use these four and not be concerned with possible variations. Note that although some grammar books claim that **de** is to be associated with the probability use of **deber** (**deber** without **de** therefore signifying obligation), in fact, both constructions are used with equal frequency in both meanings.

Note also that English has other ways to express probability in addition to the use of the future *(He will be at home by now)* and must *(He must be at home by now)*. Study the following equivalents.

I wonder who it is? *Who can it be?* *Who in the world is it?* *Who do you suppose it is?*	**¿Quién será?**

Practice 1

Give an equivalent with **probablemente** for each of the following sentences having a probability expression.

MODEL: ***Serán*** las ocho, más o menos, ¿no?
Probablemente son las ocho, más o menos, ¿no?

1. Es muy tarde. Los niños ***deben de estar*** muy cansados.
2. ***Habrán jugado*** demasiado hoy.
3. Alguien llama por teléfono. ***Serán*** sus padres.
4. Veo que Carlitos no tiene zapatos. ***Los debe de haber perdido.***
5. Yo lo vi hace media hora y no los tenía entonces tampoco. ***Los habría perdido*** más temprano.
6. ***Estarían jugando*** en los charcos de la calle.
7. En ese caso ***deben de tener*** mojados los pies.
8. Sí, pero ***debieron de divertirse*** mucho.

Practice 2

Give an equivalent of the following sentences, using the future or conditional of probability, as appropriate. Omit **probablemente.**

1. Probablemente el plomero ya ha llegado a nuestra casa.
2. Probablemente tardaba tanto en llegar por razones muy importantes.
3. Probablemente había tenido que contar su dinero, o algo así.
4. La tubería en el sótano probablemente siguió goteando durante horas y horas.
5. Ahora probablemente tenemos una piscina particular en la casa.
6. A mamá probablemente no le gusta tanta agua en la casa.
7. Ella probablemente ha sufrido mucho esperando la llegada del plomero.
8. A los niños, en cambio, probablemente no les parece tan mala idea tener piscina en casa.
9. Probablemente fueron ellos los que causaron el daño a la tubería.

Practice 3

Some of the following sentences imply probability with expressions other than the future and conditional. Restate these sentences using the future or conditional of probability. Where no probability is expressed, simply repeat the sentence.

1. Siendo tan viejo, Matusalén probablemente no jugaba mucho al béisbol.
2. Ese personaje bíblico llegó a tener 969 años de edad.
3. Es probable que Adán hubiera vivido poco tiempo en el Edén cuando llegó Eva.
4. Eva debió de ser una mujer encantadora.
5. Salomón fue un tipo muy sabio.
6. De niño probablemente faltó poco a la escuela.
7. Me parece probable que Salomón preparara sin falta su lección diaria.
8. Los tontos que tenemos hoy deben de estudiar mucho menos que Salomón.
9. Y es cierto que no son tan sabios.
10. Es probable que tu novio no sea tan viejo como Matusalén. Probablemente no tiene más de 32 años, ¿verdad?
11. Tú probablemente nunca has ido a una fiesta vestida como Eva, ¿verdad?
12. Si fueras a una fiesta vestida así, seguramente tendrías un éxito tremendo.

Practice 4

This is a translation drill designed to focus on the many English equivalents of the Spanish future of probability. Select the correct form of the indicated Spanish verb to match the general meaning of the English sentence.

1. Where in the world has my little dog gone?

   ¿A dónde __________ (irse) mi perrito?

2. Where, oh where can he be?

   ¿Dónde __________ (estar)?

3. I wonder why he is taking so long.

   ¿Por qué __________ (tardar) tanto?

4. He must be hunting.

   __________ (estar) cazando.

5. Or, I suppose he is investigating trash cans.

   O, __________ (estar) investigando los tarros de la basura.

6. He must have stopped to visit with his cousin!

   ¡__________ (detenerse) a visitar a su prima!

7. He must have run for miles by now.

   Ya __________ (correr) millas.

8. He'll be very hungry.

   __________ (tener) mucha hambre.

9. He's probably thinking of returning home.

   __________ (estar) pensando en regresar a casa.

10. Do you suppose he met a friend?

    ¿__________ (encontrar) a un amigo?

11. I wonder what he's doing now.

    ¿Qué __________ (hacer) ahora?

12. He's probably burying bones or something.

    __________ (enterrar) huesos, o algo así.

13. Do you suppose he's been hurt?

    ¿__________ (hacerse) daño?

14. Oh, he's probably all right.

    __________ (estar) bien.

15. He probably forgot what time it was.

    __________ (olvidarse) de la hora.

16. He'll have started home by now, wagging his tail, as usual.

    En fin, ya __________ (dirigirse) a casa, meneando la cola, como siempre.

UNIT 6

The Imperfect Past vs. The Preterit Past

No se ganó Zamora en una hora.

I. The Basic Distinction

Cuando yo llegué, el ladrón ***salía*** por la ventana.

Cuando yo llegué, el ladrón ***salió*** por la ventana.

The difference in usage between the preterit and the imperfect is not one of structure; it is one of meaning. Both forms express the past, but they focus differently on the act. The difference is one of aspect rather than tense. It is like the distinction we have in English between sentences like these:

The policeman *hit* him on the head.

The policeman *was hitting* him on the head.

The police *used to hit* him on the head.

The first of these sentences (all of them equally past in tense) suggests that a single blow was struck, and we speak of it as a completed, more or less instantaneous act, which began and ended at approximately the same moment.

The second sentence talks about the middle of the action, which might be a single blow in the act of being struck, or more likely the middle of a series of blows. (We would need more context to decide which.) In either case, we do not refer to the beginning or the end of the act. "Was hitting" focuses only on the middle of an act or series of acts which began earlier and ended at some later time.

The third sentence, with "used to hit," suggests a series of different occasions, a customary, often repeated act in the past. The Spanish imperfect and preterit aspects correspond partially to the English in that both "was hitting" and "used to hit" would be expressed with an imperfect, while "hit" could be a preterit. However, English often uses a simple past form like "hit" with the meaning of "was hitting" or "used to hit":

Every time he passed by, the policeman *hit* him on the head (i.e., "used to hit").

While the policeman *hit* him on the head, the detective was holding his arms (i.e., "was hitting").

The distinction which is made in Spanish is one between a view which focuses only on the middle of an act (as in "was hitting him on the head" or "used to hit him"), with no regard for its beginning or end, as opposed to a view which focuses on either the beginning, the end, or both. Study the following examples in order to decide whether they focus on the middle only or on the beginning and/or end. Answers are given below.

1. They played until six o'clock.
2. The Lord said "Let there be light," and there was light.
3. My friend had no middle name.
4. The Arabs occupied parts of Spain for over seven centuries.
5. I often slept nine hours or more.
6. Lazarus picked up his bed and walked.
7. When too many letters accumulated, I would stuff them in the basket without answering them.
8. When the farmer saw me, he closed the door.
9. I knew all the details about her life.

Answers:

1. Not middle only because we are talking about when the act ended.
2. "Said" is an instantaneous act; we see beginning and end. "There was light" refers to the beginning of being, and so it is not "middle only" either.
3. Middle only. We are not concerned with when the situation started or ended, only that this was the case at the moment we are talking about.
4. Not middle only because we are discussing how long the action lasted. A time phrase ("for seven centuries") gives us the dimensions.
5. Middle only because we are not concerned with when I started or ended the habit of sleeping that much.
6. One act, "picked up," of the instantaneous, beginning and end type, and one which focuses only on the beginning. Lazarus started to walk at the moment referred to but we are not focusing on the end of his walking. Neither act is middle only.
7. "Accumulated" refers to a repeated act which happened over and over again, and we focus only on the middle of the series. "I would stuff" is of the same kind. Note that "would" in this sense is equivalent to "used to" and does not refer to a hypothetical result, as in "If I had time and money, I would travel all over Europe."
8. Two instantaneous-type acts; neither is middle only.
9. Middle only because we have no knowledge or interest in when I began to know or stopped knowing.

The imperfect is used in Spanish to express "middle only" focus.

The preterit is used when beginning and/or end are in view. Spanish is quite consistent in this distinction, never blurring it as English does.

There are some useful signs which will help to separate imperfect, "middle only" clauses from preterit ones. If there is a time phrase, such as **por mucho tiempo, hasta las tres, todo el día, dentro de pocos minutos,** the beginning and/or end is generally in focus and the preterit is used (unless a series of such acts is meant):

Dentro de poco sintió un fuerte dolor.

Estuvo en casa ***hasta las tres.***

Estudié ***todo el día.***

Description of what things were like or what someone was feeling or doing when another act occurred is often in the imperfect. We are interested in these actions or states as being in progress, as backdrops or stage settings, and we are not talking about when they started or stopped:

Hacía un sol magnífico cuando me desperté.

Mi amigo no hablaba español cuando fue a México por primera vez.

Adán llevaba una vida idílica pero la serpiente cambió las cosas.

In comparison with the "backdrop" expressed in the imperfect, the "thing that happened next" is likely to be in the preterit. (See the preceding examples.)

These useful signs are only devices, however, which help us to make the fundamental decision as to whether we want to focus on the middle of the action only (with the imperfect) or upon its beginning and/or end (with the preterit). Many past contexts can take either preterit or imperfect, depending on what the speaker wants to express.

Practice 1

Change these sentences into the past using preterit or imperfect as appropriate. Before you do this, you may want to review the preterit forms. See Unit 1. Also, it would be useful to read over this series of 24 sentences, since they make a related sequence, before starting to change them to the past.

1. Colón descubre el Nuevo Mundo en 1492.
2. Colón pide ayuda al rey de Portugal.

3. Pero los matemáticos del rey saben que la India está muy lejos.
4. Los portugueses tienen razón.
5. Es imposible llegar a la India así.
6. Colón está equivocado.
7. Pero encuentra una tierra desconocida.
8. Eso le salva la vida.
9. Toda su vida cree que había llegado a la India.
10. Encuentra aborígenes con canoas.
11. Viven en islas del mar Caribe.
12. Colón espera hallar una ruta directa a la India.
13. Por eso, llama a los aborígenes indios.
14. Les da un nombre equivocado.
15. Cuando los marineros los ven, les parece que los aborígenes tienen la piel roja.
16. Creen que están en Asia.
17. Algunos indios tienen adornos de oro en la nariz.
18. Colón colecciona esas cosas para llevarlas a España.
19. Colón permanece varias semanas en “las Indias.”
20. Luego regresa a España.
21. Los Reyes Católicos esperan el resultado del viaje.
22. Cuando oye las noticias, el rey queda muy contento.
23. Los indios también están contentos durante las primeras semanas.
24. Después, se dan cuenta de que los blancos no son dioses.

Practice 2

Read the following real-life story. Then retell it in the past tense, talking about what happened yesterday.

Me levanto a las seis. Hace frío y el cielo está cubierto de nubes. Me visto y voy a la cocina. No hay nadie allí. Todo el mundo está dormido. Preparo mi desayuno y salgo a buscar el periódico. Me espera en el buzón donde siempre lo deja el muchacho. Desayuno solo y leo el periódico de principio a fin, con excepción de la crónica social. No me interesan los incidentes de la vida social. Luego me pongo la chaqueta y salgo a la calle. Hace sol. La vista del sol me llena de alegría.

In the past: (Ayer...)

II. Preterit and Imperfect in Indirect Discourse

Direct discourse refers to the precise words someone says:

—Voy de compras al centro.

Indirect discourse refers to the slightly modified report of what was said, with the first speaker's words incorporated into a new sentence. That is, it is an indirect quotation:

Tomás dijo que iba al centro.

An original present tense may be kept in the present

—Dijo que va al centro.

But if it is shifted to the past, it will become an imperfect, not a preterit.

An original preterit is either retained as a preterit or becomes a pluperfect:

Me compré un CD nuevo y lo ***voy*** a escuchar toda la tarde.	>	Dijo que se compró (or: se había comprado) un CD nuevo y lo ***iba*** a escuchar toda la tarde.
¿Dónde ***están*** los libros que ***traje*** de la biblioteca?	>	Preguntó, dónde ***estaban*** los libros que ***trajo*** (había traído) de la biblioteca.

Verbs other than **decir** and **preguntar** can introduce an indirect discourse:

No **tengo** la culpa. (***Comprendió*** que no ***tenía*** la culpa.)
Necesito aclarar esto. (***Pensaba*** que **necesitaba** aclarar eso.)
Yo soy bonita pero ella es hermosa de veras. (***Sabía*** que ella ***era*** bonita pero que la otra ***era*** hermosa de veras.)
Si puedes hacerlo, te ***pagarán*** muy bien. (Le ***indicaron*** que si ***podía*** hacerlo, le ***pagarían*** muy bien.)

Practice 3

Change the sentence to indirect discourse, shifting to past tense.

MODEL: Voy a buscar otra ruta al Oriente. (¿Qué decidió?)
Decidió que iba a buscar otra ruta al Oriente.

1. Los matemáticos portugueses no tienen imaginación. (¿Qué pensaba?)
2. Nací en Génova y no soy español. (¿Qué confesó?)
3. Génova forma parte de Italia. (¿Qué dijo?)
4. ¿Estoy en el servicio de la reina o del rey? (¿Qué preguntó?)
5. La reina me dio tres barcos para el viaje. (¿Qué reconocía?)
6. ¿Pero no manda más el rey? (¿Qué se preguntaba?)
7. Si encuentro la ruta, seré famoso. (¿Qué sabía?)
8. Pero si no llegamos, nos podemos morir de hambre. (¿Qué protestaron?)
9. No importa, hay que tener confianza. (¿Qué dijo Colón?)
10. Fuimos derecho a las Indias. (¿Qué aseguró?)

11. Pero esto no es la India. (¿Qué murmuró el cínico?)
12. Si ven oro, hay que llevarlo a España. (¿Qué explicó?)
13. Los aborígenes creen que somos dioses. (¿Qué oyó?)
14. ¡Ya hablaron bastante de Colón! (¿Qué gritó?)

III. Imperfect and Preterit of *conocer, saber, poder, tener que,* and *querer*

With these verbs, it is helpful to make some special analysis. With **conocer** and **saber**, the difference in aspect is expressed in English with different words. The imperfect of **conocer** corresponds to *knew* or *be acquainted with,* while the preterit is equivalent to *met.*

conocer: ***Conocí*** a mi futura esposa en San Francisco. *(I met...)*
Ya ***conocía*** a su hermano desde mucho tiempo atrás. *(I already knew...)*

The preterit of ***saber*** most often is equivalent to *found out* or *learned,* while the imperfect corresponds to *knew.*

saber: Sólo hoy **supe** que Patricio murió en un terrible accidente. *(I found out...)*

sabía que trabajaba con tractores pero no ***sabía*** que era un trabajo peligroso. *(I knew...)*

Practice 4

Rephrase the Spanish in order to express the idea given in English.

MODEL: Conozco a Greg Noll. En el campeonato de Huntington.

I met Greg Noll at the Huntington meet.
Conocí a Greg Noll en el campeonato de Huntington.

1. Todos los demás ya lo conocen.
   Everybody else already knew him.
2. Conozco a Elena. No a sus padres.
   I knew Elena but I never met her parents.
3. Ayer. Sé que va a haber un concierto para ayudar a las víctimas del terremoto en Perú.
   Yesterday, I found out that there was going to be a concert to help the victims of the earthquake in Perú.
4. Yo ya lo sé porque lo leí en el periódico.
   I already knew it because I read it in the paper.
5. Mi hermanito me pregunta si sé dónde está el dinero.
   He asked me if I knew where the money was.
6. No sabe que está debajo de su propia cama.
   He never found out it was under his own bed.

With **tener que**, the imperfect refers simply to an existing obligation to do something, while the preterit implies that the obligation was followed by the act actually being done (thus ending the matter, so that the focus is not on the middle only). Both are translated by *had to* in English. Compare these examples:

tener que: No aceptaron nuestra invitación porque ***tenían que*** estudiar. (The obligation existed. We refer to a state of affairs.)
Tuve que escribir toda la noche para terminar el ensayo. (The obligation was discharged by the action being performed. I had to, so I did.)
Se sentia tan mal que ***tuvo que*** llamar al médico. (He had to; so he did. = Preterit)
Tenía que tomar la medicina cada cuatro horas. (The obligation continued to exist because here we are referring to a series of acts, one of which did not eliminate the obligation.)

Practice 5

Rephrase the Spanish to express the idea given in English. The added material in parentheses serves to clarify the idea to be expressed.

MODEL: Tiene tanta fiebre. Lo llevamos al médico.
The boy had so much fever we had to take him to the doctor. (And, we did.)

El muchacho tenía tanta fiebre que tuvimos que llevarlo al médico.

1. Tenemos que cortar el césped. Queremos ir a la playa.
   We had to cut the lawn, but we wanted to go to the beach. (So, we sat around and complained.)
2. Pinté la puerta tres veces para cubrir la pintura vieja.
   I had to paint the door three times to cover the old paint. (That's the way it turned out when I did it.)
3. Mi papá pagó más de tres mil dólares de impuestos este año.
   My dad had to pay more than three thousand dollars in taxes this year.
4. Pagué por el libro que perdí y una multa también.
   I had to pay for the book I lost and a fine as well.
5. Hace las camas antes de salir para la escuela.
   They had to make the beds before they left for school. (That was their daily chore.)
6. Vive en México. No tiene que hacer nada.
   When she lived in Mexico, she didn't have to do anything.

In the case of **poder**, the imperfect expresses the existence of permission or ability to do something:

Imperfect of poder

Antes, las chicas no ***podían*** salir con muchachos sin que fuera también alguien de la familia.
Podía levantar pesas enormes.

The preterit suggests that an attempt was made (and the ability or lack of it then ceases to interest us):

Preterit of poder

No fue hasta mucho después que ***pude*** recordar el número de su teléfono.
Sacudí la puerta pero no ***pude*** abrirla.

Practice 6

Rephrase the Spanish in order to express the idea given in English.

MODEL: No puede graduarse porque no completó los requisitos.
He couldn't graduate last year because he didn't fulfill the requirements.

No pudo graduarse el año pasado porque no completó los requisitos.

1. Si completa los requisitos puede graduarse en el verano.
   If he completed the requirements, he could graduate in the summer.
2. Después de varias tentativas, puedo descifrar la oración.
   After several attempts, I was able to decipher the sentence.
3. Los rusos tratan de llegar a la luna antes que los americanos pero no pueden.
   The Russians tried to reach the moon before the Americans but they weren't able.
4. La mayoría de los países no pueden competir con las grandes potencias.
   Most countries were unable to compete with the big powers.

With **querer**, the English equivalent of the preterit differs according to whether it is affirmative or negative. **No quise** is used most often as we use *I refused to* or *I wouldn't* do something, while **quise** is equivalent to *I tried* to. In both cases, we are usually talking about a single event so that the attitude is seen as having ended at that time:

Preterit of querer

Quise convencerlo de que todo el mundo sabía que la tierra era plana pero él no me lo ***quiso*** creer.

Practice 7

Translate the English sentence.

1. Muchos quieren descubrir la fuente de la juventud.
   A lot of people wanted to discover the fountain of youth.
2. ¿Prender un fuego con leña verde y mojada? Resulta imposible.
   Three times we tried to light a fire with that wet green wood but it turned out to be impossible.

3. ¿Ir a Perú? Está muy lejos.
   She didn't want to go to Perú because it was too far away.

4. Quiero mostrarle que en avión se llega en poco tiempo.
   I tried to show her that by plane you can get there in very little time, but she refused to listen.

Practice 8

Saber, tener que, poder, and **querer** are mixed in this practice. Select the preterit or imperfect of those verbs in translating the English sentences.

1. De niño, Lincoln tiene que leer a la luz de una vela porque no hay electricidad.
   As a boy, Lincoln had to read by candlelight because there was no electricity.

2. Sabe que tiene que estudiar mucho para ser abogado.
   He knew that he had to study a lot in order to be a lawyer.

3. Y esa es la carrera que quiere.
   And, that was the profession he wanted.

4. Va al teatro pero no sabe que lo van a asesinar.
   When he went to the theater, he didn't know he was going to be assassinated.

5. El pueblo norteamericano queda pasmado con esa noticia.
   The American people were shocked when they learned the news.

6. ¿Cómo puede Booth llegar tan cerca al presidente con una pistola?
   How was Booth able to get so close to the president with a gun?

7. Tiene que esconderla entre su ropa.
   He had to hide it inside his clothes.

8. El presidente quiere levantarse pero no puede.
   The president tried to get up but he couldn't.

9. No vive mucho tiempo.
   He didn't live very long.

10. Nadie en el teatro sabe que Booth intentaba asesinar al presidente.
    Nobody in the theater knew that Booth intended to murder the president.

11. El público se da cuenta cuando Booth salta a la escena.
    The audience found out about it when Booth jumped to the stage.

12. Algunos quieren detenerlo pero no pueden.
    A few tried to stop him but they weren't able to.

13. Entre la confusión general, Booth sale y se escapa.
    Amid the general confusion, Booth was able to get out and escape.
14. Probablemente muchos esclavistas quieren asesinar a Lincoln.
    Probably, a lot of slave owners wanted to murder Lincoln.
15. La mayoría de ellos saben controlar su odio.
    The majority were able to control their hatred.
16. Después de la guerra civil, tienen que rehacer su vida.
    After the Civil War, they had to remake their life. (This was the task on hand as they faced the future.)
17. Los antiguos esclavos también tienen que encontrar un nuevo tipo de vida.
    The former slaves also had to find a new kind of life.

IV. Use of the Imperfect and Preterit of *ser*

The preterit and imperfect of the verb *to be* in English could be thought of as *was* and *was being*. But *was being* is used in English only in the special meaning of *playing* or *acting* as in "She was just being difficult." So *was* is really equivalent to both **fue** and **era** in normal usage. This means that the English speaker's feel for the two aspects of the past is unusually blurred with the verb **ser**. Consequently, it is helpful to observe the relationship between **ser** and other verbs in the context.

We often identify the person who did something in this way:

El que nos ***cambió*** las llantas ***fue*** el hijo del vecino.

Los que ***pasaban*** por la calle cada tarde ***eran*** jóvenes que regresaban de la escuela.

The verb ***ser*** appears in the same aspect as the verb which expresses the action done: ***cambió... fue; pasaban... eran.***

Practice 9

Answer the questions following the example. You needn't repeat all the elements of the question.

MODEL: ¿Quiénes llegaron primero a la luna, los rusos o los americanos?

Los que llegaron primero fueron los americanos.

1. ¿Quién atacó a los molinos, Don Quijote o Sancho?
2. ¿Quién se preocupaba por la comida, Don Quijote o Sancho?
3. ¿Quién llegó primero al Nuevo Mundo, Colón o Erico el Rojo?
4. ¿Quién te daba de comer, tu mamá o tu papá?
5. ¿Quién inventó el teléfono, Edison o Bell?

When what follows the verb *to be* is not a noun, as in the sentences above, but an adjective, like *fatal* or *odd,* the type of relationship practiced above may or may not exist.

La herida que ***recibió*** en esa corrida ***fue*** fatal.
Las pequeñas heridas que ***recibía*** cuando trabajaba en los campos no ***eran*** muy graves.
El cuchillo que ***usó era*** antiquísimo y de una forma muy rara.
La secretaria que nos ***recibió era*** muy amable.

The difference between the first two examples and the last two is that in the first, the wounds referred to came into existence at the moment of the action mentioned. That is, the wound which proved fatal for the bullfighter did not exist before he received it. We are talking about the beginning of something. In the second example, we have a series of events, a repeated, customary past act. In cases like these two, the form of **ser** matches that of the other verb.

However, in the second two examples, we refer to a thing or person which clearly existed and had the trait referred to before the moment of the action we are talking about. In these cases, there is no necessary identity of aspect between the two verbs. Notice also, that if the preterit is equivalent to the pluperfect, as it sometimes is, then this relationship does not apply:

La mesa que hizo (= había hecho) era grande pero nada elegante.

Often it is useful to form a paraphrase of the sentence, using another verb instead of **ser**. For example, if you wish to say *Her glance was cynical and sneering* and you mean *She gave a cynical and sneering glance,* then you will use the preterit:

Su mirada fue cínica y despreciativa. = Dio una mirada cínica y despreciativa.

If you mean she had a cynical and sneering way of looking at people, then your sentence will use **era.**

Practice 10

Complete the sentence with the appropriate form of **ser**.

(A clue to the meaning intended may be given in parentheses.)

1. El efecto que tuvo su conferencia __________ deprimente.
2. La isla que compraron __________ muy pequeña.
3. El muchacho que entró __________ alto y delgado.
4. La mentira que inventó __________ increíble. (He uttered an incredible lie.)
5. Los cuentos que contaba __________ fantásticos.
6. El pintor que nos habló __________ muy conocido en Europa.
7. La decisión que tomó ese día __________ irrevocable. (He made an irreversible decision.)
8. Los daños que se produjeron __________ irreparables. (Serious damage resulted.)
9. La casa que compré __________ bastante vieja.
10. La patada que dio __________ tremenda.
11. La víbora que vimos __________ pequeña y delicada.
12. La enfermedad que contrajo __________ fatal. (It killed him.)
13. Las preguntas que hizo __________ tontas e inaplicables. (He asked several stupid questions.)
14. El libro que nos leyó __________ parecido a los cuentos de hadas.

Practice 11

Complete the sentence with the appropriate form of **ser** in accord with the paraphrase given in parentheses.

1. Juan López y yo nos vimos por primera vez en Santiago. __________ en 1950. (You mean that it happened then.)

2. Al entrar en el café, oímos el sonido rápido y rítmico del taconeo de los bailadores y los acordes de la guitarra. __________ un baile flamenco auténtico. (They were dancing flamenco style.)
3. Funes llevaba el orgullo hasta el punto de asegurar que __________ benéfico el accidente que lo había condenado a pasar la vida como un inválido. (The accident was producing unexpected benefits.)
4. De veras me sorprendí porque __________ tan fácil lo que siempre me había parecido dificilísimo. (I did it very easily.)
5. Esto no va a resultar bien, me dije yo. Y, en efecto, así __________.

   (It turned out as I thought.)
6. Edison construyó un aparato que grababa y reproducía la voz humana y otros sonidos. Lo armó, lo echó a andar, y escuchó. __________ uno de los grandes momentos de la historia. (Something momentous was happening. At that moment, he was living history.)
7. En 1066 los normandos invadieron Inglaterra y llevaron consigo su dialecto del francés. Esa conquista __________ decisiva en la historia de nuestra lengua. (A decisive change took place.)
8. __________ necesario que preparara dos cenas esa noche. (Circumstances forced her; so she made two different suppers that night.)
9. La clase preparó y presentó un programa de música hispánica que terminó con un baile muy enérgico. __________ uno de los que todavía se bailan en las provincias vascongadas. (They danced a Basque dance at the end.)
10. Su sonrisa __________ espontánea y simpática. (She had a nice smile and she smiled often.)
11. Edison construyó su primer fonógrafo hace muchos años. __________ uno de los inventos que hacen época. (It started a whole new epoch.)

V. General Practice of Imperfect and Preterit

Practice 12

Read the following story over in order to understand the context. Then repeat it phrase by phrase, changing to the past tense.

Manuel Rojas nace en la Argentina / pero va a Chile / cuando todavía es adolescente. Allí se hace escritor. En esa época domina el costumbrismo en la literatura hispanoamericana / pero el joven novelista se aparta de esa tendencia. En el estilo costumbrista, dominan el paisaje y los detalles pintorescos externos. No importa lo que siente y piensa el individuo. A nuestro autor le interesa más el alma de sus personajes, su carácter humano. Escribe una serie de cuentos y varias novelas. Sus personajes son gente sencilla de la clase baja / pero Rojas les da importancia humana. No le interesa la propaganda social. Sus obreros son hombres como los demás. No funcionan como símbolos de las injusticias sociales.

Practice 13

Follow the same procedure.

Rojas con frecuencia usa personajes al margen de la sociedad. Muchos son ladrones, vagos o mendigos. Su cuento "El delincuente" trata de un ladrón / que al final de la historia parece más simpático que su víctima:

Un barbero está en su cuarto en un pobre conventillo. Conoce a todos los habitantes del conventillo. Pero de repente esa noche oye pasos desconocidos. Sale a ver quién es. Ve a un hombre delgado, de nariz puntiaguda. No lo conoce. No es uno de sus vecinos. Con el hombre delgado, hay otro, gordo. Parece medio dormido y lo sostiene el hombre delgado. Pero no está dormido sino borracho. Por un momento, el barbero no sabe si hablarles o no. En esto, llega un amigo, el maestro Sánchez, carpintero. Sánchez le pregunta al hombre delgado qué hace. El delgado contesta que van a casa del gordo / donde hay unas niñas que cantan. Pero la mirada que lanza es furtiva / y además el gordo no vive allí tampoco. El gordo está tan borracho que no puede hablar. Cuando le mandan al delgado que suelte al gordo, / éste casi se cae al suelo. De un bolsillo del gordo, cuelga la mitad de una cadena de reloj. ¿Dónde está el reloj? El barbero y el carpintero deciden llevar a la comisaría a los dos hombres. Van a entregarlos a la policía. Luego empieza la larga y penosa caminata a la comisaría. El gordo borracho apenas puede caminar. El carpintero se impacienta y le da un tremendo puntapié. En el camino, los tres luchan con el borracho, / que se cae a cada rato. A la mitad del camino, los tres están tan sudorosos / que se sientan a descansar. El borracho se echa en la calle / y pronto está roncando como si estuviera en cama. Mientras tanto, el barbero, el maestro Sánchez y el ladrón charlan y ríen como viejos amigos. Pero otra vez siguen su camino / y por fin llegan a la comisaría. Allí esperan varias horas. Cuando regresa el inspector, / reconoce inmediatamente al ladrón. Se llama Juan Cáceres / y se especializa en borrachos. Al tomar el camino de regreso al conventillo, los dos amigos se sienten tristes. Es tan simpático el ladrón, tan buen amigo.

Now retell the story in the past.

Practice 14

Choose the appropriate form.

1. Varias veces en el camino, los tres amigos (tuvieron, tenían) que levantar al borracho que se había caído.
2. El cuento que inventó el ladrón (fue, era) inútil porque el inspector ya (sabía, supo) quién (fue, era) él y cómo (se ganó, ganaba) la vida.
3. No (fue, era) necesario que el barbero viera a la gente que (entraba, entró) y (salía, salió) del conventillo porque (conoció, conocía) a todo el mundo y a todos les (reconoció, reconocía) los pasos.
4. ¿Cuántas veces (leíste, leías) ese cuento anoche?
5. La primera vez (era, fue) necesario que buscara muchas palabras en el diccionario pero la segunda y tercera vez ya las (sabía, supe) casi todas.
6. ¿Dónde y cuándo (sabías, supiste) que no habrá examen final en esta clase?
7. ¿Estabas en clase el día que la profesora (traía, trajo) esa sopa fría española que se llama gazpacho? ¿Te (gustaba, gustó)?
8. No. No me (gustó, gustaba) nada el gazpacho porque (tenía, tuvo) mucho ajo.
9. Ayer (estaba, estuve) en la biblioteca casi todo el día estudiando. Ni siquiera (salía, salí) para almorzar.

10. Anoche mis hermanos menores (dormían, durmieron) fuera con unos amiguitos en una tienda de campaña. (Estaban, estuvieron) charlando y riendo hasta altas horas de la noche. Parece que se (divertían, divirtieron) mucho pero que (dormían, durmieron) poco porque todavía (estuvieron, estaban) cansados al día siguiente.
11. ¿Dónde (conoció, conocía) el barbero al maestro Sánchez?
12. Se cayó el gordo borracho y el delgado (tuvo, tenía) que dejarlo porque no (pudo, podía) levantarlo solo.
13. Por fin, con la ayuda del barbero, (pudieron, podían) arrastrarlo a un lado de la calle.
14. El ladrón inventó una disculpa muy ingeniosa pero el inspector no se la (creía, creyó).
15. Le preguntaron al gordo qué hora (fue, era) y les contestó que no (supo, sabía) porque ya no (tuvo, tenía) reloj.
16. Dijo que su reloj (estuvo, estaba) en el bolsillo del ladrón.

UNIT 7

The Subjunctive in Noun Clauses

No te digo que te vistas pero ahí tienes la ropa.

I. Noun Clauses

A noun clause is a sentence which is embedded in another sentence and which takes the place of a noun in the larger sentence. That is, it is used as subject or object of a verb, or of a preposition. Most commonly, it is an object. Notice the object in these two sentences:

No creo ***eso.***
No creo ***que*** (eso) ***sea verdad.***

In the second sentence, the object is another sentence (que sea verdad) that starts with que (a linking word or conjunction) and whose verb is in the subjunctive. Here are a pair of sentences illustrating how the embedded sentence is used as a subject:

Eso no importa.
No importa ***que*** (eso) ***no sea verdad.***

In Spanish, the verb in most noun clauses is in the subjunctive. This is so because most noun clauses express acts in which emotional coloration is felt, such as doubt, desire, uncertainty, approval, and disapproval. The subjunctive is linked to such attitudes.

Practice 1

Practice embedding the first sentence in the second. Replace the pronoun (**eso** or **lo**) with the first sentence.

MODEL: ¿Es verdad? No creo eso. (No creo...)
No creo que sea verdad.

1. ¿No es verdad? Eso no importa. (No importa...)
2. ¿Irá mi hijo a la universidad? Lo espero. (Espero...)
3. ¿La gente le dará importancia a la ecología? Los científicos lo piden. (Los científicos piden...)
4. El mar muere tan rápido. Lo siento. (Siento...)
5. El exceso de población es un problema. Lo temo. (Temo...)
6. El aire casi siempre está sucio. Eso no es bueno. (No es bueno...)
7. ¿Lo llamarás? Eso quiere el decano. (El decano quiere...)

8. Los ecólogos pierden paciencia con la situación. Eso parece inevitable. (Parece inevitable...)
9. Mi hijito tiene la gripe. Eso me da pena. (Me da pena...)

II. The Indicative in Noun Clauses

Exceptions to the general use of the subjunctive in noun clauses are those sentences in which the main sentence indicates unemotional acceptance as truth of the idea expressed in the embedded sentence. Here are some examples:

Dicen que las olas están muy grandes.
They say the waves are very big.
Es evidente que el mundo va de mal en peor.
It is evident that the world is going from bad to worse.
Resulta que en Europa hay muy poco petróleo.
It turns out that in Europe there is very little oil.
Sé que la belleza es más importante que el dinero.
I know that beauty is more important than money.
Estoy seguro de que muchos se morirán de hambre.
I'm sure that many will starve to death.
Creo que hay seres inteligentes en otros planetas.
I think there are intelligent beings on other planets.

A list of expressions which typically introduce this kind of sentence would include: **es verdad, es cierto, es evidente, es obvio, es claro, estar seguro, ver, observar, olvidar, sentir, notar, darse cuenta de algo, saber, parecer, convenir en algo, creer, pensar, no dudar, resultar.**

Notice that the negative of many of these expressions (but the affirmative of **dudar***) does not fall in the category of the exceptions. If you say a

* **No dudo** may also be found followed by the subjunctive: **No dudo que sea verdad eso pero...** In such cases, the speaker expresses certain reservations about what he is saying.

thing is not true, are not sure it is true, don't believe it is true, or doubt it, etc., then you are no longer expressing acceptance of the proposition, but rather its rejection. Thus:

No digo que ella sea tonta, pero no es muy inteligente.
I don't say she is a fool, but she isn't very intelligent.
No creo que haya microbios en el agua.
I don't believe there are germs in the water.
No es evidente que tenga razón.
It is not evident that you are right.
Dudo que la clase termine a tiempo.
I doubt that the class will end on time.
No parece que estén preparados para esto.
It doesn't seem that they are prepared for this.
No sé que sea más fácil el español que el francés.
I don't know that Spanish is easier than French.
No veo que sean superiores los Cowboys de Dallas.
I don't see that the Dallas Cowboys are superior.

This attitude of rejection expressed by the negative is nearly universal when the sentence is in the first person. We are more likely to say that others don't know the truth than that we don't. Compare:

Los indígenas no saben que el mundo **es** redondo.
Yo no sé que los japoneses ***sean*** mejores ingenieros que los alemanes.

With **sentir**, a different distinction applies. **Sentir** can mean to *feel,* that is, *to detect* something, or *to regret* or *feel sorry* that something is true. When it is used in the sense of "to detect," it expresses unemotional acceptance as fact and is followed by the indicative. Otherwise, and more commonly, when it denotes an emotional attitude toward some fact, it takes the subjunctive:

Siento que tienes fiebre.
I can feel that you have a fever.
Siento que tengas fiebre.
I'm sorry that you have a fever.

Practice 2

Modify the verb of the embedded sentence to fit the new main sentence given. Use the subjunctive unless the new main verb expresses unemotional acceptance as truth of the idea in the dependent clause.

Es dudoso que ustedes sepan todo esto. (Es verdad..., Dudo..., Sabemos..., Resulta..., Puede ser..., Me imagino..., No me imagino..., No creo..., Veo..., Me doy cuenta de..., No estoy seguro..., No parece..., Parece..., Parece extraordinario..., Me gusta..., No digo..., Pienso...)

Practice 3

Embed the first sentence in the second.

MODEL: Ese coche cuesta demasiado. Eso es evidente. (Es evidente...)
Es evidente que ese coche cuesta demasiado.

1. Ustedes hacen su trabajo a tiempo. Eso me gusta. (Me gusta...)
2. El tercer mundo no tiene unidad. Me parece así. (Me parece...)
3. ¿Habrá más manifestaciones? No lo dudo. (No dudo...)
4. ¿Tendrá éxito la nueva generación? No lo creo. (No creo...)
5. El mundo no es tan sencillo. Observamos eso. (Observamos...)
6. Habrá ciertos cambios. Eso es inevitable. (Es inevitable...)
7. ¿Llegaremos a la Utopía? Es dudoso. (Es dudoso...)
8. ¿El tiempo se descompone? Eso pienso. (Pienso...)
9. La casa es vieja pero sólida. Es probable. (Es probable...)
10. ¿Hay palmeras en todas partes? No es cierto. (No es cierto...)
11. ¿Tienen razón al quejarse? No lo veo. (No veo...)
12. Se entregan los ensayos hoy. El profesor lo exige. (El profesor exige...)

III. The Factor of Change of Subject

1. (Yo) quiero que (ustedes) lleguen más temprano mañana.
2. (Yo) quiero llegar más temprano mañana.

Noun clauses in the subjunctive have a subject different from the subject of the main sentence in which they are embedded. If the subjects of the two sentences are the same, the dependent verb is in the infinitive form. Thus, in example 1, *I want* ***you*** to do something, while in sentence 2, *I want* and *I will* do the arriving also.*

Notice that English commonly uses an infinitive whether the subjects are different or not:

I don't want *to go.*
I don't want *you to go.*

Practice 4

Combine the sentences into one, using a clause or an infinitive according to the change of subject factor.

MODELS: ¿Aprenderé esto pronto? Eso quiero. (Quiero...)
Quiero aprender esto pronto.
¿Lo entienden claramente? Lo dudo. (Dudo...)
Dudo que lo entiendan claramente.

1. ¿Me traerán otra taza de café? Eso pido. (Pido...)
2. Me regalan ese cuadro tan bonito. Me alegro de eso. (Me alegro de...)
3. Expresas tus ideas. El gobierno no lo impide. (El gobierno no impide...)
4. ¿Tendrán más éxito que sus padres? Los jovenes lo esperan. (Los jovenes esperan...)
5. ¿Comeremos más? Siempre lo queremos. (Siempre queremos...)

---

* With a few verbs such as **creer** and **pensar** it is not uncommon to find, particularly in spoken style, subjunctive clauses with the same subject as the main verb: **No creo que (yo) pueda acompañarlos mañana.**

6. Los hijos comen mucho. A las madres les gusta eso. (A las madres les gusta...)
7. Tengo que decirle la verdad. Lo siento. (Siento...)

Practice 5

Use the lexical elements given in order to put the English phrased thought into Spanish.

MODEL: amiga/esperar/llegar/temprano hoy
My friend hopes she will get here early today.
Mi amiga espera llegar temprano hoy.

1. Yo/esperar/amiga/llegar/temprano
   I hope my friend gets here early today.
2. Yo/querer/graduarme/dentro de tres año
   I want to graduate in three years.
3. Mi padre/trabajar/en su negocio
   My father wants me to work in his business.
4. La gata/siempre querer/subirse en el escritorio
   The cat always wants to get up on the desk.
5. Yo/no querer/subirse en mi escritorio
   I don't want her to get up on my desk.
6. El gobierno/pedir/hombres de negocios/ser más responsables
   The government asks businessmen to be more responsible.
7. La maestra/no aceptar/muchachos/reírse de ella
   The teacher won't accept the kids laughing at her.
8. Yo/no tener miedo/copiar/tu tema
   I'm not afraid to copy your theme.
9. Nosotros/tener miedo/otros/copiar/nuestros inventos
   We're afraid the other people will copy our inventions.

IV. Subjunctive and Infinitive with Impersonal Expressions

1. No es posible entrar a estas horas.
2. No es posible que ustedes entren a estas horas.

Expressions such as **es difícil, parece difícil, es bueno, parece bueno, es raro, basta, importa, conviene** are often called impersonal expressions, because in sentences like those above, their subject is not a person but rather the infinitive or clause which follows.

The infinitive is used when there is no specific subject given (as in example 1), and the statement applies to anyone. When there is a specific subject (as in example 2), a clause is used.

Practice 6

Use the elements given to form sentences.

1. es difícil/estudiar en el café
2. parece imposible/guerra/terminar/pronto
3. a veces/posible/resucitar a los muertos
4. es posible/los árabes y los israelitas/poder vivir en paz
5. conviene/pensar antes de hablar
6. es inútil/prohibir el tabaco
7. importa/la gente/escuchar/todas las opiniones
8. parece mentira/los jóvenes/creer/tales cosas
9. es bueno/usar poco azúcar
10. no es verdad/Elvis/estar muerto

Practice 7

All the types of sentences studied thus far appear in this set. Combine the two elements to make a single sentence.

1. ¿El mundo es plano? No creo eso.
2. Dormir ocho horas cada noche. Eso es importante.

3. Los niños duermen más que los adultos. Eso es necesario.
4. Las mujeres son menos agresivas que los hombres. Pienso eso.
5. ¿Nieva más en Maine que en Vermont? No sé eso.
6. Todos estudiamos una lengua extranjera. Quieren eso.
7. ¿Los jóvenes son más inteligentes que sus padres? No digo eso.
8. Hawai tiene un clima magnífico. Lo dicen.
9. Dejan papeles rotos, latas y basura en el parque. Me opongo a eso.
10. Limitarse a cuatro o cinco materias en un semestre. Eso conviene.
11. Nunca habrá una paz mundial. Es seguro.
12. No fumar nada. Personalmente, prefiero eso.
13. No hay aire en la luna. Sabemos eso.
14. Los astronautas hacen experimentos en el espacio. Es importante.
15. Hay más mujeres que hombres en Utah. ¿Es verdad eso?
16. Saber manejar un auto. Eso es muy útil.
17. No subirán más los precios. Quiero eso.
18. Chile es más largo que California. ¿No sabes eso?
19. Levantarse antes de las seis. Es imposible.
20. Lo hago yo mismo. Por favor, mamá, prefiero eso.
21. A los rusos les encanta el vodka. Lo veo.
22. El alcohol es peor que la marihuana. Eso puede ser.
23. Formo mis propias opiniones. Me gusta eso.
24. No todos lo hacen. Así resulta.

V. Verbs That Allow Infinitives Even with Change of Subject

After certain verbs, either a clause or an infinitive may be used, even if the subjects are different: **Los padres de José le permiten que regrese a cualquier hora,** or **Los padres de José le permiten regresar a cualquier hora.** The following are examples of such expressions:

Le ***mandan*** devolver el libro.
Lo ***hacen*** hablar español.
Lo ***obligan*** a estudiar un idioma.
No lo ***dejan*** entrar a la película.
Me ***impiden*** estudiar en paz.
Les ***prohiben*** fumar.
Te ***invito*** a pasar la noche con nosotros.
Te ***convido*** a asistir a la reunión.

Practice 8

Convert the following sentences into the type illustrated above. Note that it may be necessary to add an object pronoun.

MODEL: Permitimos que usen el diccionario.
Les permitimos usar el diccionario.

1. Nunca me invitan a que cante con ellos.
2. No dejamos que salgan de noche.
3. ¿Impiden que toque música contemporánea?
4. Mi mamá me prohibe que hable de su enfermedad.
5. Te convido a que compartas conmigo un buen té chino.
6. Voy a mandarle que limpie todo esto.
7. Les obligamos a que se atengan a las tradiciones.
8. Se permite que los clientes calculen su propia cuenta.
9. El gobierno obliga a que paguemos los impuestos.
10. Hacen que llevemos recibos y cheques cancelados.

Practice 9

In this exercise, verbs which permit an infinitive with a different subject are mixed with those that do not. Rephrase using an infinitive where possible. If it is not, simply repeat.

1. La mamá de Sakato quiere que ella se case con Eugenio Nakatani.
2. Por eso no deja que salga con otros muchachos.
3. Al papá no le gusta que su esposa tiranice así a la joven.
4. El padre le prohibe que ande con algunos muchachos.
5. También prefiere que no vaya a ciertos lugares.
6. Y le manda que regrese por la noche a una hora decente.
7. Se alegra de que su hija salga con Eugenio.
8. Pero no cree que sea justo imponer su propia preferencia.
9. La mamá, en cambio, duda que las muchachas sepan elegir bien.
10. Para ella, conviene que los padres seleccionen al novio.
11. No le gusta que haya tantos divorcios como hoy día.
12. Se queja de que los jóvenes no piensen seriamente antes de casarse.
13. Le molesta que tantos jóvenes vivan juntos sin casarse.
14. Desea que Sakato siga las costumbres tradicionales.
15. Por eso hace que vaya a la escuela japonesa por la tarde.
16. Allí la obligan a que estudie costumbres japonesas.
17. También insisten en que hable y escriba japonés.
18. Sakato acepta que la manden a la escuela.
19. Cuando un joven americano la invita a que salga, ella sale.
20. Pero los viejos prefieren que se case con un muchacho de familia japonesa.

VI. Verbs of Communication: Subjunctive vs. Indicative

Verbs such as **decir, insistir,** and **escribir** are used to make indirect discourse sentences, that is, sentences which indirectly cite words which someone else has uttered in direct discourse:

Joe:	I'm going downtown.
Grandpa:	Eh? How's that?
Pete:	He says he's going downtown.

In Spanish, if the original utterance was a command, then the indirect discourse sentence will have its noun clause in the subjunctive; if it was a statement, the clause will be in the indicative:

DIRECT DISCOURSE		INDIRECT DISCOURSE VERSION
Cierra la puerta, Julio.	>	Dice que ***cierres*** la puerta, Julio.
Ya ***está*** cerrada.	>	Dice que ya ***está*** cerrada.

Practice 10

Here's a worried mother getting her son off to school. Tell somebody what's going on. Start your sentences with **le dice que.**

MODELS: Son las seis y media, mi hijo.
Le dice que son las seis y media.

Levántate.
Le dice que se levante.

1. Hoy es lunes.
2. Tienes dos exámenes hoy.
3. Ponte una camisa más limpia.
4. Tu desayuno ya está en la mesa.
5. Apresúrate.
6. Se hace tarde.
7. Vas a perder el autobús si no te das prisa.

8. No te olvides de cepillarte los dientes.
9. Busca tus libros.
10. Lleva el impermeable porque parece que va a llover.
11. El niño ya se ha ido y puedo regresar a la cama.

Practice 11

The same mother insists on her son doing certain things, and also that he does, in fact, do them. Tell about it with **Insiste en que...**

1. Mi hijo nunca falta a sus clases.
2. Haz tu trabajo, hijo.
3. No dejes tus libros en la mesa.
4. No seas tan perezoso.
5. Mi hijo será médico algún día.

Practice 12

The boy finally got out of the house and made it into medical school. Now his mother writes him. Tell what she writes him. Start your sentences with **Le escribe que...**

1. No dejes de escribirme.
2. Ten cuidado con las chicas de la ciudad.
3. Te extraño mucho, hijo.
4. Cuéntame cómo son tus clases.
5. No sé cómo gastas tanto dinero.
6. Vuelve a casa para las Navidades.

Practice 13

Using the constructions you just practiced, put these ideas into Spanish.

1. They tell me to study more.
2. They say they study a lot.
3. They always tell me to be good.
4. They insist on my taking this medicine.
5. They insist that modern music is inferior.

VII. Tense Usage in the Subjunctive

A. Main Clause in a Past Tense

Because there are fewer tenses of the subjunctive than of the indicative, they do not correspond exactly. Subjunctive tenses may be divided into two groups: (l) present and present perfect **(tome, haya tomado)** and (2) past and past perfect **(tomara/ase, hubiera/iese tomado).** Two factors determine which tense is used in noun clauses. One is the tense of the main clause, and the other is the time of the dependent clause action. If the main clause is in a past tense, the dependent clause must be in one of the two subjunctive past tenses:

Past main clause	requires:	Past dependent clause
no creía no creí no creería no había creído no habría creído	que eso	tuviera importancia. hubiera tenido importancia.

The difference between **tuviera** and **hubiera tenido**, both possible in the sentence, is that **tuviera** expresses an action that occurs at the same time as the action of the main verb or later, while **hubiera tenido** expresses an action prior to the time of the main verb. Thus, in **Yo no creía que llegaran a tiempo,** the "arriving" was happening at the same time as the not believing, or it hadn't happened yet. But, in **Yo no creía que hubieran llegado a tiempo,** the subject expressed disbelief about something that had already happened. Compare the English:

I didn't think they'd get there on time.
I didn't think they had gotten there on time.

See Unit 2, Section III for a review of the past subjunctive forms.

Practice 14

You will find a statement in Spanish about something that happened in the past, followed by a series of other sentences in English referring to the same event. Translate the English statements into Spanish.

1. Romeo y Julieta querían casarse.
   a. I didn't believe they wanted to get married.
   b. I didn't think they had gotten married.
   c. I didn't think they'd get married.
   d. Their parents didn't want them to get married.
   e. I never would have thought they'd get married.
2. No tocaron mi canción.
   a. I hoped they would play my song.
   b. I was sorry they didn't play my song.
   c. My girlfriend had asked them to play my song.
   d. It annoyed me that they didn't play my song.
3. ¿Colón había descubierto la ruta a la India? A mí me sorprendería.
   a. The Portuguese doubted he would discover the route.
   b. The Queen was surprised that he had discovered the route.
   c. His men hoped he would get to India.
   d. It was logical that he would get to India.
   e. I would like you to discover a new route.

B. Main Clause in a Non-Past Tense

When the time of the main clause is other than one of those shown above, any of the four subjunctive tenses may follow, depending upon the sense of what is said:

Espero Esperaré No esperes Nunca he esperado	que te lo	agradezcan. hayan agradecido. agradecieran. hubieran agradecido.

In terms of the meaning, if we compare the more numerous indicative tenses with the subjunctive tenses, the correspondence is as follows:

¿***Tendrá*** razón? ¿***Tiene*** razón?	>	No creo que ***tenga*** razón.
¿***Tenía*** razón? ¿***Tendría*** razón?	>	No creo que ***tuviera*** razón.
¿***Tuvo*** razón? ¿***Ha tenido*** razón? ¿***Habrá tenido*** razón?	>	No creo que ***haya tenido*** razón.
¿***Había tenido*** razón? ¿***Habría tenido*** razón?	>	No creo que ***hubiera tenido*** razón.

There are a few minor variations to be found from what is shown above. Most important is that the subjunctive equivalent of the indicative preterit may be either the imperfect form (***tuviera*** or ***tuviese***) or the present perfect (***haya tenido***), as shown. However, there is a strong tendency for the imperfect subjunctive to correspond to the imperfect indicative and for the present perfect subjunctive to correspond to the preterit. Because this is the most common usage, the correspondence shown is the best model to follow.

Practice 15

Say that the following ideas seem incredible:

MODEL: El resultado fue igual.
Parece increíble que el resultado haya sido igual.

1. El resultado sería igual.
2. El resultado será igual.
3. El resultado había sido igual.
4. El resultado no era siempre igual.
5. Nuestro resultado no ha sido igual al tuyo.

Practice 16

Say that it is a pity that these things happened or will happen.

1. El cometa desapareció.
2. La secretaria no sabe nada.
3. El doctor era culpable.
4. El joven se ha quebrado una pierna.
5. Los estudiantes no entenderían.

Practice 17

You will find a statement in Spanish followed by a series of other sentences referring to the same event. Translate the English sentences.

1. Lazarillo aprendió a robar con su primer amo, un ciego cruel.
   a. It's a shame he learned to steal.
   b. His mother wouldn't have believed he was so cruel.
   c. I'm sorry his father died.
   d. It's possible the boy would have died of hunger.
   e. It was better for him to learn to steal.
   f. Lazarillo asked the blind man to give him food.
   g. The blind man didn't care if the boy was hungry. (Al ciego no le importaba...)
2. Lazarillo es ingenioso y engaña muchas veces al ciego.
   a. It is good that the boy is ingenious.
   b. It has been necessary for him to trick the blind man.
   c. It will be necessary for him to trick the blind man again.
   d. It wasn't necessary for the blind man to trick Lazarillo.
   e. It would have been better for the blind man not to trick him.
3. El muchacho merecía que le dieran de comer.
   a. The boy deserves to be fed.
   b. He didn't deserve not to be fed.
   c. The blind man denied that he hadn't fed him.
   d. He didn't permit him to be fed.
   e. I don't believe he has been fed.
   f. I doubted that he would be fed.
4. Al final, Lazarillo tuvo que matar al ciego para escaparse.
   a. I don't think he killed him.
   b. It wouldn't be necessary that he kill him.
   c. His mother didn't ask him to kill the blind man.
   d. She hoped he wouldn't kill him.
   e. Did he deserve to be killed by the boy?
   f. It is a pity he had to kill him.

Practice 18

In this set, you have a mixture of all tenses, and constructions without change of subject as well as those which take an infinitive even with a change of subject. There are, in addition, constructions which do not take the subjunctive in the dependent clause. In short, everything we've reviewed so far in this section is in this set. Combine the two sentences beginning with the second.

MODEL: Los científicos se emocionan tanto como los poetas./Es dudoso.
Es dudoso que los científicos se emocionen tanto como los poetas.

1. Saben más que los poetas./Eso creen.
2. Los poetas no habrían estropeado el mundo como los científicos./Es posible.
3. Tocan música tan estridente./Yo se lo prohibiría.
4. Escucho música clásica de vez en cuando./Me gusta eso.
5. Escucho todo tipo de música./Prefiero eso.
6. En la variedad está el gusto./Eso creo.
7. Es difícil estudiar con música./Eso dice mi padre.
8. Apaga la música./Eso me dijo mi padre.
9. No me molestaba la música./Eso respondí.
10. Convencerlo./Fue imposible.
11. Yo haría las cosas como deseaban ellos./Eso querían mis padres.
12. Yo abandonaría la casa./Por eso decidí eso.
13. En la playa las olas estaban muy grandes./De eso se quejaba mi hermanito.
14. ¿Él entraría al agua?/Por fin lo conseguí.
15. Las olas no estaban tan grandes./Luego le pareció así.
16. Quédese alguien cerca./Siempre insistía en eso.
17. ¿Es cobarde?/No lo creo.
18. Es natural en un chiquillo./Creo eso.
19. Todos teníamos miedo cuando éramos chicos./Es probable.

Practice 19

Continue as before.

1. Les interrumpí la conversación a mis amigos./No había querido eso.
2. ¿Me perdonarían?/Eso pedí.
3. Me perdonaron./Me alegraba de eso.
4. Me quedaría a cenar con ellos./Me invitaron.
5. ¿Cenaría en casa?/Eso no hacía falta.
6. No traje nada para la comida./Eso no importa.
7. ¿Me sentaría a la mesa?/Me hicieron . . .
8. ¿Pasaría la noche también?/Se empeñaban mis amigos en eso.
9. ¿Pasaría la noche afuera?/Eso no les habría gustado a mis padres.
10. Regresamos siempre a casa./Eso prefieren.
11. Pasar la noche con amigos./A veces me gustaría eso.
12. Pasar la noche con amigos./Pero ellos no me lo permiten.
13. ¿No me portaría bien?/Eso temen.
14. Me porto mal si quiero./Ellos no pueden impedirlo.

VIII. The Expression *ojalá*

The expression **ojalá (que)** (the **que** is optional) is always followed by the subjunctive. If the thing hoped for is within the realm of possibility, then the present or present perfect is used:

Ojalá que no llueva mañana. (It may.)
Ojalá no se haya olvidado de la cita. (Maybe he didn't.)

If the thought is, instead, a wish that things were different from the way they are (i.e., a contrary-to-fact notion), then the imperfect or pluperfect subjunctive is used:

Ojalá que no lloviera tanto. (But it is, or it does.)
Ojalá que nunca hubiéramos empezado esa guerra. (But we did.)

Notice that this distinction corresponds to the English distinction between hope and wish. A hope is capable of fulfillment; a wish is contrary to fact. Tense is not the deciding factor:

I hope she knows how to dance.	(now)
I wish she knew how to dance.	(now)
I hope he didn't hurt himself.	(past)
I wish he hadn't hurt himself.	(past)

Practice 20

Express the hope that things will happen or did happen as the item suggests. Use a shortened answer as shown.

MODEL: ¿Vendrá Gloria Estefan a esta universidad?
Ojalá (que) venga.

1. ¿Volverán las tropas?
2. ¿Contesté bien esa pregunta?
3. ¿Tu papá ya mandó el cheque mensual?
4. ¿Se puede eliminar la pobreza en este país?
5. ¿No se murió Dick Tracy en la emboscada?

Practice 21

Wish that things were different.

1. Nunca habrá paz en el mundo.
2. Saqué mala nota en el último examen.
3. No tengo dinero para viajar.
4. Es obligatorio estudiar un idioma.
5. Tomé mucha tequila en la fiesta de anoche.

Practice 22

Hope for possible things; wish that established things were otherwise.

1. Estoy tan gordo (gorda).
2. ¿Podré seguir esta dieta?
3. Empecé muy mal anoche.

4. Todo lo que me gusta comer engorda.
5. ¿Habré perdido algunas libras hoy?
6. ¿Es necesario hacer mucho ejercicio también?
7. Todo lo bueno cuesta tanto trabajo.
8. ¿Por qué no me limité anoche a la ensalada?
9. ¿Ya sirvieron el almuerzo?
10. ¿Estaré más delgado (delgada) la semana que viene?

IX. The Expressions *tal vez, quizá(s),* and *acaso*

With these expressions (**quizá** may be used with or without the **-s**), either the indicative or the subjunctive is used. Theoretically, the subjunctive expresses a greater degree of uncertainty.

Practice 23

Answer by saying you don't know, maybe it's so. Use first **tal vez** then **quizá(s)**. Use the indicative in this set.

MODELS: ¿Saben esos indios que sus antepasados fueron aztecas?
No sé. Tal vez lo saben.

¿Es verdad que sólo comen frijoles?
No sé. Quizás es verdad.

1. Dicen que tienen los dientes perfectos.
2. ¿Se hicieron cristianos en el siglo quince?
3. ¿Hay algún protestante entre ellos?

Practice 24

Continue as before but this time use the subjunctive.

1. Se dice que los indios son más estoicos que los blancos.
2. ¿Mascaban coca también en México?
3. ¿Usarán hojas de coca para fabricar Coca-Cola?
4. ¿Tiene vitaminas la Coca-Cola?
5. ¿El que inventó la Inca-Cola del Perú fue un inca?
6. ¿O es que se prepara en la ciudad de Ica?

UNIT 8

The Subjunctive in Adverbial Clauses

Antes que te cases, mira lo que haces.

I. Adverbial Clauses

An adverbial clause is a sentence which functions like an adverb to modify the verb of another sentence of which it is a part:

> Vamos a la playa ***ahora.*** (**Ahora** is an adverb.)
> Vamos a la playa ***cuando ustedes terminen de comer.*** (**Cuando ustedes terminen de comer** is an adverb clause.)
> Other examples:
> Te lo explico ***para que lo entiendas.***
> Cambien estas frases ***como les expliqué ayer.***

The adverbial clause tells something about when, where, how, under what circumstances, or for what purpose the action of the main clause takes place. Such clauses are usually organized by the adverbial conjunction which links them to the rest of the sentence.

One group of adverbial conjunctions is always followed by the subjunctive:

> ***Antes que*** te cases, mira lo que haces.
> ***Para que*** se despierte David, hay que sacudirlo varias veces.
> ***A menos*** que me den esa beca, pienso pasar las vacaciones aquí.
> ***A no ser que*** se opusiera su padre, Pámela pensaba casarse en seguida.
> No podía casarse ***sin que*** le dieran permiso sus padres.
> Darían su permiso ***con tal que*** los dos terminaran sus estudios.

Another group is *never* followed by the subjunctive:

> ***Puesto que*** le traen otra cerveza, el cliente no se queja del servicio.
> ***Ya que*** no ha llovido este mes, tendremos que regar el jardín.

Practice 1

Rephrase the following sentences using the suggested conjunction.

MODEL: Primero mira lo que haces, luego te casas. (antes que)
Antes que te cases, mira lo que haces.

Vendrán si los invitamos. (con tal que)
Vendrán con tal que los invitemos.

1. No habrá comida para todos, si no se limita la población. (sin que)
2. Voy a llamar al mesero, y nos traerá más cerveza. (para que)
3. Quiero ver a José, que se marcha mañana. (antes que)
4. Te presto mi diccionario pero devuélvemelo hoy. (con tal que)
5. No podré estudiar en México si no me dan una beca. (a menos que)
6. Su padre no le deja manejar si no paga la gasolina. (a no ser que)
7. No tiene dinero. No puede pagar. (puesto que)
8. Hoy es domingo y el cartero no trabaja. (ya que)
9. Échale un poco de aceite a la cadena y no rechinará. (para que)
10. Era tan débil e inofensivo. Paco no parecía delincuente. (ya que)
11. Si uno no se cuidaba, le robaban hasta el oro de los dientes. (a menos que)
12. Vino la policía pero él echó a correr antes. (antes que)
13. Podía sacarle a uno la billetera y no sentía nada. (sin que)
14. Era ladrón y yo no le tenía lástima en absoluto. (puesto que)
15. Llevaría una vida miserable si no cambiaba de oficio. (a no ser que)

II. Subjunctive in Adverbial Clauses of Time

Clauses introduced by expressions like **cuando, en cuanto, tan pronto como, la próxima vez que**, etc., are in the subjunctive only when they refer to an unaccomplished act. The act is unaccomplished when it is still in the future. Notice that it is only the verb following the adverbial expression which is affected, not the verb of the main clause.

Unaccomplished: **En cuanto termine la guerra, las tropas empezarán a regresar.**

The act is accomplished when it is in the past:

Accomplished: **En cuanto terminó la guerra, las tropas empezaron a regresar.**

We are also talking about accomplished acts, and therefore use indicative forms when we refer to an act which is customary, often repeated:

Customary: **Cuando oigo la música de Mozart, siempre tengo que parar y escuchar.**

Unaccomplished: **Cuando oiga esta música, Gaby tendrá ganas de bailar.**

Sentences of this kind which are in the past may also have the subjunctive (in one of its past tenses) if the act referred to is future and unaccomplished from the standpoint of some moment in the past. Observe the following set of examples which illustrate this usage:

UNACCOMPLISHED IN THE PAST:

1. ***La próxima vez que la vea,*** le daré las gracias. (future)
2. Pensé que ***la próxima vez que la viera,*** le daría las gracias. (From the standpoint of when "I thought," the action of seeing her was still future, but now it is all in the past.)
3. ***La próxima vez que la viera,*** le daría un beso. (Here we have the same kind of sentence as in no. 2 with the ***pensé que*** left out.)
4. ***La próxima vez que la vi,*** le di un abrazo. (In this sentence, we simply tell what happened in the past, without any other past point of time, as we had in no. 2 and implied in no. 3.)
5. ***Cuando la veía,*** le daba un abrazo y un par de besos. (Like no. 4, except that the act was customary and repeated in the past.)

The expression **esperar a que,** meaning "to wait for" something to happen, is always followed by the subjunctive:

Tuvimos que esperar a que regresara David.

Practice 2

Choose the correct form.

1. Voy a escribirles cuando tengo/tenga tiempo.
2. Siempre les escribo a mis padres cuando tengo/tenga tiempo.
3. Jaime se levanta tan pronto como se despierta/se despierte.
4. Otros esperan hasta que se les llama/se les llame varias veces.
5. Después que termine/termina esta guerra espero que nunca comience otra.
6. En cuanto sale/salga Elena del hospital tendrá que tomar los exámenes finales.
7. La última vez que la vi/viera, estaba llena de salud.
8. La próxima vez que la veo/vea estará en una silla de ruedas.
9. Tiene que estar en el hospital hasta que se suelden/se sueldan los huesos rotos. (soldarse)
10. Aun cuando sale/salga no podrá caminar todavía.
11. Cuando se rompen/se rompan los huesos así en varios lugares, dura mucho la convalecencia.
12. Cuando los viejos se rompen/se rompan un hueso es aun peor.
13. Tan pronto como llegaron/llegaran al accidente empezaron a sacarla del coche.
14. Decidieron esperar hasta que llegara/llegó un médico antes de moverla.
15. Después que llegara/llegó el médico sabrían si era peligroso moverla o no.
16. Cuando llegó/llegara el médico les dijo que ella tenía las piernas quebradas.
17. Tan pronto como la sacaron/sacaran se desmayó de dolor.
18. Dijo el médico que no volvería en sí hasta que le dieran/dieron un estimulante.
19. Pero en cuanto dijo/dijera eso la víctima abrió los ojos.

20. Dice ella ahora que cuando compra/compre otro coche no será uno de los pequeños.
21. Digo yo que en cuanto Detroit fabrique/fabrica un coche razonable lo compraré.
22. Después que pasaran/pasaron de cuatro cilindros, los motores han sido cada vez más potentes.
23. Cuando bastan/basten cincuenta caballos de fuerza, ¿de qué sirven trescientos cincuenta?
24. Los coches importados serán populares hasta que los coches americanos dejan/dejen de ser unas monstruosidades.
25. Cuando manejo/maneje un enorme coche americano, me parece un barco.
26. Algunos esperaban a que cambió/cambiara de tema.

Practice 3

Both types of conjunctions, the first group and those of time, appear in the following sentences. Vary the basic sentence by preceding it with the different beginnings provided.

MODEL: Vienen a Hawai.
¿Tus padres vivirán contigo cuando...
¿Tus padres vivirán contigo cuando vengan a Hawai?

Basic sentence 1

Vienen a Hawai.

a. Les envié dinero para que...
b. Yo no los veré a menos que...
c. Piensan visitar Kauai la próxima vez que...
d. El año pasado no regresé de Samoa antes que...

Basic sentence 2

Hace ese trabajo.

a. No distraigas a tu hermano ya que por fin...
b. Podrá salir en cuanto...
c. No salió anoche, puesto que no...
d. Y hoy tampoco le doy permiso a menos que...

e. Por lo general, jugamos a las cartas después que...
f. Le gusta escuchar el radio cuando...
g. Ayer tuve que castigarlo para que...
h. Dice el profesor que sacará una A con tal que...
i. ¿Cambiará de opinión después que...

Basic sentence 3

Cuento mis problemas.

a. Todos son mis amigos hasta que les...
b. Hasta mi novia me abandonó cuando le...
c. Un siquiatra me invitó para que le...
d. Me sirvió café y luego esperó a que le...
e. Pero me cobró $100 después que le...
f. Creía comprenderme ya que le...
g. Yo preferiría que me pagaran dinero cuando...
h. Los sicólogos no quieren escucharme a menos que les...
i. Ustedes se sorprenderán cuando les...
j. No se vayan hasta que les...
k. Todos se marcharon después que les...
l. Nadie se marchó antes que les...
m. Se sentaron a escuchar ya que les...
n. Se quedaron hasta después que les...
o. No sé quién es mi amigo a menos que le...
p. Me dijeron que esperarían a que les...

Basic sentence 4

Compone su coche.

a. Esperé más de dos semanas a que David...
b. No había manera de ir al centro sin que...
c. Los vecinos le prestaron herramientas para que...

d. Se las devolvió después que...

e. Irá a un taller la próxima vez que...

f. Lo ensucia todo cuando...

g. Siempre se siente mejor en cuanto...

h. Su novia dice que no sale más con él hasta que...

III. The Change of Subject Factor

Several of these adverbial conjunctions have corresponding prepositions (e.g., **antes que: antes de; para que: para**). The conjunction is used to link a following clause (i.e., conjugated verb) to the main clause, as in the items of the drills above. However, if the two verbs have the same subject, an infinitive is often used instead of a dependent clause. Compare:

Different subjects:	**Los niños** desayunaron antes que **yo saliera para el trabajo.**
Same subject:	**Los niños** desayunaron **antes de salir para la escuela.**

(See Unit 7 for the same phenomenon with noun clauses.) In the case of those conjunctions (e.g., **cuando, en cuanto**) that have no corresponding preposition, change of subject is irrelevant:

Pienso comprar un computador cuando llegue ese cheque.

Pienso vivir con mis padres cuando vuelva yo a California.

Prepositions corresponding to adverbial conjunctions are:

hasta	hasta que
después de	después que
sin	sin que
antes de	antes que
para	para que

Practice 4

Combine the sentences as shown in the models. Use an infinitive if there is no change of subject.

MODELS: El niño aprende a tocar. Los padres compraron el piano.
The parents bought the piano so the boy would learn to play.

Los padres compraron el piano para que el niño aprendiera a tocar.

I bought the piano to play it, not to look at it.
Compré el piano para tocarlo, no para mirarlo.

1. Aprendí a tocar. No leo música.
   I learned how to play without reading music.
2. El niño abrió el candado. No le enseñé cómo hacerlo.
   The boy opened the lock without my showing him how.
3. Sería mejor que no siguieras tomando. Te emborrachas.
   It would be better if you wouldn't keep on drinking until you get drunk.
4. Yo siempre paro. No me emborracho.
   I always stop before I get drunk.
5. Lees la frase en inglés. Dila en español.
   After you read the sentence in English, say it in Spanish.
6. Él lee la frase en inglés. Tú la dirás en español.
   After he reads the sentence in English, you'll say it in Spanish.
7. Las camas son altas. Así los enfermos pueden ver por las ventanas.
   The beds are high so the patients can see out the windows.
8. No voy a acostarme. Vuelve mi compañero.
   I'm not going to go to bed before my roommate gets back.
9. Nunca estudia. No toca música.
   He never studies without playing music.
10. Apago la música cuando estudio. Así pienso mejor.
    I turn off the music when I study so I can think better.
11. Hice la mesa. Así tengo donde trabajar.
    I made the table so I'd have a place to work.
12. Tienes que practicar esta estructura. Luego la dominarás.
    You have to practice this structure until you control it.

IV. *Mientras* with Subjunctive and Indicative

When **mientras** means *so long as,* it takes the subjunctive:

SO LONG AS:

Mientras no se controle la población del mundo, no se podrán solucionar los problemas de la raza humana.
Mientras fuera menor de edad, su madre podía impedir su matrimonio.

Like English *while,* **mientras** can mean *so long as,* expressing a complete overlapping, or it can suggest simply a partial overlapping of two actions or states. In the case of partial overlap, it takes the indicative. Thus:

APPROXIMATELY THE SAME TIME:

Practicarán el español mientras están en Centroamérica.
They'll practice their Spanish while they are in Central America.
Mientras tú terminas de vestirte, yo saco el coche y te espero en la calle.
While you finish dressing, I'll get the car and wait for you out in front.

Notice that in both of these sentences, the meaning is that two things are happening more or less at the same time, but the times are not exactly the same, as they would be if the idea were "so long as." If the first sentence said **Mientras estén en Centroamérica,** the idea would be: *So long as* they are in Central America.

Practice 5

Combine the sentences using **mientras** and expressing the idea that so long as the first action takes place, the second will result.

MODEL: Tocan esa música. No puedo estudiar.
Mientras toquen esa música no puedo estudiar.

1. Hay gente. Habrá contaminación.
2. No abandonamos la guerra. Hay miseria en el mundo.
3. El muchacho no estaba libre. No estaría contento.
4. Hacía buen tiempo. Podía trabajar en casa.

Practice 6

Rephrase beginning the sentence with **mientras and expressing the idea that the first and the second actions took place more or less at the same time.**

MODEL: Comemos y siempre vemos televisión.
Mientras comemos siempre vemos televisón.

1. El mono baila y el viejo recoge las monedas.
2. El marido guiaba el coche y su esposa empujaba.
3. Los chicos se divierten con esa música. Los padres se quejan.
4. Él lava los platos y ella barre la cocina.
5. Él se afeita y ella prepara café.

Practice 7

Rephrase the Spanish sentences using **mientras** to express the idea given in English. Both types of sentences are mixed here.

1. Usan esa máquina. No se podrá ver la televisión.
   As long as they use that machine we won't be able to watch T.V.
2. No estarán contentos los padres. No trabajan los jóvenes.
   The parents won't be happy so long as the kids don't work.
3. Don Quijote piensa en grandes hazañas. Sancho piensa en su estómago.
   Don Quijote thinks about great deeds while Sancho thinks about his stomach.
4. El profesor escucha. Los alumnos conversan.
   While the professor listens, the pupils converse.
5. Si no cometen errores graves, no dirá nada.
   So long as they don't make serious mistakes, he won't say anything.
6. Unos piensan. Otros prefieren trabajar con las manos.
   While some think, others prefer to work with their hands.

7. Hay belleza y habrá poesía, decía Bécquer.
   So long as there is beauty, there will be poetry, said Bécquer.
8. Ellos se bañan. Ella preparará la cena.
   While they take a bath, she will fix supper.
9. Tendrán que practicar. No dominan la estructura.
   They'll have to practice so long as they don't control the structure.
10. Daniel trabajaba y asistía a la universidad.
    Dan worked while he went to college.
11. Ella podía seguir en la universidad. Tenía beca.
    She could continue at the university while she had a scholarship.

V. Subjunctive and Indicative with *aunque*

Aunque su apellido es Pahinui, ella no es hawaiana.

When the sentence talks about an objectively accepted truth, *aunque* is followed by the indicative. When the sentence expresses an action or state only possibly true, or an action or state contrary to fact, the subjunctive is used:

Aunque lleguemos algún día a Venus, no nos servirá de nada.

(We might but we haven't yet.)

Aunque la luna tuviera aire y agua no me gustaría vivir allí.

(But there is no air or water.)

This distinction is made in English by using *although* or *even though* for objective facts and *even if* for possibilities or things contrary to fact. Compare:

"Although her last name is Pahinui, she is not Hawaiian."

"Even if we get to Venus some day, it won't be of any use to us."

"Even if there were air and water on the moon, I still wouldn't want to live there."

The tense of the subjunctive used varies depending upon whether we are talking about a possibility or a situation contrary to fact, and whether we are talking about the past or not. Here are some examples:

Nonpast possibility:	**Aunque me ofrezcan un millón de dólares, no voy a vivir en Nueva York.** *Even if they offer me...*
Nonpast contrary to fact:	**Aunque me ofrecieran un millón de dólares, no iría a vivir en una ciudad tan grande.** *Even if they offered me...*
Past possibility:	**Dije que aunque me ofrecieran un millón de dólares, no iba a vivir en aquella ciudad.** *Even if they offered me...*
Past contrary to fact:	**Aunque me hubieran ofrecido un millón de dólares, no habría ido a vivir en Los Ángeles.** *Even if they had offered me...*

Practice 8

The following **aunque** clauses express possibilities. In English, we would say *even if*. Shift them to the past, beginning with **Dije que...**

1. Aunque haga todos los ejercicios, todavía no sabrá hablar español.
2. Aunque se corte ese árbol, no se verá el mar.
3. Aunque pasemos una semana en Cuba, no sabremos lo que ocurre.

Practice 9

These clauses express ideas contrary to fact. Shift them to the past.

1. Aunque el presidente no interviniera, ese candidato no podría ganar.
2. Aunque fueras mucho más fuerte, no podrías levantar una piedra así.
3. Aunque leyeras todos los libros de la biblioteca no lo sabrías todo.

Practice 10

Rephrase, using **aunque** and the subjunctive or indicative. Use the indicative for objective facts, otherwise use the subjunctive.

1. Me corté el dedo pero no me duele en absoluto.
2. Aun si no entiendes la oración, repítela con entusiasmo.
3. Aun si Eva no hubiera mordido la manzana, se habría corrompido el Edén.
4. David es vegetariano pero a veces come pescado.
5. Aun si vamos todos, no habrá quórum.
6. Fue pintado por un principiante pero es un cuadro fantástico.
7. ¿Trabajarán todo el día? Aun así no terminarán.
8. Aun si me dieran un sueldo enorme, no viviría en Nueva York.
9. Tiene cafés, teatros, museos, etcétera, pero también tiene muchísima gente.
10. Su apellido es Souza pero no habla portugués.
11. Aun si los portugueses no hubieran explorado esas rutas, se habría descubierto América.
12. Aun si invento cien frases, algunos no entenderán.

Practice 11

Rephrase the Spanish sentences using **aunque** to express the idea given in English.

1. La luna da luz. Es una luz reflejada.

   Although the moon gives off light, it is a reflected light.

2. Consigues un título académico. Pero es posible que no encuentres un buen trabajo.

   Even if you get a college degree, maybe you won't find a good job.

3. Tienes un doctorado. Eso no te garantiza empleo.

   Even if you had a doctorate, that wouldn't guarantee you a position.

4. ¿Tienen elecciones libres? Algunos países no tienen un gobierno democrático.

   Even if they had free elections, some countries wouldn't have a democratic government.

5. Nosotros preferimos la democracia. No todos piensan igual que nosotros.

   Although we prefer democracy, not everyone thinks as we do.

6. Tienes un doctorado. Eso no te garantiza empleo.

   Although you have a doctorate, that doesn't guarantee you a position.

VI. Emotional Reactions Expressed with *aunque* and the Subjunctive

The use of the subjunctive and indicative with **aunque** is further complicated by the fact that even when the statement refers to an accepted fact, the subjunctive may be used to show an emotional reaction to that fact. That is, it is accepted as fact but not accepted objectively. It is as if the speaker rebelled against the facts and behaved in an unexpected manner. Observe these examples:

—¡Y soy marxista! —afirmó el joven —aunque mi padre sea millonario.

His father is a millionaire, that is true, and you wouldn't expect the son to be a Marxist, but he is anyway, in spite of that fact.

¡Aunque tengan vitaminas, no me gustan las espinacas y no las como, así que déjenme en paz!

I don't care if spinach does have vitamins, I don't like it, and I won't eat it, so leave me alone!

Practice 12

Continue as in the previous exercise.

1. Es el vicepresidente pero no tiene derecho a insultarnos.
   Even if he is the vice-president, he has no right to insult us!
2. Sabe mucho, sí, pero no sabe enseñar en absoluto.
   Even if he does know a lot, he can't teach at all!

3. Tuve un accidente pero no tuve la culpa.
   Even if I did have an accident, it wasn't my fault!

4. Lo recomendaron, sí, pero es un candidato pésimo.
   Even if they did endorse him, he's a lousy candidate.

5. Contribuyeron mucho dinero a la campaña, pero él no los va a favorecer.
   Even if they did contribute a lot of money to the campaign, he won't favor them.

UNIT 9

The Subjunctive in Adjective Clauses

Grillo, grillo; todo lo que encuentre para mi bolsillo.

I. The Subjunctive in Adjective Clauses

Hay premios para todos los muchachos que lleguen.
Todos los muchachos que llegaron recibieron premios.

An adjective clause is a clause that modifies a noun in the same way that an adjective does. Thus, in **el libro que tú me prestaste,** the clause **que tú me prestaste** modifies **el libro** (its antecedent) in the same way that the adjective **nuevo** does in **el libro nuevo.** The word **que**, as used here, is one of a number of similar words called relatives because they serve to "relate" the clause to the antecedent. For this reason, adjective clauses are also called relative clauses.

Subjunctive verb forms are used in adjective clauses when the antecedent is, in the mind of the speaker, nonexistent or unidentified. The most obvious cases are with negative antecedents, with inquiries about the existence of something, or statements about the characteristics of items desired but not yet possessed or found.

No hay ***nada que te guste más que el chocolate.*** **(Nada** is a negative antecedent. No such thing exists.)
No conozco a ***nadie que coma tanto como tú.*** **(Nadie** is negative. I don't know anybody like that.)
¿Hay ***alguien*** aquí ***que viva en el centro?*** (Is there anybody like that?)
Necesito una ***persona que sepa español y que pueda trabajar 20 horas por semana.*** (A looked-for but unidentified person.)
Escribió un ingeniero guatemalteco pidiendo ***folletos que explicaran el uso de las sustancias radioactivas.*** (He requests pamphlets which may or may not exist. He hopes so.)

In other cases, a given sentence may contain either the indicative or subjunctive, depending on whether the antecedent is viewed as being already existent or identified. Thus, in:

Haré ***lo*** que ***dice*** Tomás.
Thomas has already said what should be done, but in

Haré ***lo*** que ***diga*** Tomás.
Thomas has not yet told us what to do and he may or may not tell us something. Similarly, **Llévese el libro que quiera** means *Take any*

book you want, but, **Llévese el libro que quiere** means *Take the* (already identified) *book you want.*

Practice 1

Change the following sentences to the imperfect, changing the present subjunctive to the past subjunctive. Try to picture the meaning of each sentence in your mind.

MODEL: Deseo comprar un coche que dure veinte años.

Deseaba comprar un coche que durara veinte años.

1. Nunca he visto un volcán que sea tan activo como éste.
2. Estoy buscando una herramienta que me sirva.
3. Prefiero bailar con alguien que no me pise los pies.
4. Deseo estudiar con profesores que no sean extremistas.
5. Los profesores que no escriban artículos pueden perder su puesto.
6. No hay nadie en el mundo que sea más guapa que tu novia.
7. Necesitamos una universidad que de veras eduque a los jóvenes.
8. Espero una carta que traiga buenas noticias.
9. ¿El profesor les da a los alumnos datos que les ayuden?
10. Quienquiera que venga a mi casa lo invito a comer.
11. Cualquiera que le preste dinero dejará de ser su amigo.

Practice 2

Change the following statements in the indicative to questions using the subjunctive in the relative clause to express the undetermined nature of the antecedent.

MODEL: Conoces a una persona que me puede ayudar. (That person exists.)

¿Conoces a una persona que me pueda ayudar? (Is there such a person?)

1. Tienes comidas que no tienen tanta grasa.
2. Ha llegado alguien que me conoce y me puede identificar.
3. Hay libros que valen más de diez mil dólares.

4. Había chicos en tu clase que no tenían casa.
5. Esa universidad tenía profesores que expresaban opiniones políticas en la clase.
6. Has encontrado un procedimiento que nos resuelve el problema.
7. Conoces un buen sitio en que podemos hacer un picnic.

Practice 3

Change the sentences to the negative by replacing **algo, alguien,** and **alguno** or **uno** with **nada, nadie,** and **ninguno,** and by using the subjunctive where appropriate. Pay attention to the denial of existence of the antecedents.

MODEL: He visto algo que me interesa.
No he visto nada que me interese.

1. El médico me dio algo que me curó el catarro.
2. En ese hospital hay alguien que hace milagros.
3. La farmacia vende medicinas que sólo cuestan cinco dólares.
4. Tomo algo que es mejor que aspirinas.
5. Hay alguien que sabe curar el SIDA.
6. Encontré una frase que no tenía errores.
7. Vi a uno de mis amigos que estudiaba en la biblioteca.

Practice 4

Select the correct verb form.

1. A veces encuentro cuadros hermosos que __________ (cuestan, cuesten) muy poco.
2. Estoy buscando cuadros que __________ (cuestan, cuesten) poco.
3. ¿Hay una película en el centro en que __________ (hablen, hablan) animales?
4. Ayer vi una película en que __________ (hablaban, hablaran) animales.
5. Hoy no hay películas en que __________ (presenten, presentan) animales parlantes.
6. ¿Dónde estaba el empleado que __________ (hablaba, hablara) francés?

7. ¿Había un turista que __________ (hablaba, hablara) alemán?
8. Yo conocía a un chico que __________ (sabía, supiera) silbar con los dientes.
9. ¿Conoces a alguien que __________ (sabe, sepa) hacer tal cosa?
10. Yo tomé una clase que te __________ (conviniera, convendría) mucho.
11. ¿Has encontrado algo que te __________ (sirve, sirva)?
12. No, no he encontrado nada que me __________ (sirve, sirva).
13. Carlos tampoco encontró un libro que le __________ (ayudara, ayudaba).
14. Lo que usted __________ (dijo, dijera) no era justo.
15. Habla, amor mío. Lo que tú __________ (digas, dices) es lo que yo haré.

Practice 5

Complete the following sentences with either **que tenga(n) un millón de dólares** or **que tiene(n) un millón de dólares**, depending on the context.

1. Allá va un muchacho...
2. ¿Tienes un amigo...
3. No, no conozco a nadie...
4. Yo sí conozco a varias personas...
5. Me dicen que hay un vecino nuestro...
6. Algunos inversionistas andan buscando a alguien...
7. En efecto, ayer hablaron con mi prima...
8. ¿Tú vas a llamar a ese amigo tuyo...
9. Mañana va a llegar un árabe...
10. De dos posibles candidatos siempre escogerán al...
11. En el mundo hay pocos...
12. ¿Hay entre tus amigos uno...
13. Sí, hay por lo menos tres o cuatro...
14. Pepita y Ramón dicen que saldrán con cualquiera...

Practice 6

This exercise contains pairs of sentences which contrast the indicative and the subjunctive. Complete each sentence, using the correct form of the two indicated possibilities.

1. No doy regalos que __________ (valen, valgan) poco.

   Pues, yo tengo algo para ti que __________ (vale, valga) poco.

2. Buscaba una persona que __________ (tocaba, tocara) la trompeta.

   Encontré a una persona que __________ (tocaba, tocara) la trompeta.

3. Tenía un reloj que __________ (funcionaba, funcionara) bien.

   Quería un reloj que __________ (funcionaba, funcionara) bien.

4. Esperaba encontrar un folleto que __________ (explicaba, explicara) el subjuntivo.

   Encontré un folleto que __________ (explicaba, explicara) el subjuntivo.

5. Haremos lo que ustedes __________ (prefieren, prefieran) —lo que acaban de recomendar.

   Haremos lo que ustedes __________ (prefieren, prefieran) —no importa lo que sea.

6. En Hawai no hay japoneses que sólo __________ (hablan, hablen) japonés.

   Tengo un amigo que se casó con una mujer que sólo __________ (habla, hable) japonés.

7. Pida usted la bebida que le __________ (gusta, guste) más —cualquiera que sea.

   Pida la bebida que le __________ (gusta, guste) más —la que siempre toma.

8. Voy a quitar los vasos que __________ (están, estén) rotos.

   Veo que son cuatro.

   Debes quitar cualquier vaso que __________ (está, esté) roto. ¿Cuántos hay?

Practice 7

Supply the correct form of the indicated verb, according to the meaning of the sentence.

1. Aquí estamos a medianoche con un coche que no __________ (funcionar).
2. No debiste comprar este coche sino uno que __________ (estar) en mejores condiciones.
3. ¿Conoces un taller que __________ (estar) abierto a esta hora?
4. ¿Hay una gasolinera aquí cerca que nos __________ (poder) ayudar?
5. ¿Tienes una herramienta que __________ (servir) para quitar la llanta?
6. Creo que aquí hay algo que __________ (servir) para eso.
7. No, no hay nada aquí que __________ (resolver) el problema.
8. ¿Acaso conoces a alguna persona que __________ (vivir) por aquí?
9. Sí, allí mismo vive un chico que __________ (conocer) en la playa hace unos años.
10. Si recuerdo bien, es un chico que __________ (saber) mucho de automóviles.
11. A lo mejor tendrá alguna idea que nos __________ (sacar) del apuro.
12. Llámalo, a ver si recomienda algo que nos __________ (permitir) marcharnos.
13. Es posible que no haya nada que __________ (arreglar) mi pobre coche.
14. Estamos salvados. Hablé con el chico y él ha llamado a un taller que __________ (estar) abierto 24 horas diarias. Será cosa de unos cuantos minutos.
15. Bueno, pero es la última vez que salgo con un muchacho como tú que __________ (comprar) un coche por cien dólares.

UNIT 10

Sentences with *si*

Si quieres acertar, casa con tu igual.

I. *Si* Corresponding to English *Whether*

Me pregunto si habrá paz o si siempre habrá guerra.
I wonder if there will be peace or if there will always be war.
No sé si mis amigos vienen hoy.
I don't know whether my friends are coming today.

One kind of sentence with **si** sets up two possible alternatives: **habrá paz o siempre habrá guerra.** Sometimes the second alternative is just the opposite of the first, and it may be left understood: **No sé si vienen hoy (o no).** The "if" clause in this type of sentence is an implied question: **¿Vienen hoy? ¿Habrá paz?**

In Spanish sentences of this kind, where **si** corresponds to English *whether,* or to *if* in the sense of whether, any indicative tense may be used.

Practice 1

Combine the following sentences to form *whether* sentences.

MODEL: ¿El flaco le robó el reloj al gordo o no? No sé. (No sé...)
No sé si el flaco le robó el reloj al gordo o no.

1. ¿Irá al seminario? Ted mismo no sabe. (Ted mismo no sabe si...)
2. ¿Están muertas todas las cucarachas? Eso lo veremos. (Veremos si...)
3. ¿Vamos a vender la casa o a alquilarla? Hay que decidir. (Hay que decidir si...)
4. ¿Querían acompañarnos al concierto? Les pregunté eso. (Les pregunté si...)
5. ¿Había dicho que sí o que no? Yo no recordaba. (Yo no recordaba si...)

II. Conditional Sentences with *si*

Other sentences using **si** mention a condition and a result which follows from the condition:

1. **Si puedo vender esta bicicleta, compro la tuya.**
   If I can sell this bike, I'll buy yours.
2. **Si tuviera el dinero, la compraría hoy.**
   If I had the money, I'd buy it today.
3. **Si mañana se prohibieran los autos, habría una revolución.**
   If they banned cars tomorrow, there'd be a revolution.
4. **Si Kennedy no hubiera ido a Dallas, probablemente estaría vivo hoy.**
   If Kennedy hadn't gone to Dallas, he'd probably be alive today.

If we look at the first clause, the "if" clause, of sentence (1), we see that in **Si puedo vender esta bicicleta** there is no implication that the speaker will or will not be able to sell the bike. He may or may not be able to. This kind of condition is often called a *simple condition.* A term which may be more meaningful is *possible condition*, that is, the condition is a possibility which may or may not occur. Spanish uses the indicative in such sentences.

The "if" clauses of the other three examples—**Si tuviera el dinero, Si mañana se prohibieran los autos**, and **Si Kennedy no hubiera ido a Dallas**—all imply that these conditions are either contrary to the facts or at least very improbable. The imperfect subjunctive or the pluperfect subjunctive is used in the "if" clause to express the improbability or contrary-to-fact quality. Compare:

5. **Si mañana se prohiben los autos, habrá una revolución.**
6. **Si mañana se prohibieran los autos, habría una revolución.**

In sentence (5), the speaker does not suggest whether the condition is likely to happen or not, he simply states what will be the result if it does occur. In sentence (6), he implies that such a crazy thing is not likely to happen but he states what would be the result if it did.

Notice that in "if" sentences in Spanish, the present subjunctive and the present perfect do not occur (with a trifling exception best ignored for now). Possible conditions are expressed with the indicative; contrary-to-fact and improbable conditions are expressed with an imperfect or a pluperfect subjunctive.

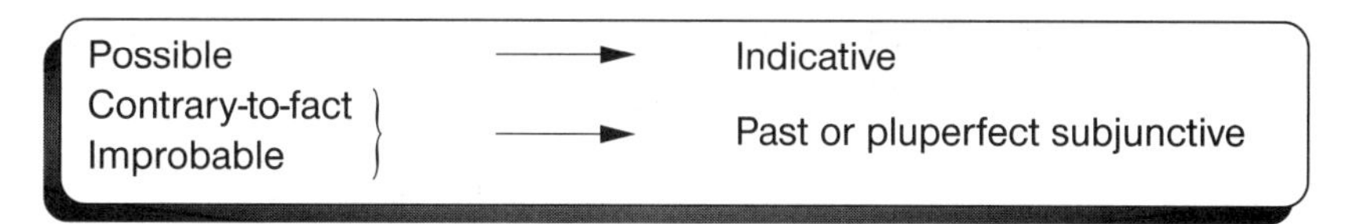

Notice that sentences with **como si** *(as if),* which by its meaning always refers to contrary-to-fact notions, always have their verb in the imperfect or pluperfect subjunctive:

José es ciego pero habla de los colores como si los viera.

Practice 2

Rephrase the following sentences to form conditional sentences with **si.** These will be of the possible condition type.

MODEL: En caso de que tomes café, no dormirás bien. (Si...)
Si tomas café no dormirás bien.

1. ¿Tu número no está en la guía de teléfonos? Luego no te molestan. (Si tu número...)
2. ¿No votaron? Luego no tienen derecho a quejarse. (Si no...)
3. Puede ser que no se metan en la política. En ese caso no se harán los cambios necesarios. (Si no se...)
4. ¿Les dejamos la política a los negociantes y abogados? Entonces el futuro será como el pasado. (Si...)
5. En caso de que ustedes se acuesten después que yo, apaguen las luces. (Si ustedes...)
6. ¿Terminaba en "g" el apellido? Entonces no era castellano. (Si...)
7. Cuando hay mucho ruido no puedo trabajar. (Si...)
8. En caso de que se despierten los niños, habrá mucho ruido.

III. Possible Conditions in the Past

When possible conditions are in the past, there is a tendency to confuse them with contrary-to-fact or improbable conditions. Observe these examples (See also Unit 6):

Si no llevas zapatos, te vas a lastimar los pies.
Le dije que si no llevaba zapatos, se iba a lastimar los pies.
Si no me levanto pronto, perderé el autobús.
Si no me levantaba pronto, perdería el autobús.

Practice 3

Shift these sentences to the past, keeping them as possible conditions. Begin your sentence with the phrase given in parentheses.

MODEL: Si tomo café con la cena, no puedo dormir. (Creía que...)
Creía que si tomaba café con la cena no podía dormir.

1. Si Felipe no encuentra trabajo, se morirá de hambre. (Dijo que...)
2. Si sigo comiendo así voy a engordar mucho. (Pensé que...)
3. Si vamos al mercado en la mañana, todo estará más fresco. (Me dijo que...)
4. Si se unen de veras, los estudiantes ganarán la huelga. (Sabían que...)
5. Si publican los nombres, la policía los detendrá. (Se sabía que. . .)
6. Si encuentro un apartamento decente, lo alquilo en seguida. (Decidí que...)

Practice 4

A pair of sentences will give you some facts. Devise a contrary-to-fact conditional sentence telling what would happen or would have happened if things were or had been otherwise.

MODEL: Hay cucarachas. Hay que fumigar.
Si no hubiera cucarachas, no habría que fumigar.

1. Colón se equivocó. Descubrió América.
2. Felipe encontró trabajo. No se murió de hambre.
3. Felipe tiene que trabajar. No puede conversar ahora.
4. Felipe no tiene esposa. No tiene que ganar más dinero.
5. Los maestros recibían un salario de hambre. Se declararon de huelga.
6. Miguel no habla español. No se divierte mucho.
7. No sé español. Estudio estos ejercicios.
8. Esa señora está de mal humor. Se queja tanto.
9. No sabe organizar el tiempo. Siempre está ocupada.

Practice 5

The following items suggest some unlikely events. Make conditional sentences about these improbable happenings.

1. ¿Llegará la temperatura a ciento diez grados en San Francisco? Mucha gente morirá.
2. ¿Perderá David sus lentes de contacto? Le dará un gran disgusto.
3. ¿Cometerá un error el profesor? Los estudiantes perderán su fe en él.
4. ¿Lloverá en el Desierto de Atacama? Será un desastre.
5. ¿Encontraré un millón de dólares? Sabré gastarlos.

Practice 6

This is a mixed drill in which all kinds of constructions with **si** are found. Change the infinitives given in parentheses so that the Spanish sentence will accurately translate the English sentence.

1. If we brought a pig here, the neighbors would complain.

   Si (traer) un cerdo aquí, (quejarse) los vecinos.
2. If we bring a pig here, the neighbors will complain.
3. If we had brought the pig here, the neighbors would have complained.
4. Do you know if they brought the pig here?
5. If we bought two newspapers, we'd get all the news.

   Si (comprar) dos periódicos, (ver) todas las noticias.

6. If you buy two papers, you'll get all the news.
7. I asked my friend if he had bought two newspapers.
8. He said that if I bought two newspapers, I'd get all the news.

   (Use a possible condition, not an improbable one).
9. If you give your son a monkey, he'll be crazy with joy.

   Si le (dar) un mono a tu hijo, (estar) loco de alegría.
10. If I gave him a monkey, I'd go crazy.

    Si le (dar) un mono, yo (volverme) loco.
11. If they could talk Spanish constantly, they'd soon learn.

    Si (poder) hablar español constantemente, (aprender) pronto.
12. If you study any subject all the time, you learn it.

    Si uno (estudiar) cualquier materia todo el tiempo, la (aprender).
13. If it doesn't rain today, it'll rain tomorrow.

    Si no (llover) hoy, (llover) mañana.
14. If you turned on the fan, you wouldn't be so hot.

    Si (poner) el ventilador, no (tener) tanto calor.
15. If I ate a heavy lunch, as they do in Mexico, I'd have to take a nap too.

    Si (comer) tanto como lo hacen en México, (tener) que echar una siesta también.
16. If they don't come soon, I'll go without them.

    Si no (venir) pronto, (ir) sin ellos.
17. If there wasn't any coffee, they drank tea.

    Si no (haber) café, (tomar) té.
18. If there hadn't been any coffee, they'd have drunk tea.
19. He's as happy as if he were rich.

    (Estar) tan contento como si (ser) rico.
20. If he finishes college, he'll have a good job.

    Si (terminar) su carrera, (tener) un buen puesto.
21. He wouldn't have been able to study if they hadn't given him a scholarship.

    No (poder estudiar) si no le (dar) una beca.

22. If you didn't put on enough stamps, they'd return the letter to you.

    Si tú no (poner) bastantes estampillas, te (devolver) la carta.

23. If I didn't put on enough stamps, they returned the letters to me.
24. They returned the letter to me as if I hadn't put on enough stamps.

UNIT 11

The Articles:
Use and Non-Use

Si quieres fortuna y fama, no te halle el sol en la cama.

I. General Statements

The definite articles in Spanish are **el, la, los, las** (and the neuter article **lo**), which correspond in meaning to *the* in English. Their usage, in general, is similar to the use of the English definite article. However, there are a number of differences in usage.

In general statements, English omits the article, whereas Spanish uses it.

a. Los gatos son más limpios que los perros.

   Cats are cleaner than dogs.

   Sí, pero yo tengo alergia a los gatos.

   Yeah, but I'm allergic to cats.

b. Por eso nunca teníamos gatos en la casa. Vivían afuera.

   That's why we never had cats in the house. They lived outside.

c. ¿De que sirve el azúcar? No hace más que crear caries.

   What is sugar good for? All it does is create cavities.

   Si es tan inútil, ¿por qué producimos azúcar?

   If it's so useless, why do we produce sugar?

   No sé pero yo uso azúcar en mi café porque me gusta.

   I don't know but I use sugar in my coffee because I like it.

In (a) the statements about cats and dogs are meant to refer to these animals as a general class. Spanish expresses this by using the article. English does the opposite. In (b) the reference is not to all cats but to some. Here, both languages omit the article. In (c) the statement "we produce sugar" does not refer to sugar in general, that is, to all sugar as a class. It refers to some sugar, the sugar we produce. And I use some sugar, not sugar as a class, in my coffee.

Practice 1

Provide an article in the blank if one is needed.

1. When was television invented?

   ¿Cuando se inventó ___ televisión?

2. I don't know but people thought it would be the death of the movies.

   No sé pero ___ gente creyó que sería la muerte del cine.

3. But there still are movie theaters in every town.

   Pero todavía hay ___ teatros de cine en todo pueblo.

4. Besides, nowadays, movie theaters are often multiplexes with several sections.

   Además, hoy día, ___ salas de cine con frecuencia son multicines con varias secciones.

5. Also, screens are much bigger now.

   También, ___ pantallas son mucho más grandes ahora.

6. People like to get out of the house and see the latest movies.

   A ___ gente le gusta salir de la casa a ver las últimas películas.

7. New movies are not available in video.

   ___ películas nuevas no se consiguen en vídeo.

8. Me gustan ___ películas dramáticas más que ___ documentales.

9. En el supermercado hoy día se alquilan ___ vídeos y se venden ___ flores.

10. Yo alquilo ___ vídeos, no los compro.

II. Titles

When speaking about a person and using the person's title, the definite article is used in Spanish but not in English.

La profesora Méndez no está.
Professor Méndez is not in.

el presidente Carter, ***el*** capitán Moreno

However, the article is not used when speaking directly to the person:

Capitán Moreno, ¿dónde está el sargento García?

Profesor Gates, ¿qué pasa con el computador?

With the titles **don, doña, san** and **santo**, articles are not used:

Don Julio ya se fue, pero doña Marta está.

¿Dónde nació Santa Teresa? ¿San Diego fue el hermano de Jesús?

Practice 2

Supply the article where it is needed.

1. ¿Qué hacemos ahora, ___ profesor Delgado?
2. No me contestó ___ profesor Delgado.
3. Perdone, ___ profesor Rosado, ¿lo sabe usted?
4. ___ senador Cohen no vive en Washington.
5. No sé si ___ Santa Teresa fue mexicana o española.
6. ___ capitán Robledo y ___ teniente Castro llegan a las 10:00 esta noche.
7. Y usted, ___ sargento Cruz, ¿se queda aquí?
8. Sí, estoy esperando a ___ profesora Smith.
9. ___ don Arturo murió en la guerra civil.
10. Dígame, ___ doña Elena, ¿usted ha viajado a Europa?

III. Definite Article Instead of the Possessive

When speaking of such things as parts of the body or clothing being worn at the time of speaking, Spanish speakers usually use a definite article rather than a possessive as in English.

En Hawai, como en el Japón, la gente se quita ***los*** zapatos o ***las*** chancletas al entrar en la casa.

In Hawaii, as in Japan, people take off ***their*** *shoes or* ***their*** *slippers when they go into the house.*

Ponte ***la*** chaqueta, hijo, hace mucho frío.
Put on ***your*** *jacket, son, it's pretty cold outside.*

Ya me lavé ***las*** manos.
*I already washed **my** hands.*

Toma, ponte ***mi*** suéter, no me hace falta.
*Here, put on **my** sweater, I don't need it.*

Practice 3

Express in Spanish the idea given in English, using the vocabulary elements provided:

1. Did you take off your shoes?

   (ustedes, quitarse, zapatos)

2. Put up your hands!

   (levantar, manos)

3. I left your hat in the car.

   (dejar, sombrero, coche)

4. Stick out your tongue and say *aah*.

   (sacar, lengua)

5. My throat hurts.

   (me duele, garganta)

6. Close your books.

   (cerrar)

IV. Names of Languages

The article **el** is normally used with names of languages:

Mi novia cree que ***el*** italiano es muy romántico
My fiancée thinks Italian is very romantic.

El ruso es más complicado que ***el*** español.
Russian is more complicated than Spanish.

However, after **en, de, hablar, saber** and a few other verbs often used to speak of languages, the article is usually omitted:

¿Tú ***sabes*** chino?
No, pero este semestre ***estudio*** japonés.

¿Esa novela fue escrita primero ***en*** español o ***en*** inglés?
Fue escrita ***en*** inglés por un profesor ***de*** español.

¿Ustedes ***hablan*** portugués en casa?
Tú hablas muy bien ***el*** portugués.

Practice 4

Express in Spanish the ideas given in English, using the patterns given above.

1. English is the second language in Japan.
2. And the pilots of all airlines have to speak English, right?

   (pilotos, líneas aéreas)
3. In American schools, Spanish is the language most commonly taught.

   (el idioma que más se enseña)
4. Did you say that in French or in Spanish?
5. In Spanish, I don't speak French.
6. Catalan and Galician are Romance languages, aren't they?

   (lenguas románicas)
7. And Basque, is it a Romance language, too?

   (vascuence)
8. *A Hundred Years of Solitude* was written in English?
9. No, in Spanish. The author was Colombian and his native language was Spanish.

   (lengua materna)
10. This is my third year of Spanish.
11. Not all Hispanics know more Spanish than we do. (que nosotros)

V. *El* vs. *La* with Feminine Nouns

There are two forms of the feminine singular definite article: **el** and **la.** The form **el** is used before nouns beginning with a stressed [a] sound (spelled **a** or **ha**).

In the plural only **las** is used.

el águila	-	las águilas
el hacha	-	las hachas
el agua	-	las aguas

But not **la hamaca** or **la alhaja,** or others where the initial **a** is not stressed.

Practice 5

Supply the article:

1. ____ asa	4. ____ abeja	7. ____ ala	9. ____ hadas
2. ____ ama	5. ____ hada	8. ____ acera	10. ____ alas
3. ____ hachas	6. ____ agua		

VI. No Article in English vs. Article in Spanish with Days of the Week and Other Phrases

Definite articles are used in Spanish, though not in English, with days of the week, points of the compass, and with a number of phrases using **a** or **en:**

The party will be on Friday at seven. On Fridays there aren't any classes in the afternoon.
La fiesta será el viernes a las siete. (Note: no ***en.***) Los viernes no hay clases por la tarde.

The workers have a party every Friday.
Los obreros tienen fiesta todos los viernes.

Go west, young man. Don't go south.
Vaya al oeste, joven. No vaya al sur.

Are you going to school now?
¿Vas a la escuela ahora?

in or at school - en la escuela
to school - al colegio
in class - en la clase
in or at church - en la iglesia (but **Voy a misa**.)
in or at college - en la universidad

Practice 6

Create sentences using these words:

1. norte
2. sábados
3. todos
4. iglesia
5. universidad
6. clase
7. domingo
8. oeste
9. colegio
10. misa

Practice 7

Create sentences using the Spanish version of these ideas:

1. to mass
2. to church
3. in school
4. on Sunday
5. in class
6. every Wednesday night
7. to college
8. south
9. in college

Proverbial expression: **En todo está menos en misa.** *He gets involved in everything but his own business,* or *She's everywhere but where she should be.*

VII. Geographical Names

A. The definite article is used with certain geographical names. There are two groups. Those in the first group are always accompanied by the article:

(1) El Cairo, El Callao, el Congo, la Coruña, las Filipinas, la Florida, La Habana, la Haya, la India, el Líbano, la Mancha, la Rioja, el Senegal

Those in the second group are accompanied by the article in careful or formal style but the article is often omitted in journalistic or casual style:

(2) la Argentina, el Brasil, el Camerún, el Canadá, la China, el Ecuador, el Japón, el Paquistán, el Paraguay, el Perú, el Sudán, el Tibet, el Uruguay, el Vietnam

Note: Verb agreement with **los Estados Unidos** may be singular or plural. With **Estados Unidos** it is singular.

Los Estados Unidos tienen las mejores bandas del mundo, dice mi sobrino.

Los Estados Unidos tuvo una guerra contra Iraq.

Estados Unidos votó contra sus aliados.

B. The definite article is required when a geographical name is modified by an adjective or adjectival phrase:

la España del siglo veinte   la Europa medieval
la República Argentina

Practice 8

Create sentences using the following names or phrases in formal style:

1. Francia
2. antiguo Tibet
3. Canadá
4. Perú
5. Portugal del siglo dieciséis
6. Inglaterra
7. China
8. Japón
9. Líbano
10. Congo
11. Rioja
12. Andalucía
13. Rusia
14. Sudamérica
15. Estados Unidos
16. Filipinas
17. Alemania
18. Irlanda
19. Irán
20. Kosovo actual
21. América del Sur

VIII. Indefinite Articles and Predicate Nouns

Su padre fue carpintero pero él es programador de computadores.
*His father was **a** carpenter but he is **a** computer programer.*

¿Tu novia es católica?
*Is your fiancée **a** Catholic?*

The indefinite article is not used in Spanish before unmodified nouns which put people in categories such as occupation, religion, nationality and the like. Hovever, if the noun is modified, the article is used:

Mi amiga es una cubana de familia española.
Es una bautista bastante liberal.

Practice 9

Give sentences in Spanish classifying your friend in the following ways:

My friend is:

1. an Englishman
2. an American
3. an atheist
4. an anti-Castro Cuban (anticastrista)
5. a student
6. an Argentine from Tucumán
7. a good person
8. a Peruvian
9. a doctor
10. an excellent doctor
11. a housewife (ama de casa)
12. a Catholic
13. an indifferent Catholic
14. a journalist

IX. The Neuter Article *lo*

This article is not used with nouns, since they are either masculine or feminine.

It is used with adjectives, past participles (which are verbal adjectives) and adverbs in the following manner:

Lo bueno era que la economía estaba muy fuerte.
The good thing or part was that the economy was very strong.

Lo malo era que mi sueldo no había subido.

Hemos hecho lo posible.

Lo hermoso debe combinarse con lo útil.

No me daba cuenta de lo enfermas que estaban. *(how sick they were)*

¿Has visto lo bien que tocan la guitarra? *(how well they play)*

Lo terminado está muy bien pero no es suficiente.

Practice 10

Using the **lo** construction, complete the following sentences with the idea given:

1. Este capítulo es_______ del libro. (the best part)
2. Me encanta _______ de tus ideas. (the originality)
3. A mi esposa le sorprende ________ pronuncias el español. (how well)
4. Y a ti te extraña _______ ella pronuncia el inglés. (how badly)
5. Yo no sabía _______ es ella. (how intelligent)
6. _______ de este cuadro es el uso de los colores. (the most interesting aspect)
7. ________ es que ustedes comprendan lo que están diciendo. (the essential thing)

UNIT 12

Verb-Object Pronouns

Palabras y plumas se las lleva el viento.

I. Direct Objects

> Me pagaron ***el dinero*** pero ***lo*** perdí.
> Llegó la ***profesora*** nueva pero no ***la*** he visto todavía.

In order to avoid repetition of noun objects, they are often replaced by shorter pronoun forms. These pronoun objects precede most verb forms. For third person direct objects, the forms are **lo, la, los,** and **las.**

Practice 1

Finish the sentences with the correct form of **pero lo perdí.**

MODEL: Me compré un diccionario español...
pero lo perdí.

1. Me trajeron tres cartas...
2. Ayer terminé los temas...
3. Me regalaste una foto de tu hermana...
4. Antes tenía otra llave...
5. Debía llevarle esas piedras al profesor de ciencia...
6. Lo que traía era para ti, mi vida,...
7. Traje un molcajete cuando volví de México...
8. Me hicieron otra copia...
9. Esas herramientas eran de mi papá...

Practice 2

Answer the questions using pronouns instead of noun objects.

MODEL: ¿Pediste este café?
No, no lo pedí. (Sí, lo pedí.)

1. ¿Trajiste la leche?
2. ¿Viste esa película argentina?

3. ¿Escribiste las respuestas?
4. ¿Compraste la gasolina que necesitamos?
5. ¿Serviste los postres?
6. ¿Lavaste los platos?
7. ¿Cortaste el queso?
8. ¿Limpiaste las frutas?
9. ¿Pusiste la mesa?

II. Indirect Objects

For third person indirect objects, the pronoun forms are **le** and **les.***

Practice 3

Repeat the sentences using **le** or **les** as appropriate.

MODEL: Hablé con mi papá pero no __________ dije la verdad
... pero no le dije la verdad.

1. Hablé con mis amigos pero no __________ dije la verdad.
2. Ella es antipática y nunca __________ hablo.
3. Yo sé que son mis padres pero no __________ debo nada.
4. A las chicas nunca __________ enseño fotos de mi novia.
5. Sí, usted es mi amiga pero aun así, no __________ digo todos mis secretos.
6. Al profesor no __________ negué que no había estudiado.
7. Ella me preguntó qué hacía pero no __________ confesé nada.
8. A los chicos no __________ permito que salgan de noche.

* In some dialects, especially Castilian, these forms are also used as direct objects when referring to men (but not to women or things). **La** and **las** are also used in parts of central and northern Spain as indirect objects.

9. La niña estaba tan sucia que __________ tuvimos que lavar la cara antes de entrar.
10. A ustedes __________ repito lo que dije antes.

Practice 4

Reply negatively, replacing the **person** noun object with a pronoun, direct or indirect, as appropriate. (The person is an indirect object when there is another object present.)

MODEL: ¿No debes nada a tu padre?
No, no le debo nada.

1. ¿Despiertas a tus hermanos por la mañana?
2. ¿Hablas en español a tus amigos?
3. ¿Conoces a la hermana de Julio Verne?
4. ¿No contestas a tu mamá cuando te echa un sermón?
5. ¿Anuncias las fiestas a los estudiantes de primer año?
6. ¿Explicas los problemas a tus padres?
7. ¿Detiene la policía a los que fuman?
8. ¿Miran ustedes a las chicas cuando pasan?
9. ¿Enseñaste ese calendario a Marcos?

Practice 5

Use indirect or direct object forms as appropriate.

1. ¿Quién es ese hombre?
   No sé, no __________ conozco.
2. ¿Mostraste el documento al jefe?
   Sí y __________ mostré la carta también.
3. ¿Ustedes anunciaron la fiesta en sus clases?
   No __________ anuncié yo pero el profesor sí.
4. ¿Los viejos aceptan las ideas nuevas?
   Analizan las ideas pero no __________ aceptan.
5. ¿Se acuerda usted de mí?
   No, señor, no creo haber __________ visto antes.

6. ¿Tienes un regalo para tu hermana?

   Sí, __________ compré unos dulces.

7. ¿Dónde puedo esconderme?

   A usted, señorita, __________ vamos a esconder bajo esa cama.

8. ¿Y cuándo me van a explicar todo esto? —preguntó la señorita.

   A usted no __________ vamos a explicar nada.

9. ¿Por qué perdió tu amigo tan fácilmente?

   Es que __________ hicieron una mala jugada.

10. ¿Dónde dejaste mis llaves, mi amor?

    __________ metí en el cajón de tu escritorio.

11. ¿Quién me despertará?

    A usted, señora, __________ despertarán las enfermeras.

12. ¿Por qué no regresó tu amiga al concierto?

    No pudo. __________ detuvieron en la puerta.

13. Me contó ella que el número trece trae mala suerte.

    A mí me dijo lo mismo pero no __________ creí tal superstición.

III. Verbs That Allow Only Indirect Objects

Some verbs do not occur with direct objects, only with indirect objects. Examples are **gustar, faltar**, etc. Some other verbs have different meanings depending on the kind of object, direct or indirect, with which they are used. For example, **pegar** is used with an indirect object when it means *to hit.* When it is used to mean *to stick,* it is used with a direct object.

No le pegues a la niña. = *Don't hit the girl.*
Me regalaron este cartel. Lo voy a pegar aquí. = *They gave me this poster. I'm going to stick it up here.*

Practice 6

Read the model sentence, then repeat it, substituting the new item and modifying as needed. This drill constitutes a list of the common verbs of the types mentioned above. Get used to the fact that they use only **le** and **les** rather than direct objects.

MODEL: Yo no tengo mucho pero me basta. (el monje)
El monje no tiene mucho pero le basta. (los bohemios)
Los bohemios no tienen mucho pero les basta.

1. A mí me gusta la clase de antropología. (a los turistas, a mi novia)
2. Pero a mí no me conviene esa hora. (al profesor, a mis amigos)
3. A mí me corresponde contestar ahora. (a los hombres, a la mujer)
4. Compré lentes de contacto y me duelen mucho los ojos. (el oculista, las chicas)
5. A ti no te falta nada. (a esa gramática, a esos niños ricos)
6. Rogelio juega mucho conmigo pero nunca me gana. (con su señora, con sus colegas)
7. No uso lentes porque no me hacen falta. (los niños, Don Quijote)
8. ¿A ti qué te importa? (a ese loco, a los comunistas)
9. A mí no me interesan las matemáticas. (a los novios, a Einstein)
10. A ti te encanta hablar mal de los demás. (a la gente, a todos)
11. ¿Qué te parece la música moderna? (a los Beatles, a Bach)
12. Me pasó algo muy raro camino de la oficina hoy. (al jefe, a las secretarias)
13. En un tiempo era rico pero no me queda nada. (Rockefeller, los indios)
14. Yo no te presto la máquina porque no me pertenece. (el maquinista, los peones)
15. A ti te sobran muchas papayas. (a la princesa Pupule, a los campesinos)
16. A mí nunca me sucede nada interesante. (a Jaime Bond, a los espías)
17. A mí me tocó pagar ayer. (a mi amigo, a los banqueros)
18. A nosotros nunca nos han pegado pero a los otros sí. (al presidente, a tu hermana)

Practice 7

In the following drill, verbs of the type previously discussed are mixed with other types. Use direct or indirect forms as appropriate. You may leave out portions of the sentence in your response, repeating only the essential part.

MODEL: Julio ha llegado pero no __________ he visto todavía.
No lo he visto todavía.

1. Los estudiantes no leen el periódico porque no __________ interesan las noticias.
2. Ya escribí el tema y __________ entregué ayer.
3. Mi amigo no me presta el coche porque no __________ pertenece a él.
4. El niño cometió un error pero no por eso debes pegar __________.
5. He oído esa canción pero nunca __________ he cantado.
6. El senador no le miente al pueblo pero no siempre __________ da la verdad entera.
7. Los chicos han gastado todo su dinero y no __________ queda nada.
8. Mi mamá quiere que __________ escriba cada semana.
9. Terminé mi composición pero no __________ he escrito en forma final.
10. Mi papá pidió que __________ despertara temprano mañana.
11. Si no se levanta temprano __________ falta tiempo para desayunar.
12. Y si no come bastante __________ duele el estómago.
13. El otro día __________ envié al médico a ver si tenía úlceras.
14. Me parece que __________ conviene descansar más.
15. No es que no __________ guste descansar.
16. Es que __________ hace falta mucho dinero porque tiene mucha deudas.
17. Algún día podrá pagar __________ todas.
18. Al dentista ya __________ pagó todo lo que __________ debía.

Practice 8

Continue as in Practice 7.

1. Mis hermanas son muy dóciles y estudian bien aunque no __________ interese la materia.
2. Pero si no les gusta la materia __________ olvidan con facilidad.
3. A mi hermano __________ sobra inteligencia pero __________ faltan ganas.
4. A menudo olvida sus libros y __________ deja dondequiera.
5. A mis hermanas __________ importan las notas.
6. __________ duele mucho si no sacan las mejores de la clase.
7. Pero en los juegos de cartas mi hermano siempre __________ gana a mis hermanas.
8. Ellas no quieren jugar por dinero porque siempre __________ pierden todo.
9. A mi hermano __________ encanta cualquier tipo de juego.
10. Cuando el gato desaparece, no __________ toca a mis hermanas buscar __________.
11. Julio __________ ha dicho muchas mentiras a mi mamá.
12. Ella ya no __________ cree nada de lo que dice.
13. Unos vecinos encontraron al gato y __________ entregaron a la Sociedad Protectora de Animales.
14. A ese pobre gato siempre __________ pasa algo.
15. Ayer casi __________ mataron.
16. Mi hermano __________ llamó y cuando cruzaba la calle pasó un auto.
17. Por poco __________ aplasta.
18. Parece que a los gatos __________ sobran vidas.
19. A Susana __________ regalaron ese gato el año pasado.
20. Antes __________ traía y __________ llevaba a todas partes.
21. Y a ella el gato __________ seguía siempre también.
22. Así es que uno __________ veía siempre juntos.
23. Pero a ella no __________ basta un sólo animal.

24. Vio un perrito e insistió en comprar __________.
25. A mi papá __________ pareció mala idea tener gatos y perros en la misma casa.
26. Pero __________ corresponde a mamá decidir esas cuestiones caseras.
27. Ella __________ permitió comprar el perrito.
28. ¿Y al perro, qué __________ sucedió?
29. No __________ he visto nunca.
30. __________ corrió el gato y nunca regresó.
31. No se sabe qué __________ pasó.
32. Tal vez no __________ sobran vidas a los perros como a los gatos.
33. Así __________ parece a mi papá.
34. A él no __________ importó porque no __________ gustan los animales en todo caso.
35. A tu hermana __________ habrá dado mucha pena.
36. Cierto. __________ encantaba el perrito.
37. __________ había comprado con su propio dinero.

IV. Reflexive and Non-reflexive Direct Objects

A few verbs are always used with a reflexive pronoun:

Mi papá se ***queja*** pero no ***se atreve*** a hacer nada, mucho menos a ***suicidarse.***

Most transitive verbs, however, may be used either with a reflexive object or with a nonreflexive object:

Me levanté temprano.
La máquina ***levantó el coche.***
La mamá trajo al niño y ***lo sentó*** a mi lado.
Luego ella ***se sentó.***

Practice 9

Expand the following sentences to say that the maid did the actions first to herself and then to the child. Picture the actions as you say them. The idea is to clarify the difference in meaning of these two structures.

MODEL: se levantó (y luego... al niño).
La criada se levantó y luego levantó al niño.

1. se despertó
2. se bañó
3. se vistió
4. se peinó
5. se lavó
6. se cubrió
7. se puso un sombrero

Practice 10

Describe what Julio is doing. The infinitive of the appropriate verb is provided.

MODEL: He's getting up. (levantar)
Se levanta.

1. He's picking the child up. (levantar)
2. He's combing his hair. (peinar)
3. He's combing the little girl's hair. (peinar)
4. He's washing a car. (lavar)
5. He's hiding. (esconder)
6. He's hiding a package. (esconder)
7. He's washing himself. (lavar)
8. He's getting dressed. (vestir)
9. He's going to bed. (acostar)
10. He's putting a little girl to bed. (acostar)
11. He's bathing a child. (bañar)
12. He's dressing a child. (vestir)
13. He's covering himself up. (cubrir)

Practice 11

Answer, using the appropriate pronoun instead of the noun in the question. Use a reflexive if that is appropriate.

MODEL: ¿El gobierno engaña al público a veces?
Sí, (no, no) lo engaña.

1. ¿Frankenstein asusta a los niños?
2. ¿Ud. se divierte cuando hace los ejercicios?
3. ¿Ud. se asusta cuando oye sirenas?
4. ¿La guerra divierte a los hombres, en general?
5. ¿Las madres acuestan tarde o temprano a los niños chiquitos?
6. ¿Se despierta Ud. solo(a) o lo(a) despierta el reloj despertador?
7. ¿Alguien quita los platos de la mesa después que usted come?
8. ¿Se viste usted en público, por lo general?

Practice 12

Form sentences in the preterit. Use a reflexive pronoun where needed and omit it where it is not. All of these verbs are transitive and need some kind of object.

MODEL: Yo/despertar/a las seis hoy
Yo me desperté a las seis hoy.

1. Mi mamá/bañar/al niño
2. Julio/acercar/al árbol
3. El vaquero/detener/su caballo
4. Julieta/casar/ayer
5. Su padre/casar/a Julieta con un hombre viejo
6. El director/detener/un momento y luego siguió
7. Don Quijote/levantar/temprano toda su vida
8. Sancho/sentar/contra la pared
9. Los actores/vestir/con mucho cuidado
10. La ciudad de Los Ángeles/extender/muchas millas
11. El presidente/extender/la mano cordialmente
12. ¿A qué hora/despertar Ud./a su papá?

13. ¿Ya/bañar/usted?
14. Los cómicos/divertir/mucho a los niños
15. El estudiante/no divertir/en el examen pero los profesores sí

Practice 13

This drill and the following use the most common verbs that are often used reflexively. Their purpose is to assist you in learning that these verbs are used reflexively in order to express these particular ideas. Almost all of them may also be used in other meanings or constructions that are not reflexive.

Using the vocabulary items provided, make sentences expressing the ideas given in English.

MODEL: La Navidad/acercarse
Christmas is approaching.
La Navidad se acerca.

1. muchos/atreverse a/criticar/dictador
   Many don't dare criticize the dictator.
2. algunas personas/callarse
   Some people never stop talking.
3. hermano mayor/casarse/mañana
   My older brother is getting married tomorrow.
4. con este calor/cansarse/fácilmente
   With this heat, I get tired easily.
5. a qué hora/despertarse
   What time do you wake up?
6. los turistas/siempre/detenerse/delante de/catedral
   The tourists always stop in front of the cathedral.
7. tener que/dirigirse/secretaria
   You will have to speak to the secretary.
8. levantarse/entrar/damas
   Do you get up when ladies come in?
9. llamarse/niño
   What's your name, little boy?

10. todos/marcharse/después/cena

    They all left after supper.

11. meterse/asuntos/otros

    She always meddles in the affairs of others.

12. cuando/hablar/en público/ponerse/nervioso

    When I talk in public, I get nervous.

13. viejos/playa/no ponerse/trajes de baño

    The old folks go to the beach but they don't put on bathing suits.

14. gustar/quedarse/en casa/los sábados

    I like to stay home on Saturdays.

Practice 14

Continue as above. Make sentences expressing the ideas given in English.

1. uno/quitarse/zapatos/al entrar

   One takes off his shoes when he enters.

2. algunos profesores/sentarse/clase

   Some teachers never sit down in class.

3. cómo/sentirse/ustedes

   How do you feel?

4. vestirse/ustedes/cuarto de baño

   Do you get dressed in the bathroom?

5. acostarse/descansar/no dormirse

   I lie down and I rest, but I don't go to sleep.

6. poder/acostumbrarse a/pensar en español

   I can't get used to thinking in Spanish.

7. mañana/despedirse de Hawai

   Tomorrow we say good-by to Hawaii.

8. no divertirse/laboratorio de idiomas

   I don't have a very good time in the language lab.

9. empeñarse/terminar/hoy

   Do you insist on finishing today?

10. enamorarse de/alguien

    Romeo fell in love with Juliet.

11. fijarse en/algo

    I didn't notice what you were saying.

12. oponerse a/las ideas/de otros

    We are not opposed to other people's ideas.

13. quejarse de/el tiempo

    Some people always complain about the weather.

14. referirse a/algo

    What are you referring to?

15. reunirse/club

    When does the club meet?

V. Two Verb-Object Pronouns Together

1. **—Lindo cuadro. ¿Quién lo pintó?**
   —No sé. *Me lo* regaló Ramón.
   Nice picture. Who painted it?
   I don't know. Ramón gave it to me.

2. **Señor, *se le* cayó este papel.**
   Sir, you dropped this piece of paper.

3. **¡Eh, joven! ¡No *me le* tires la cola al perrito!**
   Hey, young man! Don't pull my puppy's tail!

4. **—¿Qué le pasó a tu casa?**
   —Se *me le* vino encima un árbol.
   What happened to your house?
   A tree came down on top of it.

A verb may occur with both a direct and an indirect object. Or, because indirect object forms are used for a variety of meanings in Spanish, a verb may occur with two indirect object pronouns (example 3) or even with a reflexive plus two other pronoun objects, as in example 4. None of the objects in example 4 are direct because **venir** is an intransitive verb and cannot have a direct object.

When there is more than one pronoun, they are placed in the following order:

SE	2ND	1ST	3RD-PERSON	
			I.O.	D.O.
se	te	me	le	le
se	os	nos	les	lo
			↓	la
				les
				los
				las
			(se)	

Note that if both pronouns are third person, the first one (the indirect object) has the form **se**. Thus:

Entregué la plata al capitán. Se la entregué yo en persona.

Practice 15

Answer in the negative, using pronouns instead of noun objects.

MODEL: ¿Pasó usted los secretos al enemigo?
No, señor, no se los pasé.

1. ¿Le dieron a usted toda esa plata?
2. Cristóbal Colón, ¿robaste esas joyas a la reina Isabel?
3. ¿Me regala usted esa foto de su novia?
4. ¿Dijiste la verdad a tu papá?
5. ¿Prestaste el coche a esos muchachos?
6. ¿Nos han traído el periódico?
7. ¿El niño se ha puesto la chaqueta?

In items 8–11, use familiar address.

8. ¿Me vas a decir lo que te pasa?
9. ¿Me quito los zapatos aquí?
10. ¿Van a entregarme los documentos?
11. ¿Me han ganado el partido?

Practice 16

Continue as above but respond in the affirmative.

MODEL: ¿Le pago la cuenta a usted?
Sí, señor, me la paga a mí.

1. ¿Me asegura usted que eso es verdad?
2. ¿Ha entregado usted su examen al profesor?
3. ¿Les ha dicho usted su nombre?
4. ¿Les ha contado usted toda la historia?
5. ¿Me ha dicho usted la verdad?
6. ¿Ha devuelto usted esos libros a su amigo?
7. ¿Le han pagado a usted su dinero?
8. ¿Y usted ha pagado sus deudas a sus amigos?
9. ¿Y ha mandado los papeles al cónsul?

VI. Reciprocal Reflexive Construction *Each Other*

To express the idea that an action is done by each of the members of a group to the other members, what is expressed in English by *each other*, Spanish uses a reflexive pronoun. The phrase **el uno al otro** (or **uno a otro**) may be added if the sentence is not otherwise clear or to emphasize the reciprocal meaning:

A veces parece que los rusos y los chinos ***se odian.*** Otras veces ***se ayudan.***
Shakespeare y Cervantes fueron contemporáneos, pero nunca ***se conocieron.***
Los gatos ***se lavan*** mucho y a veces ***se lavan el uno al otro.***
Cuando mi novia y yo ***nos encontramos, nos besamos.***

Practice 17

Answer, following the model.

MODEL: ¿Usted y su tío se escriben con frecuencia?
No, no nos escribimos nunca.

1. Los senadores hablan mucho pero ¿se escuchan?
2. ¿Usted y el presidente se conocen mucho?
3. ¿Mi esposa y yo siempre nos decimos la verdad?
4. ¿Se saludan usted y su profesor al entrar a la clase?
5. ¿Usted y sus amigos se esperan fuera de la clase?
6. ¿Usted y sus hermanos se quieren mucho?

Practice 18

Follow the models. Use the phrase **a sí mismo (misma)** to stress that a person does something to himself, if that is the case.

MODELS: Si yo le tiro piedras a él, y él me las tira a mí, ¿qué ocurre?
Ustedes se tiran piedras.

Alguien habla, y no lo escucha nadie, sólo él. ¿Qué pasa?
Se habla a sí mismo.

1. Usted tiene un amigo y lo consulta cuando tiene un problema. El hace lo mismo con usted. ¿Qué hacen ustedes cuando tienen problemas?
2. Una persona cree que es poco atractiva y estúpida. Piensa que nadie la quiere y que tiene mal genio. ¿Quién la odia?
3. Cuando una chica se pone delante del espejo y mira a ver si está bonita, ¿qué pasa?
4. Yo le debo dinero a usted y se lo pago. Usted también me paga lo que le presté. ¿Qué hacemos?

5. Un joven quiere a una muchacha bonita, pero ella no quiere a nadie. Sólo piensa en su belleza y su ropa bonita. ¿Ama ella al joven que la quiere?
6. El día de la Navidad yo les doy regalos a mis padres y a mis hermanos y ellos me dan regalos a mí. ¿Qué ocurre el 25 de diciembre?
7. Cuando dos chicos se enojan, ¿se hablan en voz baja o se gritan?
8. ¿Dónde se ven usted y su profesor de español?

Practice 19

Say in Spanish:

1. Girls don't hit each other, but boys hit each other a lot, right?
2. We always wait for each other.
3. Do you see each other often?
4. She writes letters to herself.
5. They admire themselves in the mirror.

VII. Indirect Object Expressing Interest, Possession, and the Like

An indirect object is often used to show that the action is of interest to someone, either because the object involved belongs to him or because the action will benefit or annoy him. This is done to some extent in English, most often in relaxed, informal speech:

I'm going to get *myself* a good car.

I was going up that big hill, and the motor died *on me*.

Compare the Spanish equivalents:

Voy a comprarme un buen coche.

Subía ese cerro tan alto y se me apagó el motor.

In sentences of the kind just given, the indirect object is optional, though commonly used. However, if the sentence talks about doing something to one's body or clothing, the indirect object form cannot be omitted: **Julio se quitó los zapatos. Me lavé las manos.** (Notice that the possessives **sus** and **mis** were not used. They would be used in such sentences only if the possessor was not the one expected, as in: **Julio se quitó mis zapatos y me los devolvió. Lavé mis manos** is understandable but it is not a Spanish construction. The indirect object expresses possession in Spanish.)

Practice 20

Change the sentence to refer to the persons suggested. Be sure you know the meaning of what you say or else the drill will be ineffective.

1. Me cortaron el pelo muy corto. (A David, A ti, A los soldados, A mí, A los jugadores, El barbero...a sí mismo)
2. No pueden curarme el resfriado. (A Bill Gates, A los astronautas, A nosotros, A mí, El médico... a sí mismo)

Practice 21

Answer logically using pronouns.

1. Antes de comer, ¿se lava usted las manos o los pies?
2. ¿La lectura mejora el vocabulario o la pronunciación de los estudiantes?
3. ¿Los ladrones roban el dinero a la gente o se lo traen?
4. ¿El zapatero arregla los zapatos o la ropa de sus clientes?
5. ¿El carpintero construyó la casa de su patrón o su avión?
6. ¿Qué se rompió usted en ese clavo, el zapato o los pantalones?

Practice 22

Make a sentence using the elements given. Use the tense indicated and a pronoun.

1. El médico/quitar/camisa/niño/para curarlo (preterit)
2. ¿Quién/lavar/ropa/a ustedes? (present)
3. incendio/arruinar/vida/al pobre viejo (preterit)
4. Yo/lavar/manos/no/cara/antes/comer (present)
5. penicilina/curar/infecciones/soldados (future)
6. ejercicio/mejorar/corazón/presidente (present perfect)

VIII. Unplanned Occurrences

Se me apagó el cigarrillo. *My cigarette went out.*
¿Se te perdieron las llaves? *Did you lose your keys? (i.e., did they get mislaid somehow)*
Al profesor se le olvidan los nombres. *The teacher forgets the names (they slip his mind).*

This common reflexive construction involves an indirect object pronoun to refer to the person who was affected by some unplanned occurrence. It is essentially the same use of the pronoun as practiced in Section VII, except that here the reflexive pronoun **se** is used with the indirect object. This construction suggests that the event which occurred was not the responsibility of the person referred to. That is, it is something which happened to him rather than something he did.

Practice 23

Everybody is losing his/her keys. Mention all the people this mishap has occurred to.

Se me perdieron las llaves. (a mi mamá, a ti, a nosotros, a mí, a ustedes, a usted, a las niñas)

Practice 24

Now there is an epidemic of watch-losing. Tell about it.

No llegué a tiempo porque se me perdió el reloj. (mis compañeros, tú, el director, mi esposa y yo, yo)

Practice 25

Here is a series of sentences saying that people did given things. Rephrase them so as to shift responsibility away from the person. Try to think in terms of either shirking the blame for these events or of not blaming others (i.e. it's not your fault, it just happened).

MODEL: Me rompí la camisa nueva. (I did it on purpose)
Se me rompió la camisa nueva. (by accident)

1. Confundiste las medicinas.
2. Usted perdió el billete.
3. Ustedes olvidaron la reunión.
4. Quemaste las tortillas.
5. Dejamos caer los discos.
6. Quebraste mi vajilla.
7. Federico olvidó sus zapatos.
8. Mis padres han olvidado mi cumpleaños.
9. María olvidó sus apuntes.
10. Yo perdí mis documentos.
11. Tú has perdido mi dinero.
12. Mamá rompió sus mejores platos.
13. Tú romperás ese juguete.
14. Los estudiantes olvidarán el examen.
15. Yo perderé estos papeles.
16. Ellos olvidarán la fecha.
17. Oscar había perdido muchas cosas.

General Practice

Tell someone else what I said. An example in English would be: *I like blondes. He says he likes blondes.*

1. Me gustan las rubias.
2. Me dijeron que Ud. es muy inteligente.
3. Me dejó mi novia.
4. No recuerdo su nombre.
5. Me vistieron de soldado.
6. Me presentaron a la reina.
7. Me pareció gorda y aburrida.
8. Me invitó a cenar.
9. Se me ha caído el pelo.

10. Ayer me compré una peluca.
11. Cuando me la puse, me dió miedo.
12. Cuando me miré al espejo, no me reconocí.
13. Entró mi hermano con peluca también y no nos reconocimos.
14. Me la quité y no vuelvo a ponérmela.
15. Mejor me compro una gorra.

UNIT 13

Substitutes for Nouns:
Nominalization

Vemos la paja en el ojo ajeno y no vemos la viga en el nuestro.

I. Nominalizations with Gender and Number

Spanish, like English, uses a grammatical device to avoid repeated mention of something or someone being talked about. The following long sentence serves to illustrate several forms of this device, which may be called nominalization.

¿Qué maletas necesitarás para el viaje?
Which suitcases will you need for the trip?

Ésta, la tuya, la mía, la de Juan, ésa roja, la de la cremallera y la que compraste ayer.
This one, yours, mine, John's, that red one, the one with the zipper, and the one you bought yesterday.

It will be seen that in this construction, a noun mentioned once is omitted from a subsequent phrase in which it could reappear, and the remaining modifiers thus function as a noun phrase:

Quiero esta camisa, la (camisa) verde y ésa (camisa) que tienes en la mano.

Quiero esta camisa, ***la verde y ésa que tienes en la mano.***
I want this shirt, the green one, and that one you have in your hand.

Notice that **este**, **ese**, and **aquel** and their variants have an accent on the nominalized forms. (But not the neuter forms: **esto**, **eso**, and **aquello).**

A wide variety of Spanish noun modifiers may be nominalized in this fashion: demonstratives, possessives, adjectives, adjective clauses, and certain prepositional phrases. The indefinite article is found in constructions such as **uno viejo, unas rojas** *(an old one, some red ones).*

The third person nominalized possessive **el suyo (la suya**, etc.), just like the possessive adjective **su**, is to be used when it is unambiguous. That is, one says **su libro** and **el suyo** when the listener knows who the possessor is, but one should use **el de usted, el de Juan**, etc., when the possessor is likely to be unclear.

Practice 1

Complete the Spanish sentence to match the English equivalent.

MODEL: Of all the blouses here, I like this one the best.
De todas las blusas aquí me gusta más ésta.

1. Your car is nice, but I prefer that one (over there).
   Su coche es bonito, pero prefiero ___________.
2. Those shoes are good, but I want these.
   Esos zapatos son buenos, pero quiero ___________.
3. Your ideas are more radical than Ramon's.
   Las ideas de usted son más radicales que ___________.
4. John thinks my book is better than his.
   Juan piensa que mi libro es mejor que ___________.
5. Paintings? Hers are better than his.
   ¿Pinturas? ___________ son mejores que ___________.
6. Which tie do you like better, the red one or the blue one?
   ¿Qué corbata te gusta más, ___________ o ___________?
7. Which store do you prefer, this one or that other one?
   ¿Qué tienda prefiere Ud., ___________ o ___________?
8. Which newspaper do you want, today's or yesterday's?
   ¿Qué periódico quiere Ud., ___________ o ___________?
9. Of the two editorials, I like the conservative one best.
   De los dos editoriales, me gusta más ___________.
10. Of all the girls in the class, Luz is the most intelligent.
    De todas las jóvenes de la clase, Luz es ___________.
11. Your sister is prettier than mine.
    Tu hermana es más guapa que ___________.
12. But my sister is more generous than yours.
    Pero mi hermana es más generosa que ___________.
13. My sister is the one with the blond hair.
    Mi hermana es ___________.
14. She's the one with the red dress.
    Es ___________.
15. Of all those books, the one I bought is the most expensive.
    De todos esos libros, ___________ compré es el más caro.

16. Articles? I read the ones you recommended.
    ¿Artículos? Leí __________ recomendó usted.
17. This task is as difficult as that one of the other day.
    Esta tarea es tan difícil como __________.
18. This novel is not as boring as the one I read last week.
    Esta novela no es tan aburrida como __________ leí la semana pasada.
19. This exercise is easier than the one you gave me before.
    Este ejercicio es más fácil que __________ me dio antes.
20. I have three pencils left, two black ones and a red one.
    Me quedan tres lápices, __________ y __________.
21. I have two suits, an old one and a new one.
    Tengo dos trajes, __________ y __________.

Practice 2

Answer the questions, using a nominalized form. Use the first choice given.

MODEL: ¿Prefiere usted esta solución o la de Pedro?
Prefiero ésta.

1. ¿Prefiere usted el vestido azul o el amarillo?
2. ¿Prefiere usted mis ideas o las otras?
3. ¿Prefiere usted los dulces que trajo Carmen o los que trajo Inés?
4. ¿Prefiere usted este capítulo o el anterior?
5. ¿Prefiere la novela francesa o la americana?
6. ¿Prefiere usted esta mesa o la del rincón?
7. ¿Prefiere usted una cama antigua o una moderna?
8. ¿Prefiere usted un coche pequeño o uno grande?
9. ¿Prefiere usted aquel traje o éste otro?
10. ¿Prefiere el coche que cuesta menos o el más caro?
11. ¿Prefiere usted los chistes que cuenta Pepe o los que cuenta Luis?
12. ¿Prefiere usted los zapatos de Italia o los de España?
13. ¿Prefiere usted la chica del vestido negro o la del sombrero azul?
14. ¿Prefiere usted varios colores o solamente uno?

Practice 3

Continue answering the questions, using nominalized forms.

MODEL: ¿Te gustó el discurso del señor Valbuena o el del señor Parra?
Me gustó el del señor Valbuena.

1. ¿Te gustaron las chicas que vinieron anoche o las que vinieron hoy?
2. ¿Te gustó ese Mustang azul o ése otro rojo?
3. ¿Te gustó la moto de Alberto o la de Ramiro?
4. ¿Te gustaron las fotos que llegaron ayer o las que llegaron hoy?
5. ¿Te gustó más el trabajo tuyo que el de tu hermano?
6. ¿Te gustó la película que vimos anoche o la que vimos el viernes?
7. ¿Te gustan las costumbres de los mexicanos o las de los salvadoreños?
8. ¿Te gustan los vinos blancos o los tintos?
9. ¿Te gusta el coche convertible o la camioneta?

Practice 4

Answer the questions in the negative, using the nominalized form.

MODEL: ¿Esa respuesta fue la respuesta de un loco?
No, no fue la de un loco.

1. ¿Los vinos de Chile son mejores que los vinos de California?
2. ¿Esta tela es tan fina como la tela que compramos ayer?
3. ¿Este cuadro se parece al cuadro que pintó Velázquez?
4. ¿Este resultado es como el resultado de antes?
5. ¿Estos juegos serán tan divertidos como los juegos que vimos ayer?
6. ¿La música antigua se toca tanto como la música moderna?
7. ¿Esa pluma roja es peor que aquella pluma azul?
8. ¿Se fue tu hermano con la mujer del pelo negro?
9. ¿Tu hermana habló con el hombre de la barba blanca?
10. ¿El nuevo texto es como el texto viejo?

II. *Es mío vs. es el mío*

After the verb **ser**, the nominalized form of the possessives (**el mío, el suyo, el de usted,** etc.) is used when it is necessary to identify which of several possibilities is possessed:

—¿Cuál de estas plumas es la suya?

—Esa es la mía. (i.e., *the one that is mine*)

However, when one merely wishes to identify the owner of a single item or an undifferentiated group of items, the possessive adjective is used without the nominalizing article.

—¿De quién son estos libros?

—Son míos. (i.e., *they're mine)*

Practice 5

Answer the questions, using the article where appropriate.

MODEL: ¿De quién es este libro? ¿Es de usted?
Sí, es mío.

¿Cuál de los libros es el de usted? ¿Éste?
Sí, ése es el mío.

1. ¿Esta pluma es de Carlos?
2. ¿Cuál de esos coches es el de ustedes? ¿El rojo?
3. ¿Son de Víctor estas cosas?
4. Hay tres porciones. ¿Es ésta la mía?
5. ¿De quién son estas bebidas? ¿De ustedes?
6. ¿Es éste el abrigo de usted?
7. ¿Son de usted estos documentos?
8. Esta es mi raqueta. ¿Es ésa la tuya?

III. *Lo que*

The neuter article is used with **que** and an adjective clause when the reference is general, rather than to a specific noun. The most common English equivalent of this very frequent Spanish phrase is *what*:

Ahora lo que necesito es un trago.	*Now what I need is a drink.*
¿Es esto lo que quieres?	*Is this what you want?*

(Note: The problem of the subjunctive in adjective clauses after **lo** and other antecedents is treated in Unit 9.)

Practice 6

Convert the following sentences into an alternate form with **lo que.**

MODEL: Necesito una bebida.
Lo que necesito es una bebida.

1. Me gusta más la cerveza.
2. Me gustan mucho los bailes.
3. No importa el resultado.
4. No creo tu explicación.
5. Quiero otra oportunidad.
6. Estoy mirando esos pájaros.
7. Un gato se mueve por ahí.
8. Parece difícil terminar hoy.
9. Nos falta dinero.
10. Sería mejor no quejarse.
11. Enrique trajo la comida.

Practice 7

Answer the questions according to the pattern.

MODEL: ¿Qué busca Paco? ¿Sabes?
No, no sé lo que busca.

1. ¿Qué quiere Josefina? ¿Recuerdas?
2. ¿Qué dijo don Rodolfo? ¿Oíste?
3. ¿Qué hizo doña Lupe? ¿Lo viste?
4. ¿Qué cantaba tu hermana? ¿Lo escuchaste?
5. ¿Qué dejó mi papá? ¿Te fijaste?
6. ¿Qué ocurrió allí? ¿Te quejaste?
7. ¿Qué hizo su primo? ¿Te gustó?
8. ¿Qué pasó allí? ¿Te lo dijeron?
9. ¿Qué dice el profesor? ¿Lo crees?
10. ¿Qué trajo Virginia? ¿Te has olvidado?
11. ¿Qué había ocurrido? ¿Te diste cuenta?

Practice 8

Comparison of **lo que** with **el que**, **la que**, etc. Supply the correct form where indicated.

1. The one who knows is John.
   ___________ sabe es Juan.
2. What you heard is not true.
   ___________ oíste no es verdad.
3. He who studies, learns.
   ___________ estudia, aprende.
4. Explain to me what you want.
   Explíqueme ___________ quiere.
5. You want to buy a piece of cloth? Show me the one you want.
   ¿Quiere comprar una tela? Muéstreme ___________ quiere.
6. Of all these ties, which is the one you prefer?
   De todas estas corbatas, ¿cuál es ___________ prefiere?

7. What I like is a good soccer game.
   __________ me gusta es un buen partido de fútbol.
8. Tools? Take whichever ones you like.
   ¿Herramientas? Llévese usted __________ quiera.
9. I did it because of what you said.
   Lo hice por __________ dijo usted.

UNIT 14

Passives and Their Equivalents

No se está nunca tan bien que no se pueda estar mejor ni tan mal que no se pueda estar peor.

I. The *ser* Passive

A passive sentence in Spanish, as in English, is one in which the action of the verb falls on the subject, rather than on the object, as in an active sentence. Compare the following active sentences with their passive equivalents:

ACTIVE

¿Colón descubrió América?
Cervantes escribió *Don Quijote.*
Los toltecas construyeron esas pirámides.
Alguien publicará la colección el año que viene.

PASSIVE

¿América fué descubierta por Colón?
Don Quijote fue escrito por Cervantes.
Esas pirámides fueron construidas por los toltecas.
La colección será publicada el año que viene.

Passive sentences are formed with the verb **ser**, plus the past participle of a transitive verb that agrees in gender and number with the subject. The agent of the action (if it is expressed) is introduced by the preposition **por.** It would be a good idea to review the irregular past participles (Unit 3, Section III) before doing the following practices.

Notice that these are passive *actions* which are being expressed with **ser**. When **estar** is used in a similar construction, a resultant condition or state is referred to and not an action: **Esta taza está rota.** (See Unit 4, Section VII for the contrast between these structures.)

Practice 1

Give the proper form of ser in the following passive sentences:

1. This book was published by Prentice Hall.
   Este libro ___________ publicado por Prentice Hall.
2. Prentice Hall is known throughout the publishing world.
   Prentice Hall ___________ conocido por todo el mundo editorial.

3. The contracts were signed by the authors.
   Los contratos ___________ firmados por los autores.
4. All the details had been discussed earlier.
   Todos los detalles ___________ discutidos antes.
5. The manuscript was submitted two years later.
   El manuscrito ___________ entregado dos años después.
6. Certain changes were suggested by the editors.
   Ciertos cambios ___________ sugeridos por los redactores.
7. Most of the changes were accepted by the authors.
   La mayoría de los cambios ___________ aceptados por los autores.
8. Many exercises have been rejected in its development.
   Muchos ejercicios ___________ rechazados en su desarrollo.
9. It is possible that some typographical errors have not been corrected.
   Es posible que algunos errores de imprenta no ___________ corregidos.
10. Such errors should not be excused.
    Tales errores no deben ___________ excusados.
11. But the book will probably be well received by the critics.
    Pero el libro probablemente ___________ bien acogido por los críticos.
12. It will be used by many students.
    ___________ usado por muchos estudiantes.

Practice 2

In Spanish, as in English, one need not state the agent (i.e., who performs the action) of a passive sentence. Give the passive equivalent of the following active sentences, omitting the agent. Keep the same tense.

MODEL: Habían pintado la casa el año pasado.
La casa había sido pintada el año pasado.

1. Celebraron la boda de María Gutiérrez esta mañana.
2. Le habían presentado al novio en enero.
3. Recibieron la petición de mano con mucha alegría.
4. Invitaron a muchos amigos.
5. Habían escrito las invitaciones con mucha anticipación.
6. Descubrieron algunos errores en la lista de invitados.

7. Corrigieron los errores a tiempo.
8. Publicaron la noticia de la boda en el periódico.
9. Han festejado a la novia con varias fiestas.
10. Celebraron la boda en casa de la novia.
11. Habían planeado la ceremonia para celebrarla en el jardín.
12. Debido a la lluvia, celebraron la ceremonia en el salón.
13. Mandaron los regalos a la casa.
14. Han expuesto los regalos a la vista de los invitados.
15. Enviaron demasiado tarde algunos regalos.
16. Abrirán estos regalos después.
17. Deben escribir sin tardanza las cartas de agradecimiento.
18. Todos despidieron a los novios con mucho cariño.

Practice 3

Give the passive equivalent of the following sentences. Include the agent if it is mentioned, and keep the same tense.

MODEL: Dos ladrones robaron un coche de mucho valor.
Un coche de mucho valor fue robado por dos ladrones.

1. Llevaron el coche a otra ciudad.
2. Habían desmontado el motor.
3. La policía capturó a los criminales.
4. Una vieja señora reconoció a los acusados.
5. La señora denunció a los dos hombres.
6. La policía iba a detener a los acusados hasta la fecha del proceso.
7. Pero el juez les concedió libertad bajo fianza.
8. No mandarán a los ladrones a la cárcel.
9. Han localizado el coche robado.
10. Una orden de la corte le restituyó el coche a su dueño.
11. Suponemos que la corte declarará culpables a los ladrones.
12. Pero es posible que la corte los juzgue inocentes.
13. En ese caso, la policía naturalmente pondrá en libertad a los acusados.

II. Se as Marker of an Unspecified Subject

Aquí se habla francés, se habla alemán, se habla inglés, y se habla ruso.
Here people speak French, they speak German, they speak English, and they speak Russian.

¿Se hablan todos esos idiomas?
Are all those languages spoken? Do they speak all those languages?

En los EE.UU., se ha asesinado a varios presidentes y candidatos a la presidencia.
In the U.S., several presidents and presidential candidates have been assassinated.

La vida es cara en Hawai, pero se vive bien.
The cost of living is high in Hawaii, but people live well.

Se venden huevos de tortuga.
Turtle eggs for sale.

The English equivalent of the **ser** passive practiced in the last section is very common but the **ser** passive is relatively uncommon in Spanish. (Although it, or an active equivalent, is preferred when the agent is expressed: **Este camino fue construido por los incas**, or **Los incas construyeron este camino**.) Far more common is the reflexive passive, or **se** passive. This is one of the variants of the extremely important use of **se** as marker of an unspecified subject. Notice that in the sentences cited above, there may be an object (**francés, idiomas, presidentes, huevos**), but there is no subject. In all of those cases, as well as in **se vive bien**, which has no object, what is stated is that the action happens or happened but not who performs it.

The **se** is best interpreted simply as a marker of this fact: the subject is an unspecified person. The verb may be transitive or intransitive; the objects may be animate or inanimate. If the object is a person, it is marked with the personal **a**, as in other sentences.

There is one peculiarity, however. This is that if the object of the verb is inanimate, the verb most correctly is made to agree with it. Thus, although sentences like **Se vende huevos de tortuga** are not uncommon, **Se venden huevos de tortuga** is considered more acceptable.

If the object is a person, the verb is always singular, regardless of the singularity or plurality of the object: **Se ha asesinado a varios presidentes.***

Summarizing, then: **se** marks the sentence as having an unspecified subject. The verb is in the singular unless the logical object of the action is a plural thing, in which case the verb is most correctly made plural. English equivalents are passives or such general subjects as "they," "people," "you."

Practice 4

Change the **ser** passive sentences into **se** passives. Keep the same tense.

1. El texto fue publicado tres años después.
2. La boda fue celebrada en su casa.
3. Los vasos fueron rotos.
4. Los dibujos serán vendidos.
5. Los discos fueron comprados ayer.
6. El trabajo fue hecho inmediatamente.
7. Los paquetes serán enviados a su casa.
8. El revólver será presentado como evidencia.
9. Los regalos serían abiertos después.
10. Tales palabras son pronunciadas así.
11. Esto no es permitido.
12. A mi cuñado le ha sido ofrecido un empleo.
13. Las leyes son respetadas en este país.

---

* There are occasions, however, where persons are spoken of as if they were objects. In such cases, no **a** is used and the verb is put in the plural if the object is plural: **Se necesitan dos personas para jugar al tenis.**

Practice 5

Answer the question about when "they" will do something by stating that it was already done. Use the **se** passive.

MODEL: ¿Cuándo terminarán el edificio?
Ya se terminó.

1. ¿Cuándo harán los trajes?
2. ¿Cuándo dedicarán el monumento?
3. ¿Cuándo leerán los anuncios?
4. ¿Cuándo entregarán las llaves?
5. ¿Cuándo prepararán la comida?
6. ¿Cuándo ofrecerán la amnistía?
7. ¿Cuándo pedirán los documentos?
8. ¿Cuándo pagarán estas cuentas?
9. ¿Cuándo revelarán la verdad?

Practice 6

Change the following active sentences into their **se** passive equivalents. Omit mention of the agent. Keep the same tense.

MODEL: Alguien devolvió el paquete ayer.
Se devolvió el paquete ayer.

1. Una persona desconocida firmó los cheques ayer.
2. Cerraron la puerta.
3. Alguien abrirá las ventanas.
4. Alguien ha resuelto el problema.
5. La gente ha vendido las casas.
6. Alguien está cantando canciones de amor.
7. Uno podría decir muchas cosas.
8. Uno recibiría un aumento de salario con mucho gusto.
9. Publicaron el artículo en el periódico.
10. Han anunciado una nueva ley.
11. Alguien le escribirá cartas al redactor.

12. Pierden mucho tiempo así.
13. Uno debe rechazar esas peticiones.

Practice 7

Using **se**, rephrase the following sentences about life in Guadalajara.

1. Uno vive bien en Guadalajara.
2. Uno está a gusto entre los tapatíos.
3. La gente disfruta de un clima ideal.
4. La gente dice que uno nace para vivir.
5. Uno come muy bien en los restaurantes tapatíos.
6. La gente come como a las cuatro de la tarde.
7. Luego uno descansa un poco.
8. Uno sale a pasear después.
9. Uno asiste a muchas fiestas.
10. Allí la gente baila con un vigor extraordinario.

III. Pronouns with *Se*-Passive Construction

Because the persons in the sentences practiced in the preceding section function as direct objects, it often happens that they are represented by object pronouns. Note that the normal **la** and **las** are used for feminine direct objects, but only **le** and **les** (not **lo** and **los**) are used for masculine objects in this construction.

¿Se llevó al joven al hospital?
 Sí, se ***le*** llevó al hospital.
¿Se respeta mucho a las enfermeras?
 Sí, se ***las*** respeta mucho.
¿Se llamó a los padres?
 Sí, se ***les*** llamó en seguida.
¿Se detuvo a la mujer?
 Sí, se ***la*** detuvo, pero no sé por qué.

Practice 8

Answer the questions, using the proper object pronoun.

1. ¿Se trató bien al senador en el hospital?
2. ¿Se notificó a los padres del senador?
3. ¿Se interrogó a los testigos?
4. ¿Se ha hallado a los culpables?
5. ¿Se ha detenido a los criminales?
6. ¿Se ha llevado a los acusados a la cárcel?
7. ¿Se juzgó culpables a los acusados?
8. ¿Se va a fusilar a los asesinos?
9. ¿Se recibirá a las hijas del senador?
10. ¿Se ha consultado al primer ministro?
11. ¿Se avisó a los periodistas?

IV. Redundant Object Pronouns with *Se*-Passives

1. Tu chaqueta ***la*** dejaste en mi coche.
2. Este apartamento se vendió la semana pasada.
3. A ese tipo se ***le*** agarró con las manos en la masa.
   They caught that guy red-handed, literally "with his hands in the dough."

When a noun object precedes the verb, it is repeated with a pronoun object, as in (1) above. This is true also with **se**-passive sentences but only when the object is a person. Compare (2) and (3).

Practice 9

Rephrase the following passive sentences with **se**, putting the object first and using the proper redundant object pronoun.

MODEL: Ese estudiante ha sido expulsado de la escuela.
A ese estudiante se le ha expulsado de la escuela.

1. El estudiante fue visto cuando robaba algo.
2. El joven reo fue agarrado en el acto.
3. El pobrecito será llevado a casa.
4. La policía será llamada también, posiblemente.
5. El joven va a ser castigado de alguna manera.
6. Su hermana no será castigada, naturalmente.
7. El joven será llevado a ver al siquiatra, tal vez.
8. El joven será matriculado en otra escuela.

Practice 10

Review of **se** passive constructions. Rephrase these sentences, using **se.**

1. Los artículos fueron publicados en el periódico.
2. Los visitantes fueron acompañados a sus cuartos.
3. Esas casas fueron vendidas hace poco.
4. La obra ya ha sido terminada.
5. Vieron a los novios en el parque.
6. Carlos Gutiérrez será nombrado secretario.
7. Los documentos ya han sido firmados.
8. Abren las puertas a las 7:00.
9. La reina Isabel es respetada en Inglaterra.
10. Clinton fue elegido en 1992.
11. Los rebeldes serán fusilados.
12. Han hallado las llaves.
13. Las habían escondido en un hueco.
14. Habían mandado las maletas a otra dirección.
15. A los pasajeros los llevaron al hotel.

Practice 11

Continuation of review. Answer the questions using the **se** construction. Use object pronouns where appropriate.

MODEL: ¿Las víctimas fueron llevadas al hospital?
Sí, se las llevaron al hospital.

1. ¿Las tiendas serán abiertas pronto?
2. ¿La cena será preparada en un restaurante?
3. ¿Las compras serán devueltas a la tienda?
4. ¿Recibirán bien aun a los parientes lejanos?
5. ¿La doctora fue invitada también?
6. ¿Las ratas fueron envenenadas con estricnina?
7. ¿La actriz fue reconocida en la fiesta?
8. ¿Los telegramas son redactados en la oficina?
9. ¿Celebran las fiestas católicas en México?
10. ¿Rompieron las copas?

UNIT 15

Time Expressions with *Hacer* and *Llevar*

De tal palo, tal astilla.

I. *Hacer* for English "Ago"

Observe the following English and Spanish equivalents:

My father studied Spanish in Guadalajara about 20 years ago.
Mi padre estudió español en Guadalajara hace unos veinte años.
or:
Hace veinte años que estudió español mi padre.
My brother? I don't know.
¿Mi hermano? No sé.
He was studying in his room two hours ago.
***Hace dos horas* (que) estudiaba en su cuarto.**
or:
Estudiaba en su cuarto *hace dos horas.*

Note that when the time expression comes at the beginning of the sentence, the form **que** is used. When the main verb is in the imperfect however, **que** is often omitted.

Practice 1

Answer the questions, telling how long ago you did something.

MODEL: ¿Cuánto tiempo hace que viajó Ud. por México? ¿tres años?
Sí, viajé por México hace tres años.
O: Sí, hace tres años que viajé por México.

1. ¿Cuánto tiempo hace que terminó Ud. la escuela? ¿dos años?
2. ¿Cuánto tiempo hace que empezó Ud. a estudiar español? ¿un año?
3. ¿Cuánto tiempo hace que entró Ud. a la universidad? ¿dos años?
4. ¿Cuánto tiempo hace que fue Ud. a París? ¿cuatro años?
5. ¿Cuánto tiempo hace que llegó Ud. a esta ciudad? ¿cinco años?
6. ¿Cuánto tiempo hace que conoció Ud. a mi hermana? ¿dos meses?
7. ¿Cuánto tiempo hace que se levantó Ud. esta mañana? ¿cuatro horas?
8. ¿Cuánto tiempo hace que salió Ud. a trabajar? ¿tres horas?
9. ¿Cuánto tiempo hace que regresó Ud. a casa? ¿una hora?

10. ¿Cuánto tiempo hace que comió Ud.? ¿media hora?
11. ¿Cuánto tiempo hace que llamó Ud. a mi hermana? ¿diez minutos?

Practice 2

Answer the following questions using in your response the clue given in parentheses.

MODEL: ¿Cuándo planearon la fiesta los González? (cuatro semanas)
Hace cuatro semanas que planearon la fiesta.
O: Planearon la fiesta hace cuatro semanas.

1. ¿Cuándo mandaron las invitaciones? (tres semanas)
2. ¿Cuándo planearon el menú? (dos semanas)
3. ¿Cuándo compraron los refrescos? (una semana)
4. ¿Cuándo contrataron la orquesta? (unos seis días)
5. ¿Cuándo empezaron a limpiar la casa? (tres días)
6. ¿Cuándo terminaron todos los preparativos? (media hora)
7. ¿Cuándo llegaron los primeros invitados? (pocos minutos)

II. *Hacer* for Action Continuing over a Period (to the Present)

Study the following English-Spanish equivalents:

He has studied (has been studying) Spanish for two years.
***Hace dos años que* estudia español.**
or:
Estudia español *(desde) hace dos años.*

Note that both **hace** and the main verb of the sentence are in the present tense. (When the main verb is in the past and **hace** is in the present, we have the *ago* idea, as in Section I.)

Practice 3

Complete the translation of the sentences below by adding the correct time expression at the end of the sentence. **Desde** may be omitted if you wish.

MODEL: Henry has been living in Madrid for two years.
Hace dos años que Henry vive en Madrid.
Henry vive en Madrid (desde) hace dos años.

1. Carlitos has been practicing the piano for half an hour.
   Carlitos practica el piano (desde) __________.
2. He has studied it for three years.
   Lo estudia (desde) __________.
3. We have had this piano for only two months.
   Tenemos este piano (desde) __________.
4. Carlitos has been taking lessons from Mr. Lozano for six months.
   Carlitos toma clases con el Sr. Lozano (desde) __________.
5. His father has been complaining for two months.
   Su padre se queja (desde) __________.
6. We have been in this apartment for four years.
   Estamos en este apartamento (desde) __________.
7. We have had the dog for six years.
   Tenemos el perro (desde) __________.
8. My sister has been talking on the telephone for half an hour.
   Mi hermana habla por teléfono (desde) __________.

Practice 4

Follow the same procedure again, but this time put the time expression at the beginning of the sentence. (Don't forget **que** after the time element.)

1. Carlitos has been practicing the piano for two hours.
   __________ Carlitos toca el piano.
2. He has been studying it for three years.
   __________ lo estudia.

3. We have only had this new piano for two months.

   __________ tenemos este piano nuevo.

4. Carlitos has been taking lessons from Mr. Lozano for six months.

   __________ Carlitos toma lecciones con el Sr. Lozano.

5. His father has been complaining for two months.

   __________ su padre se queja.

6. We have been in this apartment for four years.

   __________ estamos en este apartamento.

7. We have had the dog for six years.

   __________ tenemos el perro.

8. My sister has been talking on the telephone for half an hour.

   __________ mi hermana habla por teléfono.

Practice 5

Answer the questions as indicated, telling how long you have been doing something.

1. ¿Cuánto tiempo hace que trabajas en esa tienda? ¿cuatro años?
2. ¿Cuánto tiempo hace que sales con esa chica? ¿unos meses?
3. ¿Cuánto tiempo hace que vives aquí? ¿diez años?
4. ¿Cuánto tiempo hace que tocas el piano? ¿dos años?
5. ¿Cuánto tiempo hace que buscas trabajo? ¿un mes?
6. ¿Cuánto tiempo hace que no fumas cigarrillos? ¿muchos años?
7. ¿Cuánto tiempo hace que te sientes mal? ¿como dos días?
8. ¿Cuánto tiempo hace que no duermes bien? ¿unos cuatro días?

Practice 6

Review. Select the correct form of the verb to correspond with the indicated meaning of the sentence.

1. How long ago did you study Spanish?

   ¿Cuánto tiempo hace que __________ estudió/estudia Ud. español?

2. How long have you been studying English?

   ¿Cuánto tiempo hace que __________ estudió/estudia Ud. inglés?

3. How long have you lived here?

   ¿Cuánto tiempo hace que __________ vive/vivía aquí ?

4. How long ago did you arrive here?

   ¿Cuánto tiempo hace que __________ llega/llegó aquí?

5. How long have you had this car?

   ¿Cuánto tiempo hace que __________ tiene/tenía este coche?

6. How long ago did you buy it?

   ¿Cuánto tiempo hace que lo __________? compra/compró

7. How long ago were you reading this book?

   ¿Cuánto tiempo hace que __________ lee/leía este libro?

8. How long have you been reading it?

   ¿Cuánto tiempo hace que lo __________? lee/leía

III. *Hacer* for Action Continuing over a Period (in the Past)

Study the following English-Spanish equivalents:

1. *When I came here, I had been studying Spanish for two years.*
   Cuando vine acá, *hacía dos años que* estudiaba español.
   or:
   Estudiaba español *(desde) hacía dos años.*

Note that this type of sentence is parallel to that studied in Section II; but, because here reference is made to a point in the past (i.e., "when I came here"), both **hacer** and the main verb of the sentence (**estudiar**) are in the imperfect tense.

2. *And had you studied any other language?*
   Yes, I had studied French (or I studied French) for two years in high school.
   ¿Y habías estudiado otro idioma?
   Sí, había estudiado (o estudié) francés dos años en la secundaria.

When the period of time referred to is not tied to a point in the past, as in No. 1 above, but simply occurred at some time in the past, as in No. 2, **hacer** is not used and tense of the verb is either preterit or pluperfect.

Practice 7

Fill in the blanks to match the indicated meaning of the sentence. All the sentences refer to last year, e.g., "When I came to this school..."

1. I had been living (vivir) here for ten years.

   __________ diez años que __________ aquí.

2. I had been studying (estudiar) Spanish for one year.

   __________ un año que __________ español.

3. I had studied (estudiar) English for ten years.

   __________ inglés durante diez años.

4. I had been playing (jugar) tennis for many years.

   __________ al tenis desde __________ muchos años.

5. I had known (conocer) your brother for about a year.

   __________ como un año que __________ a tu hermano.

6. I had not been (estar) in Mexico for more than five years.

   __________ más de cinco años que no __________ en México.

7. My parents had supported (mantener) me for eighteen years.

   Mis padres me __________ desde __________ dieciocho años.

8. My teachers had been advising (aconsejar) me for many years to study more.

   __________ muchos años que mis profesores me __________ que estudiara más.

9. I had wanted (querer) to come to this university for a long time.

   _________ venir a esta universidad desde _________ mucho tiempo.

Practice 8

Answer the questions, telling how long you had been doing something when I saw you yesterday. Practice 9 may be done first if you wish.

1. ¿Cuánto tiempo hacía que nos conocíamos? ¿una semana?
2. ¿Cuánto tiempo hacía que pensabas salir conmigo? ¿dos días?
3. ¿Cuánto tiempo hacía que me esperabas? ¿treinta minutos?
4. ¿Cuánto tiempo hacía que estabas en la esquina? ¿media hora?
5. ¿Cuánto tiempo hacía que escuchabas el radio? ¿un cuarto de hora?
6. ¿Cuánto tiempo hacía que estaba aquí ese señor? ¿diez minutos?
7. ¿Cuántos minutos hacía que hervía esa sopa? ¿cinco?
8. ¿Cuánto tiempo hacía que no cocinabas? ¿como tres años?

Practice 9

Give the English equivalent of each of the questions and answers of Practice 8.

Practice 10

Review of Sections I, II, and III. Select the proper form of the verbs to match the meaning of the sentence.

1. I have been trying to get the waiter's attention for twenty minutes.

   __________ (Hace, Hacía) veinte minutos que __________ (trato, trataba, traté) de captar la atención del mesero.

2. The last time he spoke to me was thirty minutes ago.

   La última vez que me __________ (habla, hablaba, habló) fue __________ (hace, hacía) treinta minutos.

3. I arrived at this restaurant more than an hour ago.

   __________ (Llegué, Llego, Llegaba) a este restaurante __________ (hace, hacía) más de una hora.

4. They gave me this table forty-five minutes ago.

   Me __________ (dan, dieron, daban) esta mesa __________ (hace, hacía) cuarenta y cinco minutos.

5. I had been waiting for it about fifteen minutes.

   La __________ (espero, esperaba, esperé) desde __________ (hace, hacía) unos quince minutos.

6. And the manager had been in the men's room for more than ten minutes.

   Y __________ (hace, hacía) más de diez minutos que el gerente __________ (está, estaba, estuvo) en el baño.

7. I was finally able to speak to him about five minutes ago.

   Por fin __________ (logré, logro, lograba) hablarle __________ (hace, hacía) unos cinco minutos.

8. And he was going into the bathroom again about fifteen minutes ago.

   Y __________ (hace, hacía) quince minutos, de nuevo __________ (entro, entraba, entra) al baño.

9. Imagine! I had been wanting to come to this place for more than a year.

   ¡Imagínate! __________ (Hacía, Hace) más de un año que __________ (quiero, quería, quise) venir a este lugar.

IV. *Llevar* as an Equivalent of *hacer* in Time Expressions

A Spanish construction using the verb **llevar** is exactly equivalent to the **hacer** time expressions practiced in Sections II and III. Study the **llevar** sentences below, with their Spanish and English equivalents.

Llevo dos años estudiando español.	=	**Hace dos años que estudio español.** *I have studied Spanish for two years.*
Llevaba dos años estudiando español.	=	**Hacía dos años que estudiaba español.** *I had studied Spanish for two years.*
Llevo dos años sin estudiar español.	=	**Hace dos años que no estudio español.** *I have not studied Spanish for two years.*

Llevaba dos años sin estudiar español.	=	**Hacía dos años que no estudiaba español.** *I had not studied Spanish for two years.*
Llevo tres años en Honolulu.	=	**Hace tres años que estoy en Honolulu.** *I have been in Honolulu for three years.*

Note that the progressive form **(-ndo)** is used with **llevar** in the affirmative, but **sin** and the infinitive are used in the negative. Notice also that **estar** is omitted from **llevar** sentences expressing location.

Practice 11

Give the **llevar** equivalent of the following affirmative **hacer** sentences.

MODEL: Hace una hora que te espero.
Llevo una hora esperándote.

1. Estoy aquí en la esquina desde hace una hora.
2. Crispín toca el piano desde hace seis años.
3. Hacía cuatro años que mi papá tocaba el violín.
4. José Luis fuma pipa desde hace diez años.
5. Hacía seis horas que yo estaba aquí.
6. Tú leías el periódico desde hacía dos horas.
7. Hacía dos años que yo vivía en Madrid.
8. Estudiaba allí desde hacía dos años.
9. Hace diez minutos que trabajo con este ejercicio.
10. Esa joven baila desde hace dos horas.

Practice 12

Give the **llevar** equivalent of the following negative **hacer** sentences.

MODEL: Hace seis días que no fumo.
Llevo seis días sin fumar.

1. Este joven no come desde hace dos días.
2. Hace seis meses que no le escribo.
3. Hacía seis semanas que Carlos no trabajaba.
4. Mi tío no tomaba tequila desde hacía mucho tiempo.
5. ¿Cuánto tiempo hace que no juegas al tenis?
6. Hacía mucho tiempo que Toni no me veía.
7. No hablo con él desde hace mucho tiempo.
8. ¿Hace mucho tiempo que no vas a la cafetería?
9. ¿Cuánto tiempo hace que no te compras zapatos nuevos?
10. Hacía veinte horas que el piloto no dormía.

UNIT 16

Por and *Para*

El diablo más sabe por viejo que por diablo.

I. *Para* vs. *por*

PARA	POR
Este regalo es *para* tu hermano, no *para* ti.	**Se lo doy *por* respeto a la familia, no *por* amor a él.** *I'm giving it to him out of respect for the family, not out of liking for him.*
Mañana nos vamos *para* el norte. *Tomorrow we're heading north.*	**No vamos *por* el sur sino *por* el norte.** *We aren't going through the southern part, we're going through the north.*
¿*Para qué* sirve este aparato? *What is this device good for?*	**¿*Por qué* compraste este chisme?** *Why did you buy this gadget?*
—¿*Para qué* me llamas? **—*Para que* me ayudes.**	**—¿*Por qué* me llamas?** **—*Porque* llegó una carta para ti.**
Todos sus hijos estudian *para* abogado. *All his children are studying to be lawyers.*	**Algunos van a la universidad sólo *por* divertirse.** *Some go to the university just to have a good time.*
Algunos estudian *para* no tener que trabajar. *Some study so they won't have to work.*	***Por* no trabajar, unos visten mal y a veces no comen.** *Because they don't work, some dress badly and at times don't eat.*
He trabajado incansablemente *para* descubrir la verdad.	**He trabajado incansablemente *por* descubrir la verdad.**

Most uses of **para** express some type of destination or direction in which an action is aimed: a place, a goal, a recipient. **Por** is used to express motive, the reason behind an action (not the goal up ahead). This distinction accounts for many of the cases where **para** and **por** contrast. (In some cases the distinction is only theoretical.) However, these two prepositions have other uses not easily accounted for by the basic distinction. **Por**, especially, has a variety of uses and enters into many idiomatic phrases.

II. The Preposition *para*

Study the following summary of **para**.

General Meaning	English Equivalent	Examples
Purpose or goal	a. for	Esta gasolina es para mi motocicleta. Esta botella es para leche.
	b. *in order to*	Yo como dulces para no fumar.
Destination or direction	a. *toward, to, for*	Carlos salió para el centro. Iba para el parque. Vamos para el cine.
Destination or deadline in time	a. *by*	Termine usted esta tarea para el martes.
	b. *for*	Esta lección es para mañana.
Comparison	a. *for..., considering that he is...*	Para un niño de tres años, su hijo habla muy bien.
Other usages	a. *to be about to*	Estoy para salir.
	b. *in the opinion of*	Para mí, tu idea no vale mucho.
	c. *to work for*	Mi papá trabajaba para la United Fruit
	d. *toward or with*	Es muy amable (para) con sus empleados.
	e. *forever*	No volverán. Se fueron para siempre.

Practice 1

This is an exercise to give you general familiarity with **para.** Answer the questions, concentrating on the meaning given to the sentence by **para.**

MODEL: ¿Para dónde vas? ¿Para el centro?
Sí, para el centro.

1. ¿Para quién es ese paquete? ¿Para tu hermano?
2. ¿Por qué te levantas a las seis? ¿Para llegar temprano?
3. ¿Para qué sirve esa máquina? ¿Para limpiar calles?
4. ¿Para qué estudias? ¿Para ser médico?
5. ¿Para quién haces esa tarea? ¿Para tu profesor de español?
6. ¿Para cuándo debes terminarla? ¿Para mañana?
7. ¿Para qué título estás estudiando ? ¿Para el B.A.?
8. ¿Para cuándo es esta lección? ¿Para la semana que viene?
9. ¿Para qué compañía trabaja tu papá? ¿Para la Coca-Cola?
10. ¿Para qué es esta herramienta? ¿Para sacar corchos?
11. Para ti, ¿cuál es el mejor profesor? ¿El señor Hidalgo?
12. Para ser profesor, parece muy joven, ¿no?
13. ¿Cómo es el profesor para ti? ¿Generoso?
14. ¿Por cuánto tiempo me vas a querer? ¿Para siempre?
15. Este ejercicio es muy fácil para ti, ¿no?

III. The Preposition por

Study the following summary usages of **por**.

General Meaning	English Equivalent	Examples
Cause, motive	a. *because of, on account of, due to*	Fuimos a Arizona por mi enfermedad. Llegamos tarde por mi culpa.
	b. *for the sake of, in the attempt to*	Voy a la universidad solo por divertirme.
Route	a. *through, down, along, by way of*	Hay que entrar por la puerta de atrás.
General location of the action	b. *around*	Daban paseos por el parque. Mi hijo estaba jugando por aquí.
Time duration	a. *for*	Trabajé (por) seis horas ayer. (usually omitted)
Agent of passive	a. *by*	Este cuento fue escrito por Quiroga.
Substitution, exchange	a. *in place of*	Mañana trabajaré por ti.
	b. *for, in exchange for*	Le doy veinte dólares por el radio.
Rate	a. *per*	Hay aviones que vuelan a 1.500 millas por hora. Trabajo cinco días por semana. Le daré un descuento del diez por ciento.
Expressions of sentiment	a. *toward, for*	Siento una gran amistad (aversión, odio, simpatía, etc.) por el jefe.
Other uses	a. *yet to be done*	Tengo tres cartas por escribir.
	b. *be in favor of*	Todos están por la paz.
	c. *after, to get (for)*	Van a la tienda por pan.
	d. *no matter how (much)...*	Por mucho que pidan, no iré.
	e. *for the first (last) time*	¡Por primera (última) vez llegas a tiempo!

Practice 2

Familiarization with uses of **por.** Answer the questions below, concentrating on the meaning carried by **por.** If you do not understand any of the meanings, look them up in the chart on the previous page.

1. ¿Por quién fue escrita esta carta? ¿Por María Elena?
2. ¿Cuántas novelas te quedan por leer? ¿Dos?
3. ¿Por qué partido está usted? ¿Por el Demócrata?
4. ¿Cuánto dinero me da usted por mi coche? ¿Doscientos dólares?
5. ¿Por quién hace usted este trabajo? ¿Por su hermano?
6. ¿Cuánto tiempo estuvo usted en México? ¿Cuatro meses?
7. ¿Por qué se quedó usted en casa ayer? ¿Por el frío?
8. ¿Por qué cosa fue usted al centro? ¿Por leche?
9. ¿Qué siente usted por sus padres? ¿Respeto?
10. ¿A qué velocidad iba usted en su coche? ¿A noventa millas por hora?
11. ¿Por dónde iba usted? ¿Por el parque?
12. ¿Cuántas cuentas están por pagarse? ¿Tres?
13. ¿Qué porcentaje pide usted por su servicio? ¿El diez por ciento?
14. ¿Por quién preguntó la policía? ¿Por Miguel?

Practice 3

Replace the italicized portion of the sentence with either **por** or **para,** depending on the sense.

1. Tendremos vacaciones ***alrededor*** de la segunda semana de abril.
2. ***No importa lo*** interesante que sea, el libro cuesta demasiado.
3. El público ha contribuido bastante dinero ***destinado a*** la Cruz Roja.
4. Yo tuve que asistir a la clase ***en lugar de*** mi hermano.
5. Jorge fue a la farmacia ***en busca de*** medicina.
6. Mi papá está ***a favor del*** movimiento feminista.
7. El caballero se levantó ***con intención de*** hablar a la joven.
8. A los jóvenes les gusta jugar ***a lo largo de*** la playa.
9. ***Considerando*** su edad, ese señor juega magníficamente al tenis.

10. ***Cerca de*** aquí, cultivan muchas fresas.
11. Haré lo que pueda ***con el propósito de*** encontrarte trabajo.
12. Tu hijo siempre viene ***a buscar*** dulces.
13. Ustedes deben leer este capítulo ***antes de*** la semana próxima.
14. Ha venido el portero ***a fin de*** pedir su salario.

Practice 4

Continue substituting **por** and **para** as appropriate.

1. Si quieres te doy esta revista española ***a cambio de*** la chilena.
2. Mi suegra estará con nosotros ***durante*** varios meses.
3. El ladrón salió ***a través de*** la ventana.
4. Suspendieron el partido ***a causa de*** la lluvia.
5. Se me perdió la llave y tuvimos que entrar ***a través de*** la ventana.
6. ***A causa de*** su edad el diablo sabe mucho.
7. ***Considerando*** su edad, sabe mucho el chico.
8. Fui a tu casa ***en busca de*** mi dinero.
9. ¿Cuánto dinero pagarás ***a cambio de*** este traje?
10. Carlos no deja que nadie hable ***en lugar de*** él.
11. Espero que ustedes aprendan esto ***antes de*** mañana.
12. La criada se fue ***en dirección a*** la iglesia.
13. Todos lo escuchan ***a causa de*** ser muy elocuente.
14. Las hormigas avanzaban ***a lo largo de*** la huerta.
15. Este libro lo compré ***como regalo a*** Francisco.
16. ***Antes del*** verano ustedes sabrán español muy bien.

Practice 5

Continue substituting **por** or **para** as appropriate.

1. Al terminar la clase los estudiantes se van ***camino a*** la cafetería.
2. Van ***a buscar*** café.
3. No pude venir a clase ***a causa de*** estar enfermo.
4. Encontramos una carta ***destinada a*** mi padre.

5. ***Teniendo en cuenta que es*** una persona tan simpática tiene pocas amistades.
6. Me invitaron ***a quedarme*** una semana.
7. Le dieron cien dólares ***a cambio de*** su estéreo.
8. El muchacho estudió música ***a fin de*** complacer a su padre.
9. Las decoraciones de Navidad empiezan ***más o menos en*** octubre.
10. ***En la opinión de*** los estudiantes esto es una pérdida de tiempo.

Practice 6

Choose **por** or **para** (or expressions using them) to convey the indicated meaning given in parentheses.

1. Me gustaría trabajar sólo cuatro días __________ semana. (per)
2. ¿Qué me darías __________ esta pluma Parker ? (in exchange for)
3. El profesor ya salió __________ su casa. (in the direction of)
4. Mis padres estarán de viaje __________ dos semanas. (during)
5. El edificio fue destruido __________ el fuego. (by)
6. ¿__________ qué hiciste eso? (to what end? in order to gain what?)
7. No digas nada. Yo hablaré __________ los dos. (in behalf of)
8. ¿__________ qué hiciste eso? (for what reason ? why?)

Practice 7

Continue as before.

1. Mañana vendré __________ mi cámara. (to get)
2. Mi novia se marcha __________ España. (to)
3. Usted es muy amable __________ con nosotros. (toward)
4. Estoy muy agradecido __________ su cooperación. (for, because of)
5. No fueron a Europa __________ la devaluación del dólar. (due to)
6. __________ lo que dijo el profesor, tendremos el examen mañana. (judging from)
7. Estaré de regreso __________ las doce. (by)
8. Este año ahorraré dinero __________ ir a México. (in order to)

9. Hay que ir al laboratorio al menos dos veces ________ semana. (per)
10. Aquí tienes esta propina __________ tus buenos servicios. (on account of)

Practice 8

Answer the questions as indicated, using **por** or **para** according to the meaning.

1. ¿Con qué propósito te levantaste tan temprano? (estudiar francés)
2. ¿En lugar de quién trabajaste anoche? (mi hermano)
3. ¿Hacia dónde ibas esta tarde? (el teatro Diana)
4. ¿Durante cuánto tiempo hiciste cola? (dos horas)
5. ¿Cuánto dinero diste a cambio de los boletos? (seis dólares)
6. ¿Con qué fin compraste ese vestido? (ir a la Opera)
7. ¿Alrededor de cuándo regresarás? (las once de la noche)
8. ¿Cuándo, exactamente, estarás de regreso? (la medianoche)
9. ¿A favor de qué filosofía estás? (trabajar poco y divertirme mucho)

UNIT 17

Personal *a*

El hábito no hace al monje.

I. The Personal *a* Marks Direct Object Persons

1. **Vimos una película española anoche.**
2. **Vimos *a* tu compañera de cuarto anoche.**
3. **El muchacho que ayudó Ramón es mi sobrino.**
   The boy that Ramón helped is my nephew.
4. **El muchacho que ayudó *a* Ramón es mi sobrino.**
   The boy that helped Ramón is my nephew.

One of the reasons why Spanish word order can be more variable than English is the fact that the preposition **a** is used to mark the direct object when it is a definite person. In examples (3) and (4), *Ramón* appears in the same position. The presence or absence of **a**, however, makes it clear that Ramón is the subject in (3) but the object in (4).

Practice 1

Repeat the sentence, inserting **a** before the object of the verb if the object is a person.

1. El gato pasa horas mirando __________ el canario.
2. El gato pasa horas mirando __________ la cocinera.
3. A las once tenemos que llevar __________ mamá al aeropuerto.
4. Creo que bombardearon __________ la capital.
5. Ayer trajeron __________ mi caballo.
6. Visitamos __________ mis primos este verano.
7. Ese fue el perro que mordió __________ mi padre.
8. Agarraron __________ el ladrón que nos robó __________ el estéreo.
9. Cortaron __________ el gran árbol de la esquina.
10. A Ramón le gusta llamar __________ la atención.

Practice 2

Continue the practice as before.

1. En la olla ponga __________ la carne, las legumbres, sal y pimienta.
2. Por favor, llame __________ el doctor.
3. Salude __________ su madre en mi nombre.
4. Se llevó __________ un pan.
5. Echamos a perder __________ nuestro plan.
6. Se saludó __________ los nuevos congresistas.
7. Estamos esperando __________ los invitados.
8. Eligieron como gobernador __________ un idiota.

II. The Personal *a* with Pronouns Denoting Persons

The personal **a** is also used before such pronouns as the following when they refer to persons: **ése, alguien, nadie, ninguno, uno, quién, cuál, el que, el cual.**

Practice 3

Use a as required.

1. No conozco __________ nadie que tenga ese nombre.
2. ¿__________ quién te dijo eso?
3. ¿__________ quién ayudaste?
4. Estaba de mal humor. No quería ver __________ nadie.
5. Estaba enfermo. No quería comer __________ nada.
6. Saluda __________ cualquiera que encuentre en la calle.
7. ¿Los García que viven en la plaza? No, __________ ésos no los conozco.
8. ¿Rosa o María? No sé __________ cuál te refieres.

9. ¿Has visto __________ alguien más desmemoriado que yo?
10. ¿Tu vestido azul? __________ ése no lo he visto.
11. ¿Mandaste las cartas? No, no mandé __________ ninguna.
12. Ayer vimos __________ uno de los González.
13. ¿Saludaste __________ los dos chicos?
14. No, no saludé __________ ninguno.
15. ¿__________ cuál de los diccionarios prefieres?

III. The Personal *a* Omitted with Indefinite Persons

1. Busco secretaria.
2. Busco a mi secretaria. ¿La has visto?
3. Vimos un montón de gente en la calle.
4. Ahora vas a conocer el resto de la familia.
5. Vamos a llamar un médico.
6. Vamos a llamar al médico.
7. Voy a enviar unos muchachos.
8. Tengo tres hermanos.
9. Hay veinte estudiantes en esta clase.

When the person referred to by a direct object noun is unclear or unknown, the personal **a** is ordinarily omitted. This happens when the person is any one of a class of people (as in examples 1 and 5 above), rather than a specific individual. It also happens when a numerical or quantitative expression precedes the noun, as in 3 and 4, or when the identity and definiteness of the people are lost in a mass situation, as in 7.

The objects of **haber** and **tener** are not marked with **a** (except in certain restricted cases with **tener**). See examples 8 and 9.

There are many cases where the use of **a** is optional. For example, animals may be spoken of as we speak of people (pets, etc.). To the degree that nonhuman objects are personified, **a** will likely be used.

1. Patriota es el hombre que ***ama a su patria*** sobre todas las cosas.
2. Los italianos del renacimiento casi ***deificaban a la belleza.***
3. (Sam es mi perro.) Mira, tenemos que ***llevar a Sam*** al veterinario. Tiene una herida en esta pata.

Practice 4

Supply **a** if needed.

1. Visitamos __________ los enfermos de ese hospital.
2. Había __________ médicos y enfermeras competentes.
3. Vimos __________ médicos generales y especializados.
4. Dejamos __________ los niños con la abuela.
5. Necesitamos __________ jardineros competentes.
6. Vi __________ la muchedumbre en la plaza.
7. Compré __________ el perro de que te hablé.
8. Mira __________ mi hermosa gata.
9. Tenemos __________ hijas que estudian en Francia.
10. El patrón envió __________ la mitad de los empleados a casa.

Practice 5

Continue as before.

1. Midieron y pesaron __________ los niños.
2. Llevaron __________ los soldados heridos al hospital.
3. Encontraron __________ las víctimas del accidente aéreo.
4. Llevaron __________ los perros a la Sociedad Protectora de Animales.
5. Llame __________ los estudiantes que estén ahí.
6. Buscan __________ trabajadores que tengan experiencia.
7. Encontré __________ mi gato comiéndose el queso.
8. Aceptaba __________ la pobreza y bendecía __________ su comunidad de monjas.
9. Había __________ unos niños con hambre.

10. Lleven __________ el bebé a la cuna.
11. Examinaron __________ todos los heridos.
12. La niña peina __________ su muñeca.

General Practice 1

Read the English sentence. Then say the Spanish sentence, supplying **a** if needed so as to express the meaning given.

1. This is the girl who insulted the professor.

   Esta es la chica que insultó el profesor.
2. They ordered him to close the Museum.

   Le ordenaron cerrar el museo.
3. He took my friend and showed him the new house.

   Llevó mi amigo y le mostró la casa nueva.
4. We visited my father, then my aunt Bertha, and lastly my cousin Alice.

   Visitamos mi padre, luego mi tía Bertha y por último mi prima Alice.
5. We introduced Charles to our friends.

   Presentamos Charles a nuestros amigos.
6. They have two uncles and six cousins.

   Tienen dos tíos y seis primos.
7. The man cut himself with a knife.

   Se cortó el hombre con el cuchillo.
8. You see the same beggar that Velázquez painted.

   Ves el mismo mendigo que pintó Velázquez.
9. They found three survivors of the crash.

   Encontraron tres sobrevivientes del choque.
10. There are children hurt in the crash.

    Hay niños heridos en el choque.

General Practice 2

Continue as before.

1. We saw the girl the professor insulted.

   Vimos la chica que insultó el profesor.
2. That was the horse that kicked the trainer.

   Ese fue el caballo que pateó el entrenador.
3. I'm looking for the girl who speaks German.

   Busco la chica que habla alemán.
4. They worship the dead.

   Adoran los muertos.
5. They arrested the man with the gun.

   Se detuvo el hombre con la pistola.
6. The police caught a bunch of thieves.

   La policía agarró un grupo de ladrones.
7. You see the same beggar that painted Velázquez.

   Ves el mismo mendigo que pintó Velázquez.
8. They brought wounded soldiers here to the hospital.

   Trajeron soldados heridos acá al hospital.
9. He doesn't want to see anybody.

   No quiere ver nadie.
10. You can't avoid death.

    No se puede evitar la muerte.

UNIT 18

Prepositions:

Use and Non-Use

Un hombre con pereza es un reloj sin cuerda.

It is not possible to generalize very much about the use of prepositions. Constructions involving them have to be learned one by one. We present here those most commonly used. See also the Units on **Personal a** and **Por** vs. **para.**

I. Spanish Preposition vs. English No Preposition

Spanish uses a preposition in these constructions but there is none in the corresponding English phrase.

Practice 1

Read the first sentence, observing the prepositional usage. Then read and complete the second sentence. Be sure to think about the meaning of what you are reading.

MODEL: No ***me atrevo a*** decir nada porque los patrones se enojan.
El gato no se atrevía a salir a causa de los perros.

1. Si yo ***me casara con*** tu hermana, sería el tío de tus hijos.
Hace veinte años que mi padre se casó __________ mi madre.
2. Si uno ***deja de*** usar un idioma, no lo olvida pero pierde fluidez.
La compañía no deja __________ enviar cuentas hasta que pagas lo que debes.
3. Las niñas no ***cesaban de*** cantar en voz baja.
¿Nunca cesarán los hombres __________ pelear?
4. En España se ***entra en*** la casa pero en Hispanoamérica se ***entra a*** un lugar.

   Cuando suena el timbre, todos los niños entran __________ la sala de clase.
5. Hay que ***fijarse en*** los usos de las preposiciones.
Fíjate __________ el color de los ojos de ese gato.

6. En tales casos siempre ***vamos (corremos, nos detenemos, venimos, subimos, bajamos***—any verb of motion) ***a*** consultar el diccionario.
   A las seis en punto el viejo bajaba ________ tomar el desayuno.
7. La edad del individuo no debe ***influir en*** su credibilidad.
   Es inevitable que el dinero influya ________ las opiniones de los políticos.
8. Muchos de los que ***se oponían a*** la guerra huyeron del país. ¿Tus padres se oponen ________ que te cases?
9. La vieja no deja que sus gatos ***salgan de*** la casa.
   ¿A qué hora sales ________ la universidad?

Practice 2

Complete the sentence, using the correct preposition.

1. ¿Se atreve usted ________ saltar con paracaídas?
2. ________ cuál de las hermanas te quieres casar?
3. Ese perro no deja ________ ladrar toda la noche.
4. Las palomas siempre vuelven y entran directamente ________ el palomar.
5. Fíjate ________ el color de los ojos de ese chico.
6. A las 6:30 en punto los viejos bajan ________ desayunar.
7. Las esposas a veces influyen mucho ________ las decisiones de los presidentes.
8. Yo me opongo ________ que les den armas a los dictadores.
9. La niña todavía no ha salido ________ su dormitorio.
10. Los viejos nunca cesan ________ dar consejos.

Practice 3

Translate using the verbs you just practiced.

1. It isn't possible for you to marry your sister.
2. The actors enter the theater by this door.
3. I don't dare translate some of these words.
4. Many students oppose the obligatory study of foreign language.

5. I noticed that there are no birds here.
6. Pollution influences every aspect of our life.
7. There are people who never cease learning.
8. Go and buy me a newspaper.
9. Come sit by me.
10. We get out of class at 4:30.
11. They have to stop talking in class.
12. Run and turn off that light!

II. English Preposition vs. Spanish No Preposition

Spanish uses no preposition in these constructions, but the corresponding English construction does.

Practice 4

Read the Spanish sentence, noticing its construction. Then translate the English sentence.

1. *to look for* **buscar**
   Busco ejemplos de estas preposiciones.

   He's looking for his dog.
2. *to be grateful for* **agradecer**
   Les agradezco lo que han hecho por mí.

   I'm grateful for your help.
3. *to listen to* **escuchar**
   Escuche usted esa música.

   I like to listen to the birds.
4. *to wait for* **esperar**
   Esa gente espera el autobús.

   We have to wait for the other plane.

5. *to be impossible to, possible to, dificult to, etc.* **es posible, difícil,...**
   Es imposible saberlo todo.

   It is impossible to learn everything.

6. *to pretend to* **fingir**
   La chica fingió desmayarse.

   The policeman pretended to know her.

7. *to manage to* **conseguir**
   Si consigo terminar este capítulo iré al cine.

   Did you manage to see the professor?

8. *to need to* **necesitar**
   El país necesita desarrollar más fuentes de energía.

   You don't need to spend any money.

9. *to try to* **procurar**
   Procuren hacer este ejercicio bien.

   Try to concentrate on your reading.

10. *to try to* **intentar**
    Intentaron robar el Banco Nacional anoche.

    My friend tried to fix his car but he couldn't.

11. *to want to* **querer**
    No quiero pasar toda la vida en una oficina.

    I want to spend a year abroad.

12. *to want to* **desear**
    Desean terminar este ejercicio pronto.

    We want to help the poor.

13. *to be sorry for* **sentir**

    Siento tener que molestarte.

    I'm sorry for the inconvenience.

14. *to be afraid of* **temer**
    Temo no llegar a tiempo al aeropuerto.

    He's afraid of telling the truth.

15. *to keep from* **impedir**
    Tengo que impedir que mi perro persiga los gatos.

    The rain kept me from arriving on time.

16. *to hope to* **esperar**
Esperan terminar el trabajo hoy.

He hopes to return home soon.

17. *to seem to* **parecer**
Parecen no tener vergüenza.

He doesn't seem to understand English.

18. *to promise to* **prometer**
Prometió manejar con cuidado.

She promised to go to the movies with me.

19. *to know how to* **saber**
El profesor sabe nadar pero no sabe esquiar.

Do you know how to dance flamenco?

20. *to advise to* **aconsejar**
Les aconsejo no perder tiempo.

He advises us to save energy.

21. *to decide to* **resolver, decidir**
Resolvimos mudarnos a Hawai.

She decided to sell me her car.

22. *to like to* **gustar**
No me gusta escribir composiciones.

I like to read stories by Agatha Christie and Dorothy Sayers.

23. *to continue to* **seguir + -ndo**
Siguen haciendo ruido.

They continue to grow even in the shade.

Practice 5

Using the verb given in parentheses, express in Spanish the following ideas:

1. They want to go to Japan. (querer)
2. I need to buy more stamps. (necesitar)
3. She hopes to get married this year. (esperar)
4. We are sorry for interrupting your dinner. (sentir)
5. We managed to save enough for the trip. (conseguir)
6. We want to express our condolences. (desear)

7. We don't try to judge your actions. (intentar)
8. She likes to ride horses. (gustar)
9. We promise not to make too much noise. (prometer)
10. He's afraid of not finishing on time. (temer)
11. Prices continue to rise. (seguir)
12. The thieves tried to open the back window. (intentar)
13. We should try not to make so much noise. (procurar)
14. They decided to spend the summer abroad. (decidir)
15. We like to go out for dinner once a week. (gustar)
16. They advised us to come earlier to class. (aconsejar)
17. She knows how to play several instruments. (saber)
18. We are grateful to him for his help. (agradecer)
19. He was looking for a good guitar. (buscar)
20. They were waiting for the results of the exam. (esperar)
21. They listen to the news every evening. (escuchar)
22. It's impossible to study with so much noise. (Es imposible)
23. The girls pretended to be sleeping soundly. (fingir)

III. Contrasting Prepositions – Spanish vs. English

The verbs in the following practice require a preposition in both languages but the prepositions do not correspond.

Practice 6

Read the Spanish sentence noticing its construction. Then translate the English sentence as in Practice 4.

1. *to consent to* **consentir en**
   El profesor consintió en darme otro examen.

   My father consented to lend me his car tonight.
2. *to say good-by to* **despedirse de**
   Mi madre siempre llora cuando se despide de nosotros.

   I finally had to say good-by to my old shoes.
3. *to consist of* **consistir en**
   La familia consiste en el padre, la madre y los hijos.

   My problem consists of too much work and too little time.
4. *to count on* **contar con**
   Siempre puedo contar con la ayuda de mi familia.

   It's good to be able to count on a good friend like you.
5. *to worry about* **preocuparse por**
   No quiero que te preocupes por mis problemas.

   He doesn't worry about money. His father pays his bills.
6. *to make an effort to* **esforzarse por**
   Tenemos que esforzarnos más por terminar este trabajo.

   The students should make an effort to keep this room clean.
7. *to depend on* **depender de**
   Aquí podemos depender del servicio telefónico.

   You can depend on Fidel. He's an excellent watch dog.
8. *to be in love with* **estar enamorado de**
   to fall in love with **enamorarse de**

Mi hermano está locamente enamorado de su novia.

Your sister is in love with that eccentric art professor.

9. *to laugh at* **reírse de**
Las chicas se reían de los piropos de Ramón, el español.

He never laughs at my jokes.

10. *to be the first (last) to* **ser el primero (último) en**
¿Quién fue el primero en poner pie en la luna?

We were the last ones to get the news.

11. *to try to* **tratar de**
Siempre trato de terminar mi trabajo a tiempo.

Why don't you try to get to class earlier?

12. *to deal with* **tratar de**
Esta película trata del incendio de un rascacielos en Nueva York.

This book deals with the problems of drug addicts.

13. *to be at* **estar en**
Tengo que estar en el aeropuerto a las ocho.

We'll be at the tennis court all morning.

14. *to dream of* **soñar con**
No me gusta soñar con serpientes ni gatos negros.

What did you dream about?

15. *to be hard (easy) to (do)* **ser difícil (fácil) de**

Esa novela es muy difícil de entender.

My house is easy to find.

Practice 7

Choose the correct preposition if one is needed.

1. The lecture will deal with the sex life of the chameleon.
La conferencia tratará __________ la vida sexual del camaleón.
2. Unless you are a biologist, it is hard to get interested in that subject.
A menos que uno sea biólogo es difícil __________ interesarse en ese tema.
3. Because the lecturer is my friend, I'll be at the auditorium.
Porque el conferencista es mi amigo estaré __________ el auditorio.

4. Why don't you try to come also?
   ¿Por qué no tratas __________ venir también?

5. Let's try to be the first ones to get there.
   Tratemos __________ ser los primeros __________ llegar.

6. We cannot depend on the bus service.
   No podemos depender __________ el servicio de autobuses.

7. My brother consented to lend me his car tonight.
   Mi hermano consintió __________ prestarme su coche esta noche.

8. And, we always can count on my father's help.
   Y siempre podemos contar __________ la ayuda de mi padre.

9. The lecture will consist of his talk and a film.
   La conferencia consistirá __________ su charla y __________ una película.

10. There go Chuck and Sally. They are very much in love with each other.
    Ahí van Chuck y Sally. Están muy enamorados el uno __________ otro.

11. Your friend left without saying good-by to anybody.
    Tu amigo partió sin despedirse __________ nadie.

12. He fell on the stairs, and some silly kids laughed at him.
    Se cayó en las escaleras y unos chicos tontos se rieron __________ él.

13. He worries too much about such details.
    Él se preocupa mucho __________ tales detalles.

IV. Contrasting Prepositions in Spanish

The verbs in this group have more than one common construction, some using one preposition, some another, and some using no preposition.

1. *to think*

   a. asking for somebody's opinion about **pensar de**

   ¿Qué piensas de esa chica?

   What do you think of that girl?

   b. to think about/of **pensar en**

   Esa chica sólo piensa en divertirse.

   That girl only thinks of having fun.

   c. to plan on/to **pensar + infinitive**

   Esa chica piensa divertirse esta noche.

   That girl is planning on having fun tonight.

   d. think about + object pronoun **pensar + direct object pronoun**

   Piénsalo bien antes de comprometerte.

   Think about it before you commit yourself.

2. *to forget*

   a. **olvidar**

   Olvidé las llaves.

   I forgot the keys.

   b. **olvidarse de**

   Me olvidé de las llaves.

   I forgot the keys.

   c. **olvidársele algo a uno**

   Se me olvidaron las llaves.

   I forgot the keys.

3. *to complain*
   - a. to complain about **quejarse de**

     No te quejes de todo.

     Don't complain about everything.
   - b. to complain to **quejarse a/con**

     Los estudiantes se quejaron al decano.

     The students complained to the dean.
4. *to taste like, to know*
   - a. to taste like **saber a**

     Este pastel sabe a limón.

     This cake tastes like lemon.
   - b. to know **saber + object**

     Mi hermano menor sabe mucha aritmética.

     My little brother knows a lot of math.

Practice 8

Express the following ideas in Spanish.

1. I forgot my wallet.
2. This bread tastes like garlic.
3. I'm going to complain about my grades.
4. I plan to go abroad this year.
5. What does he think of his new job?
6. He already went to complain to his boss.
7. I don't know your telephone number.
8. I plan to invite some friends to dinner.
9. Do you know where I live?
10. I forgot to pay that bill.
11. Don't think about it anymore.
12. He's planning on taking you dancing.

General Practice 1

Complete the following sentences with the right preposition if one is needed.

1. No deje que mis opiniones influyan __________ su decisión.
2. Mucha gente no se atreve __________ salir de noche.
3. Por favor, deje __________ molestarme con sus quejas.
4. Estoy buscando __________ una buena novela.
5. Es difícil __________ estudiar con tanto ruido.
6. Van a salir __________ clase a las doce.
7. Estamos esperando __________ el café.
8. El tráfico me impidió __________ llegar a tiempo.
9. No te preocupes __________ nosotros.
10. ¿Quieres __________ venir a almorzar conmigo?
11. Nos agradeció __________ la visita que le hicimos.
12. Se opuso __________ que regresáramos a pie.
13. Le pedimos __________ flores y frutas.
14. Tratamos __________ no quedarnos hasta muy tarde.
15. Se despidió __________ nosotros muy amablemente.
16. Nos reímos muchísimo __________ ese idiota.
17. Esta sopa no sabe __________ nada.
18. Piensan __________ terminar este trabajo pronto.
19. Mi perro se enamoró __________ la perrita vecina.

General Practice 2

Express the following ideas in Spanish.

1. They were asking for money in the street.
2. The police pretended not to notice.
3. We were sorry to see their poverty.
4. Many don't know how to read or write.
5. They thanked us for the few coins with a sad smile.
6. We hope to be able to help in some way.

7. But we want to hear what the government says about them.
8. They need to eat and to have some place to sleep.
9. In order to enter the country, one must pay an enormous tax.
10. Many people don't dare criticize the government.
11. I don't want to leave with a bad impression.
12. It's not that I complain about everything.

General Practice 3

Complete the following sentences with the right preposition if needed.

1. Salimos a mirar ________ las vitrinas de las tiendas.
2. No buscábamos ________ nada en particular.
3. Prometimos ________ regresar antes de la comida.
4. Podemos contar ________ la cooperación de mi abuelo.
5. Él se casó ________ mi abuela cuando tenían veinte años.
6. Los padres de mi abuela se oponían ________ el matrimonio.
7. Los dos intentaron ________ escaparse pero no pudieron.
8. Mi abuela temía ________ disgustar a sus padres.
9. Prefirieron ________ esperar.
10. Finalmente los viejos consintieron ________ dejarlos casar.
11. Prometieron no ________ mencionar el asunto jamás.
12. Mi abuelo nos aconseja ________ obedecer a nuestros padres.
13. Me gusta ________ estar en casa de mi abuelo.
14. Pero mi abuela se preocupa ________ todos nosotros.
15. Y siempre se olvida ________ mi nombre.

UNIT 19

Comparisons

Más vale maña que fuerza.

I. Comparisons of Inequality

The most frequently used forms for making comparisons in Spanish are **más** (more) and **menos** (less). They are used alone or in combination with nouns, adjectives, or adverbs. Study the following examples:

Tú tienes más tiempo que yo.
Carmen es más guapa que Josefina.
Yo tengo mucha suerte pero tú tienes más.
Tú tienes menos dinero que yo.
Carmen es menos inteligente que Josefina.
Sergio siempre llega más temprano que nosotros.
José tiene poco dinero pero yo tengo menos.

Practice 1

Answer the question according to the models.

MODELS: ¿Quién es más alto, tu papá o tu hermano?
Mi papá es más alto que mi hermano.

¿Quién es menos fuerte, tú o tu papá?
Yo soy menos fuerte que mi papá.

¿Quien tiene más dinero, Paco o Pepe?
Paco tiene más dinero que Pepe.

1. ¿Quién llega más tarde, el profesor o los estudiantes?
2. ¿Quién sabe menos, los estudiantes o el profesor?
3. ¿Quién trabaja más, tú o tu hermanito?
4. ¿Cuál canta más fuerte, la niña o su hermano?
5. ¿Cuál es menos inteligente, la vaca o el hombre?
6. ¿Quién se levanta más temprano, tu mamá o tu papá?
7. ¿Quién se queja menos, tu hermana o tu hermano?
8. ¿Qué te gusta más, el té, el café o el agua?
9. ¿Cúal está menos lejos, la playa o el parque?
10. ¿Cuándo llueve más, en la primavera o en el otoño?

Practice 2

Answer the questions according to the truth of the matter.

1. ¿Cuál es más grande, Bolivia o Argentina?
2. ¿Cuál es menos alto, Popocatépetl o el Monte Everest?
3. ¿Qué ciudad tiene más habitantes, Buenos Aires o La Paz?
4. ¿Qué ciudad recibe menos sol, Londres o Madrid?
5. ¿Qué país es más grande, China o el Japón?
6. ¿Qué país es más rico, Alemania o México?
7. ¿Cuál era más avanzada, la civilización de los apaches o la de los mayas?
8. ¿Cuál era más antigua, la civilización griega o la romana?
9. ¿Dónde hay más anglosajones, en Inglaterra o en Irlanda?
10. ¿Dónde se toma más vino en Francia o en Inglaterra?
11. ¿Dónde se encuentran menos nombres de origen español, en Minnesota o en California?
12. ¿Cuál está más cerca de California, Nevada o Colorado?
13. ¿Cuál está más lejos de California, Hawai o México?
14. ¿Qué cuesta más, un avión o un coche?
15. ¿Qué cuesta menos, un Cadillac o un Ford?

II. Irregular Comparative Forms

Mejor (better) and **peor** (worse) are normally used as the comparative forms for both the adjectives **bueno** and **malo** and the adverbs **bien** and **mal.** (**Más bueno** and **más malo** are occasionally used when the emphasis is on character traits of people, especially in such phrases as **más bueno que el pan** and **más malo que el diablo.** These usages will not be practiced here.) Study these examples:

Ese coche es ***bueno,*** pero el mío es ***mejor.***
Ese muchacho juega ***bien,*** pero tú juegas mucho ***mejor.***
Paco cuenta chistes ***malos,*** pero los tuyos son ***peores.***
El jefe canta muy ***mal,*** pero tú cantas ***peor*** que él.

Mayor and **menor**, when applied to things rather than to people, are roughly equivalent to English *major* and *minor* (e.g., **Asia Menor, Plaza Mayor).** When applied to people, however, they refer to relative age, although the adjectives **joven** and **viejo** take the regular comparative with **más** and **menos.** Consequently, **mayor** and **más viejo** often are interchangeable, as are **menor** and **más joven.**

Me parece que soy ***mayor*** que tú. (older)
Pepe es mi hermano ***menor.*** (younger, youngest)
Mi abuelo es ***más joven*** que mi abuela.
Yo soy el ***más joven*** de mi familia.
Tu perro es ***más viejo*** que el mío.

Practice 3

Complete the sentence using the proper form of the comparative.

1. Tu estéreo es malo, pero el de tu amigo es __________.
2. Estos discos son buenos, pero ésos otros son __________.
3. Guillermo toca el piano bastante bien, pero su hermana lo toca __________.
4. Este hijo mío parece muy joven, pero el otro es el __________.
5. Este pan es malo pero el americano es __________.
6. Ese hombre es viejo, pero su hermana es __________.
7. Carmen es de veras simpática, pero Consuelo es todavía __________.
8. Carlos es inteligente, pero José es un hombre mucho __________.
9. Tu hermanito es joven, pero el mío es __________.
10. Cuentas malos chistes a veces, pero ése fue el __________ de todos.
11. Ayer llegaste tarde, pero el profesor llegó todavía __________.

12. Hablando de edad, Concha me parece __________ que su hermana.
13. Jesse James fue malo, pero tú eres __________ que él.
14. De las buenas sinfonías de Beethoven, la quinta es una de las __________.
15 Mi abuelo es viejo, pero mi abuela es __________ que él.
16. Mi novia baila bien, pero tú bailas __________ que ella.
17. Los toros mexicanos son bravos, pero los toros españoles son __________.
18. Entre las personas que juegan mal, tú juegas __________ que nadie.
19. Carlitos sólo tiene siete años. Es mi hermano __________.
20. A la gente vieja también la llaman gente __________.

III. *Más de* and *menos de*

In affirmative sentences, **de** is used instead of **que** when making comparisons if a number or other expression of quantity follows. If the sentence is in any way negative, either **de** or **que** can be used.

Tengo más de trescientos dólares en el banco.

Llegó menos de la mitad de los invitados.

There is a negative construction in Spanish that is similar to the ones studied before, but is different in meaning.

The phrase **no ... más que** is the equivalent of *only* in English.

No necesito más que cuatro días para terminar este trabajo.
I need only four days to finish this job.
No había más que veinte personas en el teatro.
There were only twenty people in the theater.
Esto no es mármol. No es más que una imitación de plástico.
This isn't marble. It's only a plastic imitation.

This construction should not be confused with **no ... más de** plus a quantity, which is comparative in meaning.

> **Creo que puedo terminar este trabajo en dos días, quizá tres, pero de seguro, no necesito más de cuatro días.**
> *I think I can finish this job in two days, perhaps three, but, for sure, no more than four.*
> **Quizá había quince o dieciocho personas en el teatro, pero no más de veinte.**
> *Maybe there were fifteen or eighteen people in the theater, but no more than twenty.*

Practice 4

Complete the sentence using **de** or **que**, as appropriate.

1. El equipo de México ha perdido más __________ tres partidos este mes.
2. Ahora no, gracias. Ya he tomado más __________ dos copas de vino.
3. No creo que el viaje tarde menos __________ dos horas.
4. Por lo general, yo trabajo más __________ mi hermano.
5. Para seis personas vamos a necesitar más __________ una botella de agua mineral.
6. Me trajiste menos __________ seis pesos de cambio.
7. Te di más __________ diez pesos para hacer la compra.
8. No debiste pagar más __________ cuatro pesos.
9. Tú tardaste más __________ tu hermano en regresar a casa.
10. Parece que perdiste más __________ un tercio.
11. Jackson tiene más dinero __________ juicio.
12. Me parece difícil trabajar más __________ doce horas seguidas.
13. Yo lo he hecho más __________ una vez.
14. Menos __________ ocho horas sería poco tiempo.
15. El jefe no trabaja más __________ seis horas.
16. Mañana no trabajaré más __________ el jefe.

Practice 5

Transform the sentence given into another with similar meaning using **no ... más que** or **no ... más de** accordingly.

MODELS: Tengo solamente tres dólares.
No tengo más que tres dólares.

No sé cuántos invitados hay; ¿ocho, diez? Máximo, doce.
No hay más de doce invitados.

1. Compra sólo media docena de huevos.
2. No traigas cinco botellas de vino, solamente tres.
3. Sólo tomé aspirinas.
4. Unicamente invitaré a mis tres tías a la boda.
5. El número total de invitados no pasará de veinte.
6. Mis padres piensan servir champaña exclusivamente.
7. Creo que la recepción durará entre tres y cuatro horas.
8. El novio no ha cumplido treinta años todavía.
9. Pero la novia es más joven. Acaba de cumplir dieciocho años.
10. Pasarán en Acapulco sólo tres semanas, y luego irán a Bermuda.

IV. *Más* and *menos del que, de la que, de lo que, etc.*

When comparatives are followed by a clause, the appropriate form of **del que** or **de la que** is used instead of **que** or **de.**

1. If the comparison involves a noun, the definite article takes the gender and number of the noun.

   La tienda me ha enviado ***más libros de los que*** compré.

   Ha venido ***más gente de la que*** invitamos.

2. If the comparison involves an adverb, an adjective, or an idea (none of which have gender), the neuter article **lo** is used.

   Era ***más inteligente de lo que*** parecía.

   Hablas ***español mejor de lo que*** había esperado.

   La biblioteca tiene ***más libros de lo que*** pensábamos.

In the last example, the number of books is not being compared with another number of books, as was the case in (1) above, but with the *idea* we had about the books.

Practice 6

Fill in the blanks as appropriate.

1. Tú hablaste más __________ yo quería.
2. Yo estoy ganando más __________ había esperado.
3. Mi profesor es mejor __________ yo pensaba.
4. El español es más fácil __________ yo creía.
5. He perdido más dinero __________ he ganado.
6. Tú has comprado más botellas __________ necesitamos.
7. Mi primo es más inteligente __________ yo me suponía.
8. Pedro bebe más cerveza __________ parece razonable.
9. Los niños hablan más fuerte __________ es necesario.
10. Mi novia resultó mayor __________ me imaginaba.
11. He recibido más paquetes __________ mandaron.
12. Los futbolistas han jugado mejor __________ esperaban.
13. Hay más gente aquí __________ cabe sin incomodidad.
14. Este apartamento tiene más habitaciones __________ necesitamos.
15. La novia pesaba más __________ había pensado el novio.
16. Gritaba mucho más __________ había creído.
17. Pero por fin vivieron felices más tiempo __________ habían supuesto sus padres.
18. La señora baila aún peor __________ yo había temido.

Practice 7

Review of Sections I–IV. Fill in the blank, as appropriate, with **que, de,** or the correct form of **del que.**

1. Aunque no lo parece, esta niña es mayor __________ su hermano.
2. Tiene más __________ nueve años.
3. El otro no tiene más __________ siete.
4. La niña es más fuerte __________ parece.
5. Siempre juega más __________ quiere su mamá.
6. La niña siempre tiene menos juguetes __________ quiere.
7. Su apetito es más grande __________ su estómago.
8. Siempre pide más comida __________ puede comer.
9. Por lo general, come menos __________ su hermano.
10. Esta tarde no comió más __________ dos o tres bocados.
11. La mamá le habló más __________ cinco veces.
12. Al fin, la niña comió más __________ quería.
13. La escuela le gusta más a Sue __________ a su hermana.
14. Sue recibe mejores notas __________ Elena.
15. A veces estudia más horas __________ prefiere su mamá.
16. En realidad es más aplicada __________ cree su mamá.

V. Comparisons of Equality

Spanish uses **tan(to) ... como** (English *as ... as, or as much ... as ...)* to express equality or equivalence. The form **tan** is used with adjectives and adverbs; the indeclinable **tanto** is used alone as an adverb; and **tanto, tanta, tantos,** and **tantas** are used in agreement with nouns.

Carlos es ***tan simpático como*** su hermana.
Habla ***tanto como tú.***
Pero no habla español ***tan bien como*** tú.
Y no tiene ***tantos amigos como*** su hermana.

Practice 8

Make a comparison with **tan(to) ... como** out of the two parts of each sentence.

1. Mi hermano es alto y el tuyo es igualmente alto.
2. Pedro sabe mucho y Carlos sabe mucho también.
3. Los estudiantes llegan tarde y el profesor llega tarde también.
4. Federico tiene muchas ideas y Gonzalo también.
5. Federico tiene muchas ideas y tiene habilidad para realizarlas.
6. Guadalajara es hermosa y es agradable también.
7. Tiene muchas flores y tiene muchos árboles también.
8. Su clima es ameno y el de Hawai es ameno también.
9. Los tapatíos (ciudadanos de Guadalajara) juegan mucho al fútbol y los otros mexicanos juegan mucho al fútbol también.
10. Hay muchas chicas por la calle y hay muchos chicos también.
11. Las chicas son muy alegres y los chicos son muy alegres también.
12. Las chicas son muy alegres y son muy hermosas también.
13. Los viejos se ríen mucho y los jóvenes se ríen mucho también.
14. A los viejos les gusta divertirse mucho y a los jóvenes les gusta divertirse mucho también.
15. En Guadalajara hay muchos días hermosos en el invierno y hay muchos días hermosos en el verano también.

Practice 9

Review of **más ... que** and **tanto ... como.** For each of the following sentences, first ask a question with **tan(to) ... como** then answer it with **más ... que.**

MODELS: Carlos llegó hoy __________ tarde __________ ayer.
¿Carlos llegó hoy tan tarde como ayer?
Carlos llegó hoy más tarde que ayer.

Paco tiene __________ amigos __________ su hermano.
¿Paco tiene tantos amigos como su hermano?
Paco tiene más amigos que su hermano.

1. Carmen es __________ inteligente __________ su mamá.
2. Sarita canta __________ bien __________ su hermano.
3. Georgina juega __________ mal __________ Patricia.
4. Eduardo ha traído __________ dólares __________ pesos.
5. Eduardo ha traído __________ dólares __________ pedimos.
6. Lola ha pagado __________ cuentas __________ mandé.
7. Jorge resulta __________ inteligente __________ suponían.
8. Ese proyecto salió __________ mal __________ el nuestro.
9. La obra salió __________ mal __________ decía el patrón.
10. Sergio jugó un partido __________ bueno __________ el del domingo.
11. Sergio escribió un ensayo __________ bueno __________ esperaba el profesor.
12. La novia de Paco baila con __________ gracia __________ su hermana.
13. Tiene __________ plata __________ parece.

UNIT 20

Relatives

Barco en que mandan muchos pilotos pronto va a pique.

I. Relatives

La música ***que escuchan los adolescentes*** **rara vez les gusta a sus padres.**

An adjective clause is formed, in Spanish as in English, when a sentence is used to modify a noun. Thus, in the sentence **Los estudiantes que vienen de Venezuela a veces encuentran dificultades con nuestro sistema de educación**, the adjective clause, **que vienen de Venezuela,** modifies **los estudiantes** much as the adjective **venezolanos** would in the same position.

Relatives (or relative conjunctions) are used in both Spanish and English to connect adjective clauses to the nouns they modify (i.e., to their antecedents). The English relatives *who, which,* and *that* have similar, but not identical uses to the Spanish relatives **que, quien, el que,** and **el cual.** (**Lo que** and **lo cual** are neuter variants of **el que** and **el cual.**)

Notice that, although relatives are frequently omitted in certain positions in conversational English (e.g., the man I saw last night; the man *that* I saw last night), relatives are almost never omitted in Spanish.

II. *Que*

Que is by far the most frequently used of the Spanish relatives.

1. La chica que conocí anoche es muy simpática.
2. El coche que atropelló a Ramón fue un Fiat.

Practice 1

Combine the following pairs of simple sentences to form one compound sentence having an adjective clause with **que.** This drill and all of the others in this unit are best done with books open.

MODELS: El deporte es un tema de conversación. Este tema les gusta mucho a los españoles.

El deporte es un tema de conversación que les gusta mucho a los españoles.

Prefiero jugar con ese muchacho. Ese muchacho juega muy bien.

Prefiero jugar con ese muchacho que juega muy bien.

1. Mi hermano conoce a una chica. Ella es campeona de judo.
2. El fútbol es un deporte. Este deporte se juega con 22 jugadores.
3. El fútbol cuenta millones de aficionados. Estos aficionados llegan a ser fanáticos a veces.
4. Una vez vi un partido. Marcaron 10 goles en ese partido.
5. El árbitro hizo muchas decisiones erradas. Esas decisiones enfurecieron al público.
6. El resultado del partido causó un desorden. En ese desorden muchos sufrieron heridas.

III. *Que* vs. *quien*

El muchacho ***que*** vino ayer se llama Ernesto.

El muchacho ***con quien*** vine ayer se llama Ernesto.

El diccionario ***de que*** te hablé ayer es éste.

El profesor ***de quien*** te hablé ayer es ése.

Que applies to people and things alike. **Quien** and its plural **quienes**, however, only apply to people. They are used instead of **que** after prepositions when the antecedent is a person.

Although **que** is sometimes used to refer to people when the preposition is **de**, **en**, or **a**, this usage is not always considered good. The best procedure, therefore, is to avoid **que** after any preposition when referring to people.

Practice 2

Complete the sentence using **que** or **quien**, as appropriate.

1. Acabo de conocer a las chicas de __________ hablabas ayer.
2. No ha llegado la carta en __________ me enviaron el cheque.
3. No volverás a ver al hombre a __________ prestaste tanto dinero.
4. Voy a visitar a mi abuelo por __________ siento gran respeto.
5. Aquélla es la casa en __________ vive mi abuelo.
6. No quiero hablar con ese ingrato por __________ tanto hice.
7. Aquí llega el candidato con __________ tendrá que debatir.
8. No entiendo el tema de __________ van a hablar.
9. Ése es el profesor de química de __________ los estudiantes se quejan tanto.

IV. Replacing *que* with *quien* in Nonrestrictive Clauses

In some sentences, the adjective clause is essential to the meaning of the sentence. In others, it has only an explanatory role. Compare these sentences. Notice that intonation and punctuation separate the nonrestrictive clause from the rest of the sentence.

Restrictive	Nonrestrictive (or explanatory)
Compramos las frutas *que estaban medio maduras.* *We bought only that fruit which was half ripe.*	**Compramos las frutas, *que estaban medio maduras.*** *We bought the fruit, all of which, incidentally, was half ripe.*
Siempre llegaban tarde los alumnos *que tenían clases en otro edificio.*	**Siempre llegaban tarde Antonio y Jaime, *quienes tenían clases en otro edificio. (or que tenían clases...)***
El dueño de la casa *que compramos* era un viejo avaro y antipático.	**El dueño de la casa, *quien estaba* (or *que estaba) en el extranjero,* había dejado las llaves con su hija.**

When the reference is to persons and when the clause is nonrestrictive, that is, merely explanatory, either **que** or **quien** may be used. In restrictive clauses, **quien** is not used. Because English uses "who" in both types of clauses, students tend to use **quien** where it is not used in Spanish. Consequently, when in doubt, use **que.**

Practice 3

Use **quien** to replace **que** where it is appropriate. When it is not, simply repeat the sentence as given.

1. El vecino que toca la guitarra es argentino.
2. Respetaban a mi padre, que era un hombre honrado.
3. Compré el coche que tú me recomendaste.
4. Mi padre, que es muy generoso, me dio el dinero.
5. La secretaria que entrevisté ayer comenzará a trabajar mañana.
6. ¿Te gustó la artista que debutó anoche?
7. José, que es mi mejor amigo, está enfermo.
8. ¿Te acuerdas de ese cómico francés que vino el año pasado?
9. Mi hermana, que vive cerca de tu casa, quiere invitarte a comer.
10. El cartero que tiene esta ruta siempre llega a las diez.

V. *Cuyo*

The relative **cuyo**, restricted in its usage to the more complex sentences associated with written style, is used to express the idea of possession. Thus:

Estas son flores tropicales.

Su perfume es muy penetrante.

may be combined to form a longer sentence as follows:

Estas son flores tropicales cuyo perfume es muy penetrante.

Note that **cuyo** agrees in number and gender with the noun that follows:

Díaz es el pintor ***cuyos cuadros*** se exhiben en la Galería Moderna.

Esa es la casa de ***cuyo jardín*** japonés te hablé antes.

Practice 4

Combine the following sentences, using a form of cuyo.

MODEL: Eligieron presidente a Gloria. Sus ideas son feministas.
Eligieron presidente a Gloria, cuyas ideas son feministas.

1. El gobernador es un viejo político. Su filosofía es racista.
2. Trataban de cancelar las elecciones. Su resultado podría causar una sublevación.
3. No dieron permiso para un desfile. Su efecto llegaría a ser grave.
4. Los sindicatos laborales son fuerzas sociales. Su poder disminuye cada día.
5. Las mujeres por fin lograron el sufragio. Su valor político y social es inestimable.
6. Uno de los recursos políticos es el dinero. Su importancia es definitiva.
7. Jefferson es uno de los personajes de la historia de los EE.UU. Se siente todavía su influencia.
8. Lincoln es otro gran norteamericano. Su fama es mundial.
9. John F. Kennedy fue un gran estadista. Su personalidad encantó a millones.

In dealing with **cuyo**, you should keep in mind that, although **cuyo** is often paralleled by the English *whose* and vice versa, the English interrogative *whose*, as in "Whose book is this?", is never equivalent to Spanish **cuyo**. Interrogative *whose* is always **¿De quién?** (or **¿De quiénes?**) in Spanish: **¿De quién es este libro?** = *Whose book is this?*

Practice 5

Fill in the blanks with **de quién** or the proper form of **cuyo**.

1. I don't like a bar whose prices are too high.
   No me gusta un bar __________ precios sean demasiado altos.
2. Whose drink is this?
   ¿__________ es esta bebida?

3. I don't know whose it is.
   No sé __________ es.
4. Here comes the man whose drink you just drank.
   Ahí viene el hombre __________ bebida acabas de tomar.
5. Who's the one who drank my drink?
   ¿__________ se me tomó la bebida?
6. A man whose name I don't know did it.
   Lo hizo un hombre __________ nombre no sé.
7. A man whose friends are like you doesn't need enemies.
   Un hombre __________ amigos son como usted no necesita enemigos.
8. Tell him whose friend I am.
   Dígale __________ soy amigo.

VI. *El que* and *el cual*

The relatives **el que** and **el cual** alternate with the relative **que.** They are found most often after prepositions and in nonrestrictive clauses. They are usually associated with a more elevated style than the **que** variant. The following three sentences thus have the same meaning:

Se le rompió el palo con ***que*** iba a remar.

Se le rompió el palo con ***el que*** iba a remar.

Se le rompió el palo con ***el cual*** iba a remar.

Note that **el que** and **el cual** must agree with their antecedent in gender and number. This characteristic permits these relatives to resolve ambiguities when there are two or more possible antecedents, a function which **que** is unable to fulfill.

Compare the ambiguity of:

La hija de mi vecino, que es muy inteligente, no trabaja nunca.

with the lack of ambiguity of:

La hija de mi vecino, la cual (or la que) es muy inteligente, no trabaja nunca.

EL CUAL PREFERRED WITH LONGER PREPOSITIONS

El presidente y sus ministros avanzaron hasta la estatua *delante de la cual* (or ***la que)*** **depositaron una corona.**
The president and his ministers went up to the statue before which they placed a wreath.
La vieja sonrió y se puso unos anteojos de oro *sin los cuales* (or ***los que)*** **no leía ni una letra.**
The old lady smiled and put on a pair of gold spectacles without which she couldn't read a thing.
Nunca olvidaré el título de esa película *por causa de la cual* (but not ***la que)*** **perdí a mi novia.**
I shall never forget the title of that picture on account of which I lost my fiancée.

With longer prepositions, **el cual** is preferred to **que** or **quien. El cual** is also used with short prepositions, especially **por, sin,** and **para.** Because **el cual (la cual, los cuales, las cuales)** shows the number and gender of its antecedent, it is often used in longer and more complex sentences in order to contribute to clarity.

Many sentences that admit **el cual** could also have **el que (los que, la que, las que),** but not all. The conditions that allow **el cual** but not **el que** are subtle, and it seems better not to deal with them here.* The student will always produce well-formed sentences if he or she uses **el cual** with longer prepositions. Comprehension of sentences using **el que** offers no problem.

Practice 6

Replace the italicized words with the proper article plus **cual** or **cuales** and combine the two sentences.

MODEL: Los amigos se encontraron en medio de la plaza. Alrededor de ***la plaza*** había edificios muy altos.

Los amigos se encontraron en medio de la plaza alrededor de la cual había edificios muy altos.

1. El verano pasado hice una gira por Latinoamérica con varios amigos. Entre ***ellos*** había un profesor de antropología y otro de sociología. Los demás éramos estudiantes de español, arte, y ciencia política.

---

* See Gili y Gaya, S. *Curso superior de sintaxis española* (Barcelona: Vox, 1964), p. 307, for analysis of the distinction in use.

2. De Nueva York fuimos en avión a Los Ángeles donde esperamos a dos de los muchachos que habían hecho el viaje en coche. Sin ***ellos*** no podíamos comenzar el viaje.
3. Tenochtitlán, la capital del imperio azteca, estaba en medio de una isla a una altura de 2.380 metros en el lago Texcoco. Sobre ***este lago*** los españoles más tarde construyeron la ciudad de México.
4. A veintiocho millas de México están las pirámides de Teotihuacán que fueron construidas alrededor del siglo I d.C. (después de Cristo). Entre ***ellas*** se destaca la Pirámide del Sol que está sobre las ruinas de la que probablemente fue la ciudad más grande del mundo antes de su decadencia en el siglo X.
5. La ciudad de Taxco en México es centro de artesanía y otras industrias manuales. Entre ***estas industrias*** sobresalen los trabajos de plata y alfarería.
6. En Guatemala visitamos la ciudad de Antigua. Cerca de ***esta ciudad*** queda el hermoso lago de Atitlán.
7. Luego fuimos a Costa Rica, ya que queríamos ver el volcán Irazú. Sobre las faldas de ***este volcán*** está la capital del país, San José de Costa Rica.
8. En Puerto Rico gozamos mucho en los barrios del viejo San Juan. En ***éstos*** se puede apreciar la influencia de España tanto en la arquitectura como en las costumbres.
9. En uno de los cerros que rodean a Bogotá está la iglesia colonial de Monserrate. A ***esta iglesia*** se puede llegar por el teleférico o por el funicular.
10. De Bogotá pasamos a Zipaquirá a visitar las minas de sal. Dentro de ***las minas*** han construído una catedral subterránea con capacidad para 15.000 personas.
11. En la Ciudad Universitaria en Caracas hay magníficas obras de escultura. Sobre ***éstas,*** desafortunadamente, los estudiantes colocan anuncios y carteles.
12. El desarrollo, la educación y el adelanto técnico en Latinoamérica son motivo de interés de muchas organizaciones internacionales. Entre ***éstas*** se encuentran la UNESCO en educación, la FAO en alimentación, la UNICEF en el bienestar de la niñez, la WHO en la salud y otras.

VII. *Lo cual* and *lo que*

The relatives **lo cual** and **lo que,** essentially identical in meaning and usage, are neuter variants of **el cual** and **el que.** They are used when the antecedent is a whole clause instead of a single word having gender and number. Compare the following sentence with its English equivalent:

> **No sabe nadar, *lo cual*** (or ***lo que)*** **quiere decir que no debe jugar en la canoa.**
>
> *He doesn't know how to swim, which means he shouldn't play in the canoe.*

Practice 7

Combine the following pairs of sentences, using the relatives **lo cual** and **lo que** in alternate sentences.

1. Juan Carlos logra sacar buenas notas sin estudiar. Esto les interesa mucho a los profesores.
2. Terminó su examen final muy temprano. Esto llamó la atención de los demás estudiantes.
3. Salió y tomó un refresco. Después de esto, regresó para esperar a sus amigos.
4. Todo el mundo lo felicitó por su éxito. Juan Carlos agradeció esto con una sonrisa forzada.
5. Los jóvenes apreciaban el éxito intelectual de Juan Carlos. Esto le aseguraba su éxito social.
6. Desgraciadamente, se descubrió más tarde que Juan Carlos había hecho trampas en el examen. Esto fue un fuerte desengaño para todos.
7. Juan Carlos rehusó confesar su falta. Esto no ayudó su caso.
8. Pero la evidencia era aplastante. Esto exigía medidas disciplinarias.
9. El profesor sólo dispuso que Juan Carlos no aprobara el examen. Esto sorprendió a muchos.
10. Pero Juan Carlos no perdió el curso. Por esto pensó que se había escapado sin castigo alguno.
11. Pero perdió el respeto de todos. Esto es, en realidad, el peor castigo.

Practice 8

Review. Fill in the blanks with the appropriate form of **quien**, **el cual**, **el que**, **lo cual**, **cuyo**, or **que**. More than one answer is often possible.

1. Mi compañero de cuarto, para __________ tengo un gran afecto, ronca como tres tigres.
2. Cuando viven juntas dos personas, una de __________ tiene ciertas idiosincrasias, hay que tener cuidado.
3. En fin, todos tenemos nuestros defectos, __________ quiere decir que hay que ser humilde.
4. El problema a __________ me refiero es el de vivir juntos sin reñirse.
5. Una persona __________ ropa sucia se ve por todos lados causa problema.
6. La persona a __________ me refiero es mi compañero de cuarto.
7. Mi compañero, __________ nombre es Edgardo, no tiene una voz exactamente angélica.
8. La persona con __________ paso la tercera parte de cada día es Edgardo.
9. El cuarto en que vivimos, dentro de __________ no se podría meter ni un solo libro más, es ameno.
10. Los sábados generalmente salimos los dos para ver alguna película de segunda categoría, __________ preferiblemente trate de terror y suspenso.
11. O sea, buscamos películas sin moraleja ni valor social, __________ indica que no estamos buscando educación sino diversión.
12. Un día oímos hablar de una película __________ dos personajes principales eran compañeros de cuarto.
13. Naturalmente nos parecía que era una película a __________ no debíamos dejar de asistir.
14. Sin otros amigos con __________ salir, fuimos sólo los dos.
15. Compramos las entradas y pasamos por una espesa cortina, detrás de __________ nos encontramos en una sala muy oscura.
16. En seguida vimos que habíamos escogido una película __________ no nos iba a gustar mucho.

17. Hasta mi compañero, a __________ no suele molestarle nada, sufrió un grave desengaño por la baja categoría de la película.
18. La película no resultó ser de nuestra acostumbrada segunda categoría sino, a lo mejor, de cuarta o quinta, __________ prueba que no hay que escoger las películas sólo por el título.
19. Por esa película de tan mala categoría, __________ nunca olvidaremos, decidimos dejar de ir tanto al cine.
20. Hoy en día pasamos muchas tardes en __________ no hacemos sino estudiar. ¡Qué horror!

VIII. Nominalized *el que*

Compare the use of **el que** in the following two sentences:

Me han robado el libro de gramática, sin ***el que*** no podré prepararme para mañana.

Este libro de gramática es ***el que*** recomendó el profesor.

In the first sentence, **el que** (equivalent here to English *which*) is a simple relative, in which the article is an integral part. This relative is replaceable without essential change in meaning by **que** or **el cual.**

In the second sentence, however, **el que** is equivalent to English *the one that.* **El que** here is not a simple relative but a compound structure in which the article represents the antecedent **mi libro de gramática** and the **que** is a relative, connecting the antecedent with the following relative clause. Because the article stands in place of a noun phrase in this structure, it can be said to be nominalized.

The most convenient way to remember this usage is to associate it with English *the one(s) that.*

Practice 9

Answer the questions according to the indicated pattern.

MODELS: ¿Qué remedio prefiere Juan?
Prefiere el que recomendó usted.

¿Qué pistola compró Fidel?
Compró la que recomendó usted.

1. ¿Qué legumbres come el gordo ahora?
2. ¿Qué tipo de zapatos buscan los chicos?
3. ¿Qué ejercicio hacen los viejos?
4. ¿Qué uniformes han usado los jugadores?
5. ¿En qué auto fueron al estadio?
6. ¿Qué modo de comunicación usaron?
7. ¿Por qué calle salieron?
8. ¿Qué explicaciones utiliza el entrenador del equipo?

Practice 10

Answer the questions following the model.

MODEL: ¿Vas a comprar un auto nuevo?
No, me gusta el que tengo.

1. ¿Quieres probar esta guitarra?
2. ¿No vas a buscar patines del tipo nuevo?
3. ¿Quieres una pluma que tenga una punta fina?
4. ¿Quieres probarte otra corbata?
5. ¿No te parece que otras ideas pueden ser mejores?
6. ¿Quieres que te traiga una cerveza más fría?
7. ¿Puedes ponerte esta camisa? Te la regalo.
8. ¿Quieres comprar diccionarios más modernos?
9. ¿No preferirías otro profesor de español?

IX. *Lo que* as Equivalent of What

1. **Mi perro no quiere comer, lo que (lo cual) significa que no está bien.**
   My dog doesn't want to eat, which means that he isn't feeling good.
2. **Lo que quiero es una nota de A.**
   What I want is an A grade.

As it is used in sentence 1 (practiced in Section VII), **lo que** is a relative that functions like English *which* to refer to an idea just expressed. **Lo que** is interchangeable with **lo cual** in this use.

Lo que, but not **lo cual,** is also used as we use *what* in English. Whenever *what* is not interrogative or exclamatory (as in *"What a lie!"* —!Qué mentira! *"What do you mean?"* —¿Qué quiere decir?), it is to be translated by **lo que.**

Practice 11

Answer the questions according to the pattern.

MODEL: ¿Qué quieres? ¿Más dinero?
Sí, lo que quiero es más dinero.

1. ¿Qué necesitas? ¿Una idea nueva?
2. ¿Qué viene allá? ¿Un autobús?
3. ¿Qué se vende aquí? ¿Tabaco?
4. ¿Qué están diciendo? ¿Que Paco es un idiota?
5. ¿Qué deben hacer? ¿Probar el coche otra vez?
6. ¿Qué dijo tu hermano? ¿Que vengamos a las ocho?
7. ¿Qué te gusta más? ¿Ir a la playa?
8. ¿Qué prefieren ustedes? ¿Comer ahora?

Practice 12

Fill in the blank, being careful to distinguish interrogative **¿qué?** from non-interrogative **lo que.**

1. What are you doing?
   ¿__________ estás haciendo?
2. What you are doing is ridiculous.
   __________ estás haciendo es ridículo.
3. What I want is a happy life.
   __________ quiero es una vida feliz.
4. What makes you say that?
   ¿__________ te hace decir eso?
5. He asked me "What do you want?"
   Me preguntó "¿__________ quieres?"

X. Adverbial Relatives

Besides the relative pronouns studied in previous sections, there are other relative words which function in a similar manner. **Donde** is perhaps the most common of these. It is equivalent to the English *where* or *in which*, as "in the house where I live..." or "the house in which I live...".

Practice 13

Follow the model.

MODEL: La casa *en que* vivo tiene cuatro pisos.
La casa donde vivo tiene cuatro pisos.

1. ¿Preguntas por el lugar ***en el que*** pasé mis vacaciones?
2. Fue en el pueblo ***del cual*** te envié la tarjeta postal.
3. Éste era un pueblo ***en el que*** no pasaba nada.
4. Había un hotel ***al que*** nadie llegaba.
5. Y un parque ***en el que*** se paseaba la gente por la tarde.
6. Y un teatro ***en el que*** sólo presentaban películas mexicanas.
7. Pero tenían un museo ***en el que*** había un dinosaurio.
8. Cerca quedaba un bosque espeso ***en el cual*** mi amigo y yo nos perdimos.

9. Más allá del bosque había una pradera ***en la que*** vimos varios venados.
10. Luego nos dimos cuenta de que la caverna ***en que*** pasamos la noche estaba sólo a ochenta metros del camino.
11. Regresamos al pueblo, ***en el que*** nadie había notado nuestra ausencia.
12. Como dije antes, es un pueblo ***en el que*** nunca pasa nada.
13. La próxima vez iré a un lugar ***en el que*** al menos se den cuenta de que existo.

XI. *Quien* and *el que* Equivalent to *la persona que (anybody who)*

Quien and ***el que*** (but not **el cual**) are used in sentences containing no specific antecedent.

***Quien* no ha visto a Sevilla no ha visto maravilla.**

Anybody who hasn't seen Seville hasn't seen a marvellous thing.

***El que* no ha visto a Granada no ha visto nada.**

Anybody who hasn't seen Granada hasn't seen anything.

Practice 14

Follow the model.

MODEL: ***La persona que*** no vota no tiene responsabilidad civil.
El que no vota no tiene responsabilidad civil.
Quien no vota no tiene responsabilidad civil.

1. ***La persona que*** se acueste último debe apagar la luz.
2. ****A la persona que*** madruga, Dios le ayuda. (Ignore the asterisk for now.)
3. ***Las personas que*** llegaron tarde perdieron sus reservaciones.
4. ****El hombre que no*** oye consejo, no llega a viejo.

5. ***Cualquiera que*** tenga hambre, que venga a comer.
6. ***La gente que*** tira papeles en la calle merece una multa.
7. Y dijo Jesús: "***Cualquiera qu***e mire a una mujer para codiciarla, ya adulteró con ella en su corazón..." (San Mateo V, 28.)
8. ***Al hombre que*** tenga hambre, dadle de comer, y al hombre que tenga sed, dadle de beber.
9. ****La persona que*** canta sus males espanta.
10. *La persona que mal anda, mal acaba.
11. Y dijo Jesús: Y ***cualquiera que*** tenga oídos para oír, que oiga.
12. ****La persona que*** a cuchillo vive, a cuchillo muere.
13. ***La persona que*** interrumpe una conversación es descortés.
14. ****La persona que*** calla, otorga.
15. ***Cualquiera que*** llegue a mi puerta, siempre será bien recibido.

Practice 15

The Spanish language is unusually rich in proverbs. In the previous exercise there are a number of them which occur. They are marked with an asterisk. Here we give a paraphrase of the meaning of those proverbs. See if you can pick out from Practice 14 the proverb that expresses the idea given. The answers are listed in the Answer Key.

1. Si alguien no expresa una opinión negativa sobre algo, su silencio se interpreta como asentimiento.
2. Aquellas personas que viven fuera de la ley generalmente no terminan sus días en forma muy feliz.
3. Quien no presta atención a otros que tienen más experiencia es tonto, y su vida no será muy larga.
4. Quien se levanta temprano y es diligente recibe la ayuda de Dios.
5. Aquellas personas que viven en forma violenta generalmente mueren de la misma manera.
6. La música y las canciones son medios buenos para combatir la tristeza.

UNIT 21

The Position of Descriptive Adjectives

A buen hambre no hay pan duro.

I. General Principles

Esa *pobre señora* no es una *persona pobre* pero sí es infeliz.

Descriptive adjectives are often placed after the noun they modify, but they may also precede it. It sometimes happens that either position is possible, with little difference in meaning. The following generalizations are offered as guides for the variation in position.

The fundamental principle involved is based on the amount of descriptive information which the adjective provides. The more informative and essential the adjective is to the meaning of the phrase, the more likely it is to follow. The more quantitative or affective the meaning (i.e., the less descriptive), the more likely it is that the adjective will precede. Adjectives that only remind us of obvious or well-known qualities also precede; they are decorative, not informative.

Compare:

Raras veces comemos pescado.

(Quantitative meaning, like **pocas**)

Ese amigo tuyo es un ***chico raro.***

(Selective, descriptive, essential to the meaning)

Ese ***maldito perro*** ensució el piso otra vez.

(Affective, expressing speaker's emotion)

Los ***altos picos*** de los Andes son de origen reciente.

(Decorative. We all know they are high. Adjective could be omitted.)

Tengo un ***buen diccionario*** pero me falta un atlas.

(As much affective as descriptive)

Han sobrevivido por ***razones históricas y geográficas.***

(Essential, informative. Without them the sentence is meaningless.)

El anciano le dio unos ***suaves golpecitos*** (unos ***golpecitos suaves)*** en el hombro.

(There is no perceptible difference. The adjective gives some information but not much because **golpecitos** could scarcely be hard. The adjective is midway on the scale.)

Los ***trágicos*** acontecimientos de la época de Hitler serán un cargo de conciencia para toda la raza humana.

(Everyone knows they were tragic. The adjective is decorative, not informative.)

Certain types of adjectives almost invariably have the essential, selective function and are found after the noun. Typical of this kind are those expressing nationality (**una profesora mexicana**), religion (**la iglesia católica**), color (**un vestido negro**), shape (**la mesa redonda**), branches of learning (**un concepto sociológico**), and other technical terms (**un problema mecánico, una variación topográfica**). It would be difficult to conceive of a sentence referring to **un sociológico concepto** or un **mecánico problema**.

Other adjectives typically serve affectively to praise or criticize the noun they modify, in other words, to express subjective judgements. Consequently, words such as **bueno, malo, mejor, peor, grande, maldito, condenado, mero** are often found before the noun. In the case of **bueno, malo, mejor,** and **peor,** they follow only when heavily stressed. **Maldito** and **condenado** follow when their meaning is literally *accursed, condemned.* **Grande** occurs either before or after the noun in the meaning *large.* When used affectively (i.e., *great*), it precedes.

II. Adjectives Whose Meanings Shift Because of Position

The factors examined above, plus others, have brought about differences in meaning with certain adjectives depending upon their position. In several of these cases, the adjective is truly descriptive when it follows the noun but has a numerical, figurative, or an affective sense when it precedes.

Before the noun		After the noun	
pobre	*to be pitied*	**pobre**	*penniless*
Los pobres soldados tenían que marchar todo el día.		Los ciudadanos pobres recibían medicinas gratis.	
raro	*infrequent*	**raro**	*odd, strange*
Con raras excepciones, los tiburones no atacan en estas aguas.		Ese señor tiene unas ideas raras.	
único	*only*	**único**	*unique*
Ese gato es el único amigo que tienen.		Leonardo da Vinci tuvo un talento único.	
cierto	*certain (i.e., some)*	**cierto**	*sure, true*
Ciertas personas no hacen más que quejarse.		Dicen que las únicas cosas ciertas en el mundo son la muerte y los impuestos.	
mismo	*same; very, -self*	**mismo**	*very, -self*
El mismo diablo no pudo aprender la lengua vasca, tan difícil es. Ése es el mismo diablo que sale en la primera escena.		El presidente mismo nos abrió la puerta.	
medio	*half*	**medio**	*average*
media hora Sólo quiero media porción.		La temperatura media es de 15°C.	
propio	*own*	**propio**	*of ones' own; characteristic*
Éste es mi propio coche; el otro es de mis padres.		Los casados necesitan casa propia. Ésta es una construcción propia de muchos climas cálidos.	

Practice 1

Repeat the sentences, inserting the adjective either before or after the indicated nouns. If they are essential and informative, place them after the noun. If they are merely decorative or affective, place them before.

1. Me dicen que Carlos se ha casado con una ***jovencita.*** (española)
2. Un ***muchacho*** seguía interrumpiéndome. (maleducado)
3. Esa no es una ***idea.*** (mala)
4. Pediremos la ayuda de un ***servicio.*** (técnico)
5. Lo que sugieres me parece una ***solución.*** (fantástica)
6. La India ya tiene un ***número*** de habitantes. (astronómico)
7. Un ***coche*** así debe costar muchísimo. (estupendo)
8. Los ***beisbolistas*** juegan cada vez mejor. (latinoamericanos)
9. ¡No puedo encontrar la ***llave!*** (maestra)
10. Mi ***abuela*** me regaló esto. (vieja)
11. En esta ***época*** la moralidad está cambiando rápidamente. (moderna)
12. La Secretaría de ***Obras*** ha hecho el cambio. (Públicas)
13. El hermano de Carlos es un ***pintor.*** (famoso)
14. Tu hermanito no tiene esa ***costumbre*** de fumar. (mala)
15. Lo que quiero es un ***café.*** (caliente)
16. Éste ha sido el ***día*** de mi vida. (peor)

Practice 2

Continue as in Practice 1.

1. Me he comprado unos ***zapatos.*** (blancos)
2. La esposa de mi jefe es una ***mujer.*** (delicada)
3. Los filólogos trabajan más con la ***lengua.*** (escrita)
4. ¡Mil gracias! ¡Tú eres un ***amigo.*** (grande)
5. Hay que entrar por la ***puerta.*** (principal)
6. La ***Sierra Nevada*** fue un obstáculo para los pioneros. (alta)
7. Ese ***hombre*** que ves allí es un criminal. (alto)
8. Paquito es mi ***hijo.*** (mayor)
9. Me gustan más los ***relojes.*** (pequeños)

10. Nuestro ***senador*** propone soluciones a todos los problemas. (ilustre)
11. Un ***hombre*** debe hacer ejercicio moderado. (viejo)
12. Mi ***esposa*** está bailando con otro hombre. (querida)
13. Los niños se reían de ***gusto.*** (puro)
14. El ***río*** impedía unos viajes y facilitaba otros. (ancho)
15. No se portan así los ***niños.*** (buenos)
16. El torero recibió aplausos por su ***manejo*** del capote. (hábil)

Practice 3

Continue as before.

1. Las ***ruinas*** de los incas atraen a muchos turistas. (antiguas)
2. Aquél fue el ***invierno*** que pasé con mis ***amigos.*** (único, peruanos)
3. La ***cabaña*** de mis amigos se encontraba en la ***parte*** del valle. (rústica, alta)
4. Los ***picos*** de los Andes me hacían sentir muy pequeño. (enormes)
5. A lo lejos se oían ***voces*** que cantaban ***villancicos*** de Navidad. (infantiles, alegres)
6. Ya era muy tarde y las pocas luces de la ***aldea*** se apagaban una tras otra. (pequeña)
7. Amaneció un día domingo claro y sereno. El ***aire*** de aquella mañana llenaba mis pulmones con la alegría de la vida. (fresco)

Practice 4

Place the adjective appropriately.

1. Me aconsejaron que tratara de encontrar las virtudes hasta de mis __________ enemigos __________. (peor)
2. Mi __________ madre __________ me sacó del apuro. (buena)
3. El amigo de José me pareció un __________ chico __________. (raro)
4. Esa __________ chica __________ a pesar de su mucho dinero no tenía suerte en el amor. (pobre)
5. En ese __________ accidente __________ murieron doce personas. (desafortunado)
6. No hay nada cierto en lo que dicen. Son __________ rumores __________. (meros)

7. La __________ parte __________ de la fiesta fue cuando nos quedamos sin luz. (buena)
8. Churchill fue uno de los __________ estadistas __________ de este siglo. (grandes)
9. La única __________ tía __________ de Ramón hizo su dinero en la Bolsa. (rica)
10. ¡Eres un __________ niño __________! ¿Por qué maltratas así al perrito? (malo)
11. Ya quedan muy pocos ríos con __________ agua __________. (pura)
12. No quiero volver a saber nada de Ambrosio. Es un __________ amigo __________. (falso)
13. Han ocurrido tantas desgracias ahí. Por eso la llaman "la __________ casa __________". (maldita)
14. Mira, lo que estás diciendo son __________ tonterías __________. (puras)
15. ¿No crees que los Rockefeller tengan __________ parientes __________? (pobres)
16. Creo que los __________ vinos __________ de California son superiores a los __________ vinos __________ de España. (buenos)
17. Mi __________ suerte __________ parece que no me deja nunca. (mala)
18. ¡Estoy harto de estas __________ frases __________. (ridículas)

Practice 5

Place the two elements given so as to complete the sentence in a meaningful way.

1. El nuevo profesor usaba botas de estilo tejano y traía un sombrero de __________. (alas, anchas)
2. La ciudad tiene dos partes, una moderna y una antigua, pintoresca. Las casas de la __________ son incómodas tal vez, pero tienen mucho más carácter, más arte. (antigua, sección)
3. Uno de nuestros __________ debe ser la __________. (bienes, espirituales/paz, interior)
4. Con gran confianza en su __________ el ladrón salió por la __________. (disfraz, magnífico/puerta, principal)
5. La __________ entre los indios ha sido muy práctica. (labor, educativa)

6. El valor de esa obra depende más del sentido personal de __________ que de __________. (apreciación, estética/cuestiones, morales)
7. Los __________ no sirven en los __________. (altos, árboles\jardines, pequeños)
8. Mi hijo trabaja ahora en una __________. (grande, compañía)
9. El compadrazgo es una costumbre de todos los países donde predomina la __________. (católica, religión)
10. Las __________ de Siberia se van poblando a pesar del ambiente poco hospitalario. (frías, estepas)
11. La __________ es más importante que los parques y las fuentes de la capital. (agraria, reforma)

Practice 6

Complete the Spanish sentence. Follow the model.

MODEL: The poor soldiers had to march all day long. (soldados, pobres)

Los __________ tenían que marchar todo el día.
Los pobres soldados tenían que marchar todo el día.

1. That eclipse was a strange phenomenon. (raro, fenómeno)

   Ese eclipse fue un __________.
2. She wears the same kind of perfume Lisa does. (clase, misma)

   Ella usa la __________ de perfume que Lisa.
3. The poor people of the town live on the banks of the river. (pobre, gente)

   La __________ del pueblo vive en las orillas del río.
4. My poor dog lost his tail. (pobre, perro)

   Mi __________ perdió la cola.
5. The professor himself wrote this exam. (profesor, mismo)

   El __________ escribió este examen.
6. A large part of the house was destroyed. (parte, buena)

   Una __________ de la casa fue destruida.

7. The two old soldiers walked slowly through the park. (soldados, viejos)

   Los dos __________ caminaban despacio por el parque.

8. There's a certain mystery about his origin. (cierto, misterio)

   Hay __________ sobre su origen.

9. The only person who saw the accident was my brother. (única, persona)

   La __________ que vio el accidente fue mi hermano.

10. There were several students who spent the summer in Spain. (estudiantes, varios)

    Hubo __________ que pasaron el verano en España.

11. He's such a clown. Even his own sister says so. (propia, hermana)

    Es un payaso. Aun su __________ lo dice.

12. Look at this orchid. It's a unique specimen found only in Colombia. (único, ejemplar)

    Mira esta orquídea. Es un __________ que se encuentra sólo en Colombia.

13. That is not a legend. It's a true fact which took place twelve years ago. (cierto, hecho)

    Eso no es una leyenda. Es un __________ que ocurrió hace doce años.

14. That is an attitude characteristic of the people of the mountains. (propia, actitud)

    Esa es una __________ de la gente de las montañas.

15. The average salary of construction workers is considerable. (salario, medio)

    El __________ de los obreros de construcción es considerable.

16. My grandmother has an old medallion which I would like to have some day. (medallón, antiguo)

    Mi abuela tiene un __________ que me gustaría tener algún día.

III. Placement of More Than One Adjective

1. a. Viven en una casa ***verde.***
   b. Viven en una casa ***grande.***
   c. Viven en una ***gran*** casa ***verde.***
   d. Viven en una casa ***de ladrillos.***
   e. Viven en una ***gran*** casa de ***ladrillos.***
2. a. Llevaba botas ***altas*** y pantalones de estilo tejano.
   b. Llevaba ***altas*** botas ***militares*** y pantalones de estilo tejano.
3. a. El viejo nos miraba fijamente con sus ojos ***vidriosos*** mientras sus labios repetían en silencio el mismo nombre.
   b. El viejo nos miraba fijamente con sus ***vidriosos*** ojos ***azules.***
   c. El viejo nos miraba fijamente con sus ojos ***azules vidriosos.***
4. Hombres y mujeres, todos necesitamos hacer ejercicio ***físico moderado.***
5. Estudiamos la literatura ***inglesa contemporánea.***
6. ¿Es muy diferente de la literatura ***contemporánea americana?***
7. Su padre era un hombre ***alto, robusto, bien plantado*** que imponía respeto y admiración.

To some extent, the principles that govern the placement of a single adjective apply to more than one. However, there is a conflicting tendency to balance the phrase by placing one adjective before and one after. An adjectival phrase (i.e., a prepositional phrase such as **de ladrillos, de campo**) counts as a modifier in this matter.

The adjective that is less essential, more capable of preceding the noun, will then go before, as in examples 1c, 1e, 2b, and 3b.

However, if two or more adjectives are equally essential and selective, all will follow. In this case, there are two possibilities: either the noun plus one adjective forms a psychological unit, and the other adjectives describe that unit, or all of the adjectives modify the noun independently. In example 5, **literatura inglesa** is a unit which can be modified by such adjectives as **contemporánea, moderna, antigua, renacentista,** etc. In sentence 6, however, the unit is **literatura contemporánea,** which may be **americana, inglesa, española, narrativa,** and so on.

In example 7, all of the adjectives modify the noun equally. They are separated by commas or by **y** in writing and by a different intonation in speech. We are not saying that this is a "robust tall man," that is, a tall man who is robust. We are saying that this is a man who is tall, robust, good-looking, and commands respect and admiration.

Practice 7

The adjectives given in parentheses should modify the italicized noun. Place them appropriately.

1. (japonesa, hermosa) La ***actriz*** se presentó por primera vez en Radio City.
2. (delicada, diplomática) Era una ***misión*** de gran importancia para el país.
3. (joven, ciego) Conocí a un ***escritor*** en la tertulia.
4. (pequeño, tipográfico) No encontré en el libro más que un ***error.***
5. (bueno, barato) Buscamos un ***restaurante.***
6. (grandes, tecnológicos) Los ***avances*** de hoy han mejorado mucho la vida.
7. (mejores, disponibles) Vamos a utilizar los ***procedimientos.***
8. (nuevo, negro) Mi ***abrigo*** ya está en la lavandería.
9. (terrible, fatal) Durante la víspera de Año Nuevo tuvimos un ***accidente.***
10. (ricos, persas) Mis ***parientes*** me regalarán un elefante.
11. (larga, difícil) Esta es una ***lección.***
12. (altos, gruesos) Los ***troncos de los árboles*** del Parque Sequoia son como columnas de un templo al dios de la naturaleza.

UNIT 22

Problems in English-Spanish Word Association

Como se viene se va.

Although students are encouraged to think entirely in Spanish, it often happens that English words and structures induce them to make errors. For example, when one word is associated with two or more Spanish words of differing meanings, students usually find it necessary to study and practice these special problem words in order to avoid misusing them. This unit presents some of the most common items of this type. (Note that there is no attempt to treat all of the Spanish equivalents of the words in this unit. Only the problem equivalents are considered.)

Study the generalizations in each section before doing the exercises.

I. Verb Equivalents

ask: **pedir**—*to ask for something, to request* (Note that **por** is not used.)

Voy a pedirle una cita.

Voy a pedirle que me ayude.

preguntar—*to ask for information*

Me preguntó qué hora era.

preguntar por—*to ask about somebody, inquire*

El profesor preguntó por ti y le dije que estabas en el hospital.

hacer una pregunta—*to ask a question* (**Preguntar una pregunta** is not used.)

¡No hagas tantas preguntas!

play: **jugar (a)**—*to play a game*

Ayer jugué al golf.

tocar—*to play a musical instrument*

Su mamá toca muy bien el piano.

know: **conocer**—*to be acquainted or familiar with a person, a place, or a thing*

¿Conoce usted a mi novia?

¿Conoce usted Madrid?

¿Conoces esa marca de automóvil?

saber—*to know a fact*

¿Sabe usted mi nombre?

¿Sabía usted que mañana es mi cumpleaños?

leave: **dejar**—*to leave something or someone some place*

Dejé el paraguas en casa.

Dejé a las chicas en el cine.

salir (de)—*to leave, to go or come out (e.g., of some enclosure)*

¿A que hora saldrás del examen?

irse, marcharse—*to leave, to go away*

Pito no está aquí. Se fue (o se marchó) hace media hora.

realize: **darse cuenta (de)**—*to be (or become) aware of*

No me di cuenta de que estabas aquí.

realizar—*to make real, to bring into existence, to carry out*

Al ser elegido, el nuevo senador realizó los sueños de su juventud.

La ceremonia se realizó de acuerdo con el programa preparado.

Practice 1

Pick the word which correctly matches the meaning given.

1. What time are we going to play tennis?

   ¿A qué hora vamos a __________ (tocar/jugar) al tenis?

2. Do you know what time it is?

   ¿__________ (sabe/conoce) usted qué hora es?

3. I didn't realize it was so late.

   No __________ (realicé/me daba cuenta de) que era tan tarde.

4. Your fiancée left an hour ago.

   Su novia __________ (dejó/se fue) hace una hora.

5. I don't know your friend's name.

   No __________ (sé/conozco) el nombre de su amigo.

6. I don't know your friend.

   No __________ (sé/conozco) a su amigo.

7. I'm sorry, but the plane will not leave until tomorrow.

   Lo siento, pero el avión no va a __________ (dejar/salir) hasta mañana.

8. Your cousin asked me for money.

   Tu primo me __________ (pidió/preguntó) dinero.

9. The professor has left his books here.

   El profesor ha __________ (salido/dejado) sus libros aquí.

10. You didn't realize that I had left?

    ¿Usted no __________ (se daba cuenta de/realizaba) que yo me había ido?

11. They were asking about you yesterday.

    Ayer __________ (preguntaban/pedían) por ti.

12. Do you know when we will finish?

    ¿__________ (conoce/sabe) usted cuándo terminaremos?

13. He left the building several hours ago.

    __________ (dejó/salió de) el edificio hace varias horas.

14. I'd like to ask a question.

    Yo quisiera __________ (preguntar/hacer) una pregunta.

15. When do you leave for México?

    ¿Cuándo __________ (deja/se va) usted para México?

16. I asked him if he was going.

    Le __________ (pedí/pregunté) si se iba.

17. I don't know your telephone number.

    No __________ (conozco/sé) su número de teléfono.

18. How much are you asking for this painting?

    ¿Cuánto __________ (pide/pregunta) usted por este cuadro?

19. I realized a profit of 10 percent on this property.

    __________ (Realicé/me di cuenta de) una ganancia de un 10 por ciento en esta propiedad.

20. Do you know Spain very well?

    ¿__________ (conoce/sabe) usted España muy bien?

21. He doesn't realize the time.

    No __________ se da cuenta (realiza/se da cuenta de) la hora.

Practice 2

Test your mastery of the problem words you have been practicing by providing the correct form of the proper verb (including the correct prepositions).

1. Do you know where my racket is?

   ¿__________ usted donde está mi raqueta?

2. Frank left the house at 11:00.

   Francisco __________ la casa a las 11:00.

3. Did you remember to ask about my parents?

   ¿Se acordó usted de __________ mis padres?

4. Unfortunately, the train had already left.

   Desgraciadamente, el tren ya había __________.

5. Do you know how to play checkers?

   ¿Sabes __________ las damas?

6. May I ask a question?

   ¿Puedo __________?

7. May I ask a favor?

   ¿Puedo __________?

8. I left my heart in San Francisco.

   __________ mi corazón en San Francisco.

9. I know that type of person.

   __________ ese tipo de persona.

10. I realized that this was the last chance.

    __________ ésta era la última oportunidad.

11. My son asked me for a new bicycle.

    Mi hijo me __________ una bicicleta nueva.

12. I'm sorry but she left ten minutes ago.

    Lo siento pero __________ hace diez minutos.

13. Do you know this neighborhood very well?

    ¿__________ usted muy bien este barrio?

14. I'm sorry but I didn't realize what I was doing.

    Lo siento pero __________ lo que hacía.

15. Will you play a song for us?

    ¿Quieres __________ nos una canción?

16. He asked me if what I said was true.

    Me __________ si lo que dije era verdad.

17. Do you know Paco Gómez?

    ¿__________ usted a Paco Gómez?

18. Do you know who José Martí was?

    ¿__________ tú quién fue José Martí?

19. What did you ask for in your letter?

    ¿Qué __________ usted en su carta?

20. What time are you going to leave?

    ¿A qué hora vas a __________?

21. Your roommate called to ask about you.

    Tu compañero de cuarto llamó para __________ ti.

22. I don't dare ask that question.

    No me atrevo a __________ esa pregunta.

23. Yesterday the professor left the classroom in a bad mood.

    Ayer el profesor __________ la sala de clase de mal humor.

24. Who did you play bridge with?

    ¿Con quién __________ usted al bridge?

25. I'm going to ask for a raise.

    Voy a __________ un aumento de salario.

26. Where did she leave the broom?

    ¿Dónde __________ la escoba?

27. Who asked you that?

    ¿Quién te __________ eso?

28. Who is playing that drum?

    ¿Quién está __________ ese tambor?

II. Become (Get)

entristecerse	*to become sad*
enriquecerse	*to get rich*
empobrecerse	*to become poor*
envejecerse	*to get old*
alegrarse	*to become happy* (*also to be happy:* **Me alegro de saberlo.**)
enojarse	*to get angry*
enfurecerse	*to become furious*
enloquecerse	*to become insane (go mad)*
calmarse	*to become calm, calm down*
tranquilizarse	*to become calm, calm down*
callarse	*to become quiet, keep silent*
cansarse	*to get tired*
enfermarse	*to get sick* (*also, in Spain,* **enfermar**)
mejorarse	*to get better, improve*

ponerse (+ **frío, enojado, triste,** and other adjectives expressing involuntary and passing psychological and physical states): *to become or get (cold, angry, sad, etc.)*

Al oír la noticia, mi papá se puso muy triste.

hacerse (+ **abogado, médico,** and other nouns expressing professions): *to become (a lawyer, a doctor, etc.)*

Me dijo que estaba pensando hacerse abogado.

llegar a ser (+ nouns or adjectives expressing generally an important personal status): *to become, get to be (e.g., after considerable effort)*

Después de años de competencia, mi tío llegó a ser campeón de tenis.

convertirse (en): *to become, turn into (i.e., change in physical properties)*

El agua se convierte en hielo a los 0° C.

meet: **conocer**—*to make someone's acquaintance*

Nunca he conocido a tu prima.

encontrar—*to come across (bump into) someone*

Ayer encontré a tu hermana en la calle.

reunirse—*to get together by prearrangement*

El comité se reúne todos los días.

aprender—*to acquire knowledge by study or intent*

No he aprendido todas estas palabras todavía.

enterarse (de)—*to find out about something accidentally*

Ayer me enteré de que tú te marchabas hoy.

saber (especially in the preterit)—*same as* **enterarse**

Supe que estuviste enferma ayer.

Practice 3

Give a brief sentence using the "become" word associated with each of the adjectives.

MODEL: rico: Los beisbolistas van a enriquecerse.

1. pobre
2. rico
3. viejo
4. callado
5. alegre
6. enojado
7. triste
8. enfermo
9. mejor
10. cansado
11. furioso
12. loco
13. tranquilo
14. calmado

Practice 4

Practice with verbs expressing English *become*. Give a short answer to the question, following the pattern.

MODEL: ¿Su mamá se puso triste?
Sí, se entristeció.

1. ¿Su hermanita se puso alegre?
2. ¿Su tío se hizo rico?
3. ¿También se hizo viejo?
4. ¿El profesor se puso enojado?
5. ¿La esposa de Macbeth se volvió loca?
6. ¿Su hija se puso enferma?
7. ¿Y después se puso mejor?
8. El padre se quedó pobre, ¿no?
9. ¿El profesor se puso furioso contigo?
10. ¿Llegó a estar callado por fin?
11. ¿Y también estaba cansado al final?
12. ¿El paciente estaba tranquilo por fin?
13. Pero, llegó a estar mejor, ¿no?
14. ¿La familia se puso alegre?

Practice 5

Choose the proper form of **ponerse, hacerse, llegar a ser,** or **convertirse en** to match the meaning of English *become* or *get.*

1. She turned pale when she heard the news.

   __________ pálida al oír la noticia.
2. Your garden is becoming a paradise!

   ¡Tu jardín __________ un paraíso!
3. My daughter wants to become a doctor.

   Mi hija quiere __________ doctora.
4. After many years, the colonel became a general.

   Después de muchos años el coronel __________ general.

5. She became green with envy.

   __________ verde de envidia.

6. The prince will never become king.

   El infante nunca __________ rey.

7. This road becomes a swamp when it rains.

   Este camino __________ pantano cuando llueve.

8. One solution is to become a monk.

   Una solución es __________ monje.

9. Upon hearing the news she became very happy.

   Al oír la noticia __________ muy contenta.

10. One day he finally became president of the club.

    Un día por fin __________ presidente del club.

11. At midnight, Cinderella's horses became rats again.

    A medianoche, los caballos de la Cenicienta __________ de nuevo en ratas.

12. They say that your old boyfriend got really rich.

    Dicen que tu viejo novio __________ muy rico.

13. I wonder if she will become sad when she reads this.

    Me pregunto si __________ triste al leer esto.

14. Unfortunately, kittens become cats.

    Desgraciadamente, los gatitos __________ gatos.

15. Your brother has become a real gentleman.

    Tu hermano __________ un cumplido caballero.

16. Have you ever noticed how little boys become angels when there is some candy to be gotten?

    ¿Se ha fijado en cómo los niños __________ angelitos cuando hay algún dulce que conseguir?

17. How would you like to become a movie actor?

    ¿Qué tal te gustaría __________ artista de cine?

18. Not all graduate students eventually become professors.

    No todos los estudiantes graduados con el tiempo __________ profesores.

Practice 6

Select the correct word to match the proper equivalents of English *learn, meet,* and *become (or get).*

1. I met your sister for the first time yesterday.

   __________ a tu hermana por primera vez ayer. (Conocí/Encontré)

2. I met your sister in the park again yesterday.

   __________ a tu hermana en el parque otra vez ayer. (Conocí/Encontré)

3. The Dean became furious when he heard their demands.

   El decano __________ furioso cuando oyó sus peticiones. (se puso/se hizo)

4. He learned about the demonstration by chance.

   __________ de la manifestación por casualidad. (Aprendió/Se enteró)

5. The faculty committee will meet this afternoon.

   El comité del profesorado __________ esta tarde. (se reunirá/encontrará)

6. You will learn a lot about human nature in this confrontation.

   __________ mucho sobre la naturaleza humana en esta confrontación. (Aprenderás/Te enterarás de)

7. You say you met (i.e., came across) the leader of the group in the café this morning?

   ¿Dices que __________ al jefe del grupo en el café esta mañana? (encontraste/conociste)

8. When did you learn about their intention?

   ¿Cuándo __________ su propósito? (supiste/aprendiste)

9. No matter how hard you try, you will never become the boss.

   Por mucho que te esfuerces nunca __________ jefe. (llegarás a ser/te convertirás en)

10. When am I going to meet your new boyfriend?

    ¿Cuándo voy a __________ a tu nuevo novio? (conocer/encontrar)

11. When will we learn the results of the game?

    ¿Cuándo vamos a __________ el resultado del partido? (saber/conocer)

12. If we aren't careful, that boy will become a thief.

    Si no tenemos cuidado, ese joven va a __________ ladrón. (hacerse/ponerse)

13. When should we meet again?

    ¿Cuándo hay que __________ de nuevo? (conocernos/reunirnos)

14. I'm glad they haven't learned about this situation yet.

    Me alegro de que todavía no __________ de esta situación. (se hayan enterado/hayan aprendido)

15. I haven't yet had the pleasure of meeting her.

    Todavía no he tenido el gusto de __________. (encontrarla/conocerla)

16. Have you really learned the whole lesson?

    ¿De veras has __________ toda la lección? (aprendido/sabido)

17. I'm afraid she'll get sick.

    Temo que se __________ enferma. (ponga/haga)

18. I'd like to meet with you again on Monday.

    Quisiera __________ contigo de nuevo el lunes. (reunirme/encontrarme)

19. By the way, I met your brother in the street again this morning.

    A propósito, __________ a tu hermano otra vez en la calle esta mañana. (conocí/encontré)

20. Water becomes ice at 0° Centigrade

    El agua __________ hielo a los 0° grados Centígrados. (se convierte en/se hace)

21. My sister wants to become a nun.

    Mi hermana quiere __________ monja. (hacerse/ponerse)

22. I finally learned the truth of the matter.

    Por fin __________ la verdad del caso. (supe/aprendí)

23. Will you never learn to behave yourself?

    ¿Nunca __________ portarte bien? (aprenderás a/te enterarás de)

24. Do you think our governor will ever become president?

    ¿Crees que nuestro gobernador algún día __________ presidente? (se pondrá/llegará a ser)

25. I didn't think she would learn about our plans.

    No creía que __________ nuestros planes. (supiera/aprendiera)

26. You should have seen how he became pale when he heard the truth.

    Hubieras visto cómo __________ pálido cuando oyó la verdad. (se hizo/se puso)

III. What

¿Qué es...? = *What is...?* (asking for a definition)

¿Qué es la vida?

¿Cuál es...? = *What is...?* (asking for an identification or specification)

¿Cuál es tu número de teléfono?

¿Cuál es la diferencia?

¿Qué...? = *What?* (asking to identify something through a question which has a noun expressed or implied)

¿Qué película viste anoche? (What movie...)

¿Qué ciudades visitaste en Europa?

¿Qué [cosa] vamos a cenar esta noche?

¿Qué [vestido] te pondrás para la fiesta?

¿Cómo? = *What? What did you say?* (asking for a repetition)

¿Cómo? o ¿Cómo dice usted?

lo que = *what* (not used in questions)

Lo que usted quiere es imposible.

Practice 7

Select the correct completion to match the meaning of English *what.*

1. What is your name?

   ¿__________ es tu nombre? (Cuál/Qué)

2. What is your answer?

¿__________ es tu respuesta?
(Cuál/Qué)

3. What you say is not true.

__________ usted dice no es verdad.
(Qué/Lo que)

4. What is that thing on the table?

¿__________ es esa cosa en la mesa?
(Cuál/Qué)

5. What? Please repeat!

¿__________? ¡Repita, por favor!
(Cómo/Cuál)

6. I can't give you what you asked for.

No puedo darte __________ pediste.
(qué/lo que)

7. What is the difference between this one and that other one?

¿__________ es la diferencia entre éste y aquél otro?
(Cuál/Qué)

8. What is your address?

¿__________ es tu dirección?
(Cuál/Qué)

9. What is a picaresque novel? Do you know?

¿__________ es una novela picaresca? ¿Sabe usted?
(Cuál/Qué)

10. What? What did you say?
¿__________? ¿Qué dijo usted?
(Cómo/Qué)

11. What we need is more pay and less work.

__________ nos hace falta es más dinero y menos trabajo.
(Que/Lo que)

12. What is it that you want?

¿__________ es lo que usted quiere?
(Cuál/Qué)

13. I prefer what I ate yesterday.

    Prefiero __________ comí ayer.
    (lo que/que)

14. What is this?

    ¿__________ es esto?
    (Cuál/Qué)

15. What? You don't say!

    ¿__________? ¡No me digas!
    (Cómo/Qué)

16. What is the problem here?

    ¿__________ es el problema aquí?
    (Cuál/Qué)

17. What is your idea on this matter?

    ¿__________ es tu idea en esto?
    (Cuál/Qué)

18. What is the definition of the word fracaso?

    ¿__________ es la definición de la palabra fracaso?
    (Cuál/Qué)

19. What else can I do?

    ¿__________ más puedo hacer?
    (Qué/Cuál)

20. What book are you reading now?

    ¿__________ libro estás leyendo ahora?
    (Qué/Cuál)

21. What is the real value of this work?

    ¿__________ es el verdadero valor de este trabajo?
    (Qué/Cuál)

22. You have the girl's telephone number. What is it?

    Tú tienes el teléfono de la chica. ¿__________ es?
    (qué/cuál)

IV. But

Pero and **mas** are interchangeable, both meaning *but nevertheless.* (**Mas** is used only in literary style.)

Este restaurante es bueno, pero es muy caro.

Me acusan, señor juez, mas soy inocente.

sino = *but on the contrary.* **Sino** is used to introduce a positive sentence in direct contrast with a negative one. The same verb that precedes is understood but not repeated after it.

El coche no es doméstico sino importado.

(El coche no ***es*** doméstico.) (El coche ***es*** importado.)

No tengo sueño sino hambre.

(No ***tengo*** sueño.) ***(Tengo*** hambre.)

No voy a cantar sino a tocar el piano.

(No ***voy*** a cantar.) ***(Voy*** a tocar el piano.)

sino que = *but rather, but on the contrary.* **Sino que** is used instead of **sino** when clauses containing different verb forms are contrasted.

No es que no quiera ir al cine **sino que** no tengo dinero.

No vendí el coche **sino que** se lo presté a Ramón.

excepto, menos = *but, except*

Contesté todas las preguntas excepto/menos dos.

Todos van al paseo excepto/menos Luisa.

Practice 8

Select the correct completion to match the meaning of English *but.*

1. But I don't want to know who committed the crime!

   ¡__________ no quiero saber quién cometió el crimen! (Pero/Sino)

2. I have read everything but the last chapter.

   Lo he leído todo __________ el último capítulo. (sino/pero/menos)

3. I bet the one who did it was not the butler, but the gardener.

   Apuesto a que el que lo hizo no fue el mayordomo __________ el jardinero. (pero/sino)

4. The detective talked with everyone but the chauffeur.

   El detective habló con todos __________ con el chófer. (pero/sino/menos)

5. The maid talked a lot, but the head housekeeper kept quiet.

   La criada habló mucho __________ el ama de casa se calló. (sino/pero)

6. The policemen did not seem nervous, but rather asked their questions quietly.

   Los policías no se mostraron nerviosos, __________ hicieron sus preguntas con calma. (sino que/pero)

7. The tenants wanted to help, but weren't able to offer much.

   Los inquilinos querían ayudar, __________ no podían mucho. (sino que/pero)

8. The chief of police wanted to arrest everyone except the dead man.

   El jefe de policía quería detener a todos __________ al muerto. (pero/menos)

9. He talked a lot, but said little.

   Habló mucho __________ dijo poco. (sino/sino que/pero)

10. It wasn't the chief but the youngest rookie who found the solution.

    No fue el jefe el que encontró la solución, __________ el novato más joven. (pero/sino)

11. The criminal had not tried to escape, but rather stayed hidden.

    El criminal no trató de escaparse, __________ se escondió. (sino que/pero)

12. The cause of death was not the knife wound, but a blow on the head.

    La causa de muerte no fue la herida de navaja, __________ un golpe en la cabeza. (pero/sino)

13. It appeared the other way around, but this was only an illusion.

    Parecía al revés, __________ esto fue sólo una apariencia. (pero/sino)

14. All of those present believed it but the doctor.

    Todos los presentes lo creían __________ el médico. (sino/menos)

15. We didn't want to know the truth but just to leave in peace.

    No queríamos saber la verdad __________ sólo irnos en paz. (pero/sino)

V. Because

Por and **a causa de** are used to mean *because of* something, someone, or some circumstance.

Por llegar tarde no pudimos entrar.

A causa de su pequeña estatura no lo aceptaron como guardia civil.

Porque is used when a conjugated verb follows.

Como porque tengo hambre.

Practice 9

Select the correct completion to match the meaning of English *because (of)*.

1. I did that because of you.

   Hice eso __________ ti. (por/porque)

2. I did that because I wanted to.

   Hice eso __________ quería hacerlo. (porque/a causa de)

3. He put on his overcoat because of the bad weather.

   Se puso el abrigo __________ el mal tiempo. (a causa de/porque)

4. He didn't go out because it was raining.

   No salió __________ estaba lloviendo. (porque/a causa de)

5. Because of the rain, they cancelled the game.

   __________ la lluvia, cancelaron el partido. (Por/Porque)

6. He didn't come with us because of his having to study.

   No vino con nosotros __________ tener que estudiar. (porque/a causa de)

7. He had to study because he has a test tomorrow.

   Tenía que estudiar __________ tiene un examen mañana. (porque/a causa de)

8. Because of your bad manners, he left without saying a word.

   __________ su descortesía, se fue sin decir palabra. (A causa de/Porque)

VI. At

En is the usual equivalent of *at,* when it means location in space or time.

Nos vemos en la fiesta. *See you at the party.*

En ese momento yo estaba dormido. *At that moment I was asleep.*

a veces—*at times*

lanzar, tirar a—*to throw at*

Le tiré el libro a la cabeza.

vender a un precio—*to sell at a price*

La gasolina se vende a más de cincuenta centavos el litro.

estar a la mesa—*to be at the table*

a la puerta—*at (outside) the door*

en la puerta—*at (inside) the door*

a un (el, mi) lado—*at (to) one (the, my) side*

Practice 10

Select the correct completion to match the meaning of English *at.*

1. I saw you at school yesterday.

   Te vi __________ la escuela ayer. (a/en)

2. Weren't you planning to work at the office?

   ¿No pensabas trabajar __________ la oficina? (a/en)

3. There's a policeman at the door of your house.

   Hay un policía __________ la puerta de tu casa. (a/en)

4. I threw a snowball at your car, but you didn't notice.

   Lancé una bola de nieve __________ tu coche, pero no te fijaste. (a/en)

5. I thought you would be at the restaurant.

   Pensaba que estarías __________ el restaurante. (a/en)

6. I stopped at the side of the road to look for you.

   Me detuve __________ el lado del camino para buscarte. (a/en)

7. And finally, there you were, at home, waiting for me.

   Y por fin, allí estabas __________ casa, esperándome. (a/en)

8. You were seated at the table, looking at me.

   Estabas sentado __________ la mesa, mirándome. (a/en)

9. Will you keep me waiting at the church too?

   ¿También me harás esperar __________ la iglesia? (a/en)

10. See you at the library.

    Nos vemos __________ la biblioteca. (a/en)

11. At times I don't know what to say.

    __________ veces no sé qué decir. (a/en)

12. At that time we didn't know each other.

    __________ ese tiempo no nos conocíamos. (a/en)

Practice 11

To test your knowledge of the meanings associated with English *but, because, what,* and *at,* fill in the blanks with the proper Spanish words.

1. *Because of* the lack of a star, they have not yet begun to film the movie.

   __________ falta de una estrella, todavía no han empezado a filmar la película.

2. *What* they need is a great actress.

   __________ les hace falta es una gran actriz.

3. Some actresses are never *at* home when you need them.

   Algunas actrices nunca están __________ casa cuando se las necesita.

4. Others are frequently *at* the police station.

   Otras están con frecuencia __________ la comisaría.

5. Raquel did not get the part *because* she is too beautiful.

   Raquel no consiguió el papel __________ es demasiado hermosa.

6. It wasn't that she was too tall, *but that* she was too young.

   No era que fuera demasiado alta, __________ era muy joven.

7. Did you see her *at* that nightclub recently?

   ¿La viste __________ en ese club nocturno recientemente?

8. *What?* You don't like the idea?

   ¿__________? ¿No te gusta la idea?

9. *What* is your opinion of Raquel as an actress?

   ¿__________ es su opinión de Raquel como actriz?

10. *What* is a good actress, after all?

    ¿__________ es una buena actriz, después de todo?

11. They could invite Nancy, *but* she wouldn't accept.

    Podrían invitar a Nancy __________ ella no aceptaría.

12. *Because* of her age, Elizabeth wouldn't be good.

    __________ su edad, Isabel no estaría bien.

13. *What* is the salary offered?

    ¿__________ es el sueldo que se ofrece?

14. It's not 10 million dollars *but* 10 thousand.

    No son diez millones de dólares __________ diez mil dólares.

15. They may have to accept a lesser actress *because* of the small budget.

    Es posible que tengan que aceptar a una actriz de menor categoría __________ el presupuesto reducido.

16. *What* interests me most is the publicity.

    __________ me interesa más es la propaganda.

17. I won't see the movie *because* it is certain to be bad.

    No quiero ver la película __________ seguramente será malísima.

18. It isn't the technique that bothers me, *but* the materialism.

    No es la técnica lo que me molesta, __________ el materialismo.

19. *What* is the solution to the problem?

    ¿__________ es la solución del problema?

20. Sit down here *at* the table and tell me *what* you think.

    Siéntate aquí __________ la mesa y dime __________ piensas.

VII. Give

Dar is the general word for *to give:*

La víctima no daba señales de vida.—*The victim gave no signs of life.*

Su esposa dio un hondo suspiro.—*His wife gave a deep sigh.*

However, in the meaning of *to give as a gift,* **regalar** is used:

¿Le compraste la impresora vieja?—*Did you buy her old printer?*

No, me la regaló.—*No, she gave it to me.*

Practice 12

Select the appropriate completion to match the meaning of English *to give.*

1. If I finish high school, my father's going to give me a new car.

   Si termino la secundaria, mi padre va a ________ un carro nuevo. (darme/regalarme)

2. I'll give you $200 for the old one.

   Te________ 200 dólares por el viejo. (doy/regalo)

3. Give me the dictionary, please.

   ________ el diccionario, por favor. (Dame/Regálame)

4. Today, with each purchase over $50, they give you a free pizza.

   Hoy, con cada compra de más de 50 dólares, ________ (te dan/te regalan) una pizza.

5. Give me a cigarette.

   ______ un cigarrillo. (Dame/Regálame)

6. My godfather never gives me anything.

   Mi padrino nunca _______ nada. (me da/me regala)

7. He just gives me advice.

   Sólo _______ consejos. (me da/me regala)

VIII. Appear

Aparecer means *appear* in the sense of *to come into view, to put in an appearance*:

Apareció un barco en el horizonte.

Asomar(se) means *to appear, to show oneself* or *to show some part of the body* at an opening. It implies a brief appearance, a quick look.

La reina se asomó a la ventana.

La reina asomó la cabeza por la ventana.

Estoy muy ocupado. No pienso hacer más que asomarme a la reunión.

Comparecer means *to appear* in a legal sense:

Mañana tendrás que comparecer ante el juez.

Parecer means *appear* in the sense of *seem*:

No van a aumentar los sueldos a los maestros y parece que va a haber una huelga.

They aren't going to raise the teachers salaries and it appears there's going to be a strike. (it seems..., it looks like..., it sounds like...)

Parecer also translates English *to look like* and *to sound like. Look like* is not expressed with **mirar** nor *sound like* with **sonar**. Similarly, *to feel like*, i.e., in a tactile sense, is not expressed with **palpar**:

Tu idea parece maravillosa. *Your idea sounds marvelous.*

Esto parece un tipo de cerradura. *This looks like some kind of lock.*

Esta tela parece lana. *This cloth feels like wool.*

Parecerse a means *to resemble* another person or animal.

Julio se parece a su abuelo. (You really mean he looks like his grandfather.)

Ese hombre parece un caballo. (You don't really mean he looks like a horse, you mean he makes you think of a horse or he has some quality of a horse.)

Practice 13

Supply the Spanish words to express the idea given in English.

1. This plant looks like an orchid.

   Esta mata ______ una orquídea.

2. Somebody opened the door and looked in.

   Alguien abrió la puerta y ________ la cabeza.

3. When will they have to appear in court?

   ¿Cuándo tendrán que ________ ante el tribunal?

4. It looks like rain.

   ________ que va a llover.

5. We waited half an hour but the professor never showed up.

   Esperamos media hora pero el profesor nunca _______ .

6. The table is plastic but it looks like wood.

   La mesa es de plástico pero ______ madera.

7. It seems that the climate is getting warmer every year.

   _______ que el clima se hace más caluroso cada año.

8. It sounds to me as if you two are going to get a divorce.

   Me _______ que ustedes se van a divorciar.

9. Hmm. I like that music. Sounds like Santana.

   Hmm. Me gusta esa música. _________ Santana.

10. Elián looks a lot like his father.

    Elián __________ su padre.

11. This shirt feels like silk but it isn't.

    Esta camisa _________ de seda pero no lo es.

12. The baby doesn't look at all like his father. Hmmm!

    El bebé no__________ nada a su padre. ¡Hmmm!

13. I don't dare to show myself at the window. They'll shoot me.

    No me atrevo a ________ por la ventana. Me pegan un tiro.

14. She doesn't look Irish to me but she is. They say.

    Ella no me ________ irlandesa a mí pero lo es. Eso dicen.

Vocabulary

The following types of words have been omitted from this vocabulary: (1) exact or easily recognized cognates; (2) diminutives and superlatives, unless they have a meaning which could not easily be derived from the base form; (3) days of the week and months; (4) personal pronouns; (5) demonstratives, interrogatives, and possessives; (6) most other noun-determiners including articles and numerals; (7) adverbs ending in -mente when the corresponding adjective is listed; (8) most prepositions; (9) regular past participles of listed infinitives; (10) individual verb forms; and (11) other common words that the student would be expected to know.

A

abogado lawyer
abrazar to embrace, hug
abrigo overcoat
aburrido boring; bored
acabar (de) to have just (done something); to finish
aceite oil; olive oil
aconsejar to advise
acordarse (de) to remember
acorde harmony; accord, agreement
acostar to put to bed; acostarse to go to bed, lie down
acostumbrar (a) to accustom; acostumbrarse to become accustomed
actual present, current
adelanto progress, improvement
aficionado devotee, fan
afuera out, outside
agarrar to seize, grasp
agradecer to show gratitude to (someone), to thank (someone); to be thankful for (something)
agradecimiento gratitude
águila eagle
aguja needle
ahorrar to save
ajo garlic
alambre wire
alcalde mayor
aldea village
alfarería pottery shop or factory; art of pottery
alhaja jewel, gem
aliado ally
alimentación feeding; nutrition
alimento food, nourishment
almorzar to have lunch
alquilar to hire; to rent
alrededor (de) around, about
ama lady of the house
amable friendly, pleasant
ameno pleasant, agreeable
anaquel shelf
anteojos eye-glasses
antepasado ancestor
anticipación, con anticipación in advance
antipático repellant, displeasing
apagar to put out, turn off; to extinguish, quench
aparato machine, appliance, device
apellido surname

aplastar to flatten, to crush
apresurar to hasten
apuro a bad fix, a jam, a difficulty
árabe Arabian
árbitro arbiter, referee, umpire
asegurar to make secure; to assure
asentimiento approval, consent
asesino murderer, assassin
asistir (a) to be present, to attend; assist, help
asunto matter, affair
asustar to frighten
atenerse (a) to abide (by); to go (by)
a través de across
atreverse (a) to dare
atropellar to run over, to knock down
aun even
avaro greedy, miserly
averiguar to verify, find out
ayudar to help, assist

B

bañar to bathe; **bañarse** to take a bath; to go swimming
barba beard
barriga belly
barrio city district, neighborhood
basura rubbish
bautista Baptist
bebida drink, beverage
beca scholarship
belleza beauty
bendecir to bless
besar to kiss
bienes wealth, possessions, goods
bienestar well-being
billete ticket; bill
billetera wallet
bocado mouthful, small portion
boda wedding, marriage
boleto ticket (to gain admission)
bondadoso kind, generous
borracho drunk
botella bottle
buzón mailbox

C

caballos de fuerza horse power (in ref. to motors)
cabaña cabin, hut
caber to fit, to be contained
cadena chain
cajón drawer
cálido warm
callarse to be silent, keep quiet
camaleón chameleon
cambio change; **a cambio de** in exchange for
camino a on the way to
camioneta small truck; station wagon
campeón champion
campeonato championship
campesino farmer, peasant
capitán captain
capote bull-fighter's cape
cárcel jail
cargar to load; to charge; to entrust; to burden
carie cavity
cariño love, affection
carrera race; college studies
cartel poster
cartero postman
casera house (adj.); landlady
castigar to punish
cazar to hunt
cenar to eat supper
cenicienta Cinderella (**ceniza** ash)
cepillar to brush
cerdo pig
cerro hill
cerveza beer
césped lawn
charco pond, small lake
chisme gossip; gadget
chiste joke
choque crash, accident
ciego blind
cierto certain; sure; true
cita appointment; quotation
ciudadano citizen

cobarde coward
cobrar to collect; to charge
cocinero cook
codiciar to covet, desire eagerly
coger to pick; to catch, to seize
cola tail; **hacer cola** to line up, to stand in line
colgar to hang
colocar to place, put
comelón glutton
comerse to eat up
cometa (masc.) comet; (fem.) kite
comisaría police station
compadrazgo godparentship
compartir to divide
complacer to please, humour, accommodate
complaciente obliging, accommodating
componer to repair, to fix; to compose
comprometer to commit
con tal (+ de or que) provided that
conferencia conference, meeting; lecture
conferencista lecturer
confianza trust, faith
confiar to be confident; to trust
conseguir to manage to; to get, obtain
consejo advice, counsel
conservador conservative
consulado consulate
contar to tell; to count; **contar con** to count on
contraer to contract (a sickness)
contratar to engage, hire
contrato contract, pact, agreement
convenir to be suitable or appropriate for; to come to an agreement
conventillo tenement house (Chile)
convidar to invite
corcho cork
corona crown; wreath
corrida bullfight
corromper to corrupt
cortar to cut
cortina curtain
costumbrismo literary style emphasizing description of regional manners and customs
crecer to grow; to increase
cremallera zipper
crudo raw, uncooked; crude
cualquiera any, any at all, anyone
cuanto as much; **en cuanto** with regard (to); as soon as
cubrir to cover
cuenta bill, account; **tener en cuenta** to bear in mind
culpa blame; **tener la culpa** to be to blame
culpable at fault, guilty
cumpleaños birthday
cumplir to accomplish, realize, fulfill
cuna cradle
cuñada sister-in-law
cuñado brother-in-law
curar to treat; to cure
curvilínea curvy

D

(las) damas checker-game
daño damage, hurt, harm
dar de comer (a uno) to feed
darse prisa to hurry up
datos data
debutar to make one's first appearance or debut
decano dean
deificar to deify, worship
dejar (de) to stop; **dejarse de** to cut out, eliminate
delito crime
deprimente depressing
derecho right; law
desagradable disagreeable, unpleasant
desarrollo development
descansar to rest
descifrar to decipher

descomponerse to break down; to get bad (of weather)
descubrir to discover, disclose, show
desmayarse to faint
desmemoriado forgetful
desmontar to dismount; to dismantle (machines, etc.)
desorden disorder, disarray
despedirse (de) to say goodbye (to)
despertar to wake
despreciativo sneering, scornful
destacarse to stand out
detener to stop, detain; arrest
devolver to return
deuda debt
dibujo drawing; design
difunto deceased, dead
dirigir to direct, control, manage
disculpa excuse, alibi
discurso discourse; speech, lecture
disfraz disguise
disfrutar (de) to benefit by; enjoy
disgusto displeasure, quarrel
disponer to arrange, prepare; **disponer de** to have available
disponible available, at one's disposal
distraer to distract; confuse
docena dozen
doler to ache, to hurt; **me duele la cabeza** my head hurts
dolor pain
dominar to dominate, govern; to overlook
dondequiera anywhere; wherever
dudoso doubtful, uncertain
dueño owner; landlord; master
dulces candy
durar to last, endure

E

echar to throw; **echar a correr** to start to run, break into a run; **echar a perder** to spoil
elegir to elect; select
emborrachar to make drunk
emboscada ambush
emocionarse to become excited
empeñarse (en) to insist (on)
empleado employee
empleo employment, job
empobrecer to make poor
empujar to push, shove
en absoluto absolutely not
enamorarse (de) to fall in love (with)
encantar to delight, charm; **me encanta (comer)** I just love (to eat)
enfermar (se) to become sick
enfermedad sickness
enfermera/o nurse
enfurecer to enrage, make furious
engañar to deceive, mislead, fool
engordar to get fat, to make fat
enloquecer to drive crazy
enojar to make angry
enriquecer to make rich
ensuciar to make dirty, soil
entero entire, whole, complete
enterrar to inter, bury
entrada admission ticket; entry
entrar en, a to enter, go into
entregar to deliver, hand over
entrenador trainer
entristecer to make sad, sadden
envejecer to make old, to age
envenenar to poison
enviar to send, transmit, convey
envidia envy
equivocarse to be mistaken; to make a mistake
errado mistaken, erroneous
escalera stairway
escena stage (theater)
escopeta shotgun
escultura sculpture
esforzarse (por) to make an effort (to)
eso that; **a eso de (las tres)** about (three o'clock)
espejo mirror

espeso thick, dense
espinacas spinach
esquina corner
estadista statesman
estampilla stamp
estante shelf, stand; bookcase
estar de vuelta to be back
estéreo stereo
estoico stoic—a person in control of his emotions
estropear to mutilate; damage, ruin
evitar to avoid
exigir to demand, exact, require
éxito success
extender to extend, spread
extrañar to miss, feel the lack of
extranjero foreigner; **al extranjero, en el extranjero** abroad

F

faldas lower slopes of a hill
faltar to be lacking; **me falta dinero** I lack money
festejar to entertain; celebrate
fianza bail
fiebre fever
fijarse (en) to notice; pay attention to
filólogo philologist—one who makes a study of language
fin end; **a fin de** in order to
fingir to pretend
firmar to sign
flaco skinny
folleto pamphlet, booklet
fonógrafo phonograph
fracaso disaster, a total failure
freír to fry
frijol (kidney) bean
fuente source, fountain
fuerte strong
fuerza force, might, strength
fusilar to execute by shooting
fútbol soccer

G

ganancia profit
garantizar to guarantee
gastar to spend (money); to use, wear out (things)
gazpacho Spanish dish: a cold soup
genio temper
gerente manager
gira outing
golpe blow
gorra cap (headwear)
gotear leak
grabar to record (sound)
gratis free (of cost)
griego Greek
gripe influenza
gritar to shout, yell
grueso thick, fat
guapo handsome
guardar to guard; to put away
guatemalteco native of Guatemala

H

hacha axe
hada fairy
hallar to find
hamaca hammock
hambriento hungry, famished
harina flour
harto (de) fed up (with)
hasta until
hazaña exploit; heroic feat
herido wounded, hurt
herramienta tool
hervir to boil
heterodoxo heterodox, differing from accepted standards of belief (as opposed to orthodox)
historietas cómicas funny papers
hoja leaf (of a plant); a sheet of paper or metal
hormiga ant
hueco hollow; hole
huelga strike (by workers)

hueso bone
huir to flee

I

impacientar to make impatient
impedir to impede, obstruct, prevent
imperio empire
impermeable raincoat
imponer to impose or lay on (tax, fine)
impuesto tax, duty
incansable tireless
incendio fire
infante prince; infant
infierno hell
influir (en) to influence
ingeniería engineering
ingeniero engineer
ingrato ungrateful; thankless
inquilino tenant
intentar to try to
inútil useless
invento invention
isla island
israelita Israelite

J

japonés Japanese
jardín flower garden
jardinero gardener
joya jewel, gem
jubilarse to retire (from work)
jugada play; throw, move
juguete toy, trinket
juicio judgement, sense, opinion
justo fair; exact
juventud youth
juzgar to judge

L

ladrillos bricks
ladrón thief
lanzar to throw, toss
largo long; **a lo largo de** (all) along
lastimar to hurt, injure, damage
lata tin can; nuisance
lavar to wash
legumbre vegetable
lejos far
leña firewood
lengua tongue; language
ley law
leyenda legend
libra pound (weight)
libre free
llanta tire **(auto)**
llave key
llegar a ser to become. . .(someone, something)
llorar to cry
lluvia rain
lograr to attain; succeed in
lucir to shine, gleam; to seem
lugar place
luna moon
luto: estar de luto to be in mourning
luz light

M

madrugar to get up early
maduro mature; ripe
maldito damned; accursed, wicked
maleducado rude, boorish
maleta suitcase
manejar to drive (car, bus, etc.)
manifestación public demonstration
mar sea
marchar to march; **marcharse** to go away, leave
marinero sailor
masa mass; dough
mascar to chew, masticate
masticar to chew, masticate
materno maternal
matusalén Methuselah
mayordomo butler
medias stockings
medio half; average

medir to measure
mejor better; **a lo mejor** perhaps, maybe
mellizo twin
mendigo beggar
menear to shake, to wag
menos less; **a menos de** unless; **a menos que** unless
menudo small, minute; **a menudo** often, frequently
mercancía merchandise
merecer to merit, deserve
mesero waiter
meter to put into, insert
miedo fear
mismo same; very, self
mitad half; middle
mojado wet
molcajete mortar (to grind spices)
molestar to bother, irritate
molino mill
moneda coin
monja nun
monje monk
mono monkey
montón heap, pile; lot
moraleja moral, lesson
morder to bite
morir to die
muchedumbre multitude, crowd, mob
muestra sign, sample, specimen
multa fine, penalty
mundial world-wide, universal
muñeca wrist; doll

N

nacer to be born
nariz nose
navaja razor; folding knife
negar to deny; refuse
negocio business
nilón nylon
niñez childhood
nombrar to name (title); to call
normandos Normans (invaded England from France)
nota note, mark; grade
noticia information; a piece of news
novato novice, rookie

O

odiar to hate, detest
odio hatred
oficio trade; function, office
ofrecer to offer
olla pot, kettle
olvidar to forget
oponer to oppose
oración sentence
oro gold
orquídea orchid
otorgar to consent; grant

P

palmera palm tree
palo stick, club; blow with a club
paloma dove
palomar dove-cote, pigeon-house
pantano swamp
paraíso paradise
parar to stop
parecer to seem, look (smell, feel) like; **parecerse** (**a**) to look (smell, feel, sound) like, resemble
parlante loudspeaker
particular private; particular, special
partido party (polit.); match, game
pasear to walk or ride, take for a walk or ride
pasmado shocked
paso footstep; pace
pastilla pill, tablet
pata leg, foot (nonhuman or humorously applied to humans)
patada kick
payasada clowning, trick
payaso clown
pecar to sin

pedir to ask for
pegar to stick, glue; to hit
peinar to comb; **peinarse** to comb one's hair
pelear to fight
película movie, film
pelo hair
peluca wig
pena sorrow, suffering; pity
penoso painful, grieving
perecer to perish, die
perezoso lazy
periodista reporter, newspaperman
permanecer to stay, remain
perro guardián watch dog
persa Persian
perseguir to pursue, persecute
personaje character; important person
pesar to weigh
pescado fish
pésimo extremely bad
petición demand, request; **petición de mano** act of seeking permission to marry, asking for the hand
petrolera pertaining to petroleum; oil
picaresco roguish, rascally
pico peak (of a mountain)
piedad piety; mercy
piedra stone, rock
piel skin
pila pile, heap; dry cell battery
pimienta pepper
pintura paint; painting
pisar to step on
piso floor; story; apartment
plano flat
plata silver; money
plomero plumber
población population; small town
poder power; to be able
ponche punch (drink)
portarse to behave (oneself)
portero porter; doorman
postre dessert
potencia power
pradera meadow, prairie; pasture-land
predecir to predict, foretell
premio reward, prize
preocuparse (por) to worry (about)
preparativos preparations
presentar to put on (a play, program); introduce
prestar to lend, loan
presupuesto budget
prever to foresee, anticipate
primo cousin
principiante beginner, novice
probar to sample, taste; try out
procedimiento procedure
procurar to try to
pronto soon; **tan pronto como** as soon as
propaganda publicity
propina tip, gratuity
proponer to propose
propósito purpose
próximo next; close, near
puesto position, place; stand
puesto que for, since
pulmón lung
pulmonía pneumonia
puntiagudo sharp pointed

Q

quebrar to break
quedarse to remain, stay
quejarse (de) to complain (about)
quienquiera whoever, whomever
química chemistry
quizá, quizás maybe, perhaps

R

radiografía X-ray
razón reason, motive, cause
realizar to realize, fulfill
receta prescription; recipe
recibo receipt

rechazar to reject; repel
rechinar to grate, grind, squeak
recobrar to recover, regain
recurso recourse, resource
redactor editor
redondo round
referirse (**a**) to refer, have reference (to)
reflejar to reflect
refrescos refreshments
refugiado refugee
regalar to give, make a gift of
regalo present, gift
regar to water
regresar to return, go or come back
rehacer to redo, do over; to remake
reina queen
reírse (**de**) to laugh (at)
relojero watchmaker
remar to row, paddle
renacentista pertaining to the Renaissance period of Europe
renacimiento Renaissance
reñir to quarrel, argue; reproach
reo offender, culprit, criminal
requisito requirement
resolver to solve
restituir to restore, reestablish
resucitar to revive; to resurrect
resultar to result; turn out
reunirse to meet, come together
rey king
rincón (inside) corner; nook
riquísimo very wealthy; delicious
risa laugh, laughter
rodear to surround
rogar to beg, plead
romper to break; to rip, tear
roncar to snore
rubio blonde
ruso Russian
ruta route

S

saber to know; **saber a** to taste like
sabio wise, learned; sage, scholar
sacacorchos corkscrew
sacar to take out
sal salt
saltar to jump, leap
salud health
saludable healthful, wholesome
saludar to greet, say hello to
salvadoreño native of El Salvador
salvar to save
sargento sargeant
seda silk
seguida: en seguida right away
seguir (+ -ndo) to continue
sencillo simple, plain
sentir to feel, sense; regret
ser being; **a no ser que** unless
servir to serve; be of use
sí: en sí in itself, on its own
silla de ruedas wheel chair
sobrar to exceed, to be left over; **le sobra tiempo** he has more than enough time
sobresalir to excel; stand out
sobreviviente survivor
sobrina niece
sobrino nephew
soldado soldier
soldar to weld; **soldarse** to knit (of bones)
soler to be used to; be in the habit of; **suele dormir tarde** he usually sleeps late
soltar to let go (of something)
soltero/a unmarried
sombra shade
soñar (**con**) to dream (of)
sonido sound
sonreír to smile, grin
sonrisa smile
sopa soup
sorprender to surprise; to amaze

sostener to support, sustain
sótano cellar, basement
subir to rise, climb, ascend; to raise, lift
súbito sudden; **de súbito** suddenly
sublevación insurrection, revolt
suceder to happen; follow
sucio dirty, filthy
sudar to sweat
sudoroso sweaty
suegra mother-in-law
sueldo salary
sufragio suffrage, vote
suponer to suppose, assume
sureño southerner
suspender to fail (as in an exam)

T

taconeo walking or dancing noisily on the heels
tal such; **con tal** (+**de** or **que**) provided that
tambor drum
tanto... como as well as; **tanto los hombres como las mujeres** the men as well as the women
tapatío native of Guadalajara
tardanza slowness, tardiness
tarjeta postal postcard
tarro de basura trash can
tejano Texan
tela fabric, cloth
teleférico cable car
temblar to tremble, shake
temer to be afraid to, to fear
teniente lieutenant
tentativa attempt
tercio third
terciopelo velvet
tertulia social gathering; talk
tiburón shark
timbre doorbell
timbre stamp, seal; official stamp
tinto red wine
tirar to throw; shoot
título title; **diploma**; academic degree
tolteca Toltec (ancient Mexican Indian people)
tonto fool; foolish
tortuga tortoise, turtle
traer to bring
traje clothes, suit
trampas tricks; **hacer trampas** to cheat, play tricks
tranquilizar to make calm, calm down
tratar (de) to try (to), to deal (with), be about
a través de across
tristeza sadness
tubería tubing, piping; pipeline

V

vajilla table service; set of dishes
valer to be worth; to cost
vasco Basque
vascongado Basque
vecino neighbor
venado deer, stag; venison
vender to vend, sell
ventilador ventilator, fan
veras: de veras really, especially
vestir to dress
vez time, occasion; **de vez en cuando** from time to time, now and then
víbora poisonous snake
vidrioso glassy
víspera eve of a holiday (i.e., **la víspera de Año Nuevo**—New Year's Eve)
volcán volcano
volver en sí to come to, regain consciousness
votar to vote
voz voice; **en voz alta** aloud; **en voz baja** in a low voice

Z

zapatero shoemaker

Index

Q

R

S

T

U

V

W

Taken from:
Spanish Grammar: A Quick Reference, Second Edition
by David Wren, M.A.

BRIEF CONTENTS

SPANISH GRAMMAR–A QUICK REFERENCE: CONTENTS

PART 1: GENERAL GRAMMAR

PART 2: VERB FORMS

PART 3: USES OF THE VERB TENSES

PART 1: GENERAL GRAMMAR

1-1. THE SPANISH ALPHABET

The Spanish alphabet has 30 symbols; three are pairs of letters acting as one sound.

Letter	Spanish Name	Notes/Examples
a	a	as in f**a**ther
b	be (larga/grande)	beber[1]
c	ce	s/th/k[2]
ch	che	China
d	de	dedo
e	e	as in b**e**t
f	efe	fotografía
g	ge [heh]	gigante[3]
h	hache	Héctor[4]
i	i (latina)	civil
j	jota [ho-tah]	Juan[3]
k	ka	kilo[5]
l	ele	Lalo
ll	elle [eh-yeh]	ella
m	eme	momento
n	ene	nota
ñ	eñe [eh-nyeh]	año
o	o	como
p	pe	pipa
q	cu	que; quinto[6]
r	ere	*tt* in bu*tt*er
rr	erre	trilled *r*[7]
s	ese	sesos
t	te	tutear
u	u	Uruguay
v	uve, ve (chica)	vivo[1]
w	doble ve, ve doble	Washington[5]
x	equis	[ks]; [s][8]
y	i griega	Yucatán
z	zeta	s/th[9]

1 *b, v* pronounced the same by most speakers

2 *c* before *e* or *i* = *s* in Lat. Am., *th* (*bath*) in Spain; before *a, o, u* = *k* everywhere.

3 *g* before *e, i* = *jota* sound; hard *g* before *a, o, u*; *j* always = *jota*. Hard *g* before *e, i* spelled with silent *u*: *llegue, guía*

4 *h* always silent

5 *k, w* used only in foreign words

6 *que* = *keh*; *qui* = *kē*

7 Initial *r* (*Ricardo*) also trilled

8 = *ks* between vowels (*exacto*), *s* or *ks* before a consonant (*extender*).

9 = *s* in Lat. Am., *th* (*bath*) in Spain.

1-2. CAPITALIZATION

Caps used **much less than** in English. Like Eng., used in first word of sentence, and in personal and place names:

La chica y **Ana** son de **Puerto Rico.**

Caps **not** used in words referring to:

- months, days of week:
  enero, febrero... lunes, martes...
- language; national or regional origin:
  Los **mexicanos** hablan **español**.
  Soy de Asturias; soy **asturiano/a**.
- political, religious, academic association:
  Cree en el **cristianismo**; es **cristiano/a**.
  una obra **shakespeariana**
  los **demócratas** y los **republicanos**
- personal or official titles:
  el **presidente** Lincoln
  el **señor** / la **señora** Rodríguez
- In titles, other than in the first word:
  La guerra de las galaxias (*Star Wars*)

1-3. PUNCTUATION

Similar to English; some differences:

- ¿ and ¡ precede questions and exclamations:

  ¡Hola! ¿Qué tal?
  ¡Qué bien hablas! ¿Dónde estudiaste?

- **Colon** (:) used after greeting of letter, formal or informal:

  Muy señor mío: Querida Alicia:

- ***Raya*** (—) used for dialogue:

  —No, dijo Alberto—. No voy.

- ***Comillas*** («...») used to highlight word(s) or for a quote within a quote:

  No menciones la palabra «*béisbol*».
  Siempre le digo: «*cállate*».

1-4. SYLLABIFICATION, STRESS, AND ACCENTS

a. Syllable Division

Vowels

- Single vowels belong to one syllable:

  ca-pi-tal a-trac-ti-vo

- Adjacent "strong" vowels (*a, e, o*) form part of separate syllables:

  le-o em-ple-ar

- "Strong" + "weak" (*i, u*) combination form diphthong, belong to one syllable:

  vein-te duer-mo
  pa-tio cuo-ta

Consonants

- Single consonants (including *rr, ch, ll*) go with following syllable:

  ca-mi-sa vo-lu-men
  ca-ña pe-rri-to
  mu-cha-cha ca-lle

- Pairs in which the second consonant is *l* or *r* go with following syllable:

  ha-blo pa-dre
  fla-gran-te a-pli-car

- Other consonants pairs split up:

  mar-tes an-tes
  cam-bia ap-to

- Three-consonant combinations of which the last is *l* or *r* divide after first letter:

  hom-bre an-cla

- Other three-consonant combinations divide after second letter:

  trans-fe-rir ins-ti-tu-to

- Four-consonant combinations are divided in the middle:

  ins-tru-ir trans-cri-bir

b. Stress Rules

****

ABOUT STRESS

Stress falls on a vowel of most words. Some words-such as *de, el, en, que*-are unstressed.

****

Rules for Normal Stress

Words ending in:

1. **A vowel, *n* or *s*--stressed on second-to-last syllable**:

   car-ta a-trac-ti-vo
   ha-bla-mos can-tan

2. **Other letter**--stressed on **last syllable**:

   tra-er li-be-ral
   na-riz co-ñac

c. Use of Written Accents

An accent is placed on the stressed vowel of a word in the following cases:

1. Word violates a stress rule (see above):

   Violate **Rule 1**

   in-glés ca-pi-tán
   his-tó-ri-ca ar-tí-cu-lo
   dá-me-la sen-tán-do-se

   Note:
   -mente adverbs are normally stressed, but keep adjectives's original accent, if any:
   rápido→rápidamente
   espontáneo→espontáneamente

   Violate **Rule 2**

   ár-bol Gon-zá-lez
   ca-rác-ter ré-cord

2. Stressed "weak" vowel (*i, u*) is adjacent to a "strong" vowel (*a, e, o*):

   o-í-mos Ma-rí-a
   gra-dú-a Ra-úl

3. Word is interrogative or exclamatory:

   ¿Cuándo vas? **¿Dónde** vives?
   ¡**Qué** inteligente es Ricardo!
   ¡**Cuánto** come tu hermanito!

   Implied interrogatives also have accent:

   No sé **qué** hora es.
   Pregúntale **cuándo** quiere salir.

   Corresponding non-interrogatives have no accent:

   La casa **donde** vivo está allí.
   Cuando veo a José, lo saludo.
   La chica con **quien** hablé se llama Irma.

4. A stressed word has a non-stressed counterpart that is spelled the same:

de (prep.)	**dé** (verb)
el (article)	**él** (pron.)
mi (adj.)	**mí** (pron.)
se (pron.)	**sé** (verb)
si (*if*)	**sí** (*yes*)
solo (adj.)	**sólo** (adv.)
te (pron.)	**té** (*tea*)
tu (adj.)	**tú** (pron.)

****

ACCENT "LOSS" OR "GAIN"

- **Some words with "rule-breaking" singular forms "lose" the accent in plural (or feminine) forms that comply with rule:**
  inglés→inglesa(s) / ingleses / inglesas
  nación→naciones autobús→autobuses
- **Others whose singular forms comply with rules "gain" an accent in a "rule-breaking" plural form:**
  joven→jóvenes origen→orígenes

See stress rules under 1-4b

****

***Spanish Grammar: A Quick Reference* is meant to supplement your Spanish study, whether you are taking a course or are studying on your own. It contains grammar rules and some exceptions, regular forms and the most common irregular forms. *Representative* examples are given, but the rules and lists should not be considered exhaustive.**

Please send suggestions and comments to:
David Wren dwwren@indiana.edu

1-5. NUMBERS

a. Cardinal Numbers

(0-20)

0	cero		
1	un(o)*	11	once
2	dos	12	doce
3	tres	13	trece
4	cuatro	14	catorce
5	cinco	15	quince
6	seis	16	dieciséis
7	siete	17	diecisiete
8	ocho	18	dieciocho
9	nueve	19	diecinueve
10	diez	20	veinte

(21-40)

21	veintiun(o)*	31	treinta y un(o)*
22	veintidós	32	treinta y dos
23	veintitrés	33	treinta y tres
24	veinticuatro	34	treinta y cuatro
25	veinticinco	35	treinta y cinco
26	veintiséis	36	treinta y seis
27	veintisiete	37	treinta y siete
28	veintiocho	38	treinta y ocho
29	veintinueve	39	treinta y nueve
30	treinta	40	cuarenta

****

UNO / -UNO

Appear only as masculine pronoun;
_un, -ún,_ used otherwise:

¿_Un_ dólar? ¿Solamente _uno_?
¿Tienes _veintiún_ años o _treinta y uno_?

****

(50-100)

50	cincuenta	80	ochenta
60	sesenta	90	noventa
70	setenta	100	cien

(101-199)

101	ciento uno
102	ciento dos
120	ciento veinte
199	ciento noventa y nueve

(200-900: note **irregular forms**)

200	doscientos(as)*	600	seiscientos(as)
300	trescientos(as)	700	**setecientos(as)**
400	cuatrocientos(as)	800	ochocientos(as)
500	**quinientos(as)**	900	**novecientos(as)**

****

***AGREEMENT WITH _100_'S**

Multiples of _100_ show gender agreement with noun, whether noun appears or not:

***Doscientos* hombres trabajan aquí.**

¿Mujeres? Hay _trescientas_ (mujeres).

Exception:

No agreement if number follows noun:

Leí doscientas diez páginas. (210 pages)

But: Leí la página doscientos diez. (p. 210)

****

(1000 +)

1.000[1]	mil[2]
2.000...9.000	dos, tres...nueve mil
10.000	diez mil
100.000	cien mil
1.000.000	un[2] millón (de)[3]
2.000.000	dos millones (de)
10.000.000	diez millones (de)
100.000.000	cien millones (de)
1.000.000.000	mil millones (de)[4]
1.000.000.000.000	un[2] billón (de)[4]

1 In most Spanish-speaking countries, *period* and *comma* are the reverse of English:
5.012 = five thousand twelve
5,012 = five and twelve thousandths

2 *un* used with *millón, billón*, but not with *mil*

3 *de* used between *millón, billón* and noun:
dos millones / billones *de* dólares

4 Sp. *billón* = Eng. *trillion*

b. Ordinal Numbers

1st	primero	6th	sexto
2nd	segundo	7th	séptimo
3rd	tercero	8th	octavo
4th	cuarto	9th	noveno
5th	quinto	10th	décimo

****

MORE ABOUT ORDINAL NUMBERS

▸Not used with dates except for _first_:
Sept. 1: el _primero_ de septiembre
Sept. 2: el _dos_ de septiembre

▸Agree in gender as adjectives or pronouns:
el quinto (capítulo) / la quinta (página)

▸_Primer, tercer_ used before masc. sing. nouns:
el primer / tercer libro

▸Mostly cardinals used above 10th:
el piso _once_ — the _eleventh_ floor
el cliente _cien_ — the _100th_ customer

▸Abbreviated with numerals plus _o, a_:
5º piso 4ª casa

****

1-6. ARTICLES

a. Definite Articles–Forms

	Masc.	Fem.
Sing.	**el**	**la**
Plur.	**los**	**las**

b. Definite Articles–Uses

Where English uses a definite article, Spanish usually does also:

Yo comí **el** helado y él comió **la** fruta.
I ate the ice cream and he ate the fruit.

Exception--with names of monarchs:

Carlos Quinto *Charles **the** Fifth*

The reverse is not true; Spanish often uses where English omits:

▸With days of week (= *on*):

el lunes, etc. *on Monday,* etc..
los lunes, etc. *on Mondays,* etc..

▸Generic, categorical references:

Los limones y **las** naranjas son frutas.
Lemons and oranges are fruits.

La historia es fascinante.
History is fascinating.

▸With the hour when giving the time:
a la una / a las dos... (*at one, at two...*)

▸Before each noun in a series, esp. when gender changes:

la taza y **el** platillo (*the cup and saucer*)

▸With some place names:

la Argentina **la** Habana **el** Perú

▸With some nouns referring to institutions:

Voy a **la** escuela / a **la** iglesia.
I go to school / church.
Está en **la** cárcel.
He's in prison.

▸With common personal titles:

La señora / **el** señor Ruiz está presente.
Déselo **al** profesor / a **la** profesora Díaz.

Exceptions: direct address; *don, doña*:

Buenos días, señor / señora Alarcón.
Conozco a don Gustavo y a doña Alicia.

▸With an infinitive used as generic:
El correr es bueno para la salud.
Running is good for one's health.

▸With name of language:

El español y **el** inglés son diferentes.
Spanish and English are different.

Exceptions: After *en, de,* and *hablar*:
Hablo español pero soy profesor de inglés.
Dímelo en inglés.

▸Instead of indefinite article with weights, measures (= *per*):

Un dólar **el** litro / **la** libra (*a liter / pound*)

▸Instead of possessive with body parts, clothing:

Me rompí **la** pierna y **el** brazo.
I broke my leg and my arm.
Ponte **la** camisa y **los** zapatos.
Put on your shirt and your shoes.

Obligatory[1] Contractions with _el_[2, 3]

a + el→al ***de + el→del***

1 English offers choice: *do not* or *don't*

2 *la, los, las* and pronoun *él* do not contract:
a la ciudad; la historia *de las* ciudades
El libro es *de él*. *A él* no le gusta el libro.

3 Exception:
El doesn't contract if part of name or title:
Fuimos a El Salvador.
Tengo una copia de «*El mundo es ansí*».

c. Neuter Article *lo*

Used with masculine singular adjectives[1] and adverbs[2] referring to abstract qualities; with variable adjectives[3] referring to specific noun:

Lo extraño[1] de eso es que...
The strange thing about that is that...
lo trágico[1] y **lo cómico**[1] en sus novelas...
tragic and comical elements in his novels...
¡Mira **lo bien**[2] que juegan esos niños!
Look how well those kids play!
Vimos **lo listas**[3] que son las chicas.
We saw how smart the girls are.

d. Indefinite Articles–Forms

	Masc.	Fem.
Sing.	**un***	**una**
Plur.	**unos**	**unas**

**Uno* used as pronoun, not as article:
Él tiene dos coches; yo tengo *uno*.

e. Indefinite Articles–Uses

Some differences with English usage:

▸Usually repeated in a series:

una taza y **un** platillo *a cup and saucer*

Often omitted where English uses:

▸Before unmodified noun following *ser*:
Es médico. *He's a doctor.*
Soy mujer. *I'm a woman.*

But: Es un médico competente.

▸Often after *tener, llevar, haber, sin*:
No tengo pluma. *I have no pen.*
¿Hay coche? *Is there a car?*
Llevo corbata. *I wear a tie.*
sin billete *without a ticket*

But: Article used with modified nouns, or if *number* one is stressed:
Hay **un** coche azul.
Tengo *una* hermana. (*one*, not *two*)
sin *un* centavo

▸After *como, medio, ¡qué!*:
Vine como alumno. *...as a student*
media hora *...half an hour*
¡Qué buen tipo! *What a good guy!*

▸Before *cien, mil, otro, tal*
tal persona *such a person*
Dame otro. *Give me another one.*

Plural forms _unos, unas_
= some; a few; approximately:

Tengo unas cartas y unos sobres.
Vienen unas trescientas personas.

1-7. GENDER OF NOUNS

a. Masculine Nouns

- Nouns ending in *-o*:

  el libro *el* chico *el* río

  Exceptions:

  la mano *la* foto(grafía) *la* moto(cicleta)

- All months, days of week:

  el enero, febrero, etc.
  el lunes, martes, etc.

- Numbers:

  el dos de mayo
  Escribo *un 6* en la pizarra.

Nouns ending in *-aje, -or*:

el equipaje *el* color

Exceptions:

la flor *la* labor

b. Feminine Nouns

Nouns ending in *-a*:

la pluma *la* chica *la* casa

Exceptions (masc.):

clima	papá	problema
día	planeta	sistema
drama	poema	sofá

*¡**Buenos** días! Siéntese en **el** sofá.*

Letters of the alphabet:

la «b» larga *una «f»* minúscula

Nouns ending in:
-dad, -tad, -tud, -ie, -sis, -umbre, -ión

la verdad	*la* tesis
la libertad	*la* costumbre
la actitud	*la* tensión
la serie	*la* nación

Exceptions (masc.):
camión, avión, análisis, énfasis

Use of *el, un* with Feminine Nouns

Immediately preceding nouns starting with stressed *a-, ha-*:

el águila **un** hacha.
But: **la** magnífica águila
las águilas **unas** hachas

c. Nouns of Variable Gender

Many *-a* nouns referring to persons are either *m.* or *f.*:

el/la: atleta, poeta, dentista, socialista
un(a) buen(a) artista

*-nte** nouns:
el/la: amante, adolescente, agente, etc.

*But note: *el presidente, la presidenta*
el asistente, la asistenta

Some *-o* nouns of occupation:

el/la: piloto músico soldado

Notes:
Use varies between *la médica; la abogada for females;* and *el/la médico, el/la abogado*

Other words always have *-o/-a* variation:
el/la biólogo/a, el/la psicólogo/a

Other words:
el/la: líder, joven, intérprete
arte: masc. in singular, fem. in plural:
el arte francés; las bellas artes

1-8. NOUN, ADJECTIVE PLURALS

- **Add *-s***:

Words that end in unstressed vowel; stressed *a* or *e*:

guapa(s)	serie(s)	tribu(s)	bici(s)
sofá(s)	papá(s)	café(s)	pie(s)

- **Add *-es***:

Words ending in *y*; a consonant except *s*; stressed vowel + *s*; stressed *i* or *u*:

color(es)	rey(es)	español(es)
virtud(es)	inglés→ingleses	
vez→veces[1]	esquí(es)	tabú(es)[2]

1 z→c in -z nouns: *feliz→felices*
2 But: *menú→menús*

Loan Words

Some add *-s*, others *-es*

hit(s)	coñac(s)	boicot(s)
álbum(es)	bar(es)	dólar(es)

Nouns Identical in Singular and Plural

- Nouns ending in unstressed vowel + *s*:

el/los análisis *la/las* hipótesis

el/los: lunes, martes, miércoles, jueves, viernes
el/los: lavaplatos, abrelatas, paraguas

- Surnames:

los González los Smith los Jones

1-9. ADJECTIVE FORMS

a. 4-form Adjectives

(Agree with noun in *number* and *gender*)
Masculine singular *-o, -és*[1], *-án, -ón, -or*

Masc. Sing.	Fem. Sing	Masc. Pl.	Fem. Pl.
guapo[2]	**-a**	**-os**	**-as**
inglés	**-esa**	**-eses**	**-esas**
alemán	**-ana**	**-anes**	**-anas**
mandón	**-ona**	**-ones**	**-onas**
hablador	**-ora**	**-ores**	**-oras**

1 (des)cortés has no feminine forms:
una persona (des)cortés

2 *Bueno→buen, before* masc. sing. nouns:
buen chico, but *un chico bueno*

Other:
español, española, españoles, españolas

b. 2-form Adjectives

Agree with noun only in *number*

Final vowel, masc. sing.: *-a, -e;* stressed *i, u*

alerta(s)	grande(s)*
inteligente(s)	interesante(s)
iraní(es)	hindú(es)
egoísta(s)	optimista(s)
entusiasta(s)	gris(es)

feliz, felices

Other: *-or* comparative words:
mayor(es), menor(es), mejor(es), peor(es)

**gran* used before singular nouns:
un(a) *gran escritor(a)* but *una casa grande*

c. 1-form Adjectives

Show *no* agreement with noun

claro*	*light*	macho	*male*
extra	*extra*	modelo	*model*
hembra	*female*	oscuro*	*dark*

*When referring to *color* and used with second color adjective, also invariable; compare:
dos coches *verdes* *two green cars*
dos coches *verde claro* *two light green cars*

gato(s) macho / hembra
rata(s) macho / hembra
casa(s) modelo

1-10. NOUN-ADJ. AGREEMENT

Occurs whether noun and adjective are together or separate:

La **chica rubia** se llama María.
La **chica** es **rubia**.

Gender of noun, not biological gender, determines gender of adjective:

Carlos / Julia es una **buena persona**.
María es **rubia**; tiene el pelo **rubio**.

1-11. POSITION OF ADJECTIVES

- **Precede** noun:

"Limiting" adjectives–articles, numbers, most demonstratives, *otro, mucho,* "weak" possessives:

Voy a **la** escuela **los** lunes.
Hay **cien** alumnos en **esa** escuela.
Mi prima vive en la **segunda** casa.
Algunos días no leo **ninguna** revista.
La **otra** maleta contiene **muchas** ropas.

- **Follow** noun:

"Strong" possessives:
un amigo **mío** y dos amigas **tuyas**
Demonstratives in pejorative meaning:
No confío en el tipo **ese**.
I don't trust that guy.

Placement of Descriptive Adjectives

May precede or follow noun:

They **follow** if used to **contrast** members of noun class; in English, these are often *stressed* in speech:

el chico **alto** y el chico **bajo**
*the **tall** boy and the **short** boy*
la cultura **inglesa*** y la cultura **francesa***
***English** culture and **French** culture*

*Adj. of nationality almost always follows noun

They **precede** if not used to distinguish noun from others of same class: proper nouns, "one-of-a-kind"; subjective or emotional responses:

nuestro **sabio** rey	*our wise king*
la **hermosa** España	*beautiful Spain*
el **maldito** coche	*the darned car*
mi **obstinado** papá	*my stubborn dad*
el **valiente** héroe	*the brave hero*

Compare:
Detesto sus clases **largas** y **aburridas**[1].
Detesto sus **largas** y **aburridas** clases[2].

1 "*I hate his **long, boring** classes.*" (He may also give shorter, more interesting classes.)
2 "*I hate his **long-and-boring** classes.*" (the only kind he gives).

1-12. ADVERBS

Adjectives[1] vary; adverbs[2] are **invariable**:

Muchos[1] niños lloran mucho[2].
Los buenos[1] atletas juegan bien[2].
Yo vivo lejos[2]; ellas viven cerca[2].

Adj. + *-mente* = Adj. + *ly*:

-o adjectives: *-o→-a + mente*
rápido→rápidamente
claro→claramente

Others: add *-mente* to singular:
inteligente→inteligentemente
general→generalmente

In series, *-(a)mente* occurs only in last adverb; preceding *-o* words appear in *-a* form, others in singular:

Lo hacen **rápida** y eficientemente.
No se acepta, ni **social** ni políticamente.

1-13. INDEFINITES AND NEGATIVES

algo	something, somewhat
nada	nothing, not at all
alguien	somebody
nadie	nobody
alguno/a(s)[1]	some
ninguno/a[1, 2]	no, none
siempre	always
nunca	never
jamás[3]	never
también	also
tampoco	neither
o...o	either...or
ni...ni	neither...nor

1 -*ún* form used before masc. sing. noun: ¿Hay *algún* (no hay *ningún*) libro?

2 Only singular forms in common use: ¿Hay algunas bananas? No, no hay *ninguna*.

3 Emphatic; less frequent than *nunca*

Double Negatives

When negative follows verb, **no** precedes:

No le digo **nada a nadie**.
Nadie viene. / No viene **nadie**.
Yo **tampoco** voy. / Yo **no** voy, **tampoco**.
Nunca leemos. / No leemos **nunca.**

1-14. PERSONAL PRONOUNS

a. Subject Pronouns

yo	**nosotros / as**[2]
tú	**vosotros / as**[2, 3]
él / ella / Ud.[1]	**ellos / ellas / Uds.**[4]

1 3rd-person singular verbs used with these
2 -*as* form used with all-female groups
3 Informal plural *you* form used only in Spain
4 3rd-person plural verbs used with these

Used for emphasis, clarity; often omitted:

Yo soy profesor; **él** es médico.
Ellos (y no **Uds.**) van conmigo.

Juanito vive aquí; (él) tiene ocho años, (él) va a la escuela y (él) conoce a mi hijita.

****

The Four *You* Pronouns
Singular: *tú, Ud. (usted);*
Plural: *vosotros; Uds. (ustedes)*

▸*tú, vosotros*--**informal, take 2nd-person verbs:**
tú: ***hablas, comes, vives, eres, etc.***
vosotros: ***habláis, coméis, vivís, sois, etc.***

▸*Ud., Uds.*–**formal, share 3rd-person forms:**
Ud. (él, ella): ***habla, come, vive...***
Uds. (ellos, ellas): ***hablan, comen, viven...***

☞See also: object pronouns, possessives

****

b. Direct Object, Indirect Object and Reflexive Pronouns

Three pronoun types that:

▸**Are *unstressed***
▸**Share 1st and 2nd-person forms: (*me, te, nos, os*)**
The 3rd-person forms differ.
▸**Immediately precede or follow a verb. (see *Pronoun Placement Rules* below☞)**

▸Direct Object Pronouns

me	**nos**
te	**os**
lo*, la	**los*, las**

**le, les* also used for human masculine dir. obj.

¿**Me** entiendes? Sí, **te** entiendo.
¿Puedes ver**nos**? Sí, puedo ver**los**.
Yo bebo vino. ¿Tú **lo** bebes?
¿Dices que él juega bien? No, no **lo** digo.

▸Indirect Object Pronouns

me	**nos**
te	**os**
le*	**les***

¿Qué **me** das? **Te** doy el dinero.
¿**Nos** das un dólar? No, **les** doy dos.
Le sirvo café a él; **les** sirvo té a ellas.

**Le, les*--*se* before direct objects *lo/la/los/las*:
No **le** doy la carta a Juana. No **se la** doy.

▸Reflexive Pronouns

me	**nos**
te	**os**
se	**se**

¿Cómo **te** llamas? **Me** llamo Luis.
¿**Se** acuestan Uds.? Sí, **nos** acostamos.
No voy a sentar**me**. ¿Vas a sentar**te**?

▸Pronoun Placement Rules
(Direct, Indirect, Reflexive)

These pronouns *immediately precede*:

▸*All* indicative* and subjunctive* verbs:
(*Any person or tense; affirmative or negative)

¿Conoces a Luis / Elena / las chicas?
Sí, **lo / la / las** conozco.
No **lo / la / las** he conocido nunca.
Te enseño, enseñé, etc. la canción.
Quiero que **te** laves las manos.

▸A *negative* imperative:

No **lo** leas.	No **me** critiquéis.
No **le** des la llave.	No **les** hable(n).
No **te** laves.	No **se** lave(n).

These pronouns *follow*:

▸A present participle:

¿La manzana? Estoy comiéndo**la**.
Estábamos lavándo**nos**.
¿Estás contándo**le** la historia a Juana?

▸An infinitive:

Me apetece el plato. Voy a probar**lo**.
Debes pedir**le** ayuda a Pablo.
Después de lavar**me**, almorcé.

▸An *affirmative* imperative:

La novela es buena. Léa(n)**la**.
Pí**de**le ayuda a Pablo.
Láva**te** las manos.
Digámos**lo** así.

▸Pronoun Order in Pairs

▸Indirect--Direct:

Le doy la carta a Luis--**Se la** doy.
¿**Me lo** vendes? Sí, **te lo** vendo.

▸Reflexive--Indirect:

A Luisa **se le** ocurre una idea.
Se nos olvidó el libro.

▸Reflexive--Direct:

Me lavo las manos--**Me las** lavo.
Si te gusta el suéter, pruéba**telo**.

▸Pronoun Shifting

In sentences with *conjugated verb + infinitive or participle*, pronoun(s) can be moved leftward with no change in meaning:

¿Vas a comer**lo**?--¿**Lo** vas a comer?
Estoy dándo**sela**.*--**Se la*** estoy dando.
Voy a sentar**me**.--**Me** voy a sentar.

*Pair cannot be split up

c. Prepositional Pronouns

▸Same as subject pronouns, except[1]:

mí[1]	**nosotros/as**
ti[1]	**vosotros/as**
él, ella, Ud.; sí[3]	**ellos/as; Uds.; sí**[3]

3 reflexive

▸Used as they are after most prepositions:

A nosotros y **a ellos** no nos gusta.
Esto no es **para ella**, es **para él**.
No sé nada **sobre Uds**.
¿Puedes ir **sin mí**?

Exceptions:

Con + mí/ti/sí→conmigo, contigo, consigo

¿Quieres ir **conmigo**? **¿Contigo? ¡Sí!**
Do you want to go with me? With you? Yes!

Pablo trae **consigo** una mochila.
Pablo brings a backpack with him.

yo, tú, used after
entre, menos, excepto, según:
entre *tú* y *yo*   según *tú*

▸Neuter pronoun *ello*:

Llueve; por ello, no salimos.
It's raining; due to it (that), we're not going out.

d. Redundant Pronoun Constructions

Prepositional (stressed) pronoun refers to same thing(s) or person(s) as object pronoun; **emphasizes or clarifies.**

▸*a* + pronoun---→direct obj. pronoun

No **la** quiero **a ella**; **te** quiero **a ti**.
*I don't love **her**; I love **you**.*

▸*a* + (pro)noun---→indirect obj. pronoun

Dale el dinero **a Juana**, no **a Julio**.
*Give the money to **Juana**, not to **Julio**.*
A ella no **le** gusta eso, pero a mí sí.
She doesn't like that, but I do.

▸With **reflexive** construction:
a + pronoun + *mismo/a(s)* is added for emphasis:

Ella critica a sus amigos; también **se critica a sí misma**.
She criticizes her friends; she also criticizes herself.

▸In **reciprocal**, *uno/a(s) a otro/a(s)* is used:
Tú y yo nos ayudamos **uno/a a otro/a**.
You and I help each other.

These eliminate ambiguities in the plural:

Se ayudan **unos a otros**, y **a sí mismos**.
They help each other, and themselves.

Direct object duplication:
When direct object* precedes verb, a matching pronoun is inserted:
No comí las uvas.--Las uvas* no **las** comí.

1-15. "PERSONAL" *A*

Used before direct object (pro)nouns referring to specific persons, or personalized entities.

Visito **a** Pepe y **a** esa chica.
Quiero **a** mi gato.
Muchos critican **a** Hollywood.
¿**A** quién ves? No veo **a** nadie.

Omitted before indefinite persons, after *tener*

Busco / necesito una **secretaria**.
No tengo **hermanos**.

Clearly marks direct object:

¿Quién llama **a Adán**?
Who calls Adán?
¿**A quién** llama Adán?
Whom does Adán call?

1-16. POSSESSIVES

Saying "_____ 's _____":
el / la / los / las _____ de _____

el libro de Pablo = *Pablo's* book*
las plumas de Juana = *Juana's* pens*

*Spanish *never* uses apostrophe

Ellipsis--noun can be dropped* in series:
la casa de Juana y la * de Pedro
*Juana's house and Pedro's **

▸Unstressed Possessive Adjectives

mi(s) *my*	**nuestro/a(s)** *our*
tu(s) *your*[1]	**vuestro/a(s)** *your*[3]
su(s) *his, her, your*[2]	**su(s)** *their, your*[4]

1 *tú* 3 *vosotros*
2 *Ud.* 4 *Uds.*

Precede the noun; all agree with noun in number; *nuestro / vuestro* agree in gender:

mi / tu / su hermano/a
mis / tus / sus hermanos(as)
nuestro(s) hermano(s)
vuestra(s) hermana(s)

Clarification of *su*

Su is ambiguous:

su libro = *his/her/your/their* book*
sus libros = ** books*
su tía = ** aunt*
sus tías = ** aunts*

Formula for clarifying ***su***:

el / la / los / las } + noun + ***de él/ella/Ud./ellos(as)/Uds.***

su (*his*) libro→el libro **de** él
su (*their*) silla→la silla **de** ellos/as
sus (*your*) tazas→las tazas de Ud(s).

▸Stressed Possessives

mío/a(s)	**nuestro/a(s)**
tuyo/a(s)	**vuestro/a(s)**
suyo/a(s)	**suyo/a(s)**

As **adjectives**, follow noun, agree with it in number and gender:

un amigo/a **mío/a, tuyo/a**, etc.
a friend of mine, yours, etc.
unos/as amigos/as **nuestros/as**
some friends of ours

As **pronouns**, used with definite article:

No uso mi lápiz; uso **el tuyo**.
I don't use my pencil; I use yours.
Yo visito su casa y él visita **la mía**.
I visit his house and he visits mine.

But: Article omitted after *ser*:
Ese vaso no es **tuyo**; es **mío**.

Clarification of *suyo*

Suyo is ambiguous:
Esta pluma es suya.
This pen is his/hers/yours/theirs.

Formula for clarifying ***suyo***:

el / la / los / las } + ***de + él/ella/Ud./ellos(as)/Uds.***

Él y ella tienen coches; **el de él** es rojo; **el de ella** es verde. (*his is red; hers is green*)

Las chicas y los chicos traen galletas a la fiesta; **las de ellas** son más sabrosas que **las de ellos.**

1-17. DEMONSTRATIVES

a. Demonstrative Adjectives

this / these

	Masc.	Fem.
Sing.	**este**	**esta**
Pl.	**estos**	**estas**

that / those (near)

	Masc.	Fem.
Sing.	**ese**	**esa**
Pl.	**esos**	**esas**

that, those (remote)

	Masc.	Fem.
Sing.	**aquel**	**aquella**
Pl.	**aquellos**	**aquellas**

esta pera, **ese** queso y **aquellas** bananas

b. Demonstrative Pronouns

this/that one; these/those (ones)

Masc./fem. forms:
same as adjectives, with accents:
éste, ésta, éstos, éstas
ése, ésa, ésos, ésas
aquél, aquélla, aquéllos, aquéllas

esta casa y **ésas** *this house and those*
este libro y **aquél** *this book and that one*

Neuter forms: refer to unidentified objects or to events; no accent:

esto **eso** **aquello**

Él siempre llega tarde; **eso** no me gusta.
¿Qué es **esto**?

1-18. INTERROGATIVES

¿cómo?	*how?*
¿cuál(es)?	*which?; what?*
¿cuándo?	*when?*
¿cuánto/a(s)?	*how much?; how many?*
¿dónde?	*where?*
¿por qué?	*why?*
¿qué?	*what?; which?*
¿quién(es)?	*who?*

¿Cuál?, ¿quién?, ¿cuánto? agree with noun:

¿Quién(es) es/son esa(s) chica(s)?
¿Cuál es / **cuáles** son...?
¿Cuánto tiempo...? **¿Cuántas horas...?**

Whose? = ¿De quién(es)?:

¿De quién es ese libro?
Whose book is that?

The *¿Qué? / ¿Cuál?* Distinction

= *what?, which?*; not interchangeable:

▸Uses of *¿cuál(es)?*

Pronoun; asks listener to choose from a number of possible choices:

¿Cuál es tu nombre / teléfono?
What's your name phone number?
¿Cuál es la fecha? *What's the date?*
¿Cuáles son tus platos favoritos?
What are your favorite dishes?
¿Cuál(es) de estas camisas prefieres?
Which of these shirts do you like?

▸Uses of *¿qué?*

As **pronoun**, asks listener to define or identify something:

¿Qué es esta cosa? *What's this thing?*
¿Qué son «*reptiles*»? *What are "reptiles"?*

Used as **adjective** modifying noun:

¿Qué día es? **¿Qué** deportes practicas?

Tag Questions

(...do you?, didn't he?, etc.)

¿no?; ¿verdad?; ¿no te / le parece?

Es difícil, ¿no? Eres de Perú, ¿verdad?
Eso es ridículo, ¿no te parece?

1-19. COMPARISONS

a. Comparisons of Inequality

- **más que...** *more than...; -er than...*
- **menos que...** *less (fewer) than...*

Pablo es **más/menos** alto **que** Pedro.
Trabajo **más/menos (horas) que** ellos.

- **De** used instead of **que** before a number, unless negation precedes:

Tiene **más/menos *de*** tres hijos.

But: No tiene **más/menos *que*** cuatro.

▸Irregular Comparative Forms

Positive	**Comparative**
bueno / bien	**mejor**[1]
malo / mal	**peor**[1]
poco	**menos**
mucho	**más**
viejo, grande	**mayor**[1, 2]
joven, pequeño	**menor**[1, 2]

Yo juego bien / mal, pero ellas juegan **mejor / peor (que** yo).

Él come mucho, pero yo como **más / menos (que** él).

1 Plural (*-es*) form used where applicable:
Ellas son buenas (malas) jugadoras, pero no son las **mejores (peores)**.

2 Regular comparison sometimes used:
Arturo es **mayor / más viejo que** Julio.
¿Son **menores / más jovenes que** yo?

▸*más/menos....del que , de lo que*

Used when 2nd member of comparison is a clause; *de lo que* used to compare adjective[1] or verb[2], *del (de la, de los, de las) que* for a noun[3].

Es más fácil[1] **de lo que** tú piensas.
It's easier than you think.
Lees[2] menos **de lo que** debes leer.
You read less than you should read.
Hay más postres[3] **de los que** puedo comer.
There are more desserts than I can eat.
Se cultiva más trigo[3] **del que** se consume.
More wheat is grown than is consumed.

b. Comparisons of Equality

(as ... as)

▸tan + (adj. / adv.) como...

No soy **tan** inteligente **como** tú.
Ellas son **tan** altas **como** Mario.
¿Entiendes **tan** bien **como** Carlos?

▸(verb) tanto como...

Ellos comen **tanto como** yo.
Leo mucho, pero no **tanto como** Ud.

▸tanto/a(s) (noun) como...
as much / many (noun)...

No bebo **tanta** leche como Enrique.
Leo **tantos** libros **como** ellas, pero no **tantos como** él.

****

NOTE:

***Mucho/a(s)* is never used for English *much/many* in comparisons of equality:**

Wrong: **Leo tanto mucho como él.**
Right: **Leo tanto como él.**

****

▸*...the same as...*

el / la / los / las / lo mismo/a(s)...que...

Vivo en **la misma** ciudad **que** tú.
Seguimos **los mismos** cursos **que** ellos.
Pienso **lo mismo que** mi hermana.

1-20. PREPOSITIONS

a. *por* and *para*

****

ABOUT *POR* AND *PARA*

***One or the other* fits into a particular context. *They are not generally interchangeable.* The English equivalents vary; see examples below.**

****

Uses of *por*:

▸Inexact location in space or time:
Trabajo **por** la mañana/tarde/noche.
Vamos a viajar **por** Francia.
Por aquí no hay nada que ver.

▸*During* a period of time (often omitted):
Estuve en España (**por**) dos años.

▸*In exchange for, instead of*:
Te doy cinco dólares **por el** libro.
No puedo ir a clase; ¿puedes ir **por** mí?

▸*At the rate of; per*:
Ramón maneja a cien millas **por** hora.
Veinte **por** ciento de los chicos faltan.

▸*Due to; because of*:
Mi madre me riñe **por** mi estupidez.
Por esa razón, decidí quedarme aquí.

▸*In support of, in favor of; for the sake of*:
No voto **por** ese candidato.
Estoy **por** cancelar la fiesta.
Sacrifican mucho **por** su país / familia.

▸*Through, by means of*:
No pases **por** esa puerta.
Vamos **por** tren.

▸*By*, meaning agency, authorship, etc.:
La novela fue escrita **por** Hemingway.

▸After *ir, venir*, before object of errand:
Mamá viene **por** mí (*is coming for me*).
Fui **por** pan y leche.

▸Before *adjective +que* ("*no matter how...*"):
Lo haré, **por** difícil que sea.
I'll do it, no matter how hard it is.

▸After some verbs:

acabar por	*wind up (___ing)*
interesarse por	*be interested in*
mirar por	*watch out for*
preguntar por	*inquire about*
preocuparse por (de)	*worry about*
optar por	*opt for*
tomar por	*take for*

But: *buscar, pedir* take no preposition:
Busco (pido)... *I look (ask) for...*

▸In common idioms:

por ahora	*for now*	por fin	*finally*
¡Por Dios!	*Goodness!*	por lo menos	*at least*
por eso	*therefore*	por supuesto	*of course*

Uses of *para*:

▸Use, goal, purpose, object, destination:
Es una botella **para** leche.
El regalo es **para** ti.
Estudio **para** aprender.
Salimos **para** San Francisco.
Esta cosa no sirve **para** nada.
Tenemos comida **para** dos días.
Trabajamos **para** la universidad.

▸(Dis)advantage, perspective:
Para mí, la química es muy difícil.
Eso no es bueno **para** la salud.

▸*Considering that...*:
Sabes mucho **para** persona tan joven.

▸*By* (a deadline):
Tengo que terminar todo **para** viernes.

▸With *estar, to be about to...* *
Estamos **para** salir.
Mi suscripción está **para** vencer.

***Por** used in Latin America

b. *a, con, de, en*

▸Verb→preposition→Infinitive

Many verbs take a preposition between themselves and a following infinitive; some take none:

Quiere [ ] salir.	*He wants to leave.*
Me ayudan **a** aprender.	*They help me to learn.*
Sueño **con** volar.	*I dream about flying.*
¡Deja **de** interrumpir!	*Stop interrupting!*
Insiste **en** fumar.	*He insists on smoking.*

Verb→Preposition→Infnitive Combinations

no preposition

aconsejar	*advise (smb.) to*
conseguir	*manage to*
deber	*should, ought to*
decidir	*decide to*
dejar	*allow, permit (smb.) to*
desear	*want, desire to*
gustar	*be pleasing to*
impedir	*prevent from ___ing*
intentar	*attempt try to*
lograr	*manage to*
necesitar	*need to*
pensar	*intend to*
poder	*can, be able to*
preferir	*prefer to*
prohibir	*prohibit from ___ing*
prometer	*promise to*
querer	*want to*
resolver	*resolve to*
saber	*know how to*
sentir	*regret ___ing*

Impersonal expressions take no preposition:
Es necesario (importante) entender esto.
It's necessary (important) to understand this.
Hace falta hacer ejercicio.
One ought to study.

a

aprender a	*learn to*
atreverse a	*dare to*
ayudar a	*help to*
comenzar a	*begin to*
empezar a	*begin to*
enseñar a	*teach to*
invitar a	*invite to*
ir a	*be going to*
negarse a	*refuse to*
obligar a	*oblige to*
ponerse a	*begin to*
salir a	*go out to*
volver a	*(verb) again*

con

amenazar con	*threaten to*
contar con	*count on*
soñar con	*dream about*

de

acabar de	*have just ___ed*
alegrarse de	*be glad to*
cansarse de	*get tired of ___ing*
deber de	*must (supposition)*
dejar de	*stop ___ing*
jactarse de	*brag about ___ing*
tratar de	*try to*

en

consistir en	*consist of*
dudar en	*hesitate to*
influir en	*influence*
insistir en	*insist on*
quedar en	*agree to*
ser el primero en	*be the first to*

▸Verb→Preposition→(Pro)noun

In many cases English uses no preposition or a different one; EG:

Asisten a la clase.	*He attends the class.*
Dependo **de** ellos.	*I depend on them.*

Verb→Preposition→(Pro)noun Combinations

a

asistir a	*attend (class, etc.)*
faltar a	*miss (meeting, etc.)*
jugar al (a la)	*play (sport)*

Sensory verbs:

holer a	*smell like*	parecerse a	*look like*
saber a	*taste like*	sonar a	*sound like*

con

acabar con	*put an end to*
amenazar con	*threaten to*
casarse con	*marry (smb.)*
contar con	*count on; have; possess*
soñar con	*dream about*
tratar con	*have dealings with (smb.)*

de

aprovecharse de	*take advantage of*
burlarse de	*make fun of*
cansarse de	*get tired of*
depender de	*depend on*
disfrutar/gozar de	*enjoy*
enamorarse de	*fall in love with*
hacer de	*act as; play the role of*
jactarse de	*brag about*
pensar de	*have an opinion about*
quejarse de	*complain about*
preocuparse de	*worry about*
reírse de	*laugh at*
salir de	*leave from (place)*
tratar de	*be about (subject)*
tratarse de	*be a matter of*

en

consistir en	*consist of*
convertirse en	*convert to, change into*
entrar en	*enter; go into*
pensar en	*think about*

c. Common Compound Prepositions

además de	*besides*	después de	*after*
al lado de	*beside*	detrás de	*behind*
alrededor de	*around*	en vez de	*instead of*
antes de	*before*	encima de	*above*
cerca de	*close to*	enfrente de	*opposite*
debajo de	*under*	frente a	*opposite*
delante de	*in front of*	fuera de	*outside*
dentro de	*inside*	lejos de	*far from*

d. Other Prepositions

ante *before; faced with*
ante esos problemas *faced with those problems*

bajo *under (often fig.)*
bajo su autoridad *under their authority*

contra *against*
contra la pared *against the wall*

desde *(starting) from*
desde la una hasta... *from 1:00 until...*

durante *during; for (time period)*
durante la guerra *during the war*
durante tres semanas *for three weeks*

entre *between; among*
entre la una y las dos *between 1:00 and 2:00*
entre mis colegas *among my colleagues*

hacia *toward; ___ward(s)*
camina hacia la pared *walk toward the wall*

hasta *until*
hasta las diez *until 10:00*

según *according to*
según tú *according to you*

sin *without*
No vayas sin mí. *Don't go without me.*

sobre *about, on, above*
sobre todo *above all*
sobre la mesa *on (above) the table*
hablar sobre un tema *speak about a topic*

1-21. *SER/ESTAR*

Both mean *to be*; not interchangeable:

Uses of *ser*:

▸Identification--(pro)noun = (pro)noun:

Juan **es** médico. **Somos** mexicanas.
¿**Son** tus hijos? **Soy** soldado.

▸With adjectives describing **inherent** or **definitive** qualities:

El béisbol **es** divertido.
¿Cómo **es** Adán? **Es** listo y estudioso.

▸*To take place* (time or place of event):

La fiesta **es** en mi casa. **Es** a las dos.

▸With *de* meaning *to be from*:

Somos de Chicago. ¿**De** dónde **eres**?

▸With *de* meaning *to be made of*:

Las corbatas **son de** seda.

▸With *de* meaning *to belong to*:

¿**De** quién **es** el dinero? **Es de** Pedro.

▸In passive before past participle:

(*to be _____ed [by_____]*)
Las fórmulas **son** analizadas (por ellos).
La novela **fue** escrita (por ella).

Uses of *estar*:

▸Location of anything physical:

¿Dónde **estás**? **Estoy** en Miami.
Los Andes **están** en Sud América.

▸With adjectives / past participles describing conditions that are **non-inherent, atypical** or **the result of an action or change**:

¿Cómo **estás**? **Estoy** bien, gracias.
Tienen un examen y **están** nerviosos.
¡Este jugo de naranja **está** agrio! (*sour*)
Juana, ¡**estás** (*you look*) muy guapa!
Las ventanas **están** abiertas / cerradas.
¿**Están** vivos o muertos sus abuelos?
Está nublado (*It's cloudy*).

▸With present participle in **progressive**:

¿Qué **estás** haciendo? **Estoy** leyendo.

1-22. EXISTENTIAL USE OF *HABER*

Hay = there is, there are:

¿**Hay** un coche en el garaje? No, **hay** dos.

Other tenses use 3rd-person singular *haber* form before both singular and plural nouns:

Hay un partido hoy. Mañana **habrá** dos.
Hubo un (tres) accidente(s) en esa calle.
Ha habido una (tres) fiestas aquí este mes.
Dudo que **haya** cuatro hijas en esa familia.

1-23. *SABER/CONOCER*

= *to know*; not interchangeable:

saber: possess knowledge, know-how, information:

No **sabemos** (cuál es) su nombre.
¿**Sabes** que él es mi hermano? Sí, lo **sé**.
No **sé** tocar el piano.

In **preterite**, = *found out, learned*:
Ya lo **sé**. Lo **supe** el viernes.
I already know it. I found (it) out on Friday.

conocer: Be acquainted with (a person, place, etc.):

Yo **conozco** a Juan, pero no sé dónde vive.
¿**Conoces** bien el país / la ciudad?

In **preterite**, = *met for the first time*:
Conozco a José. Lo **conocí** el año pasado.
I know José. I met him last year.

1-24. *PERO/SINO*

= *but*; not interchangeable:

pero: *however, nevertheless*; used after both affirmative and negative elements; expresses **qualification**:

Luis es listo, **pero** es perezoso.
No puedo ir, **pero** no me importa.

sino: *but rather...*, used only after a negative; what follows **contradicts** what precedes:

Juan no tiene un hermano, **sino** cuatro.
No voy a Francia **sino** a España.

sino que: used to contrast clauses:

No participó activamente, **sino que** pasó todo el día en la cama.

no sólo...sino (que): = *not only...but also*:

No sólo va Juan, **sino** (también) Luis.

No sólo ganó un premio, **sino que** (también) lo invitaron a la Casa Blanca.

1-25. WORD ORDER

In transitive sentences, order is generally like English (Subj.[1]--Verb[2]--Object[3]):

Mis padres[1] hablan[2] tres lenguas[3].

Word order is freer than English; **subject** and **verb** are often inverted; this occurs in transitive[1] and intransitive[2] sentences and in subordinate clauses[3].

1 Los **supervisores** me **observan**.
Me **observan** los **supervisores**.

Bell inventó el **teléfono**.
El **teléfono** lo inventó **Bell**.

2 **Llega** el **tren**. **Sale** el **sol**.

3 Eran las tres cuando **José llegó**.
Eran las tres cuando **llegó José**.

Después de que los **niños cenan**...
Después de que **cenan** los **niños**...

A subject[1] with lengthy modifier(s) often follows verb[2]:

Telefoneó[2] hace poco un **señor**[1] que quería hablar con el profesor González.
A gentleman who wanted to talk with Professor González telephoned a while ago.

Word Order in Questions

▸*Yes / no* questions:

Subject can precede or follow verb:

¿**Tu tía es** vieja? / ¿**Es** vieja tu **tía**?
¿**Su madre** no **va**? / ¿No **va** su **madre**?
¿**Elsa** te lo **dio**? / ¿Te lo **dio Elsa**?

▸Questions with interrogative words:

Subject usually follows verb:

¿Dónde **vive José**?
¿Cómo **están Alicia y Juana**?
¿Cuándo **empieza** la **película**?
¿A qué hora **llegan** los **invitados**?

Note:

Spanish uses *verb-subject* order in questions **and** *implied** questions:

¿Qué es eso?
What is that?
*Yo no sé **qué es eso**.
*I don't know **what that is**.*
¿Cómo está su padre?
How is his father?
*Dime cómo **está su padre**.
Tell me how his father is.

1-26. RELATIVE PRONOUNS

Relative pronouns link two clauses that have a noun in common:

La **niña** es mi hija. La **niña** llora.--
La niña **que** llora es mi hija.

Referring to persons or things:

que **el que**[1] **el cual**[2]

1 *el que, la que, los que, las que*
2 *el cual, la cual, los cuales, las cuales*

Referring to persons only: **quien(es)**

▸**Que**

The most common; the **only** choice when no comma or preposition precedes:

La ciudad **que** visité fue fascinante.
No conozco al profe **que** da esa clase.

Unlike English, relative cannot be omitted:

Un tipo **que** yo conozco me visitó.
A guy (that) I know visited me.

Can be used after comma or *a, con, de, en*:

Luis, **que** es el tío de Irma, falta hoy.
La persona a **que** me refiero es Carlos.
La casa en **que** vivimos es roja.

▸**El que, el cual, quien**

More formal; used after commas, prepositions; sometimes interchangeable:

El edificio, **el que / el cual** compré en 1998, es muy viejo.

Las alumnas **por las que / las cuales / quienes** escribí las cartas se graduaron.

Son personas sobre **quienes / las que / las cuales** no sabemos mucho.
They are persons about whom we don't know much.

▸**los/las cuales** used after **algunos/as de**:

Visité muchos museos, algunos **de los cuales** fueron fascinantes.
I visited many museums, some of which were fascinating.

▸**El/los/las/que = *the one(s) that...***

Este libro es mejor que *el que* tiene José.
This book is better than the one that José has.
Quiero esas cosas y no *las que* tú quieres.
I want those things, not the ones that you want.

Other Relatives

donde

La ciudad **donde** vivimos está muy lejos.

lo que

Which, what, that which...; neuter: refers to genderless entities, not specific nouns:

Lo que me gusta es que nunca llueve.
What I like is that it never rains.
No entendí **lo que** él me dijo.
I didn't understand what he told me.

lo cual

Used after comma or preposition; interchangeable with **lo que** in those cases:

José no fuma, **lo que / lo cual** es bueno.
José doesn't smoke, which is good.
Llovió, por **lo que / lo cual** no salí.
It rained, and so I didn't go out.

cuyo

Formal possessive adj: = *whose*; agrees with **thing(s) possessed**, not possesor(s):

Te presento a Ana, **cuyo tío** es mi amigo.
This is Ana, whose uncle is my friend.
Conocí al autor **cuyas novelas** había leído.
I met the author whose novels I had read.

Cuyo is not interrogative.
Whose? = *¿De quién(es)...?*

1-27. THE *GUSTAR* STRUCTURE

Gustar sentences express *(dis)likes*; structure differs from English:

English:	Spanish:
I like the book.	"Me pleases the book."
He likes books.	"Him please books."
We like to read.	"Us pleases to read."

▸**A Basic *gustar* sentence**

I.O. P. * + *gusta(n)* + Subject

*Indirect Object Pronoun

me / te / le / nos / os / les } 1. gusta el libro. / 2. gustan los libros. / 3. gusta leer (y escribir).

I / you / he / she / we / they
1. like the book.
2. like the books.
3. like to read (and write).

¿Te gusta la clase? Sí, me gusta.
Do you like the class? Yes, I like it.
¿Le gustan los huevos? No, no le gustan.
Does she like eggs? No, she doesn't like them.
¿Les gusta nadar? Sí, les gusta.
Do they like to swim? Yes, they like to.
Nos gusta cantar y bailar.*
We like to sing and dance.

*Multiple infinitives take singular verb

▸**Expansion: The Redundant «*A*» Phrase**

Adds **emphasis** or **clarification**:

A mí me
A ti te
A él le
A ella le
Al chico le
A Alicia le
A Ud. le
A nosotros nos
A Luis y a mí nos
A vosotros os
A ellos les
A ellas les
A las chicas les
A Paco y a Juan les
A Uds. les } *

*gusta el libro / gustan los libros / gusta leer.

▸Unemphatic→Emphatic:

Me gusta la leche. ¿Te gusta?→
A mí me gusta la leche. ¿**A ti** te gusta?
*I like milk. Do **you** like it?*

▸Ambiguous→Clarified:

Le (?) gusta eso, pero no les (?) gusta.→
A él le gusta eso, pero **a ellas** no les gusta.

A is repeated in compound phrases:

A Tomás y **a** mí nos gusta eso. ¿Les gusta **a** ti y a Mariana?

«*A*» phrase can be used without verb:

Me gusta el flan. ¿Y **a ti**?
I like flan. And you?
A Juana le gusta. **A nosotros** también.
Juana likes it. So do we.
A Elsa no le gusta nada. **A Adán**, tampoco.
Elsa doesn't like it at all. Neither does Adán.

▸**Verbs Similar to *Gustar***

encantar; interesar; molestar; caer bien/mal

Nos encanta ir de pesca.
We love to go fishing.
A mis alumnos les interesa la historia.
My students are interested in history.
¿A Uds. les molesta el ruido?
Does the noise bother you?
A Juana no le cae bien Paca.
Juana doesn't like Paca.

1-28. THE *-SELE* CONSTRUCTION

Describes **unplanned**, often **undesirable**, events that happen to one rather than being one's doing. The structure:

***Se* + I.O. P*. + 3rd-Person Verb + Subj.**

*Indirect Object Pronoun

Se { me / te / le / nos / os / les } { 1. olvidó la llave. / 2. olvidaron las llaves.

I / you / he / she / we / they
1. forgot the key.
2. forgot the keys.

«*A*» phrase (used as with *gustar*☞):

A Luis se le olvidó la tarea, pero **a mí** no.
Luis forgot the homework, but I didn't.

Other verbs:

Hago el trabajo que **se me asigna**.
I do the work that is assigned to me.
A veces a Pepe **se le ocurren** ideas locas.
Sometimes crazy ideas occur to Pablo.
¡Caramba! ¡**Se me perdió** la billetera!
Darn! My wallet got lost!
Al chico **se le rompió** la pierna.
The boy broke his leg (his leg got broken).

Compare:

Rompí el espejo.
I broke the mirror. (my action)
Se me rompió el espejo.
The mirror "got broken". (It happened to me.)

PART 2: VERB FORMS

OVERVIEW OF SPANISH VERB SYSTEM

1. SPANISH VERB TENSES AND THEIR ENGLISH EQUIVALENTS (Model English Verb: *talk*)

a. SIMPLE TENSES

Indicative					Subjunctive		Imperative	Participles
Present	Preterite	Imperfect	Future	Conditional	Present	Imperfect		
talk(s) *am/is/are talking* *am/is/are going to talk*	*talked*	*talked* *(used to) talk* *was talking* *was/were going to talk*	*will talk*	*would talk*	...*(that) talk(s)*	...*(that) talked*	*(you) talk!* *let's talk!*	Present: *talking* Past: *talked*

b. COMPOUND TENSES

Indicative				Subjunctive	
Present Perfect	Pluperfect	Future Perfect	Conditional Perfect	Present Perfect	Pluperfect
have has talked	*had talked*	*will have talked*	*would have talked*	...*(that) have has talked*	...*(that) had talked*

2. SUBJECT-VERB AGREEMENT IN SPANISH

In all tenses, Spanish verbs, by their **endings**, show agreement with their **subjects**; in any tense, there are *six* forms, corresponding to these subjects:

1. *yo* — *I*
2. *tú* — *you* (singular, informal)
3. *él/ella/Ud.* — *he; she; it; Elena, the boy, the class,* etc.; *you* (singular, formal)
4. *nosotros/as* — *we; __________ and I*
5. *vosotros/as* — *you* (plural, informal); used only in Spain (Latin America uses *Uds.* instead)
6. *ellos/ellas/Uds.* — *they; the classes, he and she; Julio and his sister,* etc.; *you* (plural, formal)

Verb conjugations are displayed vertically in the above order on the following pages.

3. PARTS OF A VERB FORM: *STEM + ENDING*

a. REGULAR VERB *STEMS*

All tenses except future/conditional: Infinitive **minus** *-ar / -er / -ir* (EG: ***habl-, com-, viv-***)

Future/conditional: Infinitive serves as stem: (EG: ***hablar-, comer-, vivir-***)

b. REGULAR VERB *ENDINGS*

Regular *-ar* Verbs

Indicative					Subjunctive		Imperative	Participles
Present	Preterite	Imperfect	Future[1]	Conditional[1]	Present	Imperfect		present; past
-o -as -a -amos -áis -an	-é -aste -ó -amos -asteis -aron	-aba -abas -aba -ábamos -abais -aban	-é -ás -á -emos -éis -án	-ía -ías -ía -íamos -íais -ían	-e -es -e -emos -éis -en	-ara / -ase -aras / -ases -ara / -ase -áramos / -ásemos -arais / -aseis -aran / -asen	--- -a; no -es (no) -e (no) -emos -ad; no -éis (no) -en	-ando -ado

Regular *-er* and *-ir* Verbs

Indicative					Subjunctive		Imperative	Participles
Present	Preterite	Imperfect	Future[1]	Conditional[1]	Present	Imperfect		present; past
-o -es -e **-emos / -imos**[2] **-éis /-ís**[2] -en	-í -iste -ió -imos -isteis -ieron	-ía -ías -ía -íamos -íais -ían	-é -ás -á -emos -éis -án	-ía -ías -ía -íamos -íais -ían	-a -as -a -amos -áis -an	-iera / -iese -ieras / -ieses -iera / -iese -iéramos / -iésemos -ierais / -ieseis -ieran / -iesen	--- -e; no -as (no) -a (no) -amos **-ed / -id**[2]; no -áis (no) -an	-iendo -ido

1 *Infinitive* used as stem in these tenses 2 *-er* and *-ir* endings differ only in these forms; first ending is for *-er* class, second is for *-ir*

See following pages for full conjugations in all tenses ☞

SPANISH VERB FORMS: REGULAR AND IRREGULAR, CONJUGATED IN ALL TENSES

SIMPLE TENSES

2-1. PRESENT INDICATIVE

Regular

-ar	-er	-ir
hablar	***comer***	***vivir***
hablo	como	vivo
hablas	comes	vives
habla	come	vive
hablamos	comemos	vivimos
habláis	coméis	vivís
hablan	comen	viven

Stem Changes

▸ ***e→ie*** **Changes**

pensar	***perder***	***mentir***
pienso	**pierdo**	**miento**
piensas	**pierdes**	**mientes**
piensa	**pierde**	**miente**
pensamos	perdemos	mentimos
pensáis	perdéis	mentís
piensan	**pierden**	**mienten**

Other *e→ie* verbs:

☞See 1b, p. 2-5

▸ ***o→ue*** **Changes**

contar	***volver***	***morir***
cuento	**vuelvo**	**muero**
cuentas	**vuelves**	**mueres**
cuenta	**vuelve**	**muere**
contamos	volvemos	morimos
contáis	volvéis	morís
cuentan	**vuelven**	**mueren**

Other *o→ue* verbs:

☞See 1b, p. 2-5

▸ ***e→i*** **Changes**

servir	***repetir***
sirvo	**repito**
sirves	**repites**
sirve	**repite**
servimos	repetimos
servís	repetís
sirven	**repiten**

Other *e→i* verbs:

☞See 1b, p. 2-5

Irregular in *yo* form only

▸ **c→cz** (*-acer, -ecer, -ocer, -ducir* verbs):

nacer	**nazco**	conocer	**conozco**
ofrecer	**ofrezco**	producir	**produzco**

▸ **g insertion** (some with other changes):

caer	**caigo**	poner	**pongo**
hacer	**hago**	salir	**salgo**
		traer	**traigo**

▸ **other**

caber	**quepo**	saber	**sé**
dar	**doy**	ver	**veo**

▸ **Consonant Spelling Changes (*yo* only)**

convencer **convenzo**
(*convences, convence,* etc.)

recoger **reco*j*o**
(*recoges, recoge,* etc.)

distin*gu*ir **distingo**
(*distingues, distingue,* etc.)

Irregular in more than one form

▸ **Irregular *yo* plus stem changes**

tener	***venir***	***decir***
tengo	**vengo**	**digo**
tienes	vienes	dices
tiene	viene	dice
tenemos	venimos	decimos
tenéis	venís	decís
tienen	vienen	dicen

▸ ***y*** **insertion: *-uir* verbs; *oír***

concluir	***huir***	***oír***
concluyo	**huyo**	oigo
concluyes	**huyes**	oyes
concluye	**huye**	oye
concluimos	huimos	oímos
concluís	huís	oís
concluyen	**huyen**	oyen

▸ **Other**

estar	***ir***	***haber***	***ser***
estoy	voy	he	soy
estás	vas	has	eres
está	va	ha	es
estamos	vamos	hemos	somos
estáis	vais	habéis	sois
están	van	han	son

Stress Shift

▸***-iar*** **verbs: *enviar* vs. *cambiar***

enviar[1]	***cambiar***[2]
envío	cambio
envías	cambias
envía	cambia
enviamos	cambiamos
enviáis	cambiáis
envían	cambian

Other verbs:
1 variar, esquiar 2 estudiar, limpiar

▸***-uar*** **verbs: *continuar*[1] vs. *evacuar*[2]**

continúo	evacuo
continúas	evacuas
continúa	evacua
continuamos	evacuamos
continuáis	evacuáis
continúan	evacuan

Other verbs:
1 actuar, evaluar 2 averiguar

2-2. IMPERATIVES (COMMANDS)

▸ ***Ud.***

Same as present subjunctive ☞
(affirmative and negative identical)

hablar	**(no) hable**	sacar	**(no) saque**
comer	**(no) coma**	abrazar	**(no) abrace**
vivir	**(no) viva**	recoger	**(no) recoja**
pensar	**(no) piense**	dar	**(no) dé**
volver	**(no) vuelva**	estar	**(no) esté**
servir	**(no) sirva**	ir	**(no) vaya**
huir	**(no) huya**	saber	**(no) sepa**
llegar	**(no) llegue**	ser	**(no) sea**

▸ ***Uds.***

Same as present subjunctive ☞
(affirmative and negative identical)

All verbs: add *-n* to *Ud.* imperative:
(no) **hablen**, (no) **coman**, (no) **vivan**, etc.

▸ ***tú*** **(affirmative)**

Regular:
Same as pres. indic. 3rd-pers. sing.

hablar	**habla**	pensar	**piensa**
comer	**come**	volver	**vuelve**
vivir	**vive**	servir	**sirve**

Irregular

decir	**di**	salir	**sal**
hacer	**haz**	ser	**sé**
ir	**ve**	tener	**ten**
poner	**pon**	venir	**ven**

▸ ***tú*** **(negative)**

Same as present subjunctive ☞

All verbs: add *-s* to *Ud.* imperative

hablar	**no hables**	sacar	**no saques**
comer	**no comas**	abrazar	**no abraces**
vivir	**no vivas**	recoger	**no recojas**
pensar	**no pienses**	dar	**no des**
volver	**no vuelvas**	estar	**no estés**
pedir	**no pidas**	ir	**no vayas**
huir	**no huyas**	ser	**no seas**
llegar	**no llegues**	saber	**no sepas**

▸ ***vosotros*** **(affirmative)**

Non-reflexive, *all* verbs:

Infin. *- r + d*

hablar	**hablad**	volver	**volved**
comer	**comed**	pedir	**pedid**
vivir	**vivid**	ser	**sed**
pensar	**pensad**	ir	**id**

Reflexive: *d* dropped

sentarse **sentaos** volverse **volveos**
divertirse **divertíos**

Exception: irse **idos**

▸ ***vosotros*** **(negative)**

Same as present subjunctive ☞

hablar	**no habléis**
comer	**no comáis**
vivir	**no viváis**
pensar	**no penséis**
volver	**no volváis**
pedir	**no pidáis**
huir	**no huyáis**
llegar	**no lleguéis**
sacar	**no saquéis**
abrazar	**no abracéis**
recoger	**no recojáis**
dar	**no deis**
estar	**no estéis**
ir	**no vayáis**
saber	**no sepáis**
ser	**no seáis**

▸ ***Nosotros***

Same as present subjunctive ☞
(affirmative[1] and negative identical[2])

hablar	**(no) hablemos**
comer	**(no) comamos**
vivir	**(no) vivamos**
pensar	**(no) pensemos**
volver	**(no) volvamos**
pedir	**(no) pidamos**
llegar	**(no) lleguemos**
abrazar	**(no) abracemos**
ir	**(no) vayamos**
saber	**(no) sepamos**
ser	**(no) seamos**

1 Affirmative also expressed with *vamos a* + *infinitive*: **¡Vamos a comer!** ***Let's eat!***
2 In affirmative reflexive, *s* is dropped:
levantémonos

2-3. PRESENT PARTICIPLE

- Regular:

hablar **hablando** comer **comiendo**
vivir **viviendo**

- Stem-changing: (*e→i; o→u* in *-ir* verbs)

preferir **prefiriendo** servir **sirviendo**
dormir **durmiendo** morir **muriendo**

- *i→y* (*oír; ir; -aer, -eer, -uir* verbs):

ir	**yendo**	oír	**oyendo**
creer	**creyendo**	leer	**leyendo**
concluir	**concluyendo**	caer	**cayendo**

- *i* dropped (*-eír* verbs; stem-final *ñ, ll*):

reír	**riendo**	reñir	**riñendo**
freír	**friendo**	bullir	**bullendo**

- Irregular:

poder **pudiendo**

2-4. PRETERITE

Regular

-ar	-er	-ir
hablar	***comer****	***vivir****
hablé	comí	viví
hablaste	comiste	viviste
habló	comió	vivió
hablamos	comimos	vivimos
hablasteis	comisteis	vivisteis
hablaron	comieron	vivieron

*Endings identical in these two classes

Stem Changes

(*e→i; o→u* in *-ir* verbs)

pedir	***preferir***	***dormir****
pedí	preferí	dormí
pediste	preferiste	dormiste
pidió	**prefirió**	**durmió**
pedimos	preferimos	dormimos
pedisteis	preferisteis	dormisteis
pidieron	**prefirieron**	**durmieron**

**dormir, morir* are the only verbs of this type.

Irregular

- **Irregular stems, common endings:**

-e, -iste, -o, -imos, -isteis, -ieron

poder	***querer***	***poner***
pude	quise	puse
pudiste	quisiste	pusiste
pudo	quiso	puso
pudimos	quisimos	pusimos
pudisteis	quisisteis	pusisteis
pudieron	quisieron	pusieron

Other stems taking these endings:

andar	**anduv-**	producir	**produj-**[1]
caber	**cup-**	reducir	**reduj-**[1]
decir	**dij-**[1]	saber	**sup-**
estar	**estuv-**	tener	**tuv-**
haber	**hub-**	traer	**traj-**[1]
hacer	**hic-**[2]	venir	**vin-**

1 If stem ends in *j*, 3rd-person plural ending drops *i*: *dijeron, trajeron*, etc.
2 3rd-person singular: *hizo*

- **Other Irregular Verbs**

ser/ir	***dar***	***ver***
fui*	di*	vi*
fuiste	diste	viste
fue*	dio*	vio*
fuimos	dimos	vimos
fuisteis	disteis	visteis
fueron	dieron	vieron

*No accents on these forms

- **Consonant Spelling Changes**

(*yo* only)

llegar	***llegué***
sacar	***saqué***
abrazar	***abracé***
averi*gu*ar	***averigüé***

- ***i→y* in Third Person**

-aer, -eer, -uir verbs; *oír*

caer	***incluir***	***leer***	***oír***
caí	incluí	leí	oí
caíste	incluiste	leíste	oíste
cayó	**incluyó**	**leyó**	**oyó**
caímos	incluimos	leímos	oímos
caísteis	incluisteis	leísteis	oísteis
cayeron	**incluyeron**	**leyeron**	**oyeron**

- ***i* Dropped in 3rd-Person Endings**

(*-eír* verbs; stem-final *ñ, ll*)

reír	***reñir***	***bullir***
reí	reñí	bullí
reíste	reñiste	bulliste
rió	**riñó**	**bulló**
reímos	reñimos	bullimos
reísteis	reñisteis	bullisteis
rieron	**riñeron**	**bulleron**

2-5. IMPERFECT INDICATIVE

Regular

-ar	-er*	-ir*
hablar	***comer***	***vivir***
hablaba	comía	vivía
hablabas	comías	vivías
hablaba	comía	vivía
hablábamos	comíamos	vivíamos
hablabais	comíais	vivíais
hablaban	comían	vivían

*Endings identical in these two classes

Irregular

ir	***ser***	***ver***
iba	era	veía
ibas	eras	veías
iba	era	veía
íbamos	éramos	veíamos
ibais	erais	veíais
iban	eran	veían

2-6. FUTURE/CONDITIONAL

Infinitive serves as stem in these tenses

Future endings (*all* verbs):

-é, -ás, -á, -emos, -éis, -án

hablar	***comer***	***vivir***
hablaré	comeré	viviré
hablarás	comerás	vivirás
hablará	comerá	vivirá
hablaremos	comeremos	viviremos
hablaréis	comeréis	viviréis
hablarán	comerán	vivirán

Conditional endings (*all* verbs):

-ía, -ías, -ía, -íamos, -íais, -ían

hablar	***comer***	***vivir***
hablaría	comería	viviría
hablarías	comerías	vivirías
hablaría	comería	viviría
hablaríamos	comeríamos	viviríamos
hablaríais	comeríais	viviríais
hablarían	comerían	vivirían

Irregular Future / Conditional Stems

(*All* verbs use same stem for both tenses)

caber	**cabr-**	querer	**querr-**
decir	**dir-**	saber	**sabr-**
haber	**habr-**	salir	**saldr-**
hacer	**har-**	tener	**tendr-**
poder	**podr-**	valer	**valdr-**
poner	**pondr-**	venir	**vendr-**

2-7. PRESENT SUBJUNCTIVE

ABOUT PRESENT SUBJUNCTIVE FORMS

- ***Stems: mostly* derived from present indicative *yo* form: regular, stem-changing, irregular**
- ***Endings: "opposite"* vowels from indicative:**
  ***All -ar* verbs have *-e* endings**
  ***All -er* and *-ir* verbs have *-a* endings**

Regular

-ar	-er	-ir
hablar	***comer***	***vivir***
hable	coma	viva
hables	comas	vivas
hable	coma	viva
hablemos	comamos	vivamos
habléis	comáis	viváis
hablen	coman	vivan

Stem Changes

- ***e→ie* (*-ar* and *-er* verbs)**

pensar	***entender***
piense	**entienda**
pienses	**entiendas**
piense	**entienda**
pensemos	entendamos
penséis	entendáis
piensen	**entiendan**

- ***o→ue* (*-ar* and *-er* verbs)**

contar	***volver***
cuente	**vuelva**
cuentes	**vuelvas**
cuente	**vuelva**
contemos	volvamos
contéis	volváis
cuenten	**vuelvan**

- ***e→ie; e→i* (*-ir* verbs)**

sentirse	***preferir***
me sienta	prefiera
te sientas	prefieras
se sienta	prefiera
nos sintamos	prefiramos
os sintáis	prefiráis
se sientan	prefieran

- ***e→i* (*-ir* verbs)**

servir	***conseguir***
sirva	consiga
sirvas	consigas
sirva	consiga
sirvamos	consigamos
sirváis	consigáis
sirvan	consigan

- ***o→ue; o→u***

(*morir, dormir* only)

morir	***dormir***
muera	duerma
mueras	duermas
muera	duerma
muramos	durmamos
muráis	durmáis
mueran	duerman

Subjunctive from Irregular *yo* form

- Models:

hacer	***incluir***	***conocer***
(hago)	***(incluyo)***	***(conozco)***
haga	incluya	conozca
hagas	incluyas	conozcas
haga	incluya	conozca
hagamos	incluyamos	conozcamos
hagáis	incluyáis	conozcáis
hagan	incluyan	conozcan

Continued☞

Present Subjunctive, continued:

Consonant Spelling Changes

llegar	*distinguir*	*sacar*	*abrazar*
llegue	distinga	saque	abrace
llegues	distingas	saques	abraces
llegue	distinga	saque	abrace
lleguemos	distingamos	saquemos	abracemos
lleguéis	distingáis	saquéis	abracéis
lleguen	distingan	saquen	abracen

vencer	*recoger*	*averiguar*
venza	recoja	averigüe
venzas	recojas	averigües
venza	recoja	averigüe
venzamos	recojamos	averigüemos
venzáis	recojáis	averigüéis
venzan	recojan	averigüen

Irregular Verbs
(*not* derived from *yo* form)

dar	*estar*	*haber*
dé	esté	haya
des	estés	hayas
dé	esté	haya
demos	estemos	hayamos
deis	estéis	hayáis
den	estén	hayan

ir	*saber*	*ser*
vaya	sepa	sea
vayas	sepas	seas
vaya	sepa	sea
vayamos	sepamos	seamos
vayáis	sepáis	seáis
vayan	sepan	sean

2-8. IMPERFECT SUBJUNCTIVE

****

IMPERFECT SUBJUNCTIVE FORMS

- **Derivation:**

From 3rd-person plural form of the preterite, regular and irregular; *no exceptions*:

dar→*dieron*→diera / diese, etc.
hacer→*hicieron*→hiciera / hiciese, etc.
saber→*supieron*→supiera / supiese, etc.

- ***-ra* form is more common than *-se***

****

(*-ra* form)

hablar	*comer*	*vivir*
hablara	comiera	viviera
hablaras	comieras	vivieras
hablara	comiera	viviera
habláramos	comiéramos	viviéramos
hablarais	comierais	vivierais
hablaran	comieran	vivieran

(*-se* form)

hablar	*comer*	*vivir*
hablase	comiese	viviese
hablases	comieses	vivieses
hablase	comiese	viviese
hablásemos	comiésemos	viviésemos
hablaseis	comieseis	vivieseis
hablasen	comiesen	viviesen

COMPOUND TENSES

****

ABOUT COMPOUND TENSES

Consist of two parts:

- **An *haber* form, conjugated in appropriate tense and person**
- **A past participle ending in *-o***

****

2-9. PAST PARTICIPLE

▸**Regular *-ar*:**

Stem + *-ado* habl|ar **hablado**

▸**Regular *-er* / *-ir*:**

Stem + *-ido* com|er **comido**
viv|ir **vivido**

▸**Irregular**

abrir	**abierto**	leer	**leído**
caer	**caído***	poner	**puesto**
creer	**creído***	reír	**reído***
cubrir	**cubierto**	resolver	**resuelto**
decir	**dicho**	romper	**roto**
describir	**descrito**	satisfacer	**satisfecho**
descubrir	**descubierto**	traer	**traído**
escribir	**escrito**	ver	**visto**
hacer	**hecho**	volver	**vuelto**

*Spelled regularly; accent required

2-10. PRESENT PERFECT INDICATIVE

"has / have _____ed"

he
has
ha
hemos
habéis
han
} + past participle

2-11. PLUPERFECT INDICATIVE

"had _____ed"

había
habías
había
habíamos
habíais
habían
} + past participle

2-12. FUTURE PERFECT

"will have _____ed"

habré
habrás
habrá
habremos
habréis
habrán
} + past participle

2-13. CONDITIONAL PERFECT

"would have _____ed"

habría
habrías
habría
habríamos
habríais
habrían
} + past participle

2-14. PRESENT PERFECT SUBJUNCTIVE

"... that ___ has / have _____ed"

haya
hayas
haya
hayamos
hayáis
hayan
} + past participle

2-15. PLUPERFECT SUBJUNCTIVE

"... that ___ had _____ed"

***-ra* form**

hubiera
hubieras
hubiera
hubiéramos
hubierais
hubieran
} + past participle

***-se* form**

hubiese
hubieses
hubiese
hubiésemos
hubieseis
hubiesen
} + past participle

IRREGULAR VERBS: LISTS AND PATTERNS

1. Stem-Changes

(Affect some verbs whose final stem-vowel is *e* or *o*)

a. Stem-change Patterns: Model Verbs (forms with changes in **bold**)

TYPE OF CHANGE / *INFINITIVE* / PRESENT PARTICIPLE / PAST PARTICIPLE	INDICATIVE TENSES					SUBJUNCTIVE TENSES		COMMANDS
	PRESENT	PRETERITE	IMPERFECT	FUTURE	CONDITIONAL	PRESENT	IMPERFECT	
1. ie	**pienso**	pensé	pensaba	pensaré	pensaría	**piense**	pensara	—
pensar	**piensas**	pensaste	pensabas	pensarás	pensarías	**pienses**	pensaras	**piensa** / no **pienses**
pensando	**piensa**	pensó	pensaba	pensará	pensaría	**piense**	pensara	(no) **piense** Ud.
pensado	pensamos	pensamos	pensábamos	pensaremos	pensaríamos	pensemos	pensáramos	(no) pensemos
	pensáis	pensasteis	pensabais	pensaréis	pensaríais	penséis	pensarais	pensad / no penséis
	piensan	pensaron	pensaban	pensarán	pensarían	**piensen**	pensaran	(no) **piensen** Uds.
2. ue	**cuento**	conté	contaba	contaré	contaría	**cuente**	contara	—
contar	**cuentas**	contaste	contabas	contarás	contarías	**cuentes**	contaras	**cuenta** / no **cuentes**
contando	**cuenta**	contó	contaba	contará	contaría	**cuente**	contara	(no) **cuente** Ud.
contado	contamos	contamos	contábamos	contaremos	contaríamos	contemos	contáramos	(no) contemos
	contáis	contasteis	contabais	contaréis	contaríais	contéis	contarais	contad / no contéis
	cuentan	contaron	contaban	contarán	contarían	**cuenten**	contaran	(no) **cuenten** Uds.
3. ie, i	**siento**	sentí	sentía	sentiré	sentiría	**sienta**	**sintiera**	—
sentir	**sientes**	sentiste	sentías	sentirás	sentirías	**sientas**	**sintieras**	**siente** / no **sientas**
sintiendo	**siente**	**sintió**	sentía	sentirá	sentiría	**sienta**	**sintiera**	(no) **sienta** Ud.
sentido	sentimos	sentimos	sentíamos	sentiremos	sentiríamos	sintamos	**sintiéramos**	(no) **sintamos**
	sentís	sentisteis	sentíais	sentiréis	sentiríais	sintáis	**sintierais**	sentid / no **sintáis**
	sienten	**sintieron**	sentían	sentirán	sentirían	**sientan**	**sintieran**	(no) **sientan** Uds.
4. i, i	**pido**	pedí	pedía	pediré	pediría	**pida**	**pidiera**	—
pedir	**pides**	pediste	pedías	pedirás	pedirías	**pidas**	**pidieras**	**pide** / no **pidas**
pidiendo	**pide**	**pidió**	pedía	pedirá	pediría	**pida**	**pidiera**	(no) **pida** Ud.
pedido	pedimos	pedimos	pedíamos	pediremos	pediríamos	**pidamos**	**pidiéramos**	(no) **pidamos**
	pedís	pedisteis	pedíais	pediréis	pediríais	**pidáis**	**pidierais**	pedid / no **pidáis**
	piden	**pidieron**	pedían	pedirán	pedirían	**pidan**	**pidieran**	(no) **pidan** Uds.
5. ue, u	**duermo**	dormí	dormía	dormiré	dormiría	**duerma**	**durmiera**	—
dormir	**duermes**	dormiste	dormías	dormirás	dormirías	**duermas**	**durmieras**	**duerme** / no **duermas**
durmiendo	**duerme**	**durmió**	dormía	dormirá	dormiría	**duerma**	**durmiera**	(no) **duerma** Ud.
dormido	dormimos	dormimos	dormíamos	dormiremos	dormiríamos	**durmamos**	**durmiéramos**	(no) **durmamos**
	dormís	dormisteis	dormíais	dormiréis	dormiríais	**durmáis**	**durmierais**	dormid / no **durmáis**
	duermen	**durmieron**	dormían	dormirán	dormirían	**duerman**	**durmieran**	(no) **duerman** Uds.

b. Some Common Stem-Changing Verbs*

1. *ie*

acertar, apretar, arrendar, ascender, atender, atravesar, calentar, cegar, cerrar, comenzar, confesar, defender, despertar, empezar, encender, encerrar, entender, enterrar, fregar, gobernar, helar, manifestar, mentar, merendar, negar, nevar, pensar, perder, quebrar, querer, recomendar, sentar, temblar, tender, tener[1], tentar, trascender, tropezar, venir[1], verter

2. *ue*

absolver, acordar, acostar, almorzar, aprobar, avergonzar, cocer, colgar, comprobar, contar, conmover, costar, demostrar, desaprobar, descontar, devolver, disolver, encontrar, esforzar, forzar, jugar (*u→ue*), llover, moler, morder, mostrar, mover, oler[2], poder, probar, promover, recordar, renovar, resolver, rodar, rogar, soler, soltar, sonar, soñar, torcer, tostar, tronar, volar, volcar, volver

3. *ie, i*[3]

advertir, arrepentirse, asentir, consentir, convertir, diferir, digerir, divertir, herir, hervir, ingerir, interferir, invertir, mentir, preferir, referir, requerir, sentir, sugerir, transferir

4. *i, i*[3]

competir, concebir, conseguir, corregir, derretir, despedir, desvestir, elegir, freír, impedir, medir, pedir, regir, reír, rendir, reñir, repetir, seguir, servir, sonreír, vestir

5. *ue, u*

dormir, morir

*Some verbs with stem-final *e* or *o* but no stem change: *aceptar, aprender, beber, comer, comprar, comprender, correr, cortar, coser, meter, montar, ofender, vender*

1 These verbs (and their compounds) have additional irregularities, and do not have the full paradigm of changes shown in **1a** tables.

☞**Present Indicative, Present Subjunctive, Preterite**

2 Forms with stem-change spelled with initial *h*: *huele, huela*, etc.

3 *Almost* all *-ir* verbs whose final stem-vowel is *e* have the *e→i* changes shown in patterns **3** and **4** (see **1a** tables); *sumergir* (*sumergió*, etc.) is one exception.

Reflexive Verbs: Stem-changes also occur if verb is used reflexively: *acostar(se)→(me) acuesto*, etc.

2. Patterns in Consonant Spelling Changes

What these changes are and how they work:

- Spelling of consonant sound at **end of verb stem** is affected: sa**c**ar; abra**z**ar; lle**g**ar; averi**gu**ar; reco**g**er, etc.
- Spelling varies depending on the following vowel sound; **pronunciation** of consonant remains the same
- Spelling changes are in accord with **General Rules of Spanish Spelling**
- In all cases the consonant sound is spelled one way before *a, o*, another way before *e, i*

Spelling of Consonant Sounds, as Determined by Following Vowel

[k]		[s][1] ([th])[2]		[g]		[gw]		*jota*[4]	
ca co	que[3] qui[3]	za zo	ce ci	ga go	gue[3] gui[3]	gua guo	güe güi	ja jo	ge gi
saca saco	saque delinquí	abraza abrazo venzo venza	vence vencí	llega llego siga sigo	sigue siguió seguí	averigua averiguo argua arguo	argüe averigüe argüí	recoja recojo	recoge recogí

1 Spelling of *letter s* does not vary: pasa, paso, pase
2 Pronunciation used in Spain
3 *«u»* in *que, qui, gue, gui* is silent
4 In *-jar, -jer* verbs, *«j»* spelling maintained throughout: arro*j*a, arro*j*e; te*j*e; te*j*a

3. Some Common Verbs With Irregular Present-Tense *yo* Forms (Stem of Present Subjunctive)

caber	**quepo**	incluir	**incluyo**	reducir	**reduzco**
caer	**caigo**	influir	**influyo**	salir	**salgo**
conducir	**conduzco**[1]	introducir	**introduzco**	satisfacer	**satisfago**
conocer	**conozco**	merecer	**merezco**	tener	**tengo**
construir	**construyo**[2]	nacer	**nazco**	traducir	**traduzco**
crecer	**crezco**	obedecer	**obedezco**	traer	**traigo**
decir	**digo**	ofrecer	**ofrezco**	valer	**valgo**
destruir	**destruyo**	oír	**oigo**	venir	**vengo**
establecer	**establezco**	parecer	**parezco**	ver	**veo**
hacer	**hago**	poner	**pongo**		
huir	**huyo**	producir	**produzco**		

1 *-acer, -ecer, -ocer, -ducir* verbs have *c→zc* change: (exception: *cocer→cuezo*)
2 *-uir* verbs insert *y*

4. Compounds of Common Irregular Verbs

a. RULE: These have the same irregular forms as their root verbs; some examples follow:

1) Present indicative *yo* forms→Present Subjunctive:

decaer	**decaigo→decaiga**	**aparecer**	**aparezco→aparezca**	**prevenir**	**prevengo→prevenga**
desconocer	**desconozco→desconozca**	**oponer**	**opongo→oponga**	**deshacer**	**deshago→deshaga**
predecir	**predigo→prediga**	**mantener**	**mantengo→mantenga**	**atraer**	**atraigo→atraiga**

2) Stem changes: **encerrar (encierr-)** **devolver (devuelv-)** **presentir (present-, presint-)** **impedir (impid-)**

3) Affirmative *tú* imperatives **suponer (supón)** **rehacer (rehaz)** **mantener (mantén)**

4) Preterite: **rehacer rehice**, etc. **proponer propuse**, etc. **retener retuve**, etc. **prevenir previne**, etc.

5) Future/Conditional Stems: **reponer (repondr-)** **retener (retendr-)** **deshacer (deshar-)**

6) Past participles: **deshacer (deshecho)** **oponer (opuesto)** **revolver (revuelto)**

b. EXCEPTIONS:

1) All compounds of *decir* are regular in affirmative *tú* imperative[a], future/conditional[b]

a **predice, maldice, etc.** b **predeciré / predeciría; maldeciré / maldeciría**, etc.

2) *bendecir* and *maldecir* (but not the other *-decir* verbs) are regular in the past participle:

bendecido, maldecido But: desdicho, contradicho, predicho

5. Complete Conjugations of Common Irregular Verbs (Irregular Forms in **Bold**)

INFINITIVE PRESENT PARTICIPLE PAST PARTICIPLE	INDICATIVE TENSES					SUBJUNCTIVE TENSES		IMPERATIVES
	PRESENT	PRETERITE	IMPERFECT	FUTURE	CONDITIONAL	PRESENT	IMPERFECT	
andar	ando	**anduve**	andaba	andaré	andaría	ande	**anduviera**	—
andando	andas	**anduviste**	andabas	andarás	andarías	andes	**anduvieras**	anda / no andes
andado	anda	**anduvo**	andaba	andará	andaría	ande	**anduviera**	(no) ande Ud.
	andamos	**anduvisteis**	andábamos	andaremos	andaríamos	andemos	**anduviéramos**	(no) andemos
	andáis	**anduvimos**	andabais	andaréis	andaríais	andéis	**anduvierais**	andad / no andéis
	andan	**anduvieron**	andaban	andarán	andarían	anden	**anduvieran**	(no) anden Uds.
caer	**caigo**	caí	caía	caeré	caería	**caiga**	**cayera**	—
cayendo	caes	caíste	caías	caerás	caerías	**caigas**	**cayeras**	cae / no **caigas**
caído	cae	**cayó**	caía	caerá	caería	**caiga**	**cayera**	(no) **caiga** Ud.
	caemos	caímos	caíamos	caeremos	caeríamos	**caigamos**	**cayéramos**	(no) **caigamos**
	caéis	caísteis	caíais	caeréis	caeríais	**caigáis**	**cayerais**	caed / no **caigáis**
	caen	**cayeron**	caían	caerán	caerían	**caigan**	**cayeran**	(no) **caigan** Uds.
dar	**doy**	**di**	daba	daré	daría	dé	**diera**	—
dando	das	**diste**	dabas	darás	darías	des	**dieras**	da / no des
dado	da	**dio**	daba	dará	daría	dé	**diera**	(no) dé Ud.
	damos	**dimos**	dábamos	daremos	daríamos	demos	**diéramos**	(no) demos
	dais	**disteis**	dabais	daréis	daríais	deis	**dierais**	dad / no deis
	dan	**dieron**	daban	darán	darían	den	**dieran**	(no) den Uds.
decir	**digo**	**dije**	decía	**diré**	**diría**	**diga**	**dijera**	—
dicho	**dices**	**dijiste**	decías	**dirás**	**dirías**	**digas**	**dijeras**	**di** / no **digas**
diciendo	**dice**	**dijo**	decía	**dirá**	**diría**	**diga**	**dijera**	(no) **diga** Ud.
	decimos	**dijimos**	decíamos	**diremos**	**diríamos**	**digamos**	**dijéramos**	(no) **digamos**
	decís	**dijisteis**	decíais	**diréis**	**diríais**	**digáis**	**dijerais**	decid / no **digáis**
	dicen	**dijeron**	decían	**dirán**	**dirían**	**digan**	**dijeran**	(no) **digan** Uds.
estar	**estoy**	**estuve**	estaba	estaré	estaría	**esté**	**estuviera**	—
estado	**estás**	**estuviste**	estabas	estarás	estarías	**estés**	**estuvieras**	**está** / no **estés**
estando	**está**	**estuvo**	estaba	estará	estaría	**esté**	**estuviera**	(no) **esté** Ud.
	estamos	**estuvimos**	estábamos	estaremos	estaríamos	estemos	**estuviéramos**	(no) estemos
	estáis	**estuvisteis**	estabais	estaréis	estaríais	estéis	**estuvierais**	estad / no estéis
	están	**estuvieron**	estaban	estarán	estarían	**estén**	**estuvieran**	(no) **estén** Uds.
haber	**he**	**hube**	había	**habré**	**habría**	**haya**	**hubiera**	
habido	**has**	**hubiste**	habías	**habrás**	**habrías**	**hayas**	**hubieras**	
habiendo	**ha**	**hubo**	había	**habrá**	**habría**	**haya**	**hubiera**	
	hemos	**hubimos**	habíamos	**habremos**	**habríamos**	**hayamos**	**hubiéramos**	
	habéis	**hubisteis**	habíais	**habréis**	**habríais**	**hayáis**	**hubierais**	
	han	**hubieron**	habían	**habrán**	**habrían**	**hayan**	**hubieran**	
hacer	**hago**	**hice**	hacía	**haré**	**haría**	**haga**	**hiciera**	—
haciendo	haces	**hiciste**	hacías	**harás**	**harías**	**hagas**	**hicieras**	**haz** / no **hagas**
hecho	hace	**hizo**	hacía	**hará**	**haría**	**haga**	**hiciera**	(no) **haga** Ud.
	hacemos	**hicimos**	hacíamos	**haremos**	**haríamos**	**hagamos**	**hiciéramos**	(no) **hagamos**
	hacéis	**hicisteis**	hacíais	**haréis**	**haríais**	**hagáis**	**hicierais**	haced / no **hagáis**
	hacen	**hicieron**	hacían	**harán**	**harían**	**hagan**	**hicieran**	(no) **hagan** Uds.
incluir	**incluyo**	incluí	incluía	incluiré	incluiría	**incluya**	**incluyera**	—
incluyendo	**incluyes**	incluiste	incluías	incluirás	incluirías	**incluyas**	**incluyeras**	**incluye** / no **incluyas**
incluido	**incluye**	**incluyó**	incluía	incluirá	incluiría	**incluya**	**incluyera**	(no) **incluya** Ud.
	incluimos	incluimos	incluíamos	incluiremos	incluiríamos	**incluyamos**	**incluyéramos**	(no) **incluyamos**
	incluís	incluisteis	incluíais	incluiréis	incluiríais	**incluyáis**	**incluyerais**	incluid / no **incluyáis**
	incluyen	**incluyeron**	incluían	incluirán	incluirían	**incluyan**	**incluyeran**	(no) **incluyan** Uds.
ir	**voy**	**fui**	**iba**	iré	iría	**vaya**	**fuera**	—
yendo	**vas**	**fuiste**	**ibas**	irás	irías	**vayas**	**fueras**	**ve** / no **vayas**
ido	**va**	**fue**	**iba**	irá	iría	**vaya**	**fuera**	(no) **vaya** Ud.
	vamos	**fuimos**	**íbamos**	iremos	iríamos	**vayamos**	**fuéramos**	(no) **vayamos**
	vais	**fuisteis**	**ibais**	iréis	iríais	**vayáis**	**fuerais**	id / no **vayáis**
	van	**fueron**	**iban**	irán	irían	**vayan**	**fueran**	(no) **vayan** Uds.
oír	**oigo**	oí	oía	oiré	oiría	**oiga**	**oyera**	—
oyendo	**oyes**	oíste	oías	oirás	oirías	**oigas**	**oyeras**	**oye** / no **oigas**
oído	**oye**	**oyó**	oía	oirá	oiría	**oiga**	**oyera**	(no) **oiga** Ud.
	oímos	oímos	oíamos	oiremos	oiríamos	**oigamos**	**oyéramos**	(no) **oigamos**
	oís	oísteis	oíais	oiréis	oiríais	**oigáis**	**oyerais**	oíd / no **oigáis**
	oyen	**oyeron**	oían	oirán	oirían	**oigan**	**oyeran**	(no) **oigan** Uds.
poder	**puedo**	**pude**	podía	**podré**	**podría**	**pueda**	**pudiera**	
pudiendo	**puedes**	**pudiste**	podías	**podrás**	**podrías**	**puedas**	**pudieras**	
podído	**puede**	**pudo**	podía	**podrá**	**podría**	**pueda**	**pudiera**	
	podemos	**pudimos**	podíamos	**podremos**	**podríamos**	podamos	**pudiéramos**	
	podéis	**pudisteis**	podíais	**podréis**	**podríais**	podáis	**pudierais**	
	pueden	**pudieron**	podían	**podrán**	**podrían**	**puedan**	**pudieran**	

INFINITIVE PRESENT PARTICIPLE PAST PARTICIPLE	INDICATIVE TENSES					SUBJUNCTIVE TENSES		IMPERATIVES
	PRESENT	PRETERITE	IMPERFECT	FUTURE	CONDITIONAL	PRESENT	IMPERFECT	
poner	**pongo**	**puse**	ponía	**pondré**	**pondría**	**ponga**	**pusiera**	—
poniendo	pones	**pusiste**	ponías	**pondrás**	**pondrías**	**pongas**	**pusieras**	**pon** / no **pongas**
puesto	pone	**puso**	ponía	**pondrá**	**pondría**	**ponga**	**pusiera**	(no) **ponga** Ud.
	ponemos	**pusimos**	poníamos	**pondremos**	**pondríamos**	**pongamos**	**pusiéramos**	(no) **pongamos**
	ponéis	**pusisteis**	poníais	**pondréis**	**pondríais**	**pongáis**	**pusierais**	poned / no **pongáis**
	ponen	**pusieron**	ponían	**pondrán**	**pondrían**	**pongan**	**pusieran**	(no) **pongan** Uds.
querer	**quiero**	**quise**	quería	**querré**	**querría**	**quiera**	**quisiera**	—
queriendo	**quieres**	**quisiste**	querías	**querrás**	**querrías**	**quieras**	**quisieras**	quiere / no **quieras**
querido	**quiere**	**quiso**	quería	**querrá**	**querría**	**quiera**	**quisiera**	(no) **quiera** Ud.
	queremos	**quisimos**	queríamos	**querremos**	**querríamos**	queramos	**quisiéramos**	(no) queramos
	queréis	**quisisteis**	queríais	**querréis**	**querríais**	queráis	**quisierais**	quered / no queráis
	quieren	**quisieron**	querían	**querrán**	**querrían**	**quieran**	**quisieran**	(no) **quieran** Uds.
saber	**sé**	**supe**	sabía	**sabré**	**sabría**	**sepa**	**supiera**	—
sabiendo	sabes	**supiste**	sabías	**sabrás**	**sabrías**	**sepas**	**supieras**	sabe / no **sepas**
sabido	sabe	**supo**	sabía	**sabrá**	**sabría**	**sepa**	**supiera**	(no) **sepa** Ud.
	sabemos	**supimos**	sabíamos	**sabremos**	**sabríamos**	**sepamos**	**supiéramos**	(no) **sepamos**
	sabéis	**supisteis**	sabíais	**sabréis**	**sabríais**	**sepáis**	**supierais**	sabed / no **sepáis**
	saben	**supieron**	sabían	**sabrán**	**sabrían**	**sepan**	**supieran**	(no) **sepan** Uds.
salir	**salgo**	salí	salía	**saldré**	**saldría**	**salga**	saliera	—
saliendo	sales	saliste	salías	**saldrás**	**saldrías**	**salgas**	salieras	**sal** / no **salgas**
salido	sale	salió	salía	**saldrá**	**saldría**	**salga**	saliera	(no) **salga** Ud.
	salimos	salimos	salíamos	**saldremos**	**saldríamos**	**salgamos**	saliéramos	(no) **salgamos**
	salís	salisteis	salíais	**saldréis**	**saldríais**	**salgáis**	salierais	salid / no **salgáis**
	salen	salieron	salían	**saldrán**	**saldrían**	**salgan**	salieran	(no) **salgan** Uds.
ser	**soy**	**fui**	**era**	seré	sería	**sea**	**fuera**	—
siendo	**eres**	**fuiste**	**eras**	serás	serías	**seas**	**fueras**	**sé** / no **seas**
sido	**es**	**fue**	**era**	será	sería	**sea**	**fuera**	(no) **sea** Ud.
	somos	**fuimos**	**éramos**	seremos	seríamos	**seamos**	**fuéramos**	(no) **seamos**
	sois	**fuisteis**	**erais**	seréis	seríais	**seáis**	**fuerais**	sed / no **seáis**
	son	**fueron**	**eran**	serán	serían	**sean**	**fueran**	(no) **sean** Uds.
tener	**tengo**	**tuve**	tenía	**tendré**	**tendría**	**tenga**	**tuviera**	—
teniendo	**tienes**	**tuviste**	tenías	**tendrás**	**tendrías**	**tengas**	**tuvieras**	**ten** / no **tengas**
tenido	**tiene**	**tuvo**	tenía	**tendrá**	**tendría**	**tenga**	**tuviera**	(no) **tenga** Ud.
	tenemos	**tuvimos**	teníamos	**tendremos**	**tendríamos**	**tengamos**	**tuviéramos**	(no) **tengamos**
	tenéis	**tuvisteis**	teníais	**tendréis**	**tendríais**	**tengáis**	**tuvierais**	tened / no **tengáis**
	tienen	**tuvieron**	tenían	**tendrán**	**tendrían**	**tengan**	**tuvieran**	(no) **tengan** Uds.
traer	**traigo**	**traje**	traía	traeré	traería	**traiga**	**trajera**	—
trayendo	traes	**trajiste**	traías	traerás	traerías	**traigas**	**trajeras**	trae / no **traigas**
traído	trae	**trajo**	traía	traerá	traería	**traiga**	**trajera**	(no) **traiga** Ud.
	traemos	**trajimos**	traíamos	traeremos	traeríamos	**traigamos**	**trajéramos**	(no) **traigamos**
	traéis	**trajisteis**	traíais	traeréis	traeríais	**traigáis**	**trajerais**	traed / no **traigáis**
	traen	**trajeron**	traían	traerán	traerían	**traigan**	**trajeran**	(no) **traigan** Uds.
venir	**vengo**	**vine**	venía	**vendré**	**vendría**	**venga**	**viniera**	—
viniendo	**vienes**	**viniste**	venías	**vendrás**	**vendrías**	**vengas**	**vinieras**	**ven** / no **vengas**
venido	**viene**	**vino**	venía	**vendrá**	**vendría**	**venga**	**viniera**	(no) **venga** Ud.
	venimos	**vinimos**	veníamos	**vendremos**	**vendríamos**	**vengamos**	**viniéramos**	(no) **vengamos**
	venís	**vinisteis**	veníais	**vendréis**	**vendríais**	**vengáis**	**vinierais**	venid / no **vengáis**
	vienen	**vinieron**	venían	**vendrán**	**vendrían**	**vengan**	**vinieran**	(no) **vengan** Uds.
ver	**veo**	vi	**veía**	veré	vería	**vea**	viera	—
viendo	ves	viste	**veías**	verás	verías	**veas**	vieras	ve / no **veas**
visto	ve	vio	**veía**	verá	vería	**vea**	viera	(no) **vea** Ud.
	vemos	vimos	**veíamos**	veremos	veríamos	**veamos**	viéramos	(no) **veamos**
	veis	visteis	**veíais**	veréis	veríais	**veáis**	vierais	ved / no **veáis**
	ven	vieron	**veían**	verán	verían	**vean**	vieran	(no) **vean** Uds.

PART 3: USES OF THE VERB TENSES

3-1. PRESENT INDICATIVE

- "Timeless" present–actions or states that habitually occur or are true:
  - **Escribe** y **habla** francés. — *He writes and speaks French.*
  - No **nieva** mucho en Florida. — *It doesn't snow much in Florida.*
  - Tokio **es** la capital de Japón. — *Tokyo is the capital of Japan.*
- Future intent:
  - **Salgo** el viernes. — *I'm leaving (going to leave) Friday.*
  - ¿Con quién **se casa** Claudia? — *Whom is Claudia going to marry?*
  - ¿**Vas** a nadar hoy? — *Are you going to swim today?*
- Progressive; actions occurring as one speaks:
  - **Escuchamos** música (ahora). — *We're listening to music (now).*
  - ¿Con quién **hablas**? — *With whom are you speaking?*
- Imperative (less abrupt than a command form):
  - Me **llamas** a las dos, ¿vale? — *Call me at two, ok?*
  - Nos **trae** los menús, por favor. — *Bring us the menus, please.*
- Equivalent of 1st-person questions *should (shall) I/we...?*
  - ¿**Estudio** los verbos? — *Should (Shall) I study the verbs?*
  - ¿**Entramos** ahora? — *Should (Shall) we go in now?*
- Informal recounting of a past episode:
  - Después, **entro** en el cuarto y **veo** que nadie está allí.
  - *Then, I go (went) into the room and I see (saw) that nobody's there.*

3-2. THE PRESENT PARTICIPLE

Invariable, always ending in *-o*

Uses *with* an auxiliary verb:

- After *estar* to form the **progressive**:
  - Están (estaban) **viendo** la tele. — *They are (were) watching TV.*
  - Voy a estar **trabajando** allí. — *I'm going to be working there.*
- After verbs of motion *andar, entrar, ir, salir* to describe ongoing events:
  - Vamos **conociéndonos**. — *We are getting to know each other.*
  - Los niños entraron **gritando**. — *The kids came in yelling.*
  - Anda **molestando** a los demás. — *He goes around bothering others.*
  - El ladrón salió **corriendo**. — *The thief took off running.*
- After *seguir, continuar* to mean *keep on _____ing*:
  - Siguen (continúan) **hablando**. — *They keep on talking.*
- After *acabar* to mean *wind up _____ing*:
  - Acabé **perdiendo** dinero. — *I wound up losing money.*
- After verbs of perception:
  - Vi a José **bailando** con Juana. — *I saw José dancing with Juana.*
  - Si te oigo **riñendo** a Carlos... — *If I hear you scolding Carlos...*
- After *llevar + time expression (= have/had been _____ing)*:
  - ¿Cuánto tiempo llevas/llevabas **estudiando** español?
  - *How long have/had you been studying Spanish?*

Uses *without* an auxiliary verb:

"(by)_____ing"); since / inasmuch as / in order to _____:

Lo terminamos **trabajando** día y noche.
We finished it by working day and night.
Viendo que era inútil, salimos.
Seeing (since we saw) that it was useless, we left.
Siendo eso el caso, no hay remedio.
That being (since that is) the case, it can't be helped.
Me escribió **pidiendo** dinero.
She wrote me asking for (in order to ask for) money.

Present participle is **not** used:

To express future intent:
I'm leaving soon = Salgo pronto. ☞**Present Indicative**
After prepositions:
without speaking = sin hablar ☞**Infinitive**
As a noun:
Seeing is believing = Ver es creer. ☞**Infinitive**
As an adjective*†:
people working here = personas que trabajan aquí

*Some equivalents of *-ing* adjectives:
interesante (*interesting*), anglohablante (*English-speaking*), divertido (*amusing*), crema de afeitar (*shaving cream*), coche comedor (*dining car*)

†Exceptions: **hirviendo** (hervir) and **ardiendo** (arder) are used as adjectives

3-3. IMPERATIVES (COMMANDS)

- ***tú, Ud., vosotros, Uds.***

Used to instruct or order one or more persons to do or *not* do something:

tú:	**habla** español	**no hables** inglés
Ud.	**póngase** los zapatos	**no se ponga** las sandalias
vosotros	**comed** las manzanas	**no comáis** los postres
Uds.	**vayan** con ellos	**no vayan** con ella

Subject, when expressed, follows verb:
- Piense **Ud.** / piensen **Uds.** en eso. — *Think about that.*
- No quiero hacerlo. ¡Hazlo **tú**! — *I don't want to do it.* ***You*** *do it!*

- ***Nosotros--let's (not) + verb***

Affirmative--Present subjunctive or *Vamos a + infinitive*:
- **Leamos / vamos a leer** tres capítulos. — *Let's read three chapters.*
- **Sentémonos** aquí. — *Let's sit here.*

Negative--Present subjunctive
- **No leamos** esa novela. — *Let's not read that novel.*
- **No nos sentemos** aquí. — *Let's not sit here.*

☞See **Present Indicative, Infinitive, Future** for other types of commands

3-4. THE INFINITIVE

Used as a **noun** in the following functions:

- Completer to a variety of verbs, as subject[1] or object[2]:
  - No nos gusta **almorzar**[1] aquí. — *We don't like to eat lunch here.*
  - No quiero **ir**[2] — *I don't want to go.*
  - ¿Prefieren Uds. **comer**[2] a las dos? — *Do you prefer to eat at two?*
- Object of preposition:
  - Sueño con **estudiar** en París. — *I dream about studying in Paris.*
  - No salgas sin **comer** primero. — *Don't leave without eating first.*
  - Se estudia para **aprender**. — *One studies in order to learn.*
  - Lo riñen por **llegar** tarde. — *They scold him for arriving late.*
- Translates English use of *-ing* as noun, sometimes with article:
  - **Ver** es **creer**. — *Seeing is believing.*
  - (El) **correr** es divertido. — *Running is fun.*
- Used as a command in instructions and signs:
  - **Elegir** una pregunta y **contestar** usando oraciones completas.
  - *Choose one question and answer using complete sentences.*
  - No **fumar**. — *No smoking.*
- Used after **al** to mean *when / on / upon ___ing*:
  - Al **llegar**, lo telefoneamos.
  - *When we arrived (upon arriving), we phoned him.*
  - Al **ver** a la reina, los señores se descubrieron.
  - *On seeing the queen, the gentlemen removed their hats.*
- After *llevar + time expression + sin* to indicate time during which an event has / had *not* occurred:
  - Llevamos / llevábamos siete años sin **ver** a nuestra hermana.
  - *We haven't / hadn't seen our sister in seven years.*
- After verbs of perception:
  - ¿Quieres oírme **tocar**? — *Do you want to hear me play?*
  - No vi **salir** a tus amigos. — *I didn't see your friends leave.*
- Used even in presence of subject to make the action more abstract:
  - ¿Yo **beber** whiskey? ¡Ni **soñar**!
  - *Me drink whiskey? Don't even think (dream) about it!*

3-5. THE PRETERITE/IMPERFECT DISTINCTION (P/I)

- **P** and **I** are two simple (one-word) past-tense verb conjugations.
- The **P/I** distinction has no consistent counterpart in English; English equivalents are not generally reliable as a guide.
- In speaking of a past event, speaker chooses **P** or **I** depending on speaker's **focus point** on the event--its **beginning, middle or end**.
- If one is substituted one for the other in a given context, this changes the focus point. **P** and **I** are not simply "interchangeable." See rules and examples below.

a. The Preterite

1. Actions or states that were **complete** at speaker's focus point:
   Estuvimos en Cuba durante una semana.
   We were in Cuba for a week.
   ¿Adónde **fueron** Uds. anoche?
   Where did you go last night?

   P is often used to recount a **sequence** of single complete events:
   Marta **fue** a la panadería, **compró** pan, **pagó** y **volvió** a casa.
   Marta went to the bakery, bought bread, paid and returned home.

2. Actions or states that **began** at speaker's focus point:
   Al oír las noticias, todos **gritaron / aplaudieron / lloraron**.
   On hearing the news, everybody (began to) yell / clap / cry.
   Almorcé a las doce y **descansé** a la una.
   I had lunch (beginning) at twelve, and rested (beginning) at one.

b. The Imperfect

1. Actions habitually performed, states that were generally true:
   Cuando **era** niño no me **gustaba** el frío; nunca **salía** en invierno.
   When I was a child I didn't like the cold; I never went out in winter.

La chica **se llamaba** Mariana. **Era** alta y delgada. Se **parecía** mucho a mi prima. Frecuentemente **llevaba** una sudadera roja en la que **estaba** escrito el nombre de la universidad donde ella **estudiaba**. **Vivía** en un pueblo que **se encontraba** muy cerca de mi ciudad natal.

The girl was called Mariana. She was tall and slender. She looked a lot like my cousin. She often wore a red sweatshirt on which the name of the university where she studied was written. She lived in a town that was very close to my hometown.

2. Events that were **in progress** at speaker's focus point:

Eran las tres de la tarde. Mamá **bañaba** al bebé, Pablito **lloraba** porque nadie le **prestaba** atención, Ana y yo **escribíamos** algo para una clase, y Papá **miraba** un partido en la tele.

It was three in the afternoon. Mom was bathing the baby, Pablito was crying because nobody was paying any attention to him, Ana and I were writing something for a class, and Dad was watching a game on TV

3. Ongoing past intent; anticipated events:
   Iba a contarle esa historia.
   I was going to tell him that story.
   Si ese profesor no me **aceptaba,** (yo) no **venía** a esta universidad.
   If that teacher wasn't going to accept me, I wasn't going to come to this university.

c. Applications: Combining the Preterite and the Imperfect

- One event (**P**) occurs as another (**I**) is in progress:
  Dormía cuando sonó el teléfono.
  I was sleeping when the phone rang.
  Le pregunté cómo se llamaba.
  I asked him what his name was.
  Eran las nueve cuando me levanté.
  It was nine o'clock when I got up.
  ¿Cuántos años tenías cuando te casaste?
  How old were you when you got married?

- **P** and **I** are often combined in narrating past events. **P**[1] has the effect of pulling the story forward (telling "what happened"); **I**[2] provides background to the events, characters involved.

Eran[2] las tres y media cuando **llegué**[1] a casa. Al llegar, **vi**[1] que la puerta **estaba**[2] abierta. **Me pregunté**[1] por qué **era**[2] así. De repente, **llegaron**[1] mi hijo y su amigo. **Reñí**[1] a mi hijo, que normalmente no **se olvidaba**[2] de tales cosas, por haber salido de casa sin cerrar la puerta. **Se disculpó**[1] y **prometió**[1] tener más cuidado.

It was three o'clock when I arrived home. On arriving, I saw that the door was open. I wondered why that was so. Suddenly, my son and his friend arrived. I scolded my son, who normally didn't forget such things, for having left without locking the door He apologized and promised to be more careful.

d. Using P or I to Show Different Focus Points on Same Event

Sample event: Juan **cenar**.

P: Juan **cenó** con nosotros ayer. (single completed event)
Juan **cenó** ayer a las siete. (event began at 7:00)

I: Juan **cenaba** aquí mucho cuando era alumno. (habitual)
Juan **cenaba** cuando sonó el teléfono. (event in progress)
Juan dijo que no **cenaba/iba a cenar** porque estaba ocupado. (intent)

e. Differences in English Equivalents to P and I

In some cases, certain verbs are translated with one English verb when used in **P**, and another when used in **I**; these are applications of the above rules, and are **not exceptions** or **special cases**. They point up lexical differences between English and Spanish.

conocer — **Conocimos** (*met for the first time*) a Juana recientemente. Antes, no la **conocíamos** (*did not know her)*.

saber — **Supe** (*I found out*) hoy que él es mexicano. No lo **sabía** *(did not know it*).

querer — **Quise** (*I tried*) explicarle eso a Paco, pero él no **quiso** (*refused to*) escucharme. **Quería** (*he wanted to*) hablar de otras cosas.

tener — **Tuve** (*I obtained*) otra copia de esa novela. Ya **tenía** (*already possessed*) tres copias.

3-6. THE FUTURE

- Expresses strong intent:
  Si quieres que lo haga, lo **haré**. *If you want me to do it, I'll do it.*
  ¡Venceremos! *We shall overcome!*

  Often interchangeable with present; present is more common when emphasis is not needed:
  Te veo / veré mañana. *I'll see you tomorrow.*

- Speculation about a present event:
  Su abuelo **tendrá** unos noventa años, ¿no?
  His grandfather would be about ninety years old, wouldn't he?
  ¿Por qué **pensarán** así?
  Why (I wonder) do they think that way?

- Very emphatic commands:
  ¡No **saldrás**! ¡**Te quedarás** en casa y **harás** tu tarea!
  *You will **not** go out! You will stay home and do your homework!*
  ¡No **matarás**! *Thou shalt not kill!*

3-7. THE CONDITIONAL

- What would happen under certain expressed or implied conditions:
  ¡Nunca le **diría** eso! *I would never tell him that!*
  ¿**Irías** a París si pudieras? *Would you go to Paris if you could?*

- Speculation about a past event:
  Sería una persona generosa. *He must have been a generous person.*
  Ese día **haríamos** diez escalas. *That day we must have made ten stops.*

- Serves as past equivalent to the future in "backshifted" sentences:
  Dice que no irá a París→Dijo que no **iría** a París.
  He says he won't go to Paris→He said he wouldn't go to Paris.

- Used in polite requests; sounds softer than present or imperative:
  ¿**Podrías** ayudarme? *Could you help me?*
  ¿**Tendría** Ud. tiempo para hacerlo? *Would you have time to do it?*

3-8. THE REFLEXIVE CONSTRUCTION

The reflexive is used much more than in English, and in many cases is reflexive in **form** but not in **meaning**.

- **"True" reflexive**--subject acts on itself:

Me llamo Adán.	*I call myself (my name is) Adán.*
¿Cuándo **te levantas**?	*When do you get (yourself) up?*
Hay que **analizarse**.	*One must analyze oneself.*

- **Reciprocal** (plural only: subjects act on each other)

Elena y yo **nos vemos**.	*Elena and I see each other.*
No **se critiquen** Uds.	*Don't criticize each other.*

Note: To avoid confusion, reflexive and reciprocal can be clarified:
Reciprocal: **uno/a(s) a otro/a(s)** Reflexive: **a sí mismo/a(s)**
EG. (Juan y Paco) se curan. (??)

Se curan **unos a otros**.	*They cure each other.*
Se curan **a sí mismos**.	*They cure themselves.*

- Many verbs describing emotional states or changes are reflexive:
  EG: sentirse, encontrarse, ponerse, alegrarse, aburrirse

¿Cómo **te sientes / te encuentras**?	*How do you feel?*
Me siento / me encuentro mal.	*I feel bad.*
Julia **se pone** furiosa cuando yo...	*Julia gets furious when I...*
Nos aburrimos si no podemos salir.	*We get bored if we can't go out.*

- Many actions of grooming and daily routine are expressed reflexively:
  EG: cepillarse, lavarse, bañarse, vestirse

Pablito, **lávate** las manos.	*Pablito, wash your hands.*
Me cepillo después de **vestirme**.	*I brush my hair after dressing.*

- A few common verbs are always reflexive in form:

atreverse (a) *to dare to*
No **me atrevo** a tomar ese examen. *I don't dare to take that test.*
jactarse (de) *to brag (about)*
No **te jactes** de tus notas. *Don't brag about your grades.*
quejarse (de) *to complain (about)*
Nos quejamos del trabajo. *We complain about the work.*

Compare: **Reflexive** (R) vs. **Non-Reflexive** (NR):
Me pongo (R) furiosa al oír eso. Eso siempre me pone (NR) furiosa.
I get furious when I hear that. That always makes me furious.
Me lavo (R) el pelo, y después le lavo (NR) el pelo a Mariana.
I wash my hair, and then I wash Mariana's hair.

3-9. NON-REFLEXIVE USES OF *SE*

- **Impersonal *se*:** *"One" + verb*; 3rd-person singular only; used with intransitive verbs and those with a personal direct object preceded by *a*:

Allí **se vive** muy bien; no **se ve** a muchos pobres.
One lives very well there; one doesn't see many poor people.
Si **se viaja** mucho, **se debe** usar cheques de viajero.
If one travels a lot, one should use traveler's checks.

Note: *tú* and *ellos* forms are also used impersonally in a *non*-reflexive construction; subject pronouns are omitted:
A veces **tienes** que aceptar las consecuencias.
Sometimes you have (one has) to accept the consequences.
Dicen que «*el uso hace maestro*».
They say "practice makes perfect".

- **Passive *se*:** 3rd-person singular or plural, subject agrees with verb, may preceed or follow it; the agent is not expressed.

Donde **se alquilan** coches **se aceptan** tarjetas de crédito.
Wherever cars are rented, credit cards are accepted.
Allí **se factura** el equipaje y **se confirma** la reservación.
There, the baggage is checked and the reservation is confirmed.

3-10. THE PERFECT INDICATIVE TENSES

a. Present Perfect

- Indicates completion of event as of present time, often within the current time period (day, month, etc.); sometimes refers to life experience:

Vi a González ayer, pero no lo **he visto** hoy.
I saw González yesterday, but I haven't seen him today.
¿**Has probado** alguna vez ese plato?
Have you ever tried that dish?

Note: The simple present is used with *hace* for event extending from a point in past through the present:
Hace tres años que **vivo** aquí. *I've lived here for three years.*

b. Pluperfect (Past Perfect)

Indicates completion of event as of a reference point in past:

Probé ese postre anoche. Nunca lo **había probado** antes.
I tried that dessert last night. I had never tried it before.
Ya **nos habíamos acostado** cuando sonó el teléfono.
We had already gone to bed when the phone rang.

Note: Imperfect is used with *hacía* for event extending from remote past to nearer past:
Encontré a Julia en el centro ayer. **Hacía** un año que no la **veía**.
I ran into Julia in town yesterday. I hadn't see her for a year

c. Future Perfect

- Predicts completion of event as of a reference point in the future:

Ya **habremos salido** cuando Uds. lleguen.
We will have already left when you arrive.
En 2020, ya **me habré jubilado**.
In 2020, I will have already retired.

- Speculates about completion of events as of the present:

¿Cuántas veces me **habrá contado** esa historia?
How many times do you suppose he's told me that story?

d. Conditional Perfect

- States what would have happened under certain conditions, expressed or implied:

En ese caso, no les **habría dicho** nada.
In that case, I wouldn't have told them anything.
Si les hubieras pedido ayuda, con mucho gusto te **habrían ayudado**.
If you had asked them for help, they'd have gladly helped you.

- Speculates about the completion of past events:

El **habría cometido** quince delitos antes de que lo prendieran.
He'd probably committed fifteen offenses before they arrested him.

Note: Pluperfect subjunctive is often used as conditional perfect:
Si hubiera salido a las tres, **hubiera (habría) llegado** a tiempo.
If I'd left at three, I would have arrived on time.

3-11. THE VARIABLE PAST PARTICIPLE

The variable *(-o, -a, -os, -as)* past participle is an adjective (and sometimes a noun) that occurs in a variety of structures.

a. Use as Adjective or Noun

Participle can act as adjective[1], becomes noun[2] with use of **article**:
No como nunca huevos **revueltos**[1]; prefiero **los cocidos**[2].
I never eat scrambled eggs; I prefer hard-boiled (ones).
Es una persona muy **dedicada**[1]
S/he's a very dedicated person.
¡Qué **divertido/entretenido**[1]!
What fun! How entertaining!
Sabemos los nombres de **los muertos**[2] y **los heridos**[2].
We know the names of the dead and the wounded.

b. The *ser* Passive

Subject **undergoes action**; agent* sometimes expressed:
Mi artículo **fue discutido** (por esa clase*).
My article was discussed (by that class).
¿Por quién* **fueron escritas** esas cartas?
By whom were those letters written?

c. Use with *estar*

Subject is in a **state** that is a **result** of an action performed on it:
Los exámenes **están corregidos**. Yo los corregí.
The exams are corrected. I corrected them.
Cuando llegamos, el puente ya estaba destruido.
When we arrived, the bridge was already destroyed.

d. Use with *Tener*

¿Los exámenes? Sí, ya los **tengo corregidos**.
The exams? Yes, I already have them corrected.
Ya **teníamos leídas** veinte páginas cuando ella llamó.
We already had thirty pages read when she called.

e. "Absolute" Construction

A formal structure used instead of a clause:
Terminadas *(Después de que terminaron)* las clases, nos fuimos.
The classes having ended, we left.
Resuelto (Si se resolviera) ese problema, podríamos descansar.
If that problem were solved, we could rest.

3-12. THE SUBJUNCTIVE/INDICATIVE (S/I) DISTINCTION

- **Subjunctive** and **Indicative** are two of the three **moods** that verbs are used in; the third is the **Imperative** (commands: ☞Section 3-3.)
- There are nine indicative tenses (five simple, four compound) and four subjunctive tenses (two simple, two compound) in common use today.
- The **subjunctive** is most commonly used in subordinate (dependent) clauses, when certain elements in the main clause trigger it; it has some uses in main clauses as well.

a. The Subjunctive and Indicative in Noun Clauses

Structure of a sentence in which subjunctive is required in the noun clause:

> **Main Clause (verb in Indicative but with Subjunctive "trigger")→**
> **Subordinate Clause (verb in Subjunctive)**

- The **indicative** is used in a noun clause if the main clause contains a statement of **truth** or **belief**:

Main Clause		Subordinate Noun Clause
Afirmo El presidente confirma Juana cree Es verdad/obvio/cierto Nos parece	que	Pablo no **quiere** ir. tú **eres** el mejor candidato. los chicos **van** a salir. todos **entendemos** la pregunta. el examen **es** fácil.

- The **subjunctive** is used in a noun clause if the main clause contains one of three "triggers":

1) An attempt to influence (also called "volition")

Main Clause		Subordinate Noun Clause
Quiero El presidente recomienda Juana pide Necesito Es necesario	que	Pablo **deje** de fumar. Juan **hable** con Carlos. mis colegas me **escuchen**. todos **almuercen** a la una. tú **hagas** eso.

Other verbs that show an attempt to influence:
aconsejar, dejar, desear, exigir, mandar, preferir

Verbs of communication: *decir, insistir en, sugerir, escribir:*
These take **S** if there's an attempt to influence, **I** otherwise:

Le digo a Pablo que **se ponga** el abrigo. Le digo que **hace** frío.
I tell Pablo to put on his coat. I tell (inform) him that it's cold.
Juana me sugiere que **estudie**. Eso sugiere que le **importan** mis notas.
Juana suggests that I study. That suggests that my grades matter to her
Insistimos en que no **vayan**. Ellos insisten en que no **hay** peligro.
We insist that they not go. They insist (maintain) that there's no danger
Escríbele que **venga** a las tres, y que **cenamos** a las cuatro.
Write to him telling him to come at three, and that we're eating at four

2) An emotional reaction or value judgement:

Es bueno/malo Me gusta Espero Les irrita Es natural/lógico	que	ellas no **quieran** ir. tú **vivas** allí. Juana **reciba** muchas cartas. Arturo me **visite** pronto. no **podamos** entender.

3) Doubt, denial, uncertainty, (im)possibility, (im)probability:

No creemos Dudo Ellas no están seguras (No) es posible (No) es probable	que	Uds. **hablen** español. Manolo **coma** carne. Luis me **entienda**. Pablo **vuelva** con nosotros. **haya** pan en la cocina.

In **questions**, **S/I** choice depends on speaker's belief about truth of noun clause:

¿Crees que **es** posible?
Do you believe it's possible (as I do)?
¿Crees que **sea** posible?
Do you believe it's possible (I have my doubts)?

b. The Subjunctive and Indicative in Adjective Clauses

- The **indicative** is used in an adjective clause (generally headed by *que*) if the clause refers to an **antecedent*** whose existence is affirmed:

Tengo un amigo* que **corre** diez kilómetros al día.
Conozco a muchas personas* que **participan** en la política.
Hay muchos libros* que **contienen** esa información.
Existen muchos edificios* que **reflejan** la arquitectura de esa época.

- The **subjunctive** is used if the clause refers to an **antecedent*** whose existence or identity is uncertain[1] or whose existence is denied[2].

1 ¿Tienes un amigo* que **corra** diez kilómetros al día?
Busco / quiero comprar un **coche*** que **cueste** menos de dos mil.
Cualquier alumno* que **necesite** ayuda debe telefonearme.

2 No tengo ningún amigo* que **corra** diez kilómetros al día.
No conozco a nadie* que **participe** en la política.

c. Sequence of Tenses in Subjunctive-Requiring Situations

Choice of subjunctive tense in the subordinate clause is determined by the tense of the main clause verb. There are two **sequences, present** and **past.**

1) Present Sequence

Main Clause Verb		Subordinate Clause Verb
present present perfect imperative future future perfect	→→→	present subjunctive *or* present perfect subjunctive

No {conozco / conoceré / he conocido} a nadie que **estudie** chino.
I don't know / will not know / have not known anyone who studies Chinese.

Dígales a los chicos que **dejen** de gritar.
Tell the boys to stop screaming.

La fiesta {termina / terminará / ha terminado / habrá terminado} antes de que **lleguemos**.
The party ends / will end / has ended / will have ended before we arrive.

A mi padre no le {gusta / ha gustado} que (yo) no **quiera** estudiar derecho.
My father does not like / has not liked the fact that I don't want to study law.

Present perfect subjunctive is used if event precedes that of main verb:

No {conozco / conoceré / he conocido} a nadie que **haya estudiado** chino.
I don't know, etc. *anyone who* ***has studied*** *Chinese.*

2) Past Sequence

Main clause verb		Subordinate Clause Verb
preterite imperfect pluperfect conditional conditional perfect	→→→	imperfect subjunctive *or* pluperfect subjunctive

Me {alegré / alegraría / había alegrado} de que todos **supieran** montar a caballo.
I was / would be / had been glad that everyone knew how to ride a horse.

Pluperfect subjunctive is used if event precedes that of main verb:

{Necesité / Necesitaba} un empleado que ya **se hubiera graduado**.
I needed an employee who had already graduated.

d. Adverbial Clauses (1) : S/I After Time Conjunctions

Cuando Clauses: A Pattern for Many Time Clauses

Verb after *cuando* is **I** if event is *realized*–known to occur or have occurred:

Cuando **llegan**, les sirvo una taza de café.
When they arrive, I serve them a cup of coffee.

Cuando **llegaron (llegaban)**, les serví / servía una taza de café.
When they arrived, I served (used to serve) them a cup of coffee.

S is used if event is or was still in the future:

Cuando **lleguen**, les voy a servir una taza de café.
When they arrive, I'm going to serve them a cup of coffee.

Cuando **llegaran**, les iba a servir una taza de café.
When they arrived, I was going to serve them a cup of coffee.

Other time words that take **S** or **I** as in the **"*cuando*" pattern** above:
a medida que (*as*); **después (de) que** (*after*); **en cuanto** (*as soon as*); **hasta que** (*until*); **mientras (que)** (*while*); **siempre que** (*as soon as, whenever*); **tan pronto como** *(as soon as)*

Hago los quehaceres mientras el bebé **duerme**.
I do the chores while the baby sleeps.

Enseñé hasta que **sonó** la campana.
I taught until the bell rang.

Tan pronto como **terminen / hayan terminado** de cenar, vengan a verme.
As soon as you finish / have finished eating supper, come see me.

Jorge pensaba tocar el piano **hasta que** yo **volviera / hubiera vuelto** a casa.
Jorge intended to play the piano until I returned / had returned home.

Exception: ***antes (de) que*** always takes **S**, even with realized events:
Siempre me levanto antes de que **suene** el despertador.
I always get up before the alarm goes off.
Siempre me levantaba antes de que **sonara** el despertador.
I always got up before the alarm went off.

e. Adverbial Clauses (2): S/I After Non-Time Conjunctions

- ***puesto que, ya que, en vista de que, debido a que*** take **I**:

Puesto que / ya que no **voy** de vacaciones, no necesito hacer la maleta.
Since I'm not going on vacation, I don't need to pack.
En vista de que / debido a que **nieva**, nos quedamos en casa.
In view of / due to the fact that it's snowing, we're staying home.

- **Conjunctions of Cause, Condition** or **Purpose** take S:

Usa un micrófono para que todos **puedan** oír.
He uses a microphone so that all can hear.
¿Puedes salir sin que tus amigos lo **sepan**?
Can you go out without your friends knowing it?
Te permito sentarte aquí con tal (de) que no me **molestes**.
I'll let you sit here provided that you don't bother me.

Conjunctions of this type:
a menos que (*unless*); **a condición de que** (*on the condition that*); **a fin de que** (*so that*); **con tal (de) que** (*provided that*) **en caso de que** (*in case*); **para que** (*in order that, so that*); **sin que** (*without*)

- ***de modo que / de manera que***

These take **I** when what follows is the **result** of the preceding action:
El profe lo explica bien, de modo que todos **entienden**.
The prof explains it well, and so (as a result) everybody understands.
Mi esposo escondió las llaves, de manera que no **pude** encontrarlas.
My husband hid the keys, and as a result I couldn't find them.

They take **S** when what follows is the **purpose** or **intent** of the action:
El profe lo explica bien, de modo que todos **entiendan**.
The prof explains it well, so (in order) that everybody will understand.
Mi esposo escondió las llaves, de manera que el bebé no **pudiera** encontrarlas.
My husband hid the keys, so that the baby couldn't find them.

- **Conjunctions of Concession:** ***a pesar de que / aunque / aun cuando***

S is used after these to express doubt about what follows; **I** otherwise:
Aunque no **es / sea** la solución ideal, es aceptable.
Although it isn't / might not be the ideal solution, it's acceptable.
A pesar de que él **era / fuera** el mejor candidato, no voté por él.
In spite of the fact that he was / might have been the best candidate, I didn't vote for him.

- ***por + adjective/adverb...*** (*= no matter how...)*

S is used if event is (was) not realized:
Voy a escuchar el discurso, por aburrido que **sea**.
I'm going to listen to the speech, no matter how boring it is.
Por bien que **juegues**, no ganarás a ésos.
No matter how well you play, you won't beat those guys.
Creíamos poder resolverlo, por difícil que **fuera**.
We thought we could solve it no matter how difficult it was.

With realized events, **I** is used:
Por mucho que se **esfuerza**, nunca llega a tiempo.
No matter how hard he tries, he never arrives on time.
Por mucho que lo **busqué**, no pude encontrar el documento.
No matter how much I looked, I couldn't find the document.

f. The Subjunctive in Indirect Commands

An **indirect command** is a *que* clause in which speaker expresses a wish that an action be performed by other person(s); English uses *may, let, have*:
No quiero lavar los platos; que los **lave** Pablo.
I don't want to wash the dishes; let (have) Pablo wash them.
¿Que no les gusta el vino? ¡Que **beban** agua, entonces!
They don't like the wine? Let them drink water, then!

Que is omitted in certain fixed expressions:
Dios te **bendiga**, hijo. — *May God bless you, my son.*
Haya luz. — *Let there be light.*

A *que*-structure can be used with other persons to express a wish:
¡**Que** lo pases bien! — *(I hope you) Have a good time!*

g. Subjunctive and Indicative in *si* Clauses

A number of **S** and **I** tenses are used in *si*-clauses:

- **Present indicative**: "timeless" present statement or prediction about **future**:

Si **se estudia**, se sale bien en los exámenes.
If one studies, one does well on exams.
Si **sales** ahora, llegarás a tiempo.
If you leave now, you will arrive on time.

- **Imperfect subjunctive**: **speculation** about future event *or* statement that is **contrary to present fact**; conditional used in main clause:

Si **salieras** ahora, llegarías a tiempo.
If you left now, you would arrive on time.
Si **tuviera** más dinero, saldría a comer frecuentemente.
If I had more money, I'd go out to eat frequently.

- **Pluperfect subjunctive: contrary to past fact**; conditional perfect or conditional used in main clause:

Eso no habría pasado si me **hubieras** escuchado.
That wouldn't have happened if you had listened to me.
Si **hubiéramos invertido** dinero en esa empresa, seríamos millonarios.
If we'd invested money in that company, we'd be millionaires.

- **Indicative past tense**: speaker accepts (at least temporarily) that *si*-clause is true, then states what follows from it, or questions it:

Si yo **salía** de la casa, mi hermanito siempre me seguía.
If I went out of the house, my little brother always followed me.
Si Juana te **dijo** eso, lo puedes creer.
If Juana told you that, you can believe it.
Si el martes **fue** el quince, (entonces) hoy es el diecisiete.
If Tuesday was the fifteenth, then today is the seventeenth.
Si **jugabas** tan bien, ¿por qué siempre perdías?
If you played so well, why did you always lose?
Si no **había estudiado**, ¿por qué estaba tan relajado antes del examen?
If (as he says) he hadn't studied, why was he so relaxed before the exam?

como si... *(as if; as though)*
Followed by **imperfect subjunctive** or **pluperfect subjunctive**
Actúa como si **él fuera** el líder del grupo.
He acts as though he were the leader of the group.
Me contestó como si no **hubiera oído** ni una sola palabra.
He answered me as if he had not heard a single word.

h. The Subjunctive in Simple (Single-Clause) Sentences

▸***quizá(s), tal vez, acaso,*** etc.

S used after these to express greater degree of doubt, **I** a lesser degree.

Quizás/tal vez/acaso **vienen / vengan** a las dos.
Perhaps they will come at 2:00.

No sé quién hizo eso. Quizás/tal vez/acaso lo **hizo/hiciera** Pablo.
I don't know who did that. Perhaps Pablo did it.

▸***ojalá***

Ojalá (*would that...; God grant that...*) always takes the subjunctive; it can be followed by *que*. It expresses hopes or wishes.

- Followed by **present** or **present perfect subjunctive** = *Espero que...*

  Ojalá (que) **tengamos** dinero suficiente para ir a Hawaii.
  I hope we have enough money to go to Hawaii.

  Ojalá (que) nadie me **haya oído** decir eso.
  I hope nobody heard me say that.

- Followed by **imperfect** or **pluperfect subjunctive** = *I wish...*; expresses wishes that are contrary to present or past fact.

  Ojalá (que) **tuviéramos** más dinero.
  I wish we had more money.

  Ojalá (que) el presidente **hubiera visitado** a nuestra ciudad.
  I wish the president had visited our city.

i. *Forma Reduplicativa*

A subjunctive verb form is repeated in dependent clause, offering alternatives.

- Relative pronoun used between verbs (= ____*ever, no matter*, etc.)

Sean cuales sean las razones, esto no es aceptable.
Whatever the reasons are, this is not acceptable.

Venga quien venga a la fiesta, yo no pienso venir.
I don't intend to come to the party regardless of who is coming.

Vayamos donde vayamos, la situación será similar.
Wherever we go, the situación will be similar.

Sea cuando sea la boda, todos iremos.
Whenever (no matter when) the wedding is, we'll all go.

Quería comprar el coche, **costara lo que costara**.
He wanted to buy the car, no matter how much it cost.

- Repetition optional (= *whether...or not*, etc.)

Puedes expresar tus opiniones, **seas o no (seas)** ciudadana.
You can express your opinions whether you're a citizen or not.

Teníamos que tomar esa clase nos **gustara o no (nos gustara)**.
We had to take that clase, whether we liked it or not.

Lo **hagas** ahora o (lo **hagas**) más tarde, tiene que estar hecho.
Whether you do it now or later, it has to be done.